La prophétie

DU MÊME AUTEUR

Chez Flammarion Québec

Le secret des fleurs
1. Le dahlia bleu
2. La rose noire
3. Le lys pourpre

Le cercle blanc
1. La croix de Morrigan
2. La danse des dieux
3. La vallée du silence

Le cycle des sept
1. Le serment
2. Le rituel
3. La Pierre Païenne

Quatre saisons de fiançailles
1. Rêves en blanc
2. Rêves en bleu
3. Rêves en rose
4. Rêves dorés

L'hôtel des souvenirs
1. Un parfum de chèvrefeuille
2. Comme par magie
3. Sous le charme

Les héritiers de Sorcha
1. À l'aube du grand amour
2. À l'heure où les cœurs s'éveillent
3. Au crépuscule des amants

Les Étoiles de la Fortune
1. Sasha
2. Annika
3. Riley

Abîmes et ténèbres
1. L'éclipse
2. La prophétie
3. L'Élue *(à paraître)*

Aux Éditions J'ai lu

Les illusionnistes
Un secret trop précieux
Ennemies
L'impossible mensonge
Meurtres au Montana
Question de choix
La rivale
Ce soir et à jamais
Comme une ombre dans la nuit
La villa
Par une nuit sans mémoire
La fortune des Sullivan
Bayou
Un dangereux secret
Les diamants du passé
Les lumières du Nord
Coup de cœur
Douce revanche
Les feux de la vengeance
Le refuge de l'ange
Si tu m'abandonnes
La maison aux souvenirs
Les collines de la chance
Si je te retrouvais
Un cœur en flammes
Une femme dans la tourmente
Maléfice
L'ultime refuge
Et vos péchés seront pardonnés
Une femme sous la menace
Le cercle brisé
L'emprise du vice
Un cœur naufragé
Le collectionneur
Le menteur
Obsession

Lieutenant Eve Dallas
Une soixantaine de titres

Les trois sœurs
1. Maggie la rebelle
2. Douce Brianna
3. Shannon apprivoisée

Trois rêves
1. Orgueilleuse Margo
2. Kate l'indomptable
3. La blessure de Laura

Les frères Quinn
1. Dans l'océan de tes yeux
2. Sables mouvants
3. À l'abri des tempêtes
4. Les rivages de l'amour

Magie irlandaise
1. Les joyaux du soleil
2. Les larmes de la lune
3. Le cœur de la mer

L'île des trois sœurs
1. Nell
2. Ripley
3. Mia

Les trois clés
1. La quête de Malory
2. La quête de Dana
3. La quête de Zoé

NORA ROBERTS

Abîmes et ténèbres – 2

La prophétie

Traduit de l'anglais (États-Unis) par Anaïs Goacolou

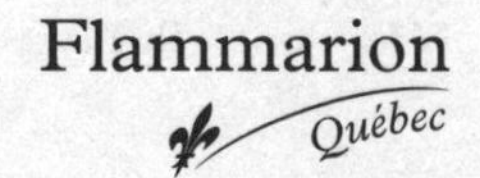

Catalogage avant publication de Bibliothèque et Archives nationales du Québec et Bibliothèque et Archives Canada
Titre : La prophétie / Nora Roberts ; traduit de l'anglais par Anaïs Goacolou.
Autres titres : Of blood and bone. Français
Noms : Roberts, Nora, auteur. | Goacolou, Anaïs, traducteur.
Description : Mention de collection : Abîmes et ténèbres ; 2 | Traduction de : Of blood and bone.
Identifiants : Canadiana 20190011521 | ISBN 9782890778214
Classification : LCC PS3568.O24865 O314 2018 | CDD 813/.54—dc23

COUVERTURE
Conception graphique : Antoine Fortin
Image : © Shalygin/Shutterstock.com

INTÉRIEUR
Composition : Nord Compo

Titre original : Of Blood and Bone
Éditeur original : St. Martin's Press, New York

ISBN 978-2-89077-821-4

Dépôt légal : 1er trimestre 2019

Imprimé au Canada
www.flammarion.qc.ca

Pour Kayla,
toujours plus intelligente et forte
à mesure qu'elle grandit.

LE CHOIX

Si proche est la grandeur de notre poussière,
Si proche est Dieu de l'homme,
Lorsque le devoir chuchote tout bas : « Tu dois »,
La jeunesse répond : « Je peux ».

Ralph Waldo EMERSON

Prologue

Le monde s'était écroulé à cause d'un virus, disait-on. Mais en fait, c'était la magye, aussi noire qu'une nuit sans lune, qui en était responsable. Le virus était son arme, une volée de flèches qui s'élançaient, des balles qui frappaient en silence, une lame qui fauchait aveuglément. Des innocents – par le contact d'une main, le baiser d'une mère pour souhaiter bonne nuit – avaient répandu la Calamité, causant la mort soudaine, douloureuse et atroce de milliards d'individus.

Nombre de ceux qui avaient survécu au choc de la première vague s'étaient eux-mêmes donné la mort, ou avaient été tués par la main d'un autre, en ce temps où les lianes épineuses de la folie, du chagrin et de la peur étranglaient le monde. D'autres, incapables de trouver un abri, de la nourriture, de l'eau potable, des médicaments, s'étaient simplement étiolés avant de mourir dans l'attente d'aide et d'espoir qui ne s'étaient jamais présentés.

Le cadre de la technologie s'était brisé, amenant le noir et le silence. Les gouvernements avaient dégringolé de leurs tours d'ivoire.

La Calamité ne faisait pas de quartier, ni à la démocratie ni aux dictateurs, ni aux parlements ni aux royaumes. Elle se repaissait des présidents comme des paysans avec le même appétit insatiable.

Dans l'obscurité s'éveillèrent des lumières restées en sommeil pendant des millénaires. La magye s'éleva, blanche et noire, du chaos. Des pouvoirs nouveaux offrirent un choix entre le bien et le mal, la lumière et les ténèbres.

Certains choisiraient toujours les ténèbres.

Les Insolites se partageaient ce qu'il restait du monde avec les êtres humains lambda. Et ceux – lambda et Insolites – qui épousaient les ténèbres frappaient, transformaient de grandes villes en décombres, chassaient ceux qui se cachaient d'eux ou les combattaient pour les détruire ou les réduire en esclavage, se gorgeaient de sang alors même que les cadavres tapissaient le sol.

Des gouvernements paniqués avaient ordonné à leurs soldats de rafler les survivants, de « contenir » les Insolites. Ainsi une enfant qui s'était découvert des ailes pouvait-elle se retrouver attachée à une table dans un laboratoire, au nom de la science.

Des fous sanguinaires se réclamaient de Dieu, drapés dans leur soi-disant vertu, semant la peur et la haine pour fonder leur propre armée afin de purger ce qui était « autre ». La magye, prêchaient-ils, était issue du diable, et tous ceux qui en possédaient étaient des démons à renvoyer en enfer.

Des Pilleurs arpentaient les villes en ruine, les autoroutes et les voies plus reculées pour brûler et tuer, parce qu'ils aimaient ça. L'homme trouverait toujours des moyens d'exercer sa cruauté envers l'homme.

Dans un monde aussi ravagé, qui aurait pu les arrêter ?

Des murmures dans la lumière et des grondements dans les ténèbres parvenaient aux oreilles des hommes au sujet de la venue prochaine d'une guerrière. Fille de la Tuatha de Danann, elle resterait cachée jusqu'au moment où elle ceindrait l'épée et porterait le bouclier. Jusqu'au moment où elle, l'Élue, mènerait la lumière contre les ténèbres.

Mais les mois devinrent des années et le monde demeurait détruit. Les chasses, les pillages et les rafles se poursuivaient.

Certains vivaient reclus, s'aventurant au-dehors de nuit pour glaner ou voler de quoi survivre une autre journée. Certains décidaient de prendre la route en une migration sans fin en direction de nulle part. D'autres partaient dans les bois pour chasser, dans les champs pour planter. Des gens formaient des communautés qui connaissaient des hauts et des bas, alors qu'ils peinaient à vivre dans un monde où une poignée de sel était plus précieuse que de l'or.

Et certains, comme ceux qui avaient trouvé et fondé New Hope, reconstruisaient.

Lorsque le monde s'était effondré, Arlys Reid l'avait rapporté depuis son poste de présentatrice du journal télévisé à New York, dont elle avait hérité. Elle avait regardé la ville brûler autour d'elle, et finalement avait choisi de dire la vérité à tous ceux qui pouvaient encore l'entendre et s'échapper.

Elle avait vu la mort de près, avait tué pour survivre.

Elle avait vu les cauchemars et les merveilles.

Elle et quelques autres personnes, dont trois nouveau-nés, avaient trouvé la petite ville désertée qu'elles avaient baptisée New Hope. Et c'est là qu'elles s'étaient établies.

Maintenant, en l'an 4, New Hope accueillait plus de trois cents habitants, un maire et un conseil municipal, une police, deux écoles – l'une pour la formation magyque, l'autre pour l'éducation classique –, un jardin et une cuisine communautaires, deux fermes, un moulin pour produire de la farine, une clinique comprenant un petit cabinet dentaire, une bibliothèque, un arsenal et une milice.

Ils disposaient de médecins, guérisseurs, phytothérapeutes, tisserands, cercles de couture, plombiers, mécaniciens, charpentiers, cuisiniers. Certains d'entre eux gagnaient leur vie par ces savoir-faire dans l'ancien monde. La plupart des autres les avaient étudiés et appris dans le nouveau.

Un service de sécurité armé était en poste vingt-quatre heures sur vingt-quatre. Et même si la formation au combat et à l'usage des armes restait sur la base du volontariat, la plupart des résidents la suivaient.

Le Massacre de New Hope, dans leur première année, restait une blessure fraîche dans les cœurs et les esprits. Cette cicatrice ainsi que les tombes des morts avaient abouti à la création de la milice et des groupes de sauvetage qui risquaient leurs vies pour venir au secours des autres.

Arlys se tenait sur le trottoir, regardant New Hope, et voyait pourquoi c'était précieux. Pourquoi chaque détail avait son importance. Plus que la survie, comme dans les premiers et horribles mois, plus même que la construction, comme dans les temps qui avaient suivi.

C'était vivre, et c'était, à l'image de la ville, l'espoir.

C'était important, pensa-t-elle, que Laurel, l'elfe, sorte balayer le perron du bâtiment où elle habitait par une fraîche matinée de printemps. Plus loin dans la rue, Bill Anderson nettoyait la vitrine des Oubliés, une boutique dont les étagères offraient des dizaines et des dizaines d'articles intéressants à troquer.

Fred, la jeune stagiaire qui avait affronté les horreurs sous terre à New York avec Arlys, devait être affairée au jardin communautaire. Fred, dotée de ses ailes magyques et son optimisme infini, vivait chaque jour avec espoir.

Rachel, médecin et très bonne amie, sortit pour ouvrir les portes de sa clinique. Elle lui fit signe.

— Où est le bébé ? lui lança Arlys.

— Au lit. À moins que Jonah l'ait repris une fois que j'ai tourné le dos. Il est complètement gaga.

— C'est ce qu'il faut, pour un papa. Ce n'est pas aujourd'hui, ta visite des six semaines, doc ? Ton grand jour.

— La doc en question a déjà dit à sa patiente que tout allait bien, mais Ray, notre infirmier préféré, va formaliser ça. C'est le grand jour pour toi aussi. Tu te sens comment ?

— Super bien. Très contente. Un peu stressée.

— Je t'écouterai. Et je veux que tu reviennes ici quand tu auras fini.

— Compte sur moi, répondit Arlys en posant la main sur la montagne de son ventre. Ce bébé doit être prêt. Un peu plus et je ne pourrai même plus marcher en canard.

— On va regarder ça. Bonjour, Clarice, dit Rachel en recevant la première patiente de la journée. Entre donc. Bonne chance, Arlys. On t'écoutera.

Elle attendit Will Anderson. Son voisin d'enfance, le shérif de la ville et accessoirement l'amour de sa vie.

Il posa la main sur la sienne par-dessus son ventre et l'embrassa.

— Je t'accompagne au travail ?

Avec plaisir.

Il entrelaça leurs doigts et ils marchèrent vers l'endroit où il avait habité dans ses premiers mois au sein de la communauté.

— Tu veux bien que je reste regarder ?

— Tu peux, mais je ne sais pas combien de temps ça va mettre à installer. Chuck est optimiste, mais…

— Si Chuck dit qu'on peut le faire, c'est que c'est possible.

Sentant les effets du trac dans son estomac, elle souffla un grand coup.

— Oui, tu as raison.

Hacker et génie de l'informatique, Chuck avait été sa principale source pendant la Calamité, et était désormais en charge du peu de technologie dont ils disposaient. Au sous-sol, évidemment. C'était un habitant de caves confirmé.

— Je veux te voir au travail, enchaîna Will.

— Et ce que je fais à la maison avec le *Bulletin de New Hope*, tu appelles ça comment ?

— Du travail, et un don à la communauté. Mais là, on parle d'une émission en direct, bébé ! Ta vocation.

— Je sais que ça inquiète certains, avec le risque d'attirer l'attention ici. Une attention indésirable.

— Le jeu en vaut la chandelle. Non seulement Chuck sait ce qu'il fait, mais on aura les boucliers magyques en place. Si tu peux joindre une seule personne au-dehors, tu peux en atteindre cent. Et si tu peux en atteindre cent, qui sait ? Beaucoup de gens ne savent toujours pas ce qui se passe, où trouver de l'aide, des fournitures, des médicaments. C'est important, Arlys, précieux même.

Elle trouvait aussi que c'était crucial, surtout dans la mesure où il risquait sa vie chaque fois qu'il partait secourir quelqu'un.

— Je pensais justement à ce qui était précieux, et tu arrives en tête de liste.

Ils contournèrent la maison pour aller à la porte de derrière donnant sur le sous-sol.

À l'intérieur, ce qui avait été une grande salle télé était devenu le fantasme de tout geek – à condition de fantasmer sur le travail minutieux d'assembler des composants, des câbles, des disques durs et des cartes-mères ou de désosser d'anciens ordinateurs, de reconfigurer des PC et des portables, de suspendre plusieurs écrans.

Ce qui était certainement le cas de Chuck.

Assis à l'un des claviers, il était vêtu d'un sweat à capuche et d'un pantalon en toile, une casquette à l'envers sur des cheveux récemment décolorés en blanc grâce à la coiffeuse de la communauté. Pour sa petite barbe en pointe, il avait opté pour le rouge vif.

Toujours dans les tons de rouge, la rousse Fred aux boucles sautillantes se releva d'un bond du sol où elle était assise avec trois enfants de quatre ans et une multitude de jouets.

— Voici notre talent ! Je suis la productrice, femme à tout faire, et aide-caméraman.

— Je croyais que c'était moi, la femme à tout faire, protesta Katie, la mère des trois bambins, qui gardait un œil sur eux depuis l'accoudoir d'un canapé affaissé servant de lit à Chuck.

— Co-femme à tout faire et superviseuse des amplificateurs de pouvoir.

Katie regarda ses jumeaux, Duncan et Antonia.

— Ils sont tout excités. J'espère juste qu'ils comprennent ce qu'on fait. Et tout le monde aussi.

— Nous, on fait marcher le truc d'Arlys et puis de Chuck, dit Duncan en envoyant un grand sourire à sa mère. Moi et Tonia.

— On pousse ! rigola Tonia en levant la main.

Duncan appuya sa paume contre la sienne. De la lumière fusa.

— Pas encore.

Hannah, blondinette au teint rose qui se démarquait des jumeaux aux cheveux sombres, se leva. Elle tapota la jambe de sa mère, comme pour la rassurer, puis se dirigea vers Arlys.

— Il sort quand, le bébé ?

— Bientôt, j'espère.

— Je pourrai regarder ?

— Euh…

Avec un rire, Katie alla prendre Hannah dans ses bras et l'embrassa.

— Elle en serait capable.

— Alors là, je sais pas, ma puce, dit Chuck en tournant sur sa chaise de bureau. Mais tu vas assister à un moment historique et au lancement de New Hope Diffusion !

— On est partis ?

Il sourit à Arlys et la salua des deux doigts.

— On est partis. Avec de l'aide de nos amplis.

Les jumeaux se mirent à sautiller, les yeux brillants.

— Pas tout de suite, pas tout de suite, les retint Arlys, cette fois. Je dois revoir mes notes et… un ou deux trucs. Il me faut quelques minutes.

— On ne bouge pas d'ici, l'informa Chuck.

— D'accord, euh… donnez-moi juste quelques minutes.

En proie à une panique qu'elle n'avait pas anticipée, elle retourna dehors avec ses notes, Fred sur ses talons.

— Tu n'as pas de raison d'avoir le trac.

— Oh, Fred, arrête.

— Je ne plaisante pas. Tu es tellement douée pour ça. Tu l'as toujours été.

— J'ai eu le poste à New York parce que tout le monde était mort.

— Tu as obtenu le poste *à ce moment-là* à cause de la Calamité, rectifia Fred. Mais tôt ou tard, tu aurais fini par l'avoir.

Elle posa les mains sur les épaules de son amie.

— Tu te rappelles ce que tu as fait, le dernier jour ?

— J'en ai encore des cauchemars.

— Ce que tu as fait quand Bob a pointé son arme sur toi en plein direct, poursuivit Fred. Tu as tenu le coup. Et ce que tu as fait quand il s'est suicidé juste à côté de toi ? Tu as encore tenu le coup. Tu as même fait mieux que ça. Tu as regardé droit vers la caméra et tu as dit la vérité. Sans notes, sans prompteur. Parce que c'est ce que tu fais. Tu dis la vérité aux gens. C'est ce que tu vas faire maintenant.

— Je ne sais pas pourquoi ça me rend aussi nerveuse.

— Les hormones, peut-être ?

Arlys rit en se frottant le ventre.

— Qui sait. Hémorroïdes, brûlures d'estomac et hormones. C'est une grande aventure, d'avoir un enfant.

— Je suis trop impatiente de vivre mes propres aventures, soupira Fred en regardant dans le jardin de derrière. Je veux des palanquées de bébés.

Arlys, elle, espérait déjà avoir celui-là. Et bientôt.

Mais pour l'instant, son boulot l'attendait.

— C'est bon. C'est bon. Je suis comment ?

— Magnifique, mais aujourd'hui, je suis aussi ta maquilleuse. Je vais te poudrer pour la caméra, te passer ton rouge à lèvres et tu vas être superbe.

— Je t'aime, Fred. Vraiment.

— Oh, mais moi aussi, je t'aime, vraiment.

Elle laissa Fred la poudrer, la peinturlurer, enchaîna quelques virelangues, but un peu d'eau, exécuta quelques respirations de yoga.

Lorsqu'elle ressortit de la salle de bains, elle vit son beau-père sur le canapé, entouré par les enfants. Il avait le chic pour les attirer.

— Bill, qui s'occupe du magasin ?

— J'ai fermé pour une heure. Je voulais te voir en direct et en personne. Tes parents seraient fiers de toi. Ta mère, ton père, Theo, ils seraient fiers.

— Considère ça comme ton bureau de présentatrice, dit Chuck en tapotant une chaise devant l'une de ses nombreuses tables. Tu vas faire face à cette caméra. J'ai réglé l'angle. Ce qu'on fait là, les filles et les garçons, c'est une diffusion multisupports, pu… euh, purée ! On a la radio bricolée, le live-streaming et la télé par câble. Moi, je t'enregistre et je m'occupe de la partie technique. Mais ne fais pas attention au type en coulisses. C'est ton émission, Arlys.

— Bon.

Elle s'assit, ajusta le siège. Ouvrant son dossier, elle sortit la photo de son dernier Noël avec sa famille, qu'elle appuya contre un clavier.

— Je suis prête quand tu es prêt.

— Fred va faire le compte à rebours. Allez, les enfants, faut que ce soit de la bombe.

— Ne parle pas d'explosion ! s'écria Katie. Tu t'imagines pas.

— On va faire marcher l'émission ! cria Tonia en remuant les fesses de ravissement. On va pousser, Duncan.

— On pousse !

Il sourit à sa sœur, puis ils se prirent par la main. La lumière scintilla à travers leurs doigts.

— Voilà, c'est ça ! approuva Chuck en courant d'un écran à l'autre, faisant un réglage avant d'émettre un cri de victoire. Je savais qu'on y arriverait ! Et c'est parti.

— Arlys, la prévint Fred en bougeant derrière la caméra. Dans cinq secondes, quatre…

Elle termina le décompte avec les doigts et, avec un sourire radieux, pointa le dernier doigt vers elle.

— Bonjour à tous, ici Arlys Reid. Je ne sais pas combien d'entre vous peuvent m'entendre ou me voir, mais si vous recevez cette émission, veuillez faire passer le message. Nous continuerons à diffuser aussi souvent que possible, pour vous donner des informations, vous faire connaître la vérité, raconter les faits. Pour vous faire savoir, où que vous soyez, que vous n'êtes pas seuls.

Elle reprit son souffle, posa les mains sur son ventre.

— Quatre ans après la Calamité, des sources confirment que Washington demeure instable. La loi martiale reste en vigueur dans l'aire métropolitaine tandis que des gangs connus sous le nom des Pilleurs et des Insolites noirs continuent d'attaquer. Les forces de la résistance ont déjoué la sécurité dans un centre de confinement d'Arlington, en Virginie. D'après des témoins oculaires, plus de trente personnes ont été libérées.

Elle parla pendant quarante-deux minutes, rapportant des bombardements à Houston, une attaque de Guerriers de la Pureté contre une communauté à Greenbelt dans le Maryland, des incendies volontaires, des pillages dans des maisons.

Mais elle termina sur des histoires d'humanité, de courage et d'altruisme. La clinique mobile qui utilisait des carrioles à cheval pour atteindre des camps isolés, les abris pour les personnes déplacées, les sauvetages et les banques alimentaires.

— Restez en sécurité, conclut-elle, mais souvenez-vous que ce n'est que le minimum. Vivez, travaillez, rassemblez-vous. Si vous avez quelque chose à raconter, des nouvelles, si vous recherchez un être cher et que vous pouvez me le communiquer, je le transmettrai. Vous n'êtes pas seuls. C'était Arlys Reid pour New Hope Diffusion.

— Et on y est ! cria Chuck en se redressant et en levant les poings. C'était de la balle, bordel !

— De la balle, bordel ! répéta Duncan.

— Oups ! fit Chuck, qui hurla de rire alors que Katie fermait simplement les yeux avec résignation, avant d'avancer le poing vers Duncan et Tonia. Allez ! On se tape les poings !

Leurs têtes s'entrechoquèrent quand ils levèrent leur tout petit poing pour le cogner contre le sien.

Le sien fit des étincelles.

— Houla ! (Chuck dansa un peu sur place en se soufflant sur les articulations.) Sacré coup de jus. J'adore !

Fred cilla pour lutter contre les larmes.

— C'était de la balle, hum, et génial.

Will se pencha pour déposer un baiser au sommet du crâne d'Arlys.

— Tu as été éblouissante, lui dit-il.

— Je le sentais… bien. Une fois le plus dur passé, je le sentais toujours bien. J'ai duré combien de temps ?

— Quarante-deux minutes de bonheur.

— Quarante-deux. (Elle se balança sur son siège.) J'aurais dû faire plus court, pour les jumeaux. Je suis désolée, Katie, j'ai perdu la notion du temps.

— Ils allaient très bien, ne t'inquiète pas. Je veillais, lui assura Katie. Ils vont faire une bonne grosse sieste. (Elle regarda Hannah, qui dormait sur les genoux de Bill.) Comme leur sœur. Tu as l'air d'en avoir bien besoin aussi, Arlys. Tu as dû te donner à fond, et tu es un peu pâlotte.

— En fait, je crois qu'au bout de cinq minutes j'ai commencé à avoir des contractions. Peut-être même avant. Je me disais que c'était le stress.

— Tu… quoi ? Et maintenant ?

Arlys serra la main de Will.

— Il faut sans doute aller voir Rachel. Et je pense que c'est… Ah !

Elle s'agrippa à la table d'une main et pressa celle de Will – à lui broyer les os – de l'autre.

— Respire, ordonna Katie, qui vint vite poser la main sur le ventre dur comme la pierre d'Arlys et se mit à y tracer des cercles. Respire tout du long. Tu as pris des cours.

— Les cours, c'est rien. Pendant les séances, ça fait pas mal comme ça.

— Respire, ça va t'aider, lui répéta Katie. Tu viens de faire la première émission en diffusion simultanée de New Hope en commençant le travail. Tu peux arriver à respirer pour supporter une contraction.

— Ça passe, ça passe.

— Ouf, merci, mon Dieu, marmonna Will, qui plia ses doigts douloureux. Ouille.

— Crois-moi, ça n'a rien à voir avec « ouille », fit Arlys, qui souffla longuement. Je veux vraiment voir Rachel.

— Moi aussi, dit Will en l'aidant à se lever. Mais on va y aller doucement. Papa ?

— Je vais avoir un petit-fils ou une petite-fille.

Katie souleva Hannah de ses genoux.

— Va avec eux.

— Je vais avoir un petit-fils ou une petite-fille, répéta Bill.

— Fred ? Tu ne viens pas ?

— Vraiment ? Je peux ? Oh là là ! Je cours prévenir Rachel. Oh là là ! Chuck !

— Euh, non merci, je vais passer mon tour. Ne le prends pas mal, Arlys, mais c'est non.

— T'inquiète.

— On va avoir un bébé ! claironna Fred, qui déploya ses ailes avant de s'envoler par la porte du sous-sol.

Duncan alla à la porte pour les regarder tous partir.

— Il veut sortir.

Katie repositionna Hannah dans ses bras.

— C'est un garçon ?

— Oui, oui, dit Tonia, qui vint rejoindre Duncan. Qu'est-ce qu'il fait là-dedans ?

— C'est une autre histoire, répondit sa mère. Allez, les enfants, on rentre à la maison. Travaille bien, Chuck.

— C'est le meilleur boulot du monde.

Durant les huit heures qui suivirent, Arlys apprit un certain nombre de choses. Tout d'abord, la plus urgente de toutes : les contractions devenaient plus douloureuses et duraient *infiniment* plus longtemps à mesure que le travail avançait.

Elle apprit également, sans surprise, que Fred était une coach adjointe gaie et infatigable. Quant à Will, pas de surprise là non plus, c'était un roc.

Elle eut des retours sur l'émission – bonne distraction –, qui avait au moins porté à trente kilomètres, là où Kim et Poe se trouvaient avec un ordinateur portable sur batterie.

Elle apprit pour de bon pourquoi on appelait ça « travail ».

À un moment, elle fondit en larmes et Will la serra dans ses bras.

— C'est presque fini, ma chérie. C'est presque fini.

— Non, c'est pas ça. Lana. Je pensais à Lana. Oh, mon Dieu, Will, devoir faire ça toute seule. Sans Max, sans Rachel, sans nous. Être seule pour ce moment-là.

— Je ne pense pas qu'elle était seule, dit Fred en caressant le bras d'Arlys. Vraiment, je ne le pense pas. Cette nuit-là… je l'ai senti. Comme beaucoup d'entre nous. La naissance de l'Élue. Elle n'était pas seule, Arlys. Je le sais.

— Promis ?

— Juré.

— Bon, d'accord.

Quand Will essuya ses larmes, elle parvint à sourire.

— Presque fini ?

— Il est dans le vrai. C'est le moment de pousser, annonça Rachel. Will, tiens-la dans le dos. À la prochaine contraction, tu vas pousser. Faisons venir ce bébé au monde.

Elle poussa, haleta, poussa, haleta, et huit heures après son émission historique, Arlys mit au monde son fils.

Elle apprit encore une chose. L'amour pouvait frapper comme la foudre.

— Regardez-le ! Mais regardez-le ! (L'épuisement s'effaça au profit d'un amour hébété pour le bébé qui criait et s'agitait dans ses bras.) Oh, Will, regarde-le.

Rachel recula d'un pas et détendit ses épaules nouées.

— Will, tu veux couper le cordon ?

— Je…

Il prit les ciseaux des mains de Rachel, puis se tourna vers son père, vit les larmes sur ses joues.

Il avait perdu des petits-enfants dans la Calamité. Une fille, une femme, des bébés.

— C'est à Grand-Père de le faire. Tu veux bien ?

Bill passa les doigts sous ses lunettes.

— J'en serai honoré. Je suis grand-père.

Pendant qu'il coupait le cordon, Fred fit miroiter des arcs-en-ciel dans la pièce.

— Je suis tatie, pas vrai ? Tante honoraire ?

— Oui, bien sûr, dit Arlys, qui ne pouvait détacher les yeux de son bébé. Toi, Rachel et Katie. Les premières de New Hope.

— Son teint est parfait, dit Rachel en l'examinant. Je vais devoir prendre mon neveu une minute. Le nettoyer avant de te le ramener, le peser et le mesurer.

— Dans un instant. Bonjour, Theo. (Arlys déposa un baiser sur le front du bébé.) Theo William Anderson. Nous allons rendre ce monde meilleur pour toi. Nous allons faire tout ce qui est en notre pouvoir pour rendre ce monde meilleur. Je te le jure.

Elle suivit du bout du doigt les contours de son visage. Tellement petit, tellement mignon, tellement à elle.

Voilà la vie, pensa-t-elle. *Voilà l'espoir.*

Voilà la raison pour les deux.

Chaque jour, elle combattrait et s'emploierait à honorer la promesse faite à son fils.

Le tenant tout contre elle, elle repensa à Lana, à la fille qu'elle avait portée.

À l'Élue qui était promise.

I

À la ferme où elle était née, Fallon Swift apprenait à planter, faire pousser et récolter, à respecter et utiliser la terre. Elle apprenait à se déplacer dans les champs et les forêts, silencieuse comme une ombre, à chasser et pêcher. À respecter le gibier, à ne pas prendre plus que nécessaire, à ne rien tuer pour s'amuser.

Elle apprenait à cuisiner ce qu'elle avait cueilli ou fait pousser, dans la cuisine de sa mère ou sur un feu de camp.

Elle apprenait que la nourriture, c'était davantage que des œufs frais sortis du poulailler ou une truite bien grillée. La nourriture représentait la survie.

Elle apprenait à coudre – même si elle n'appréciait pas le temps passé assise à manier l'aiguille. Elle apprenait à tanner le cuir, ce qui était loin d'être sa leçon préférée, et pouvait, si elle n'avait d'autre choix, filer la laine. Les vêtements n'étaient pas simplement quelque chose qu'on portait sur soi. Ils protégeaient le corps, comme une arme.

Elle respectait les armes, et avait appris jeune à nettoyer un pistolet, aiguiser un couteau, tendre un arc.

Elle apprenait à bâtir, avec marteau et scie, à maintenir les clôtures en état, à effectuer des réparations sur la vieille ferme qu'elle aimait autant que les bois.

Une bonne clôture, un mur solide, un toit qui protégeait de la pluie offraient plus qu'une maisonnée heureuse. Eux aussi représentaient la survie.

Et même si bien souvent elle savait d'instinct, elle apprenait la magye. Comment allumer une flamme d'un souffle, tracer un cercle, guérir une petite blessure avec la lumière en elle, comment regarder et comment voir.

C'était et ce serait la survie.

Même avec de la nourriture, un abri, des vêtements et des armes, même avec la magye, tous n'avaient pas survécu. Tous ne survivraient pas dans les temps à venir.

Elle apprenait des choses sur un monde qui avait existé avant sa naissance. Un monde débordant de gens, un monde de villes immenses aux édifices vertigineux où les habitants vivaient et travaillaient. Dans ce monde, on voyageait au quotidien par les airs, les mers, les routes et les pistes. Quelques-uns étaient même allés dans l'espace et sur la Lune qu'on voyait dans le ciel.

La mère de Fallon avait vécu dans une très grande ville, New York. Fallon savait, d'après ce qu'on lui avait raconté, d'après les livres qu'elle dévorait, que ç'avait été un lieu plein de monde, de bruit, d'ombre et de lumière.

Une source d'émerveillement qu'elle s'était juré de voir un jour.

Elle se l'imaginait souvent la nuit, quand elle restait éveillée dans son lit, à regarder les fées danser devant sa fenêtre.

Il y avait eu des guerres dans ce monde, de l'étroitesse d'esprit, de la cruauté, tout comme maintenant. Elle connaissait ces conflits grâce aux livres, grâce aux récits. Et elle était au courant de ceux qui faisaient encore rage par le biais des visiteurs qui s'arrêtaient à la ferme.

Son père avait été soldat, autrefois. Il lui avait appris à se battre. Avec les mains, les pieds, l'esprit. Elle apprenait à lire les cartes et à les dessiner, et s'imaginait les suivre un jour, lors des voyages qu'elle entreprendrait. Car elle voyagerait, elle le savait, l'avait toujours su.

Elle n'avait pas d'attaches, comme ses parents, dans le monde qui existait avant que la Calamité ne décime tant de personnes. Des milliards, disait-on. Beaucoup se souvenaient du moment où les grandes villes étaient tombées, en proie aux incendies, à la folie, à la magye noire. La cruauté et la rapacité des hommes étaient toujours présentes dans les esprits et le sang de ceux qui l'avaient vécue.

Quand elle avait des visions fragmentaires des lendemains, elle savait qu'il y aurait encore des incendies, du sang, des morts. Et elle y participerait. Très souvent, elle restait réveillée, la nuit, son ourse en peluche dans les bras, cadeau d'un homme qu'elle n'avait pas encore rencontré.

Si ces lendemains pesaient trop lourd, parfois elle s'éclipsait pendant que ses parents et ses frères dormaient, pour aller dehors, là où les petites fées clignotaient comme des lucioles. Où elle pouvait sentir la terre, les récoltes, les animaux.

Le plus souvent, elle dormait du sommeil tranquille et innocent d'une enfant de parents aimants avec trois petits frères énervants, d'une enfant en bonne santé à l'esprit curieux et au corps actif.

Parfois elle rêvait de son père de naissance, l'homme avec qui sa mère avait vécu à New York, l'homme qu'elle avait aimé. Qui était mort pour que Fallon vive, elle le savait.

Il avait été écrivain, meneur, grand héros. Elle portait son nom, tout comme elle portait celui de l'homme qui l'avait amenée dans ce monde, l'avait élevée, lui avait enseigné tant de choses. Fallon pour Max Fallon, son père de naissance. Swift pour Simon Swift, son père adoptif.

Deux noms d'égale importance. De la même façon que sa mère portait deux alliances, une de chaque homme qu'elle avait aimé.

Et même si elle aimait son père aussi profondément et véritablement que tout enfant pouvait aimer, elle se posait des questions sur l'homme qui lui avait donné la couleur de ses yeux et de ses cheveux, et qui, avec sa mère, lui avait transmis des pouvoirs lors de sa conception.

Elle avait lu ses livres – tous les livres étaient des cadeaux – et examiné les photos de lui au dos.

Une fois, lorsqu'elle avait six ans, elle s'était installée dans la bibliothèque avec l'un des livres de Max Fallon. Même si elle ne comprenait pas tous les mots, elle appréciait que ce soit au sujet d'un sorcier, qui utilisait la magye et l'intelligence pour combattre des forces maléfiques.

Quand son père était entré, elle avait tenté de cacher l'ouvrage, par sentiment de culpabilité. Son père n'avait pas de magye, mais beaucoup d'intelligence.

Il l'avait soulevée, avec le livre, puis l'avait assise sur ses genoux. Elle adorait qu'il sente la ferme. La terre, les animaux, les légumes qui poussaient.

Il lui arrivait de souhaiter avoir des yeux comme les siens, qui changent d'une espèce de vert à un genre d'or, ou ces couleurs ensemble. Quand ce désir lui venait, c'était envers Max qu'elle se sentait coupable.

— Il est bien, ce livre.

— Tu l'as lu ?

— Oui. Ma mère aimait beaucoup lire. C'est pour ça qu'elle et mon père ont consacré cette pièce aux livres. Tu n'as pas à me cacher quoi que ce soit, ma puce.

— Parce que tu es mon papa. (Elle se tourna vers lui, posa le visage contre son cœur qui battait, battait, battait.) Tu es mon papa.

— Je suis ton papa. Mais je n'aurais pas eu la chance de l'être sans Max Fallon.

Il retourna le livre pour qu'ils puissent regarder tous les deux la photo du bel homme brun aux yeux gris fascinants.

— Je n'aurais pas ma jolie petite fille s'il n'avait pas aimé ta maman, et si elle ne l'avait pas aimé en retour. S'ils ne t'avaient pas conçue. S'il ne vous avait pas assez aimées ou ne s'était pas montré assez courageux pour donner sa vie afin de vous protéger. Je lui suis très reconnaissant, Fallon. Je lui dois tout.

— Maman t'aime, papa.

— Oui, c'est vrai. J'ai de la chance. Elle m'aime, et elle t'aime, ainsi que Colin et Travis.

— Et le nouveau bébé qui arrive.

— Aussi.

— C'est pas une fille, se lamenta Fallon avec un grand soupir attristé.

— Ah bon ?

— Elle a un garçon dans son ventre, encore. Pourquoi elle peut pas me faire une sœur ? Pourquoi elle fabrique toujours des frères ?

Elle entendit le rire contre sa poitrine pendant qu'il la câlinait.

— En fait, c'est censé être mon boulot. C'est comme ça, j'imagine. (Il poursuivit en caressant ses longs cheveux noirs.) Et ça veut dire que tu devras toujours être ma fille préférée. Tu as dit à maman que c'est un garçon ?

— Elle veut pas savoir. Elle aime avoir le doute.

— Alors, je ne lui dirai pas non plus. (Simon l'embrassa sur le front.) C'est notre secret.

— Papa ?

— Hmm ?

— J'arrive pas à lire tous les mots. Il y en a qui sont trop difficiles.

— Je peux te lire le premier chapitre avant qu'on retourne travailler, si tu veux ?

Il la pelotonna contre lui, puis ouvrit le livre à la première page et commença.

Elle ne savait pas à l'époque que *Le Roi sorcier* était le premier roman de Max Fallon – ou peut-être que, confusément, elle en avait conscience. Mais elle se souviendrait toujours que son père le lui avait lu, chapitre après chapitre, tous les soirs avant le coucher.

C'est ainsi qu'elle apprenait. Sur la bonté, par son père, sur la générosité, par sa mère. Elle en apprenait sur l'amour, la lumière et le respect, par son foyer, sa famille, la vie qui lui était donnée.

Elle apprenait sur la guerre et les épreuves par les voyageurs, dont beaucoup de blessés, qui arrivaient à la ferme ou au village à proximité.

Elle suivait des cours sur la politique, qu'elle trouvait ennuyeux, car les gens parlaient trop et n'agissaient pas assez. Et à quoi servait la politique quand on racontait que le gouvernement – mot tellement vague pour elle – avait commencé à se reconstruire dans la troisième année suivant la Calamité, pour s'effondrer de nouveau avant la fin de l'an 5 ?

Maintenant, dans la douzième année, la capitale des États-Unis – qui ne paraissaient pas unis à Fallon, ni avant, ni maintenant – demeurait une zone de guerre. Des factions de Pilleurs, des groupes d'Insolites noirs et des fidèles au culte des Guerriers de la Pureté se disputaient le pouvoir, les terres, l'odeur du sang. Ils luttaient entre eux, apparemment, et contre ceux qui cherchaient à mettre de l'ordre ou à gouverner.

Bien que Fallon veuille la paix, veuille construire et cultiver, elle comprenait la nécessité, le devoir de se battre pour protéger et défendre. Plus d'une fois, elle avait vu son père s'armer et quitter la ferme pour aller aider un voisin, défendre le village. Plus d'une fois, elle avait vu ses yeux lorsqu'il était rentré à la maison, et avait su qu'il y avait eu du sang et des morts.

Elle avait été élevée pour combattre, défendre, comme ses frères. Alors que l'été battait son plein à la ferme, que les plantations mûrissaient et que les fruits s'alourdissaient, que le gibier abondait dans les bois, des combats douloureux faisaient rage loin des champs et des collines de chez elle.

Et son temps, son enfance, elle le savait, étaient comptés comme les tic-tac d'une horloge.

Elle était l'Élue.

Les jours où ses frères l'énervaient – pourquoi avait-elle écopé de frères ? –, où sa mère ne comprenait rien et où son père lui en demandait trop, elle souhaitait que le décompte s'accélère.

D'autres fois, elle enrageait. Pourquoi n'aurait-elle pas le choix ? Aucun choix ? Elle voulait chasser et pêcher, monter sa jument, courir dans les bois avec ses chiens. Même avec ses frères.

Et souvent elle se désolait de ce qui était exigé d'elle par cette chose qui les dépassait, ses parents et elle. Elle était triste à l'idée de quitter sa famille, sa maison.

Elle grandissait, devenait robuste et de haute taille, et la lumière en elle était vive. Son treizième anniversaire à venir l'emplissait de crainte.

Elle ruminait sur sa destinée, sur tout ce qui était injuste dans son monde et dans le monde extérieur, tout en aidant sa mère à préparer le repas du soir.

— On va avoir une tempête ce soir, je le sens, dit Lana en repoussant ses cheveux couleur caramel blond qu'elle avait relevés en chignon sur sa tête avant de cuisiner. Mais c'est une soirée parfaite pour manger dehors. Vas-y, égoutte les pommes de terre.

Fallon resta à bouder au-dessus du fourneau.

— Pourquoi c'est toujours toi qui dois faire le repas ?

Lana remua doucement un bol recouvert d'un torchon, où des poivrons tout frais du jardin marinaient.

— C'est ton père qui fait un barbecue, ce soir, rappela-t-elle à sa fille.

— Mais c'est toi qui as tout préparé. (Fallon, à qui cette inégalité restait en travers de la gorge, versa les pommes de terre dans la passoire dans l'évier.) Pourquoi ce n'est pas papa, Colin ou Travis, qui prépare tout ?

— Ils aident, comme toi. Ethan aussi, il apprend. Mais pour répondre à ce que veut dire ta question : j'aime cuisiner. Ça me plaît de préparer à manger, en particulier pour ma famille.

— Et si moi, j'aime pas ? (Fallon, avec sa silhouette dégingandée et ses farouches yeux gris, se campa dans une posture de défi.) Si je n'ai pas envie de cuisiner ? Pourquoi je dois faire des choses que je n'ai pas envie de faire ?

— Parce que c'est notre lot à tous. Heureusement pour toi, le planning de la semaine prochaine prévoit que tu ne sois plus à l'aide en cuisine, mais au ménage. Il faudrait que tu assaisonnes ces patates pour le panier à gril. J'ai déjà haché les herbes.

— OK, super.

Elle connaissait la musique : huile d'olive, fines herbes, sel et poivre.

Elle savait que s'ils avaient l'huile et les épices, c'était parce que sa mère et une sorcière d'une ferme des environs avaient ensorcelé un hectare de terre pour y installer un climat tropical et un climat méditerranéen. Elles avaient planté des oliviers, des poivriers, des caféiers, des bananiers. Des figuiers et des dattiers.

Avec d'autres, son père avait fabriqué des pressoirs à olives pour fabriquer l'huile ainsi que des déshydrateurs pour les fruits.

Tout le monde travaillait ensemble et tout le monde en bénéficiait. Elle le savait bien…

Mais quand même.

— Tu emportes ça dehors et tu dis à papa de lancer le poulet ?

Guidée par sa mauvaise humeur, Fallon sortit en tapant des pieds. Lana regarda sa fille, une ombre venant obscurcir ses yeux d'un bleu de ciel d'été. *Il n'y a pas qu'une seule tempête qui menace*, pensa-t-elle.

Ils mangèrent sur la grande table d'extérieur fabriquée par son père, dans des assiettes colorées, avec des serviettes bleu vif et des fleurs sauvages dans de petits vases.

Sa mère tenait à une belle table bien mise. Elle laissa Ethan allumer les bougies de son souffle, parce que cela le faisait toujours rire. Fallon s'affala à côté de lui. Elle ne le considérait pas autant comme un empêcheur de tourner en rond que ses deux autres frères.

Enfin, il n'avait que six ans. Son tour viendrait.

Simon, sa tignasse châtain aux mèches éclaircies par le soleil, s'assit et sourit à Lana.

— Ça a l'air très bon, ma chérie.

Lana prit la bouteille de vin fait avec leur propre raisin.

— C'est grâce au maître grilleur. Nous sommes reconnaissants, ajouta-t-elle avec un coup d'œil vers sa fille, pour la nourriture qui a poussé et que l'on a préparée de nos mains. Nous espérons que le jour viendra où personne ne connaîtra plus la faim.

— Moi, j'ai faim, là ! les informa Colin.

— Alors sois heureux qu'il y ait de quoi manger sur la table.

Lana posa un pilon, sa partie préférée, dans l'assiette du petit.

— J'ai aidé papa à faire griller la viande, se vanta-t-il en ajoutant des pommes de terre, des légumes et un épi de maïs juste épluché dans son assiette. Du coup, j'ai pas à faire la vaisselle.

— Alors là, ça ne va pas passer, fiston, dit Simon, qui remplit l'assiette de Travis pendant que Lana se chargeait de celle d'Ethan.

Colin agita son pilon de poulet avant de mordre dedans. Il avait les yeux de son père, ce noisette qui mêlait l'or et le vert, des cheveux largement plus foncés que ceux de sa mère, qui éclaircissaient avec le soleil d'été. Comme d'habitude, ils rebiquaient en mèches rebelles.

— C'est moi qui ai récolté le maïs.

Travis, qui mangeait déjà avec appétit, lui envoya un coup de coude.

— C'est nous !

— Rien à voir avec la chkoumoune.

— La choucroute, le corrigea Simon. Et si, ça a à voir.

— J'ai ramassé presque tout le maïs. Ça compte, non ?

— Au lieu de t'inquiéter de la vaisselle, que tu feras de toute façon, tu devrais le manger, ce maïs, suggéra Lana en aidant Ethan à beurrer son épi.

— Dans une société libre, chacun a son mot à dire.

— Dommage que tu ne vives pas dans une société libre, conclut leur père en chatouillant les côtes de Colin, qui sourit de toutes ses dents.

— Il est bon, le maïs !

Ethan, malgré ses deux dents de lait perdues, mordait son épi avec enthousiasme. Doté des yeux bleus et des beaux cheveux blonds de sa mère, il avait un tempérament très joyeux.

— Je pourrais me présenter pour être président, poursuivit Colin, pas du genre à se laisser décourager quand il avait une idée en tête. Je serais le président de la Ferme et Coopérative familiale Swift. Et ensuite, du village. Je l'appellerais Colinville et je ferais plus jamais la vaisselle.

— Personne ne voterait pour toi, ricana Travis, qui ressemblait suffisamment à Colin pour être pris pour son jumeau.

— Moi, je voterais pour toi, Colin !

— Et si, moi aussi, je me présentais aux élections ? demanda Travis à Ethan.

— Je voterais pour tous les deux. Et pour Fallon.

— Me mêle pas à tout ça, le rabroua Fallon en mangeant du bout des lèvres.

— Tu ne peux voter que pour une personne, lui expliqua Travis.

— Pourquoi ?

— Parce que.

— Parce que, c'est idiot.

— Toute cette discussion est débile, lança Fallon, la main en l'air. Tu ne peux pas être président parce que même s'il y avait une vraie structure gouvernementale, tu n'es pas assez âgé ni assez intelligent.

— Je suis aussi intelligent que toi, répliqua Colin, et je vais vieillir. Je peux être président si je veux. Je peux être tout ce que je veux.

— Dans tes rêves, commenta Travis avec une grimace.

Ce qui lui valut un coup de pied sous la table, qu'il renvoya aussitôt.

— Un président, c'est un chef, et un chef, ça dirige.

Quand Fallon se leva, Simon voulut parler pour mettre fin à l'affaire, mais il vit le regard de Lana.

— T'y connais rien pour diriger.

— Et toi, tu connais rien à rien ! lui balança Colin.

— Je sais qu'un chef, il s'amuse pas à nommer des lieux d'après lui. Je sais qu'un chef doit être responsable pour les autres, s'assurer qu'ils ont de la nourriture et un toit, décider qui part en guerre, qui vit et qui meurt. Je sais qu'un chef doit se battre, peut-être même tuer.

Autour de Fallon, des étincelles de lumière rouge accompagnaient sa colère.

— Un chef, c'est celui vers qui tout le monde se tourne pour avoir des réponses quand il n'y en a pas. C'est celui à qui tous font des reproches quand ça tourne mal. Un chef, c'est celui qui doit faire le sale boulot, même si c'est la vaisselle !

Elle partit à grands pas, et la lumière la suivit jusque dans la maison. Elle claqua la porte derrière elle.

— Pourquoi elle a le droit de faire l'enfant gâtée ? demanda Colin, scandalisé. Pourquoi elle a le droit d'être méchante ?

Ethan, des larmes dans les yeux, se tourna vers sa mère.

— Elle est fâchée contre nous, Fallon ?

— Non, mon poussin, elle est juste fâchée tout court. On va lui laisser un peu de temps pour elle seule, d'accord ? (Elle regarda Simon.) Elle a juste besoin de souffler un peu. Elle s'excusera, Colin.

Celui-ci haussa les épaules.

— Je peux être président si je veux. C'est pas elle qui gouverne le monde.

Lana sentit son cœur se serrer.

— Sinon, j'ai fait une tarte aux pêches pour le dessert !

Une tarte, elle le savait, changeait l'humeur de ses garçons à tous les coups.

— Pour ceux qui ont fini leur assiette, bien sûr.

— Je connais une bonne façon d'éliminer la tarte après, dit Simon qui, imitant Lana, se remit à manger. Une partie de basket.

Depuis qu'il avait aménagé un demi-terrain le long de la grange, le basket était devenu l'un des loisirs préférés de ses fils.

— Papa, je veux être dans ton équipe !

Simon sourit à Ethan et lui fit un clin d'œil.

— On va leur mettre une tannée, champion.

— Tu parles, dit Colin en retournant aussi à son assiette. Travis et moi, on va vous éclater.

Travis regarda longuement sa mère.

Il sait, pensa-t-elle. *Et Colin aussi, même si la colère et les insultes l'empêchent de le comprendre clairement.*

Leur sœur ne gouvernait pas le monde, mais elle en portait le poids sur ses épaules.

La colère de Fallon se dissipa avec des larmes d'apitoiement. Pour les verser, elle se jeta sur son lit, que son père avait fabriqué à l'image de celui qu'elle avait repéré dans un vieux magazine. Finalement, les larmes laissèrent la place à une bouderie migraineuse.

Ce n'était pas juste, rien n'était juste. Et c'était Colin qui avait commencé. Il commençait toujours, avec ses grandes idées bêtes. Sans doute parce qu'il ne disposait pas de magye. Il devait être jaloux.

Elle voulait bien lui donner sa magye, et ensuite, il pouvait partir avec un inconnu pour apprendre comment être le sauveur de cette idiote de planète entière !

Elle voulait seulement être normale. Comme les filles du village, dans les autres fermes. Comme n'importe qui.

Les cris et les rires lui parvenaient par la fenêtre ouverte. Elle essayait de ne pas les écouter, mais elle finit par se lever et regarder au-dehors.

Le ciel restait bleu en cette longue soirée d'été, mais comme sa mère, elle sentait une tempête arriver.

Elle vit son père, Ethan monté sur ses épaules, qui se dirigeait vers la grange. Ses autres frères couraient déjà dans le virage goudronné, portant les baskets que leur père leur avait trouvées.

Elle n'avait pas envie de sourire quand leur père chipa la balle à Colin, la tint bien haut pour Ethan, puis amena Ethan vers le panier pour qu'il puisse marquer.

Elle n'avait pas envie de sourire.

Les deux autres garçons ressemblaient à papa, Ethan à maman.

Et elle ressemblait à l'homme au dos d'un livre.

Cette seule différence était plus cuisante qu'elle ne pensait pouvoir le supporter.

Elle entendit frapper doucement à sa porte, puis sa mère entra.

— Tu dois avoir faim. Tu as à peine touché à ton repas.

La honte commença à l'emporter sur la bouderie. Fallon secoua la tête.

— Plus tard, alors, dit Lana en posant l'assiette sur la commode fabriquée par Simon. Tu sais comment le réchauffer, quand tu seras prête.

Fallon secoua de nouveau la tête, mais cette fois, les larmes perlèrent. Lana vint simplement la rejoindre et l'attira contre elle.

— Je suis désolée.

— Je sais.

— J'ai tout gâché.

— Mais non.

— J'en avais envie.

Lana embrassa sa fille sur la joue.

— Je sais, et tu n'as rien gâché. Tu t'excuseras auprès de tes frères, mais pour l'instant, tu vois qu'ils sont heureux. Tout va bien.

— Je ne leur ressemble pas, ni à toi, ni à papa.

Lana caressa la longue queue-de-cheval noire de Fallon, puis recula pour regarder dans ses yeux gris familiers.

— Je t'ai raconté la nuit de ta naissance. Ç'a toujours été un de tes récits préférés. (Tout en parlant, elle guida Fallon vers le lit et s'assit sur le bord avec elle.) Je ne t'ai jamais raconté la nuit de ta conception.

— Je…, bredouilla Fallon, le rouge aux joues, car elle savait ce que signifiait conception, et la façon dont ça arrivait. C'est… bizarre.

— Tu as presque treize ans, et même si on ne t'avait pas expliqué tout ça, tu vis dans une ferme. Tu sais d'où viennent les bébés et comment ils arrivent.

— Mais quand c'est ta mère, c'est bizarre.

— Un peu, lui concéda Lana, donc je vais y aller doucement. On habitait à Chelsea, c'est un quartier de New York. J'adorais cet endroit. Il y avait une chouette petite boulangerie juste en face, un bon snack au coin de la rue. De jolies boutiques tout près, de beaux bâtiments anciens. On avait un loft. J'avais emménagé dans le loft de Max. J'adorais aussi. Il y avait de grandes fenêtres qui donnaient sur la rue. On pouvait voir le monde se presser en bas. Des étagères pleines de livres. La cuisine n'était certainement pas aussi grande que celle qu'on a chez nous, mais elle était très moderne. On recevait souvent des amis à dîner.

» Je travaillais dans un bon restaurant et j'espérais vaguement ouvrir le mien un jour.

— T'es la meilleure cuisinière qui existe.

— Il n'y a plus trop de concurrence, maintenant, remarqua Lana en passant un bras autour de la taille de sa fille. Je suis revenue du travail, on a bu du bon vin, du très bon vin, et on a fait l'amour. Et après, juste quelques minutes après, j'ai senti quelque chose exploser en moi. C'était incroyable, cette lumière, cette joie, ce… Je ne peux pas définir ce sentiment, même maintenant. Ça m'a coupé le souffle, de la plus belle façon qui soit. Max l'a senti aussi. On en a plaisanté un peu. Il est allé chercher une bougie. Mon don était tellement minuscule, avant, que même pour allumer une bougie, ce n'était pas gagné d'avance, et ça ne marchait qu'après beaucoup d'efforts.

— C'est vrai ? Mais tu…

— J'ai changé, Fallon. Je me suis ouverte, cette nuit-là. J'ai allumé la bougie sans même y penser. Ce nouveau pouvoir s'est élevé chez moi. Chez Max aussi, chez tous ceux qui avaient de la magye enfouie en eux. Or pour moi, ce que j'avais en moi, c'était toi. Ce moment, cette explosion, cette joie, cette lumière… C'était toi. Je ne l'ai su que quelques semaines plus tard, mais c'était toi. Tu as produit des étincelles cette nuit-là. J'ai su ensuite, et tu me l'as montré aussi quand tu étais encore dans mon ventre, que tu n'es pas spéciale seulement pour moi, pour Max, pour Simon, mais pour tous.

— Je veux pas partir, souffla Fallon en lovant le visage au creux de l'épaule de sa mère. Je ne veux pas être l'Élue.

— Alors, dis non. C'est ton choix, Fallon. On ne peut pas te forcer, et je ne permettrai à personne de le faire. Ton père non plus.

Elle en était consciente aussi. Ils lui avaient dit, depuis toujours, que la décision lui appartiendrait. Mais…

— Vous ne seriez pas déçus ? Vous n'auriez pas honte de moi ?

— Non. (Lana serra Fallon contre elle avec force.) Non, non, jamais.

Combien de nuits avait-elle pesté et pleuré sur ce qui serait demandé à cette enfant ? Cette *enfant*. Son enfant.

— Tu es mon cœur, reprit Lana, apaisante. Je suis fière de toi tous les jours. Je suis fière de toi, ton esprit, ton cœur, ta lumière. Oh, ce qu'elle brille. Et je prendrais cette lumière sans hésitation si cela pouvait t'éviter de faire ce choix. De devoir le faire.

— Il est mort pour me sauver. Mon père de naissance.

— Pas seulement à cause de ce que tu pourrais devenir, mais parce qu'il t'aimait. Fallon, toi et moi, on a une chance inouïe. Nous avons été aimées par deux hommes fabuleux, deux hommes courageux. Quoi que tu décides, je t'aimerai et ils t'aimeront toujours.

Fallon resta nichée contre sa mère, s'apaisa, puis sentit… Elle recula doucement.

— Ce n'est pas tout. Je le sens. Il y a d'autres choses, que tu ne m'as pas racontées.

— Je t'ai raconté New Hope et…

— Qui est Eric ?

Lana eut un sursaut de recul.

— Ne fais pas ça. Tu sais qu'il est interdit de s'imposer dans l'esprit de quelqu'un.

— Ce n'est pas ce que j'ai fait, je te jure. Je l'ai juste vu. Senti. Ce n'est pas tout, répéta Fallon, la voix tremblante désormais. Il y a des choses que tu ne me dis pas parce que tu es inquiète. Tu as peur pour moi, je le ressens. Mais si tu ne m'expliques pas tout, comment saurai-je ce que je dois faire ?

Lana se leva et alla vers la fenêtre. Elle regarda ses garçons, son homme, les deux vieux chiens, Harper et Lee, qui dormaient au soleil. Les deux jeunes chiens qui couraient autour des garçons. La ferme, la maison qu'elle chérissait. La vie qu'elle s'était construite. Les ténèbres venaient toujours à l'assaut de la lumière, songea-t-elle avec une certaine amertume.

La magye exigeait toujours un prix.

Elle avait dissimulé des faits à son enfant, à la plus brillante des lumières, parce qu'elle avait peur. Parce qu'elle voulait que sa famille soit ensemble, à la maison. En sécurité.

— Je t'ai caché des choses parce que malgré tout ça, je voulais que tu refuses. Je t'ai parlé de l'attaque quand on vivait dans la maison dans les montagnes…

— Deux personnes qui étaient avec vous ont choisi les ténèbres. C'étaient des Insolites noirs, mais vous ne le saviez pas avant qu'ils tentent de vous tuer. De me tuer. Toi, Max et les autres, vous avez lutté, et vous avez cru les détruire.

— Oui, mais on n'y est pas arrivés.

— Ils vous ont encore attaqués à New Hope. Ils sont venus pour m'éliminer, et pour te sauver, pour me sauver, Max s'est sacrifié. Tu as fui comme il te l'a dit. Tu as fui parce qu'ils allaient revenir, et que tu devais me protéger. Tu es restée seule longtemps, et ils t'ont traquée. Et puis tu as trouvé la ferme, tu as trouvé papa.

Fallon reprit son souffle.

— Eric en faisait partie ? C'était un Insolite noir ?

— Oui. Lui et la femme avec qui il était, celle qui, je crois, l'a incité à se détourner de la lumière. Ils voulaient me tuer, te tuer. Ils ont tué Max. Eric est le frère de Max.

— Son frère ?

Le choc la pétrifia. Des frères, pensa-t-elle, horrifiée, même super énervants, restaient des frères. C'était la famille.

— C'est mon oncle. Il est de mon sang.

— Eric a choisi de trahir ce sang, de tuer son propre frère. Il a choisi les ténèbres.

— Il a choisi, murmura Fallon, qui, après avoir pris une grande inspiration, redressa les épaules. Il faut que tu me racontes tout. Tu ne dois rien passer sous silence. Tu veux bien ?

— D'accord.

Lana pressa ses doigts sur ses yeux. En regardant les prunelles grises de sa fille, elle connaissait déjà son choix.

— D'accord, je vais tout te dire.

2

Fallon présenta ses excuses. Colin haussa les épaules comme s'il s'en fichait, mais le sachant d'expérience rancunier, elle se préparait à subir des représailles. Avec son anniversaire – et le choix – dans quelques semaines seulement, elle préférait penser à la vengeance de son frère.

C'était du domaine de l'ordinaire, de la famille.

Et elle préférait le calcul dans les yeux de Colin à l'inquiétude qu'elle discernait souvent dans ceux de sa mère ou de son père.

Elle aida à couper les foins et le blé, à récolter les fruits et les légumes. Les tâches quotidiennes lui permettaient de rester calme. Elle ne se plaignit pas du travail en cuisine – ou alors, elle se contenta de marmonner dans sa tête. La fin de l'été et l'approche de l'automne annonçaient de nombreuses heures en cuisine à préparer gelées et confitures, à mettre en conserve les fruits et les légumes ramassés pour l'hiver à venir.

Un hiver qu'elle redoutait.

Dès qu'elle le pouvait, elle s'échappait, usant de son temps libre pour parcourir les champs et les bois sur sa jument adorée, Grace. Ainsi nommée d'après la reine pirate que Fallon admirait de longue date.

Elle envisageait de chevaucher jusqu'au ruisseau pour s'asseoir et réfléchir. L'idée de lancer un hameçon avec un appât dans l'eau ne lui vint qu'après coup. Si elle rapportait à la maison du poisson à manger ou à troquer, ce serait encore mieux. Mais l'heure ou deux de solitude permettraient à son jeune esprit anxieux de se ressourcer.

Elle pourrait pratiquer un petit peu de magye là-bas. Appeler les papillons, faire sauter les poissons, déclencher de mini tourbillons d'air avec ses doigts.

Par une chaude journée avec un soleil de plomb et des vents chauds qui semblaient affirmer que l'été ne s'arrêterait jamais, elle s'assit à son endroit préféré. Comme elle avait envie de lire, elle suspendit par magye sa canne à pêche au-dessus du ruisseau.

Elle pouvait obliger les poissons à mordre, mais de tels pouvoirs, lui avait-on appris, ne s'utilisaient qu'en cas de nécessité.

Des oiseaux gazouillaient de temps à autre. Elle entendait des bruissements réguliers dans le sous-bois. Si elle n'avait pas été absorbée par son livre, elle aurait testé ses capacités à identifier les sons. Chevreuil, lapin, écureuil, renard, ours. Et plus rarement, humain.

Or elle aimait se plonger dans l'histoire – très effrayante, celle-ci – d'un jeune garçon médium, ayant un Don, enfermé dans un vieil hôtel avec des forces maléfiques.

Elle ne fit pas attention au léger bruit dans l'eau, même quand il se reproduisit. Dans son livre, les buissons en forme d'animaux situés aux abords de l'hôtel maléfique venaient de se mettre à bouger et menaçaient le garçon.

Mais le gargouillis attira son attention.

Son cœur, qui s'emballait déjà à cause de son roman, cogna fort quand elle entendit son nom chuchoté par une voix étouffée. Puis elle vit des rides se former à la surface de l'eau.

Prudemment, elle écarta son ouvrage et se leva, la main sur le couteau à sa ceinture.

— Quel genre de magye est-ce ? murmura-t-elle.

Était-ce un signe ? Un représentant des ténèbres venu l'appeler ?

Son nom résonna à nouveau et l'eau sembla frissonner et tourbillonner.

Les papillons qui dansaient le long de la berge s'éloignèrent en un nuage couleur caramel.

Et l'air se fit aussi silencieux qu'une tombe.

Eh bien, elle n'était pas un petit garçon dans un livre, s'admonesta-t-elle, se rapprochant du ruisseau.

— Je suis Fallon Swift, lança-t-elle malgré le sang qui battait à ses tempes. Qui êtes-vous ? Que voulez-vous ?

— Je n'ai pas de nom. Je suis tous les noms.

— Que voulez-vous ?

Un doigt d'eau s'éleva du ruisseau ondoyant. Il lui suffit d'une seconde pour reconnaître ce majeur, et ce qu'il signifiait. Mais ce fut une seconde de trop.

Ils la poussèrent par-derrière, tous les trois. Elle atterrit tête la première dans l'eau, puis refit surface en entendant ses frères hilares.

Après avoir écarté ses cheveux ruisselants de ses yeux, elle trouva le fond et se redressa.

— Vous avez dû vous y mettre à trois, et en embuscade.

— « Qui êtes-vous ? » répéta Colin d'une voix tremblotante. « Que voulez-vous ? » T'aurais vu ta bobine !

— Sympa de voir comme tu acceptes bien les excuses.

— Tu le méritais. Maintenant, on est quittes.

Elle l'avait peut-être mérité, et elle devait l'applaudir d'avoir attendu son heure et recruté ses frères. Plus encore, elle devait admirer la complexité et la créativité de son tour.

Mais…

Elle passa en revue ses options, l'humiliation si elle échouait, et décida de prendre le risque.

Elle avait de l'entraînement.

Pendant que ses frères riaient et exécutaient leur danse de la victoire, elle parla mentalement à sa jument. Grace s'avança et, d'un coup de tête, poussa Colin dans l'eau.

— Hé oh ! (Plus petit que Fallon, il pataugea et parvint à retrouver pied.) C'est pas juste !

— À trois contre une, ce n'est pas juste non plus.

Hurlant de rire, Ethan sauta dans l'eau.

— Moi aussi, je veux me baigner !

— Ah ouais, pourquoi pas ! s'exclama Travis, qui retira ses chaussures et fit une bombe dans le ruisseau.

Pendant que les garçons s'éclaboussaient et se coulaient les uns les autres, Fallon se mit sur le dos pour faire la planche. Cette fois, elle parla avec Travis dans sa tête.

C'est toi qui as conçu ce plan.

Oui.

Je m'étais excusée.

Oui, mais il en avait besoin. Et puis on s'est bien marrés.

Il tourna la tête et lui adressa un sourire.

En plus, il fait chaud.

Le doigt d'honneur, c'était grossier.

Et rigolo.

Elle ne put retenir son propre sourire.

Et rigolo, reconnut-elle. *Je voudrais parler quelques minutes seule avec Colin.*

Oh, c'est bon, c'est juste de l'eau.

Pas de ça. On est quittes. Juste quelques minutes.

Il lui lança un regard plus aigu. Il voyait, il comprenait, ainsi qu'à son habitude. Il s'apprêtait à parler à son tour, mais se détourna. Il se contenta de hocher la tête.

Fallon sortit de l'eau et, après s'être passé les mains sur le corps pour se sécher, récupéra son livre et sa canne à pêche.

— Il faut qu'on rentre, cria-t-elle.

Sans tenir compte des plaintes, la plupart venant d'Ethan, elle leur fit signe de venir.

— On doit aider à préparer le dîner et commencer les corvées du soir.

Travis sortit de l'eau et Fallon le sécha.

— Merci.

Elle dut s'accroupir pour aider Ethan à sortir.

— C'est drôle de se baigner avec les habits.

Elle lui donna une pichenette sur le nez.

— Ce serait moins drôle si tu devais rentrer à la maison dans des chaussures mouillées qui couinent.

Elle sécha les chaussures d'Ethan, puis son pantalon, et enfin le tee-shirt qu'ils avaient récupéré autrefois pour Colin.

Après avoir pris les rênes de Grace, elle se tourna vers l'aîné de ses frères.

— C'est bon, s'écria Colin. Tu t'es vengée de ma vengeance.

— Je te sécherai à condition que tu me donnes ta parole que tu ne vas pas prendre ta revanche que je me sois vengée de ta vengeance.

Il hésita un instant, puis sourit.

— J'en avais une bonne, mais je peux la garder pour la prochaine fois où tu seras chiante. Ça prendra sûrement pas longtemps.

Elle lui tendit la main.

— Mais c'est fini pour cette fois.

— Ça marche.

Ils se serrèrent la main.

De nouveau sec, il regarda autour d'eux.

— Pourquoi ils sont partis ?

— J'ai dit à Travis que je voulais te parler.

Une lueur méfiante s'alluma dans ses yeux.

— On a dit que c'était bon et on s'est serré la main.

— C'est pas à ce sujet, répondit-elle en se mettant à marcher, la jument les suivant tranquillement. C'est presque mon anniversaire.

— Ouais, ouais.

— Mon treizième anniversaire.

— Et alors ? (Il ramassa un bâton pour taper sur les arbres en marchant.) Tu vas sans doute commencer à embrasser des garçons et à te mettre des nœuds dans les cheveux. Trop naze.

— Je vais devoir partir.

— Et tu vas pouvoir conduire le camion. Je pourrais le conduire aussi, le camion, moi. Je vois pas pourquoi c'est toujours toi qui dois faire les trucs en premier.

— Colin, je ne serai pas là pour conduire le camion. Je devrai partir.

— Partir où ?

Elle vit la compréhension éclairer son visage. Ses parents ne lui avaient pas caché l'histoire de Mallick, de l'Élue, des deux années d'entraînement loin de la maison.

Un déni enflammé suivit immédiatement la compréhension.

— Mon cul, oui, tu vas pas bouger d'ici. C'est rien que des conneries, cette histoire.

Il aimait dire des gros mots, pensa Fallon distraitement. Il jurait chaque fois qu'il était hors de portée d'oreille de leurs parents.

— Non. Et quand il viendra, je devrai partir avec lui.

— Des conneries, j'ai dit. (Furieux, le visage rougi, Colin lança son bâton.) Je me fous de qui peut bien être ce mec bizarre, il ne va pas t'obliger à y aller. On l'en empêchera. Je l'en empêcherai.

— Il ne va pas m'obliger. Il ne peut pas. Mais je dois y aller.

— Tu *veux* y aller. (Sa voix était empreinte d'amertume. Si jeune, et déjà tant de rancœur.) Tu veux te barrer et te la jouer sauveuse super importante. Faire comme si t'étais l'Élue qui va voler au secours du monde. Encore des conneries.

Il la repoussa avec force.

— T'es pas si spéciale que tu crois, et le monde va très bien, bordel ! Regarde !

Il désigna le bois luxuriant, la lumière mouchetée, la paix verdoyante de la fin d'été.

— Ce n'est pas le monde, juste notre partie du monde, et même ici, ça peut être menacé.

La vision s'éleva en elle, si rapidement, si brûlante qu'elle en eut le souffle coupé.

— Regarde par toi-même. Voilà le monde.

Elle leva les mains, qu'elle sépara comme pour ouvrir un rideau.

Une bataille faisait rage, noire et sanglante. Des bâtiments en ruine, d'autres en flammes. Des corps tordus et en charpie qui gisaient sur… des trottoirs, comprit-elle. Les rues et les trottoirs d'une ville, autrefois une grande ville.

Des coups de feu éclatèrent dans le bois immobile et des cris s'ensuivirent. La foudre frappa, noire et rouge, créant des failles où d'autres tombaient encore.

Certains volaient avec des ailes qui lacéraient la chair. Certains avec des ailes qui tentaient de protéger.

Les Insolites, noirs et lumineux, des gens, bons et mauvais, s'affrontaient en foulant le sang de ceux qui étaient déjà tombés.

— Arrête ! (Colin lui agrippa le bras pendant qu'elle restait fascinée.) Arrête, arrête !

Il sanglotait.

Tremblante, elle referma le rideau.

— Comment tu as fait ça ? Comment tu as fait ça ?

— Je n'en sais rien. (Fallon, prise de vertige, s'affaissa sur le sentier.) Je sais pas. Je me sens pas bien.

Il attrapa sa gourde accrochée à sa selle et s'accroupit pour la lui présenter.

— Bois de l'eau. Bois et mets la tête entre les jambes, peut-être.

Elle but une gorgée, ferma les yeux.

— J'ai des visions de ce genre, parfois. Souvent quand je dors. Comme ça, ou à d'autres endroits. Ce sont toujours des combats, des morts, des incendies. Parfois, je vois des gens dans des cages, ou sur des tables, ligotés à des tables. Et pire, encore pire. (Elle referma la gourde.) Ça va, maintenant. Je sais pas comment je fais ça. Je n'en sais pas assez.

Colin l'aida à se relever et rangea la gourde.

— C'était où ?

— Je sais pas trop. Je pense que c'était Washington, mais je ne sais même pas pourquoi je crois ça. Je n'en sais pas assez. C'est pour ça que je dois y aller. Il faut que j'en apprenne plus, il le faut, et j'ai peur. Je suis terrifiée. Ils veulent me tuer, ils ont essayé de me tuer, moi et maman. Ils ont tué mon père de naissance. Ils me retrouveront un jour ou l'autre. Ils pourraient débarquer ici et me trouver. S'il arrivait quelque chose aux parents, à toi, à Travis et à Ethan…

Elle se retourna vers sa jument et se nicha contre son encolure.

— Je dois y aller et apprendre à les arrêter, ou ça continuera toujours.

Colin lui tapota maladroitement le dos.

— Je viens avec toi.

— Tu ne peux pas.

— Essaie un peu de m'en empêcher ! (La fanfaronnade obstinée, la sincérité dans toute son innocence refirent surface.) Tu crois que parce que je sais pas faire de tours débiles et tout ça, je peux pas me battre ? Je viens avec toi, idiote !

Elle fut touchée, et peut-être ne saurait-elle jamais lui dire à quel point, qu'au moment où elle était au plus bas il la soutienne.

— Ce n'est pas à cause de la magye. (Et même à son jeune âge, elle comprenait les stratégies de base.) Et ce n'est pas parce que tu ne te battrais pas.

Elle s'essuya les yeux, se retourna et vit qu'il avait également versé des larmes.

— Il faut que tu restes parce que tu dois être président.

— Tu déjantes, bordel de Dieu de merde ?

Même avec son nouvel amour des grossièretés, Colin ne réservait les enfilades de jurons qu'aux occasions importantes.

— Écoute, dit-elle en recommençant à marcher, se sentant un peu mieux. Papa et maman, c'est un peu le roi et la reine, d'accord ? Ce sont eux qui règnent. Mais ils ne savent pas tout ce qui se passe. Si vous n'avez pas fait jurer à Ethan de garder le secret, ils sauront ce qui est arrivé au ruisseau aujourd'hui. S'il n'a pas juré, il sera tout content de raconter.

— Merde.

— Donc ils sauront, mais ce n'est pas grave. Personne n'est fâché. Or ils ne savent pas tout, et le plus âgé, ça va être toi, devra être responsable aussi. Tu dois être président et faire attention à Travis, à Ethan et aussi aux parents. J'ai besoin de savoir que tout le monde ira bien. S'il te plaît. C'est un boulot difficile. Tu dois t'assurer que tout le monde va bien, que tout le monde fait ses corvées et apprend ses leçons. Et tu dois pas être trop autoritaire, sinon ça ne marche pas.

Il lui donna un petit coup de hanche.

— Pourtant, toi, t'es autoritaire.

— Je pourrais l'être plus. Bien plus. S'il te plaît, Colin.

Ils s'arrêtèrent au sommet de la butte où, si longtemps auparavant, leur mère avait vu la ferme pour la première fois et éprouvé de l'espoir à nouveau.

— Je peux être président, marmonna-t-il. Je t'ai déjà dit que je pouvais.

— OK.

Elle passa le bras autour de ses épaules et, pendant quelques instants, ils contemplèrent leur maison.

Ethan était en train de nourrir les chiens, les vieux et les jeunes. Travis suivait une rangée du potager et remplissait un panier de haricots verts. Leur père, la tête protégée par une casquette, revenait d'un champ à proximité avec l'un des chevaux, et leur mère, affairée dans les plants d'herbes aromatiques, se redressa pour lui faire signe.

Elle emporterait cette image avec elle. Celle-ci et bien d'autres, où qu'elle doive aller. Quoi qu'elle doive faire.

Jour après jour, nuit après nuit, Lana observait ses enfants avec un certain émerveillement. Avant la Calamité, elle ne s'était jamais attardée sur l'idée d'avoir des enfants. Ce n'était guère plus qu'un projet vague et lointain. Elle appréciait sa vie, son glamour urbain, avec un homme qu'elle aimait et admirait.

Elle s'était essayée à la magye principalement pour s'amuser et ses pouvoirs se manifestaient à peine. Du moins était-ce ce qu'elle croyait.

Son travail la satisfaisait, donc ses ambitions dans ce domaine étaient, comme pour les enfants, une pensée en passant, pour plus tard.

Elle vivait avec un écrivain dont les livres avaient trouvé une niche bien établie. Max prenait l'Art plus au sérieux qu'elle, et ses pouvoirs étaient plus tangibles, même s'ils n'étaient encore que l'ombre de ce qu'ils allaient devenir.

Leur amour avait encore cet éclat de la nouveauté et de l'excitation. L'avenir, si elle se projetait au-delà d'un jour ou deux, semblait sans limites.

Et puis le monde s'était écroulé. Tout ce qui leur avait paru aller de soi était parti en fumée, en sang, en cris de corbeaux qui volaient en cercles au-dessus d'eux. Avec la vie qui avait pris naissance en elle cette nuit de janvier, un autre monde avait commencé.

Dans les mois qui s'étaient écoulés entre cette nuit d'hiver et le beau jour d'été où elle avait vu la ferme pour la première fois, elle s'était transformée en une personne que la citadine satisfaite d'autrefois n'aurait pas reconnue. Elle avait changé, elle le savait, non seulement avec l'enfant qui grandissait en elle, non seulement avec la croissance de ses propres pouvoirs, mais au plus profond d'elle-même.

Tout comme la femme en deuil, désespérée et affamée que Simon avait trouvée en train de chaparder dans son poulailler était devenue celle qui dormait dans les bras de son mari par une fraîche nuit d'automne dans les ululements incessants d'un hibou.

Cette femme avait appris à aimer non seulement pour des jours, des semaines et des mois, mais pour des années. Elle avait semé des champs, chassé du gibier et accepté son pouvoir. Elle avait donné naissance à quatre enfants dans le lit qu'elle partageait avec l'homme qui l'avait aidée à les mettre au monde.

Leur monde.

Mais elle connaissait le monde en dehors de cette ferme, de ce havre. Elle y avait combattu, elle y avait survécu. Elle s'en était échappée.

Et maintenant, après tant de pertes, de gains, de chagrins et de joies, elle devait envoyer son aînée dans ce sang et cette fumée.

Simon lui caressa le dos.

— On peut refuser.

Elle se blottit contre lui.

— Tu lis dans mes pensées, maintenant ?

— Ce n'est pas dur, on pensait la même chose. C'est juste une gamine, Lana. Bien sûr, c'était important d'être honnêtes avec elle dès le départ, de ne pas attendre de lui jeter ça à la tête, mais n'empêche, c'est juste une gamine. On doit lui parler sérieusement, s'assurer qu'elle sait qu'on la soutient dans tous les cas. Elle n'est pas obligée de partir.

— On ne lui a jamais menti, ni rien caché. Et pourtant, je crois que même si on l'avait fait, elle l'aurait su. C'est en elle, Simon. Je le sentais quand je la portais. Je le sens maintenant.

— Tu te souviens, son premier printemps ? On travaillait au jardin et elle faisait la sieste à l'ombre, sous le vieux pommier avec Harper et Lee. Quand on l'a entendue rire, on a regardé, il devait y avoir des centaines de papillons et…

— Ces fées, ces petites lumières. (À ce joli souvenir, Lana pouvait sourire.) Qui dansaient autour d'elle. Elle les avait appelées.

— Elle ne marchait même pas encore. Je sais qu'elle n'est plus un bébé, mais merde, elle n'a que douze ans.

Treize ans, songea Lana. *Plus que quelques jours désormais.*

Sans y penser, elle tourna entre ses doigts la chaîne qui tenait le médaillon de l'archange saint Michel qu'il portait à son cou.

— Elle a décidé d'y aller.

— Tu n'en sais rien.

Pour toute réponse, elle posa la main sur le cœur de Simon qui se serra sous sa paume. Il lui prit la main.

Ils s'étaient promis de rester unis lorsque le jour viendrait et de soutenir Fallon quel que soit son choix.

— J'imagine que ça explique pourquoi elle ne se dispute pas avec les garçons en ce moment. Elle t'en a parlé ?

— Non, pas avec des mots. Je sais qu'elle est née pour ce qui est sur le point de se produire. Je le sais de tout mon être. Et je déteste ça. (Elle nicha le visage dans son cou.) C'est notre bébé, Simon. C'est horrible.

— On peut trouver un moyen d'empêcher ça, de l'arrêter.

Lana secoua la tête et s'enfouit encore plus au creux de son épaule.

— Ça nous dépasse, Simon. Depuis toujours. Même si on le pouvait, que se passera-t-il quand les garçons grandiront, quand ils auront besoin de vivre en dehors de cette ferme ? Est-ce qu'on va les garder ici pour toujours, comme des trésors prisonniers de l'ambre ? Si nous avons pu leur donner la vie que nous avons, les garder en sécurité, c'est grâce à Fallon. Parce qu'on nous a donné ce temps.

— Le temps est écoulé, je comprends. Je sais comment défendre les miens, Lana.

— Tu me l'as prouvé avant même que je fasse partie des tiens. Mais ça, on ne peut pas le combattre. Je suis des tiens. (Elle releva la tête pour le regarder, posa la main sur sa joue.) Et Fallon est des tiens et les garçons sont des tiens. Je ne suis pas assez forte, nous ne sommes pas assez forts pour faire face sans toi. Nous devons la laisser partir. (Une larme déborda de ses yeux.) Aide-moi à la laisser partir.

Il se redressa en la prenant contre lui pour qu'elle puisse pleurer un peu.

— S'il y a une chose dont je suis sûr, c'est qu'elle est intelligente, forte et avec tout ça, c'est une sacrée maligne.

Lana parvint à produire un faible rire.

— Ça, c'est sûr.

— À nous deux, on lui a appris tout ce qu'on sait, et elle était déjà bien avancée là-dessus. C'est deux ans.

Il ferma fort les yeux, sentant son cœur se déchirer un peu plus.

— Ça passera vite et tout ira bien pour elle. C'est comme un pensionnat pour sorciers, à part qu'elle en sait plus au départ que Harry Potter.

Lana soupira, réconfortée.

— Simon.

— On fait notre tournée, qu'en dis-tu ?

— D'accord, dit Lana en essuyant ses larmes et en secouant ses cheveux. Bonne idée.

Elle pensa à la maison, ce bâtiment carré et solide qu'elle avait aperçu depuis la butte. Une maison dont il leur avait ouvert la porte, à elle et à l'enfant qu'elle portait.

Ils l'avaient agrandie avec les années – il savait construire, cet homme. Ils avaient percé un mur dans le séjour pour ajouter un espace consacré aux necessités comme la couture, le filage et le tissage. Ils avaient augmenté le nombre de moutons dans leur troupeau. Ils avaient agrandi la cuisine pour les conserves. Et bâti une deuxième serre pour cultiver en hiver.

Et pendant qu'ils bâtissaient, pensa-t-elle tout en enfilant un peignoir, ils avaient rempli les chambres de bébés. Cette preuve tangible d'amour et d'espoir, ces précieuses lumières.

Ensemble, ils avaient fondé une famille et l'avaient gardée en sécurité. Dans l'ambre, certes. Ensemble, ils avaient donné à leur fille la meilleure fondation qu'ils étaient en mesure de lui donner.

Et maintenant, ensemble, ils allèrent dans la chambre que Travis partageait avec Ethan. La lueur de la lune filtrait par les vitres sur leurs lits superposés fabriqués par Simon.

Travis était étalé sur le ventre dans la couchette du haut, un bras dans le vide, le boutis en coton qu'elle avait négocié contre deux bocaux de cornichons, faits à partir de ses propres concombres, roulé en boule à ses pieds.

Même si la couverture allait de toute façon finir au même endroit, elle entra pour le couvrir.

En bas, Ethan dormait dans un joyeux empilement avec les deux jeunes chiots, Scout et Jem. Il souriait dans son sommeil.

— Si on le laissait, il prendrait la moitié des animaux de la ferme avec lui, chuchota Simon.

— Les porcelets, lui rappela-t-elle.

Il rit.

— Je ne comprends toujours pas comment il avait réussi à faire passer trois porcelets dans notre dos.

— Il a tellement bon cœur. Et lui… (Doucement, elle remit le bras de Travis sur son lit.) Il adore jouer des tours, mais il voit et comprend tant de choses pour son âge.

— Il est super doué pour la ferme.

Elle sourit et recula d'un pas.

— Comme son papa.

Après un dernier regard, ils ressortirent et passèrent à la chambre de Colin.

Recroquevillé en chien de fusil, il avait une main agrippée à sa couverture, comme si on risquait de la lui voler pendant son sommeil.

Son assortiment hétéroclite d'objets trouvés remplissait un coffret en bois sur sa commode et s'entassait sur le rebord de la fenêtre et sur les étagères que Simon avait installées.

Des galets ou des cailloux intéressants, du verre poli par des années dans le ruisseau, une touffe de mousse séchée, une pièce de vingt-cinq cents, quelques pièces d'un cent, un couteau de poche cassé, une capsule de bouteille, le couvercle ébréché d'un Thermos, et ainsi de suite.

— C'est le meilleur en trouvailles, commenta Simon.

— C'est son don, savoir dénicher des trésors. Je sais que parfois il se sent mal de ne pas avoir les mêmes capacités que les autres, mais il a un esprit curieux.

— Et un ego bien trempé. Colinville.

Elle sourit et déposa un baiser sur la joue de leur fils.

— Le président Swift de Colinville n'a plus une odeur de petit garçon. Travis et Ethan ont encore cette senteur innocente de nature. Avec lui, on a un petit effluve de vestiaires d'hommes. Sain et viril.

Elle se glissa dans les bras de Simon.

— Je me demande s'il y aura un jour des salles de sport à Colinville.

— Comme son premier décret en tant que chef du gouvernement sera la construction d'un terrain de basket, des vestiaires suivront.

Elle releva le visage vers lui.

— Tu es si bon pour moi.

Il l'embrassa, s'attarda contre ses lèvres.

— Tu sais ce qu'on devrait faire ?

— On ne l'a pas déjà fait ?

— On peut toujours remettre ça. Mais non, je pensais : on devrait faire venir John Pike avec son vieil appareil photo et prendre un portrait de famille. Il a une chambre noire, et aux dernières nouvelles, il avait encore les fournitures pour s'en servir.

— Et tu vas devoir donner ta jambe gauche contre une photo.

— Je saurai négocier. Fais-moi confiance.

— Je t'ai toujours fait confiance et je te ferai toujours confiance. Et ça me plairait beaucoup d'avoir une photo de nous.

Ils laissèrent Colin endormi et se rendirent à la chambre de Fallon.

Des fées voletaient à sa fenêtre, comme bien souvent. Leur fille dormait face à elles, la main sur son ourse en peluche rose.

Les autres cadeaux de Mallick, bougie et boule de cristal, se trouvaient sur la commode avec *Le Roi sorcier*. En s'approchant, Lana vit qu'elle tenait un petit cheval de bois dans l'autre main.

— Tu lui avais fabriqué ça pour son premier Noël, dit-elle en se retournant vers Simon. Tu veux la photo pour elle, pour qu'elle puisse l'emporter.

— John pourra nous en tirer deux. Elle est trop jolie, non ? Parfois, quand je la regarde, j'en ai le cœur qui s'arrête de battre. Et je me dis que tout ce que je veux vraiment, c'est pouvoir faire fuir les garçons qui viendront lui tourner autour, au moins jusqu'à ce que j'en trouve un digne d'elle. Quand elle aura trente ou quarante ans, quoi. Cinquante, peut-être. J'aimerais pouvoir l'engueuler parce qu'elle est trop maquillée, ou que sa jupe est trop courte ou…

Lana lui pressa fort la main.

— Tu lui as donné tout ce qu'un père peut et doit donner. (Elle lui caressa la joue parce qu'elle voyait la douleur dans ses yeux.) La nuit où elle est née. Dans tes mains. Les tiennes, Simon. Elle cherchera toujours tes mains.

Elle souffla et referma ses doigts sur les siens.

— Elle nous reviendra. Je ne pourrais pas la laisser partir si je n'en étais pas certaine. Elle nous reviendra.

Mais pour combien de temps, et ce qui se passerait entre-temps, et ce qui se produirait après, elle ne pouvait le voir.

3

Pour le treizième anniversaire de Fallon, les bois arboraient des couleurs vives en contraste avec le ciel. Les branches des pommiers et des poiriers ployaient sous les fruits lourds qui n'avaient pas encore été récoltés. Les raisins formaient de grosses grappes luisantes sur la vigne.

Le jardin affichait des couleurs automnales avec citrouilles et courges diverses, choux bien dodus, rangs de kales et de navets.

Si l'air restait doux, les nuits fraîches signalaient que la première gelée ne tarderait pas.

Simon avait assigné les garçons au ramassage des pommes, ce qui leur donnait un prétexte pour grimper aux arbres. Il avait demandé à Fallon, qui était la plus douée pour le repérage, de vendanger les grains déjà mûrs à transformer en raisins secs, en gelée, en vin, ou à manger en dessert. Il savait que Lana avait déjà préparé le pain d'épices, gâteau préféré de Fallon. Sa femme travaillait maintenant au jardin, où elle récoltait des légumes pendant qu'il coupait du bois pour l'hiver à venir.

Et tous faisaient comme s'il s'agissait d'un jour ordinaire parce qu'ils n'avaient pas d'autre choix.

Simon écoutait ses fils qui riaient, les poules qui caquetaient tout bas, le bourdonnement grave de la ruche. La sueur ruisselait dans son dos et la fatigue gagnait ses muscles lorsqu'il souleva une nouvelle bille pour la fendre.

Quelque part dans les bois, un pivert s'activait avec fébrilité. Les chiens n'écoutaient pas ses martèlements répétés, ne s'émouvaient pas non plus que les chevreuils s'aventurent jusqu'à la lisière pendant qu'ils dormaient sous un flot de soleil.

Une situation normale complètement pourrie, pensa Simon. Autrefois, il avait choisi la carrière de soldat et appris le coût de la guerre. Il avait renoncé à cette vie lorsqu'un cancer avait été diagnostiqué à sa mère. Il en avait appris énormément sur l'amour, le sacrifice et la force d'une femme.

Elle avait vaincu le cancer seulement pour succomber au virus. Alors il avait enterré ses deux parents à quelques jours d'intervalle et avait appris la douleur du deuil.

Il avait choisi de rester, de cultiver et avait appris ce que lui et d'autres pouvaient faire pour survivre alors même que le monde leur échappait. Et ce que certains n'hésiteraient pas à faire pour semer davantage de mort et de destruction.

Plus d'une fois au fil des ans, il avait aidé un voisin à combattre ces gens-là. Et il avait enterré des amis comme des ennemis.

Il avait vu des corbeaux tournoyer au loin, en dehors de leur hectare tranquille. Il avait vu des éclairs.

Et maintenant sa fille allait partir loin de lui, dans ce monde sombre et dangereux. Il n'était pas en son pouvoir à lui, homme, soldat, père, de l'arrêter.

Il regarda vers elle, sa grande fille dégingandée, si jolie. Le soleil miroitait sur la tresse brune dans son dos. Elle portait l'un des vieux chapeaux de jardinage de sa mère, en paille à large bord. Le tee-shirt bleu délavé avait été à sa mère aussi et montrait que sa petite fille avait désormais ce que Lana appelait des petits bourgeons de seins.

Il n'aimait pas réfléchir à ça.

Il avait fait du troc pour lui procurer son jean – qui flottait un peu, tant elle était mince – et ses bonnes bottes marron.

Il voulait la garder là, juste comme ça. Dans les vignes, une grappe de raisin rouge bien mûr à la main, le visage levé vers le soleil.

Les yeux toujours sur elle, il posa les bûches fendues sur le reste du tas. Il vit Fallon se raidir, se retourner lentement, le visage inexpressif. Un masque de contrôle que personne d'aussi jeune ne devrait avoir à porter.

Elle déposa les raisins dans son panier, passa le sécateur à sa ceinture et s'éloigna dans les rangs de vignes en terrasses.

Tout devint silencieux. Les garçons se turent, les abeilles, les poules. Les chiens n'aboyaient pas. Simon sentit un moment, un long moment déchirant, que le monde s'arrêtait de respirer.

Le sien.

Mallick se trouvait au bord de la route menant à la ferme, tenant les rênes de son cheval. Le même cheval que treize ans plus tôt, Simon l'aurait juré. Il semblait être le même également, pas âgé d'un jour de plus, les cheveux noirs tombant en boucles sur ses épaules et la mèche blanche dans sa barbe.

Lana était debout dans le jardin, une main sur le cœur, l'autre en poing serré sur le côté.

Simon laissa tomber le bois par terre et s'élança en avant.

— Papa.

La voix égale, les yeux secs, Fallon s'arrêta pour lui saisir le bras.

Il prit alors conscience qu'il avait la main sur le pistolet à sa ceinture.

— Tu devrais prendre Ethan, il pleure, lui signala-t-elle.

— Mon bébé.

— Ça va. Il faut que tu m'aides à y arriver. S'il te plaît, papa, s'il te plaît, aide-moi.

Le masque s'effrita. Les yeux de sa fille étaient suppliants.

— Va d'abord voir ta mère. Je m'occupe des garçons.

Elle alla donc attraper la main de Lana. Ensemble, elles vinrent à la rencontre de Mallick.

— Ma dame, les années vous vont bien, ainsi qu'à cette terre.

— Vous aviez parlé de choix. Vous ne pouvez pas l'obliger à partir.

— Maman.

Déjà bouleversée, Lana se tourna vers sa fille.

— Je suis ta mère. C'est moi qui décide. Tu n'as pas l'âge de prendre une décision comme celle-ci. Tu ne sais pas ce qu'il y a au-dehors. Tu ne…

Elle se tut quand Fallon l'entoura de ses bras et lui parla dans sa tête.

Je sais ce que tu sais. J'ai vu ce que tu as vu. J'ai rêvé ce que tu as rêvé. Aide-moi à y arriver. Aide-moi à être forte. Laisse-moi partir pour que je puisse devenir ce que tu m'as encouragée à être. Laisse-moi partir pour que je puisse revenir.

Elle s'écarta, mais garda la main de sa mère pour faire de nouveau face à Mallick.

— As-tu choisi, Fallon Swift ?

— Est-ce qu'ils resteront en sécurité pendant que je serai au loin ? Je ne peux pas laisser ma famille si je ne la sais pas en sûreté.

— Rien ne leur arrivera pendant ton entraînement avec moi.

— Si vous mentez, vous le paierez.

Il hocha la tête.

— Compris, Simon Swift.

D'un air absent, il caressa l'un des chiens qui le reniflaient pendant que Simon les rejoignait avec les garçons. Mallick les scruta tous les trois. Colin et son air sombre, Travis aux yeux froids, Ethan avec ses larmes sur les joues.

— Vous avez fait de beaux fils. Puis-je abreuver mon cheval pendant que vous faites vos adieux ?

— Maintenant ? Mais elle n'a pas mangé son gâteau d'anniversaire, elle n'a pas eu ses cadeaux. Il faut que je l'aide à faire ses bagages.

— Maman. Mon sac est fait. Je suis prête. Je vais les chercher.

Sans rien dire, Simon désigna à Mallick l'abreuvoir à côté de la grange.

— Je… Il faut que je lui emballe des provisions. Il faut qu'elle mange son gâteau.

Lana s'échappa dans la maison.

— Allez chercher vos cadeaux pour votre sœur, dit Simon aux garçons. Mallick, où l'emmenez-vous ?

— Pas aussi loin que vous le craignez, pas aussi près que vous le souhaiteriez. Je ne peux pas vous en dire davantage, pour sa sécurité.

— Et comment saurons-nous qu'elle l'est, en sécurité ?

— Vous savez ce que c'est que le devoir, et elle est mon devoir. Croyez-moi, je risquerais ma vie pour elle. Pas par amour, comme vous, mais par devoir, un devoir tout aussi fort que votre amour. Elle est mon objectif, mon espoir, mon devoir. Je ne lui ferai pas défaut.

— Vous connaissez le sens du devoir, répéta Simon. Je vous avertis, s'il lui arrive malheur, je vous traquerai, qui et quoi que vous soyez. Et où que vous soyez, je vous trouverai et je vous tuerai.

— S'il lui arrive malheur, Simon Swift, c'est que je serai déjà mort. Et ce qui reste du monde souhaitera connaître le même destin. Dans deux ans, elle vous reviendra, et vous verrez en quoi vous avez contribué à la transformer.

— Dans deux ans jour pour jour, si elle n'est pas de retour saine et sauve, vous aurez affaire à moi.

Il s'éloigna à grands pas, s'arrêta net quand Fallon ressortit avec un petit sac en feutrine.

— Je dois seller Grace.

— Je vais le faire, dit Travis aussitôt. Tiens, je t'ai fabriqué ça.

Il lui offrit un fourreau de cuir pour son couteau, avec des signes soigneusement gravés.

— Ce sont des symboles magyques pour que la lame reste propre et aiguisée et pour l'aider à frapper juste.

— C'est magnifique, Travis. Tu… tu dois avoir travaillé dessus longtemps.

— Je sais que tu dois partir. (Lorsque sa voix flancha, il déglutit.) Je sais que tu as peur, mais tu vas revenir.

— Oui. Je reviendrai.

— Tu seras différente, or tu reviendras. Je t'amène Grace.

Elle voulut parler à son père, peina à trouver ce qu'elle voulait dire. Colin et Ethan lui épargnèrent cet effort.

— Je veux pas que tu partes, s'écria Ethan en s'accrochant à ses jambes. T'en va pas.

— Je le dois, pour un moment, et il faut que tu me rendes un service.

Elle ouvrit son sac et en sortit la peluche rose.

— Il faudrait que tu en prennes soin, d'accord ? Elle a besoin de câlins la nuit.

— Tu devrais l'emporter avec toi.

— Elle ne veut pas y aller. Elle a envie de rester ici. Si tu veux bien t'en occuper jusqu'à ce que je revienne ?

— Je la protégerai. Fallon, je t'ai fait ça. Bon, c'est surtout papa, mais je l'ai aidé, et je lui ai dit de faire une fleur, et puis je l'ai peinte. C'est une fleur d'anniversaire.

Elle prit la petite tulipe en bois plus ou moins bien décorée en rose et vert éclatant.

— C'est très joli. Merci, Ethan.

Elle s'accroupit pour la glisser dans son sac, puis sortit son fourreau de sa ceinture pour le remplacer par le nouveau.

— Je t'ai préparé ça, dit Colin en lui mettant une mini boîte dans la main.

De l'intérieur, elle sortit un petit carillon. Des pierres blanches délicates, des morceaux de verre coloré tout lisse attachés par un fil de pêche suspendu à un vieux crochet de métal.

— C'est superbe.

— C'est débile, mais…

— C'est superbe.

Elle vit ses larmes, eut un mal fou à se retenir elle-même de pleurer et l'étreignit bien fort.

— Tu es le président, maintenant, chuchota-t-elle. N'oublie pas.

Lorsque ce fut sa mère qui sortit, Fallon discerna les traces de larmes derrière le trompe-l'œil qu'elle avait mis en place pour les dissimuler.

— Voilà des parts de gâteau, du pain frais de ce matin, de la viande, du fromage et… Travis arrive avec Grace. Je vais mettre ça dans ta sacoche de selle.

— Je vais le faire, dit Colin en prenant le ballot de nourriture et les affaires.

— Ça va tellement vite, murmura Lana. Trop vite.

Fallon eut peur de perdre ses moyens, mais elle se pencha pour embrasser Ethan.

— Prends bien soin de l'ourse et ne laisse pas les grands te commander.

Elle se redressa, se tourna vers Travis, le serra dans ses bras.

— Ne t'imagine même pas que tu peux me piquer ma chambre.

Et puis Colin.

— Essaie de ne pas être aussi stupide.

— C'est toi, la stupide.

— Essaie de ne pas trop faire de bêtises pendant que je serai partie.

Elle recula, et ce fut au tour de sa mère.

— Maman.

— De la part de ton père et moi.

Fallon prit la chaîne qui retenait l'alliance de son père de naissance et le médaillon de saint Michel de son papa. Les larmes et l'amour affluèrent à sa gorge.

— Je la porterai toujours, dit-elle en la passant à son cou. Toujours. Maman, ajouta-t-elle en se jetant dans ses bras. Je t'aime. Je t'aime tellement.

— Je t'aime. Je penserai tout le temps à toi et je compterai les jours jusqu'à ton retour. Brille fort, mon bébé, et je le saurai. Envoie-moi un signe, lui chuchota Lana.

— Je le ferai.

Elle lutta contre les larmes et s'avança dans les bras de son père.

— Papa. Je t'aime.

— Écoute, dit-il en lui relevant le visage. Si tu as besoin de moi, appelle-moi. Je t'entendrai. Je viendrai. Je me débrouillerai.

— Je n'ai pas peur, parce que je vous ai. Je n'ai pas peur parce que vous m'aimez. Je rentrerai à la maison, dit Fallon en pressant la joue contre la sienne. Je le jure.

Elle attrapa les rênes et monta en selle.

— Pour mes quinze ans, n'oubliez pas. Je veux des cadeaux !

Elle lança Grace au petit trot. Mallick, déjà sur sa monture, la rejoignit et fit un geste vers le sud.

Elle se retourna, posa encore un regard sur sa famille rassemblée devant la maison où elle était née.

Colin redressa les épaules et lui envoya un salut militaire sec qui lui arracha un sourire mêlé de larmes.

Elle leur fit signe, puis tourna les yeux vers le sud et lança Grace au galop.

Mallick la laissa donner le rythme. Il pouvait lui lâcher du lest pour quelques kilomètres, voir combien de temps elle mettrait à se calmer. Et son bon vieux bai pouvait encaisser la course.

Ils passèrent à côté d'une autre ferme, plus petite que celle des Swift, où une femme et un garçon gringalet ramassaient des pommes de terre. Ils s'interrompirent dans leur travail, et dans les quelques secondes qu'ils mirent à filer, Mallick perçut l'envie du garçon.

Pour Fallon, et pour ce qu'il voyait comme la liberté.

Ils continuèrent leur galop, dépassèrent un groupement de maisons abandonnées aux pelouses redevenues prairies. Quelques moutons paissaient sur les collines caillouteuses et leur vieille bergère était parmi eux, une houlette à l'ancienne dans une main, un fusil dans le dos.

Cette image, les cheveux gris sous un chapeau usé, les pierres émergeant de la verdure, les moutons blancs qui broutaient sans s'en faire, lui causa une bouffée de nostalgie, aussi brève qu'inattendue.

Lorsque Fallon réduisit son allure au trot, puis au pas – plus pour sa jument que pour elle-même, visiblement –, elle se retourna et le regarda dans les yeux pour la première fois.

— Je veux savoir où on va.

— À un peu plus d'un jour de cheval, dans un endroit où tu pourras t'entraîner, apprendre et grandir.

— Pourquoi c'est vous qui m'entraînez ?

— C'est une question à laquelle je ne peux répondre. Pourquoi es-tu l'Élue ? Pourquoi sommes-nous ce que nous sommes ?

— Qui vous a donné cette autorité ?

— Tu l'apprendras en temps et en heure. Qui est la bergère ?

— Elle s'appelle Molly Crane.

— Et quel est son pouvoir ?

Si elle se demandait comment il savait que la vieille Molly avait des pouvoirs, elle ne lui posa pas la question.

— Métamorphe.

— Combien de moutons a-t-elle ?

Fallon haussa les épaules avec agacement.

— Peut-être dix ?

— Peut-être ?

— Je ne les ai pas comptés.

— Tu as des yeux. Combien en as-tu vus ?

— Je ne sais pas.

— Tu n'as pas regardé, par conséquent tu n'as pas vu. Quatorze. Il y en avait un derrière un rocher, et la brebis pleine en porte deux.

La peine et le stress menaient un combat amer dans son estomac. Son ton sec envers un adulte lui aurait valu des remontrances à la maison, mais elle n'était plus à la maison.

— Quelle différence ?

— La prochaine fois, ce seront peut-être des ennemis. Comment connaîtras-tu leur nombre ? L'un pourra se cacher derrière un rocher, un autre pourra en dissimuler deux.

Tout à sa colère et à son chagrin, elle le railla :

— La prochaine fois que je devrai combattre des moutons, je ferai bien attention de tous les compter.

Mallick désigna l'est. Au loin, au-dessus des collines, des vols de corbeaux.

— Ils savent que l'attente est terminée. Tu seras traquée, de ce jour jusqu'à la fin.

— Je n'ai pas peur des corbeaux.

— Crains ce qui les dirige. La peur peut se révéler une arme, autant que le courage. Sans peur, il n'y a pas de prudence. Sans prudence, c'est la témérité. Avec la témérité, la défaite.

— Qu'est-ce qui les dirige ?

— Tu l'apprendras en temps et en heure.

Là-dessus, il talonna son cheval pour qu'il monte une pente et s'enfonce dans les arbres.

L'air fraîchit et, même si Fallon ne s'était jamais autant éloignée de chez elle, les senteurs de la forêt avaient une familiarité réconfortante. Elle passa le temps en guettant les empreintes, identifiant les chevreuils, un ours solitaire, un coyote et une paire de ratons laveurs qui avaient emprunté le sentier.

Ils traversèrent un petit ruisseau où l'eau cascadait sur les rochers. Un dindon sauvage gloussa au moment où ils s'orientèrent vers l'est.

— Combien de chevreuils y avait-il dans l'ombre à côté du ruisseau ? demanda-t-elle avec arrogance, le gratifiant d'un regard froid quand il tourna la tête vers elle. Et si c'étaient des ennemis ? Vous connaîtriez leur nombre ?

— Quatre femelles et deux petits.

— Quelle est la différence entre les deux petits ?

Amusé, Mallick répondit :

— L'un est un mâle, l'autre une femelle.

— Mais encore ?

Cette fois, il haussa les sourcils avec étonnement.

— Je ne peux pas te dire.

— L'un a mal à la patte avant gauche. Il appuie moins dessus. Vous n'avez pas vu les traces ? Ce n'est pas une bonne tactique pour savoir si l'ennemi est blessé ?

— Tu as l'œil pour relever les pistes. Si tu vises juste, nous mangerons bien cet hiver.

— Je vise bien. Mon père m'a appris. (Elle attrapa la chaîne à son cou, y puisa du réconfort.) Je peux encore rentrer chez moi. Je peux changer d'avis et rentrer.

— Oui. Tu pourrais vivre paisiblement là-bas et ne jamais vraiment devenir ce que tu es. Le monde saignerait autour de toi jusqu'au moment où même ce que tu aimes se noierait.

Elle avait horreur, mais alors horreur de savoir – d'une façon ou d'une autre – qu'il ne disait que la stricte vérité.

— Pourquoi je dois être l'Élue ? La Sauveuse de tout le monde ? Ce n'est pas moi qui ai tout fichu en l'air, alors pourquoi c'est à moi de le réparer ?

— *Mae gennych atebion y tu mewn i chi.*

— Comment ? Vous parlez en quelle langue ?

— J'ai dit : les réponses sont en toi.

— C'est comme dire « Tu l'apprendras en temps et en heure », ce n'est pas une réponse. (Même si elle avait très envie de le rembarrer, elle était dévorée par la curiosité.) C'est quelle langue ?

— Du gallois.

— C'est de là que vous êtes ? Du pays de Galles ?

Avec sa question, elle essaya de dessiner une carte dans sa tête, de le situer précisément ; elle adorait les cartes.

— Oui. Tu sais où ça se trouve ?

— Dans ce qui était le Royaume-Uni, avec l'Angleterre d'un côté et la mer d'Irlande de l'autre.

— Très bien. Tes compétences linguistiques sont insuffisantes, mais tes connaissances en géographie sont exactes.

— Et pourquoi mes parents m'auraient appris le gallois ? Ils ne connaissent pas cette langue ! Et puis c'est pas comme si j'allais atterrir là-bas.

Animée par la colère, le chagrin et maintenant insultée pour sa famille, elle lança les mots comme des grenades.

— Et ils m'ont enseigné plein de choses, à moi et à mes frères. À lire, à écrire, mais aussi à penser. On a appris les sciences, les maths et l'histoire, comment lire des cartes, les dessiner. On ne pouvait pas aller souvent à l'école du village à cause des Pilleurs et des Insolites noirs qui pouvaient venir trop près. Mon père les a combattus pour contribuer à protéger nos voisins, et lui et maman nous ont aussi appris à nous battre.

— Ils vous ont beaucoup appris, et ils vous ont enseigné la lumière et la terre. Et une leçon de la plus haute importance. Ils vous ont inculqué la loyauté. Tu l'as bien assimilée.

— Ça ne s'apprend pas. Soit on est loyal, soit on ne l'est pas.

Il lui sourit.

— Je ne suis pas d'accord, mais sache que je te suis loyal.

— Parce que vous êtes obligé, ce n'est pas la même chose.

Au bout d'un long moment, Mallick répondit :

— Tu as raison. Or ma loyauté demeure.

Elle parcourut plusieurs kilomètres en réfléchissant, puis les questions s'échappèrent :

— Pourquoi vous avez quitté le pays de Galles ?

— J'ai été appelé.

Elle poussa un long soupir dédaigneux qui en disait long sur ce que c'est d'avoir treize ans et de discuter avec un adulte.

— Si je vous demande qui vous a appelé, vous allez juste me répondre : « Tu l'apprendras en temps et en heure. »

— Et c'est vrai. J'ai été jeune comme toi, et comme toi je me suis demandé pourquoi on exigeait de moi tant de choses difficiles. Sache que je comprends ce que c'est de quitter sa maison et sa famille.

— Vous avez des enfants ?

— Je n'ai jamais eu ce bonheur.

— Vous m'avez apporté la peluche.

— C'était gentil de la donner à ton jeune frère, de laisser cette partie de toi à ses bons soins.

Elle écarta cette pensée, qui ramenait Ethan et ses pleurs à son esprit.

— Vous m'avez apporté la bougie et la boule de cristal. Ce ne sont pas des jouets comme la peluche. Je suis la seule à pouvoir allumer la bougie. Parfois, je le fais. Elle ne fond jamais.

— Elle a été fabriquée pour toi.

— Par vous ?

— Oui.

— D'après ma mère, je serais la seule à voir dans la boule de cristal, mais je n'y ai jamais rien vu.

— L'heure viendra.

— Elle vient d'où ?

— Je te l'ai fabriquée. L'ourse, je te l'ai achetée avant même que ta mère ne connaisse ton existence. La vendeuse m'a dit que c'était un cadeau joyeux pour une petite fille.

Elle se dit soudain, pendant qu'ils chevauchaient, qu'elle n'avait jamais eu une conversation aussi longue avec quelqu'un d'extérieur à sa famille. Elle n'en éprouvait pas de sentiments plus chaleureux à l'égard de Mallick, mais elle trouvait cette observation intéressante.

— Qu'allez-vous m'enseigner ? Pendant deux ans ? Mon père m'a appris à tirer. À l'arc et à l'arme à feu. Il m'a appris le combat corps à corps. Il était soldat. Capitaine dans l'armée.

Et ma mère m'a enseigné des choses sur la magye. C'est une sorcière, une sorcière puissante.

— Alors tu as de bonnes bases pour en apprendre davantage.

Elle arrêta son cheval.

— Vous entendez ?

— Oui.

— Des moteurs, et plus d'un.

— Il y a une route non loin d'ici que certains empruntent. Nous devons donc cheminer entre les arbres, dans les collines. Tu n'es pas encore prête pour la bataille.

Le son s'éloigna et ensuite, seule la forêt parla.

— Qui vous a appris ce que vous savez ?

— Son nom était Bran. Un enseignant exigeant.

— Est-ce que je le rencontrerai ?

— Il n'est plus parmi nous.

— Est-ce qu'il est mort dans la Calamité ?

Son devoir était d'enseigner, d'entraîner, et il le remplirait. Or qui pouvait savoir que cette adolescente aurait tant de questions en elle ?

— Non, il a quitté ce monde pour l'autre bien longtemps avant. Mais pendant que j'étais avec lui, il m'a appris bien des choses. J'ai voyagé dans de nombreuses contrées en sa compagnie.

Par plaisir, Fallon fit exécuter à Grace un petit saut par-dessus un arbre tombé à terre.

— Avant la Calamité, les gens voyageaient partout dans le monde, dans des avions. J'ai vu deux avions et un hélicoptère, l'engin plus petit avec des pales dessus. Ma mère a mis un bouclier sur la ferme au cas où ces gens en avion seraient ceux qui recherchent les Insolites pour les enfermer. Ou pire, des Insolites noirs. Alors on a vu les avions, mais ils ne pouvaient pas nous voir. Vous avez déjà pris l'avion ?

— Oui, et cela ne m'a pas plu.

— Moi, je suis sûre que je trouverais ça merveilleux. (Fallon leva la tête pour contempler les lambeaux de ciel visibles à travers la canopée de feuilles aux tons roux.) J'aimerais voir d'autres terres. Certaines ont des plages de sable blanc et de l'eau bleue, d'autres sont couvertes de glace. Les grandes villes aux édifices aussi hauts que des montagnes, et des montagnes plus grandes que le plus haut des bâtiments, et les déserts, les océans, des jungles.

— Le monde recèle bien des merveilles.

Mallick orienta son cheval vers une trouée dans les bois qui débouchait sur une petite clairière. L'ombre des arbres abritait une cabane dotée d'un toit à une seule pente.

— Vous aviez dit que c'était à une journée de cheval.

— Et ça le sera. Nous ne faisons que nous arrêter ici pour la nuit.

— On a encore plus d'une heure devant nous avant la tombée du jour.

— Nous devons soigner et nourrir les chevaux. Ils ont besoin de repos. Et moi aussi.

Mallick descendit de sa monture, qu'il mena vers la cabane. À contrecœur, Fallon fit de même. Elle remarqua que l'abri contenait des draps et couvertures propres, et de quoi s'occuper des chevaux. Mallick lui tendit un seau.

— Il y a un petit ruisseau juste à l'est. Les chevaux ont besoin d'eau.

— C'est quoi, cet endroit ?

— Un endroit pour couper notre trajet.

Comme elle ne répondait rien et restait sur place, il desserra les sangles et retira sa selle.

— Une cabane de chasse, qui devait être utilisée pour le week-end ou les vacances. Elle appartenait à un homme qui était plombier et aimait venir là avec des amis. Il n'était pas affecté par le virus et il a donc survécu à la Calamité, mais a été emporté lors d'une rafle et confiné dans des locaux du gouvernement.

— Vous le connaissiez ?

— Non, mais il reste suffisamment de son énergie ici, où il a passé bien des moments heureux, pour que j'apprenne des choses sur lui. Les chevaux ont besoin d'eau.

Elle prit le seau et en une dizaine de pas accéda à un ruisseau étincelant qui serpentait joyeusement. Elle prit un instant pour scruter les bois. Le chêne et la pruche, les vieux pins et les jeunes peupliers. Après tout, Mallick allait peut-être lui demander combien d'arbres il y avait dans cette forêt de malheur. Ou combien de fois le pivert avait enchaîné les coups de bec, ou combien de plumes avait le cardinal rouge.

Elle remplit le seau et retourna le verser dans l'abreuvoir. Il lui fallut encore deux voyages. Mallick avait enlevé les deux selles et bouchonnait son hongre.

— Il s'appelle comment ? demanda-t-elle en prenant une serviette propre pour faire de même avec sa jument.

— Gwydion, d'après un puissant guerrier et sorcier.

— Elle, c'est Grace, d'après la reine pirate. Le petit abri est bien plus neuf que la cabane.

— Je l'ai construit il y a quelques mois.

— Il a l'air solide, dit-elle en nettoyant les sabots de Grace.

Une fois les chevaux nourris et abreuvés, Mallick prit son petit balluchon. Fallon emporta son sac plus lourd, avec la nourriture que sa mère lui avait prévue.

La cabane, carrée et basse, comprenait un petit perron couvert surélevé d'une marche.

À côté de la marche, dans un cercle de galets, se trouvait une statuette en pierre, plutôt grossière. Une silhouette féminine, jugea Fallon.

Mallick s'arrêta pour ouvrir sa flasque d'eau et versa quelques gouttes sur les galets.

— En hommage à la déesse.

— Elle protège ou elle bénit ?

— Elle peut faire les deux, selon son désir. Elle s'appelle Ernmas. (Il poussa un petit soupir quand Fallon attendit, les sourcils froncés.) C'est une déesse mère, l'une des Tuatha de Danann, comme toi. Tu es de sa chair et de son sang, Fallon Swift. Tu ne connais donc rien de tes ancêtres ?

— On avait des livres sur la mythologie, surtout romaine et grecque. Vous ne voulez quand même pas que je croie que je suis apparentée à je sais pas quelle déesse ? Parce que vous voyez, c'est de la *mythologie*.

— Ton ignorance ne t'honore pas. (Sur le perron, il fit un geste vers la porte, qui s'ouvrit en coup de vent.) Tu crois que le pouvoir – la lumière, les ténèbres – n'a aucune source ? Pas de passé ni d'objectif ? Tu dois ta nature à tous ceux qui sont venus avant toi. À leur générosité et à leur combat, leur cruauté et leur compassion. (Il secoua la tête.) Dire que le destin du monde dépend d'une enfant qui en sait aussi peu.

Pendant qu'il entrait, Fallon leva les yeux au ciel derrière lui. Elle regarda la déesse.

— Comment suis-je censée savoir ce que je ne sais pas ?

Se sentant insultée – elle n'était pas bête ! –, elle entra en tapant des pieds.

À l'intérieur, une pièce ouverte avec une cheminée côté nord et une cuisine à l'arrière. Les fenêtres donnaient sur l'est, nota Fallon, offrant une vue sur le ruisseau et le lever de soleil.

Un canapé, grand et affreux, couvert d'un tissu écossais noir et marron, était placé face à la télé suspendue au montant de la cheminée. Fallon avait connu la télé à la ferme, et une fois par semaine, c'était soirée cinéma.

Elle aimait les DVD presque autant que les cartes de géographie, car ils emmenaient aussi vers d'autres lieux, d'autres mondes.

Deux chaises au même tissu, une table portant une lampe dont le pied était constitué d'un ours noir grimpant à un arbre, une suspension faite à partir d'une roue de charrette et une table ronde en bois accompagnée de quatre chaises assorties meublaient l'espace d'une façon qu'elle trouvait très laide.

Elle posa sa nourriture sur le plan de travail gris marbré.

— Ta chambre pour la nuit est sur la gauche. Allume le feu et range tes affaires.

Il n'était pas le seul à pouvoir faire son malin ! Fallon se détourna, jeta un rapide coup d'œil aux bûches dans la cheminée en pierre. Elles s'enflammèrent.

— Je ne suis pas bête.

— Ignorante de bien des choses, rectifia-t-il. J'ai entendu dire que la bêtise ne se rattrapait pas. C'est peut-être vrai. Mais l'ignorance peut être éduquée. Mettons ça dans ta chambre et ensuite, il faudra que tu rapportes encore du bois avant la nuit. Il y en a en suffisance à l'arrière de la maison.

— Et qu'est-ce que vous allez faire, vous ?

— Je vais prendre un verre de vin avant que nous partagions les denrées que ta mère a gentiment fournies.

Quand elle partit en tapant des pieds, il contempla le feu, sa lumière chaude et brillante, et il sourit.

4

Piquée dans sa fierté, Fallon fut tentée, par pur esprit de contradiction, de s'enfermer dans la pièce aveugle avec ses deux séries de lits superposés – encore une fois recouverts de couvertures écossaises, cette fois en rouge et noir. Or elle avait faim et devait passer aux toilettes.

Elle se soulagerait et se sustenterait, mais elle n'avait pas l'obligation de se montrer agréable. Elle ne voyait pas non plus pourquoi elle devrait être polie. Il l'avait traitée d'inculte, pardon, il l'avait dite « ignorante de bien des choses ». Ce n'est pas parce qu'il était vieux qu'elle devait faire preuve de politesse envers quelqu'un qui l'avait traitée d'ignare.

Il y avait une salle de bains juste en face de sa chambre. Là, effectivement, elle s'enferma.

Elle vérifia s'il y avait l'eau courante en tournant le robinet sur le lavabo encastré dans le mur, et fut presque déçue lorsqu'elle coula. Elle supposa que Mallick s'en était chargé, pour qu'elle n'ait pas de raison de tester ses pouvoirs dans ce lieu.

Les toilettes étaient légèrement branlantes, mais remplissaient leur fonction.

Elle s'octroya un moment pour contempler son visage dans le miroir. Elle n'avait pas dormi la nuit précédente, ni la nuit d'avant, d'ailleurs. Ce manque de sommeil était visible dans les cernes sous ses yeux et la pâleur de ses joues.

Elle se souciait peu d'être jolie, mais tenait beaucoup à paraître forte. Alors elle procéda à un léger trompe-l'œil.

Pas bête, se dit-elle, et pas faible.

Elle sortit à grandes enjambées, passa en trombe à côté de Mallick, assis auprès du feu avec son verre de vin. Elle ne claqua pas la porte en partant chercher du bois, elle la ferma vigoureusement.

Le crépuscule tombait, un gris doux s'immisçait à travers les arbres et l'air se faisait plus frais. On sentait aussi la fumée et l'automne qui arrivait à grands pas.

Du bois pour le feu ne serait pas de refus, mais elle voulait marcher avant, étirer ses muscles contractés après des heures en selle.

Elle alla voir les chevaux qu'elle trouva en train de somnoler. Elle posa tout de même la joue contre celle de Grace pour le réconfort qui lui rappelait la maison. Quand le cheval de Mallick la regarda avec ses yeux sages et bons, Fallon le caressa et songea qu'il méritait un cavalier plus gentil.

Elle les laissa sommeiller de nouveau et longea les courbes du ruisseau.

En levant les yeux, elle vit l'affût à chevreuils bâti sur le grand chêne et trouva amusant d'observer cinq chevreuils brouter tranquillement dans la pente qui descendait à travers les arbres.

Elle s'imagina ce que ce serait de simplement continuer à marcher. Comme les chevreuils. Marcher et vivre dans les bois. Se promener aussi longtemps et aussi loin qu'elle le désirait, sans penser à autre chose qu'à ses propres besoins.

Personne pour lui dire quoi faire, quand ou comment le faire. Personne pour attendre autant d'elle alors qu'elle souhaitait simplement être tranquille.

Elle s'appuya contre l'arbre, posa la joue sur son écorce rugueuse. Elle sentit les battements de son cœur. Fermant les yeux, elle perçut ceux des chevreuils de l'autre côté du ruisseau et le pouls de l'eau, de la terre.

Toutes les choses qui vivaient et s'épanouissaient autour d'elle et n'étaient pas des humains, elle sentait leur vie en elle. Dans son esprit, elle vit l'oiseau qui volait au-dessus d'elle, ses battements de cœur faibles et rapides, faibles et rapides. Et le hibou plus loin dans les bois, qui dormait encore jusqu'à la nuit et l'heure de la chasse.

Elle ferma plus fort les yeux car elle comprenait qu'elle ne voulait pas s'éloigner et partir vivre pour toujours dans les bois. Elle voulait sentir le cœur de sa mère, de son père, de ses frères. Et ils étaient trop loin.

— C'est juste le premier jour, se réprimanda-t-elle. Je peux survivre à une journée. Je peux changer d'avis n'importe quand. Je peux rentrer chez moi demain si je veux.

Réconfortée par cette idée, elle rouvrit les yeux.

À l'ouest, le soleil embrasait les arbres et les collines d'une lumière qu'elle ressentait, comme les battements de cœur, à l'intérieur d'elle-même.

Tout en admirant l'incendie de cette fin de journée, elle rebroussa chemin en rapportant un chargement de bois.

Une adolescente, fût-elle descendante de déesses, savait s'y prendre pour bouder. Fallon mangea la nourriture que Mallick lui présentait, en silence. Elle prit une petite part de son gâteau d'anniversaire parce qu'elle voulait sentir sa famille proche d'elle. Mais cela ne fit que l'attrister, accepter qu'elle n'était pas tout près et ne le serait pas avant deux longues années.

Si Mallick avait fait la moindre tentative pour lui remonter le moral, cette tristesse se serait métamorphosée en une fureur blanche. Peut-être en était-il conscient, car il ne fit pas la conversation pendant ce repas frugal.

Lorsqu'il lui dit de s'occuper de la vaisselle, elle ne protesta pas. Elle remballa la nourriture, lava les assiettes, rangea la cuisine pendant qu'il lisait au coin du feu.

Malgré sa curiosité innée, elle ne lui demanda pas quel livre il lisait, mais s'enferma dans la chambre et renforça la serrure par un sortilège, simplement par défi.

Même si la bougie lui apportait toujours du réconfort, elle refusa de la sortir de son balluchon et de l'allumer, parce qu'elle venait de lui. Pour l'heure, Mallick était seul responsable de son malheur.

Elle préféra donc se blottir sous les couvertures avec *Le Roi sorcier* en éclairant chaque page à mesure qu'elle lisait. Mais les mots familiers ne faisaient qu'augmenter sa tristesse.

Elle reposa le livre et resta allongée dans le noir, regrettant de ne pas avoir pris le temps de chercher autre chose à lire dans la cabane. Les vieux journaux et magazines ne manquaient jamais de la fasciner. Elle n'avait pas l'espoir de dormir, voyait très bien venir une bouderie durant toute la nuit. Elle comptait même y prendre plaisir.

Et elle s'écroula avant de sentir le sommeil arriver. Elle ne se réveilla même pas quand la lueur de la lune se déversa par sa fenêtre et que les fées dansèrent devant sa vitre.

Elle se réveilla au point du jour. Sa première réaction fut la gêne d'avoir dormi aussi longtemps et aussi bien. Et puis elle se souvint que sa mère appelait cela le sommeil du cœur. Ce repos dont un cœur blessé avait besoin pour guérir.

Elle fit rouler la bague et le médaillon entre ses doigts. Elle resta allongée tranquillement, juste quelques minutes de plus, et imagina son père se lever, descendre préparer le café à partir de grains récoltés dans leur serre tropicale. Sa mère descendait prendre le petit déjeuner.

Tout le monde levé, le bétail à nourrir, les œufs à ramasser.

Les corvées à effectuer, les leçons à apprendre, l'odeur du pain frais en train de cuire. Peut-être un trajet vers le village ou les fermes des environs pour troquer. Du temps libre pour lire, faire du cheval ou jouer.

Où serait-elle pendant que sa famille vivrait sa journée ?

En enfant de la ferme, elle se leva et enfila ses bottes. Elle remit du bois dans le feu dont il ne restait que des braises et alla s'occuper des chevaux.

Elle regarda le lever de soleil, comme elle avait regardé son coucher.

Lorsqu'elle revint à l'intérieur, Mallick avait posé deux mugs de thé fort sur le comptoir et faisait frire des œufs et du bacon dans une poêle sur le feu, façon camping.

— Bonjour, lui dit-il. Nous partirons après le petit déjeuner.

— D'accord.

Elle prit le thé, qui était plus fort qu'à son goût et beaucoup plus amer, sans miel.

Elle regretta de ne pas avoir pensé à emporter du miel. Elle s'assit avec le mug et quand Mallick posa une assiette devant elle et s'installa à son tour, elle se mit à manger.

Une partie de son ressentiment envers lui avait fondu avec la nuit de sommeil, mais par-dessus tout, elle était lasse du silence.

— Vous n'avez pas de femme ni d'enfants ?

— Je n'en ai pas.

— C'est parce que vous préférez les hommes ?

— Non, répondit-il en continuant de manger. Mon devoir a toujours été mon seul compagnon.

— Qu'est-ce que ça pourrait me faire, ou qu'est-ce que ça pourrait faire aux dieux ou à n'importe qui si vous aviez une femme ou un homme avec vous dans votre lit ?

Son regard se posa sur elle, ne la lâcha pas.

— Ce qui m'a été demandé, le serment que j'ai prêté, était une loyauté inébranlable envers l'Élue. Un compagnon, un amant mérite également la loyauté, et ces différentes loyautés pourraient se trouver en porte-à-faux.

Elle écarta ce raisonnement.

— Mes parents sont loyaux l'un envers l'autre et restent loyaux envers leurs enfants. Nous tous.

— C'est de l'amour, encore plus que le devoir ou un serment. Et l'amour est plus puissant.

— Vous n'avez jamais aimé personne ?

— Il y a eu une fille, une fois, avec des yeux vifs et des cheveux de feu. Je ne peux pas prétendre avoir éprouvé de l'amour, mais j'ai ressenti du désir. Mon cœur battait dès que je l'apercevais et si elle me souriait, j'étais le garçon le plus fortuné de la terre. Je savais que si jamais je sentais sa main sur ma joue, seulement ça, je mourrais heureux et satisfait.

Fallon ricana :

— Personne ne meurt d'amour.

— Oh, si, on peut mourir de ce que l'amour exige et de ce qu'il peut nous conduire à faire. Alors, je n'ai jamais senti sa main sur ma joue. J'ai fait mon choix.

— Peut-être que vous l'avez aimée quand même, parce que vous étiez tout jeune, et maintenant, même vieux, vous vous en souvenez. Quel âge vous avez ? demanda-t-elle en terminant ses œufs.

Mallick se renfonça dans son siège et la regarda droit dans les yeux.

— Je suis né au troisième jour du troisième mois de l'année 671.

— Oh, c'est bon. (Par habitude, elle prit son assiette pour débarrasser.) Si vous ne voulez pas me le dire, vous…

— Je suis né de l'union d'une sorcière et d'un soldat dont la mère avait du sang elfe, ajouta-t-il en lui prenant le bras. J'ai peu de souvenirs de lui, car il est mort au combat alors que j'étais à peine sevré. J'étais leur fils unique et, comme la tienne, ma mère a pleuré lorsque j'ai été appelé. J'avais dix ans quand je l'ai quittée. Pendant dix ans, je me suis entraîné, j'ai étudié et j'ai voyagé. Il m'a fallu dix ans encore pour pratiquer et vivre dans la solitude.

» Et ensuite, j'ai dormi pendant que les années passaient et que le monde changeait, que la magye se dissimulait ou mourait à mesure que ceux qui en possédaient étaient persécutés, insultés ou ignorés. Jusqu'à la nuit où je me suis réveillé au son d'une seule goutte de sang giclant sur le premier bouclier, au tremblement de celui-ci qui craquait sous le sacrifice. Et mon temps est revenu au moment où le tien allait arriver.

Elle le croyait, et cela faisait tambouriner son cœur.

— Vous me dites que vous êtes immortel.

— Non. Non. Je saigne. Ma vie prendra fin comme celle de tout homme. Mais on m'a demandé d'entraîner, de servir et de défendre l'Élue, celle qui ceindrait l'épée et le bouclier, celle qui ramènerait la lumière et rétablirait l'équilibre. J'ai accepté. J'ai prêté serment. J'ai fait ce choix. Jamais je ne briserai mon serment. Jamais je ne te trahirai.

Il se leva et débarrassa lui-même le couvert.

— Qu'est-ce que le premier bouclier ? Comment il a craqué sous le poids d'une goutte de sang ? Combien y en a-t-il ? Où sont-ils ? Comment…

— Tu l'apprendras en temps et en heure. Pour l'instant, rassemble tes affaires et celles des chevaux. Je m'occuperai de la vaisselle.

— Donnez-moi une réponse, exigea-t-elle. Au moins une seule foutue réponse !

— Pose la bonne question.

Elle hésita, puis demanda ce qui, en fin de compte, lui pesait le plus.

— Et si je ne suis pas à la hauteur ? Si je ne suis pas assez forte ou assez intelligente pour accomplir tout ça ?

— Alors, j'aurai échoué. Je n'en ai pas l'intention. Ne traîne pas, une longue chevauchée nous attend.

Fallon chevaucha une heure entière en silence. Pas un silence renfrogné, cette fois, mais un silence méditatif. Elle savait que certaines fées pouvaient vivre plus dc cent ans. Comme la vieille Lilian à la maison, qui prétendait en avoir cent vingt. Les elfes pouvaient aussi avoir une longue vie, ainsi que les enfants issus de magyes mêlées… Il ne s'était pas écoulé suffisamment de temps depuis la Calamité pour en être sûr.

Mais elle n'avait jamais entendu parler de quelqu'un ayant vécu plus de mille ans. Il avait dit avoir dormi, d'accord. Il avait hiberné ?

Et si c'était un choix, pourquoi avait-il été appelé avec autant d'avance pour entraîner quelqu'un né plus de mille cinq cents ans plus tard ?

C'était vraiment déroutant. Ne pas comprendre, ce n'était pas être bête. C'était simplement ne pas comprendre.

Ils traversèrent des bois, des champs, des routes. Sur certaines des routes se trouvaient encore des voitures abandonnées. Fallon aperçut des collines et des maisons, même quelques êtres humains, et un village, comprit-elle, plus grand que celui qu'elle connaissait, doté d'immeubles et de ces endroits où, autrefois, on vendait de l'essence pour les voitures et de la nourriture pour les voyageurs.

En général, Mallick restait à l'écart de ces routes, des immeubles, or elle les repérait au loin.

Et elle s'émerveillait.

Elle avait étudié des cartes, des globes, l'atlas. Elle avait regardé des DVD montrant un monde et des vies qui semblaient tellement distants, différents, exotiques.

Mais le monde, une fois qu'on était dedans, était tellement plus grand que tout ce qu'on pouvait imaginer.

Il était sans fin. Elle ne pouvait croire qu'il avait toujours été rempli, que des voitures avaient formé des files sur ces voies larges appelées autrefois autoroutes.

Tout semblait irréel, comme les films à la télé.

— Vous avez vu ? demanda-t-elle. Quand c'était plein de gens, de voitures et d'avions ?

— Oui. Et même si j'en avais déjà eu un aperçu dans la boule de cristal, j'ai trouvé cela incroyable.

— Est-ce que c'est vraiment un choix, est-ce que j'aurais vraiment pu dire non ?

— On a toujours le choix. Je ne te trahirai pas et je ne compte pas te mentir.

— Alors si vous avez été appelé il y a aussi longtemps, avant les voitures, les avions, avant que le monde soit aussi rempli, comment est-ce que ça a pu se produire des siècles avant ma naissance ?

— Des pouvoirs plus grands que les miens, plus grands que ne le seront les tiens, ont prévu ce qui pourrait être. C'est la nature des gens, magyques et non magyques, de souhaiter la paix et de partir en guerre. C'est la nature de ceux qui ont davantage de ténèbres en eux que de lumière d'ourdir la guerre et de convoiter le pouvoir. Si les ténèbres avaient échoué cette nuit-là et que le bouclier était resté intact, j'aurais peut-être dormi encore un millénaire et l'Élue ne serait pas encore née. Mais à un moment ou à un autre, cela aurait eu lieu.

— Vous avez rêvé ?

Il esquissa un léger sourire.

— J'ai vécu des vies entières en rêve. Et j'ai appris, tout en dormant, des choses sur le monde et sur ses évolutions.

— Ça ne paraît pas très reposant.

Le rire de Mallick résonna, inattendu.

— Non, reconnut-il. C'est sûr.

Ensemble, ils traversèrent un champ en jachère au petit galop, puis remontèrent une pente raide pour se diriger vers une route goudronnée.

— On est encore loin ?

— Encore deux heures. Nous aurons de la pluie à la tombée du jour, mais nous y serons longtemps avant.

— Elle viendra avant, la pluie, rectifia Fallon.

Il lui lança un regard pénétrant et hautain.

— Ah oui ?

— On se dirige vers le sud-est et le vent vient de l'est. Il amène la pluie avec lui. À moins qu'on change de direction, on aura la pluie au moins une heure avant la tombée de la nuit si on voyage encore deux heures à ce rythme.

Avec un haussement d'épaules, elle lui lança un coup d'œil et ajouta :

— On travaille la terre, on connaît le temps. Le reste, c'est juste des calculs.

Il marmonna un borborygme et continua d'avancer.

— Quelqu'un…

Elle s'interrompit lorsqu'il leva la main en entendant lui aussi des moteurs. Il se maudit d'avoir emprunté, pour gagner du temps, ce bout de route qui n'offrait guère de couverture, ni d'un côté ni de l'autre.

Alors qu'il réfléchissait à ses options – la première étant d'emmener Fallon au galop dans le champ qu'ils avaient quitté –, trois motos apparurent au sommet de la côte et se rapprochèrent à tombeau ouvert.

— Si je te dis de partir, file, retourne au champ. Je te retrouverai.

Quelque chose en elle trembla ; quelque chose en elle se glaça.

— Ils sont six, et vous êtes tout seul.

— Il n'y en a qu'une comme toi dans le monde entier. Fais ce que je te dis. Ne leur parle pas et si je t'ordonne d'y aller, fonce.

Les motards étaient deux par véhicule. Trois avec des armes de poing, trois avec des fusils. Quatre hommes, deux femmes.

Tous des Pilleurs, conclut-elle d'après les têtes de mort peintes sur leurs motos.

Celui qui était en tête leur barra la route, forçant Mallick et Fallon à arrêter leurs chevaux. Il portait un bandana couvert de crânes sur ses cheveux châtains et un pendentif similaire autour du cou.

Il avait séparé sa barbe en deux longues queues.

La femme derrière lui arborait une cicatrice à vif sur la joue gauche. Comme ses compagnons, elle portait des lunettes noires pour dissimuler ses yeux.

Elle descendit de moto et les mit tranquillement en joue avec son fusil.

Fallon scruta les autres, essayant de ne pas laisser son cœur s'emballer. Les rugissements des moteurs cessèrent.

Le chef mit pied à terre.

— Eh bien, qu'avons-nous là ?

— Ma petite-fille et moi nous dirigeons vers le sud pour chercher du travail.

— Ah oui ? Vous entendez ça ? Ils cherchent du travail.

Celui de la deuxième moto descendit ses lunettes sur son nez et lança à Fallon un clin d'œil qui la fit se sentir sale.

Si elle devait se battre, elle décida de prendre pour cible la femme en premier, et ensuite le lanceur de clins d'œil.

Elle ne fuirait pas. Jamais elle n'abandonnerait quelqu'un en telle infériorité numérique.

— Qu'est-ce que vous avez dans vos sacs ?

— Tout ce qui nous reste au monde, dit-il d'une voix suppliante qui alerta Fallon. Presque rien.

— Alors vous vous débrouillerez avec rien du tout. Descends de cheval, grand-père. Toi aussi, ma jolie.

— Je vous en prie. Ce n'est qu'une enfant.

La seconde femme dégaina son arme.

— Soit elle descend de cheval, soit je l'abats.

— Tire pas sur la viande fraîche, s'exclama celui qui avait cligné de l'œil en descendant de moto, avant de se caresser l'entrejambe. J'ai du travail pour elle.

Leurs ricanements ne lui procurèrent pas seulement un frisson de dégoût. Ils lui glacèrent le sang.

Elle mit pied à terre.

— Vous êtes six, fit-elle avec dédain. Contre deux.

Le meneur sortit un couteau.

— Et bientôt une seule.

Il s'élança à l'assaut de Mallick.

Tout se passa très vite.

Fallon, qui se croyait prête, ne put réagir.

Mallick lança le poing aussi fort qu'un marteau. Il fit voltiger l'homme qui heurta sa complice derrière lui et ils tombèrent tous les deux.

De l'autre main, il envoya une bourrasque qui projeta sur plusieurs mètres la deuxième femme et son arme. Au moment où elle atterrit avec un son sourd écœurant, Mallick dégaina une épée.

Deux hommes se précipitèrent vers lui tandis que le dernier Pilleur fonçait vers Fallon.

Elle sortit son couteau et l'enflamma sans hésiter.

— Salope d'Insolite, cracha-t-il en tirant son arme. Les balles battent le couteau, t'as aucune chance.

— Non, c'est faux.

Elle lança sa lame dans les airs et le pistolet dans la main du Pilleur explosa.

Il hurla, le lâcha et tenta frénétiquement d'étouffer les flammes lui brûlant la main. Alors, elle appliqua l'un des premiers gestes défensifs enseignés par son père : elle lui envoya un coup de pied dans l'entrejambe.

Lorsqu'il tomba, elle se retourna, prête à aider Mallick. Indemne, il brandissait son épée ensanglantée.

Deux des adversaires gisaient au sol, morts. Les trois autres étaient blessés et le lanceur de clins d'œil gémissait, roulé en boule sur lui-même, couvant une main dont il ne récupérerait sans doute jamais le plein usage.

— Ramasse les armes, ordonna Mallick.

Il se pencha pour prendre le pistolet et le couteau du chef. Fallon, un peu nauséeuse maintenant que c'était fini, eut grand-peine à ne pas trop trembler pour récupérer les armes des morts.

— Le pistolet de celui-là a trop fondu pour être utile.

Mallick accorda un regard à celui qui gémissait en tenant sa main abîmée. Il émit un borborygme semblable à celui produit en réaction aux prévisions météorologiques de Fallon.

La jeune fille se harnacha de l'un des fusils, Mallick prit les deux autres. Une fois les autres armes rangées, ils se remirent en selle.

— Vous ne m'avez pas dit de partir.

— Tu l'aurais fait ?

— Non.

— Alors à quoi bon gaspiller ma salive ?

— Vous n'auriez peut-être pas pu tous les affronter en même temps.

— Les peut-être n'ont plus d'importance. Tu as du courage. Tu as bien combattu ton adversaire.

— On ne devrait pas les laisser comme ça. Ceux qui en sont encore capables pourraient nous suivre ou faire mal à quelqu'un d'autre.

— On ne tue pas les gens désarmés et blessés.

— Non, mais…

Elle tendit la main pour mettre le feu aux pneus.

— Blessés, désarmés et à pied, ils ne nous suivront pas, et ce sera plus difficile de s'en prendre à quelqu'un d'autre.

Mallick regarda les motos s'effondrer au sol.

— Bien. Bonne tactique.

— Bon sens, rectifia-t-elle.

Elle entreprit de guider son cheval pour reprendre la route. Malgré sa gorge serrée et sèche, elle parvint à articuler :

— Ils vous auraient tué. Ils m'auraient violée, puis tuée. Ou alors ils m'auraient emmenée là où ils allaient, m'auraient encore violée, et ensuite ils m'auraient achevée. Ils auraient peut-être gardé les chevaux s'ils en avaient l'usage, ou ils les auraient abattus pour la viande.

— Sans conteste.

— Vous en avez éliminé deux. Peut-être trois, parce que la femme est très touchée. Ils vont sans doute la laisser là.

— Ça te dérange que j'aie mis fin à leurs jours ?

— Non. Enfin, si. Je trouve ça perturbant, mais… ils nous auraient tués. Pas pour survivre, mais parce que ça leur plaît. Si nous avions juste été deux voyageurs sur la route, vous seriez mort et je serais… Nous avons fait le bon choix.

— Ils ont fait le mauvais. Considère ce moment comme ta première leçon.

Après avoir hoché la tête, elle le détailla.

— Vous n'aviez pas d'épée, tout à l'heure.

— Je n'en avais pas ?

— Je pense que j'aurais remarqué.

Il talonna son cheval.

— Pour voir, il faut regarder.

Il maintint une allure rapide, suivant la route avant de bifurquer lorsque d'autres habitations apparurent au loin. À un moment, Fallon aperçut un genre différent de village, avec seulement des maisons. De grandes maisons très rapprochées, dont beaucoup semblaient rigoureusement identiques.

Certaines avaient leurs fenêtres condamnées, d'autres étaient calcinées. Des chevreuils broutaient l'herbe haute jusqu'au genou et le vent sifflait à travers les rues vides.

Pourtant, Fallon distingua une ombre à l'une des fenêtres. Toutes les habitations n'étaient pas inoccupées.

— Pourquoi ces gens ne travaillent pas la terre, ne cultivent pas de quoi manger ?

— Tout le monde ne sait pas comment s'y prendre, expliqua Mallick. Certaines personnes se cachent et ramassent ce qu'elles trouvent. La peur les condamne à vivre recluses.

Elle y réfléchit pendant qu'ils chevauchaient. Elle avait compté plus d'une centaine de maisons, ce qui aurait permis de bien se défendre. C'était du gâchis, se dit-elle, au même titre que la terre qui n'était pas cultivée.

Comme elle l'avait fait à plusieurs reprises au cours de leur trajet, elle nota cet endroit dans son esprit comme un drapeau sur une carte.

Encore une fois, ils entrèrent dans un bois au sol accidenté et caillouteux. Elle entendit un cours d'eau avant de le voir et, avec Mallick, longea la berge qui serpentait.

La rivière s'élargit. Les flots s'élançaient en torrents bouillonnants par-dessus des pierres plates. Les roches devenaient plus hautes, l'eau tombait plus vite, emplissant les bois de son vacarme régulier.

Fallon repéra quelques fées qui voletaient dans les arcs-en-ciel pâles formés par l'arrivée du soleil sur l'eau écumante.

Après la cascade, là où son grondement s'adoucissait en une musique calme, Mallick s'arrêta dans une grande clairière.

De la mousse épaisse recouvrait des arbres abattus, du lichen tapissait un amas de rochers. Sur les bords, les arbres s'inclinaient en une canopée voûtée.

Lorsque Mallick descendit de sa monture, Fallon supposa qu'il souhaitait accorder du repos aux chevaux et fit de même.

— On y est presque, non ? On pourrait les laver dans le ruisseau, marcher un peu et arriver à notre point de destination.

— Nous y sommes, répondit Mallick.

— Ici ?

Bien que n'ayant pas d'objection à vivre dans les bois, elle n'était pas emballée par l'idée de demeurer sans toit au-dessus de sa tête pendant les deux années à venir.

— On va dresser un camp ? demanda-t-elle.

Sans répondre, Mallick lui tendit les rênes de son cheval et fit un pas en avant.

Il leva les mains, paumes en l'air, épaules redressées. Pendant un instant, on n'entendit que l'écho de la chute d'eau, le frisson du vent dans les arbres. Le soleil déclinait, sa lumière s'infiltrant à travers la canopée et se déversant dans la clairière. Des ombres se mouvaient avec le souffle du vent.

Alors Fallon perçut le murmure du pouvoir, sentit sa première pulsation dans l'air, éprouva la chair de poule qu'il faisait naître sur ses bras et sa nuque. Les chevaux le ressentirent aussi et s'agitèrent. Elle raccourcit les rênes.

Les yeux de Mallick s'assombrirent, son visage sembla pâlir et le vent se leva, s'engouffra dans leurs cheveux.

Lumière et ombre se modifièrent, des formes s'esquissèrent, floues comme si elles se trouvaient derrière du verre dépoli.

Puis il écarta largement les bras et fit résonner sa voix :

— Ouvrez maintenant ce que j'avais fermé. Révélez ici ce que j'avais dissimulé. Car cet endroit est fait de ma main et l'Élue est là.

Le croquis brouillé se précisa, prit forme, couleur et contours.

Dans la clairière se dressait désormais une maisonnette au toit de chaume et aux murs couleur sable. Plus petite que la ferme, plus vaste que le chalet, elle disposait de fenêtres donnant sur l'ouest et d'une épaisse porte de bois. À côté, une écurie au toit en pente, dotée d'une porte à double battant et proche d'une petite serre qui miroitait sous des flots de soleil.

Comme sur les portes de la chaumière, des symboles protecteurs avaient été gravés autour du chambranle de l'écurie et sur la porte vitrée de la serre.

Une statue de la déesse, semblable à celle du chalet, s'élevait sur un cercle de galets à côté de la porte.

Fallon avait vu la magye de sa mère, pratiqué la sienne. Mais elle n'avait jamais assisté à rien de tel que le pouvoir nécessaire pour dissimuler et faire apparaître à cette échelle.

— Occupe-toi des chevaux, ordonna-t-il. Ils ont fait longue route.

— Vous êtes pâle.

— Il est plus difficile d'ouvrir que de fermer. Occupe-toi des chevaux, répéta-t-il, puis rejoins-moi à l'intérieur.

Il prit son balluchon, entra et ferma la porte.

5

Fallon prodigua les soins aux chevaux, ce qui n'était pas très difficile. L'écurie ne comprenait que deux stalles, mais elles étaient déjà pourvues de paille fraîche et de tout le néccssaire au pansage. Les deux montures semblaient satisfaites de se reposer avec du foin dans la mangeoire et l'eau qu'elle était allée chercher au ruisseau.

Elle les laissa là, transporta son sac, ses armes et ce qui restait de nourriture donnée par sa mère.

Elle s'interrompit et prit sa gourde pour verser quelques gouttes d'eau à la déesse sur les pierres, avant d'ouvrir la porte de la chaumière.

Celle-ci paraissait plus vaste de l'intérieur, et cette bizarrerie désorienta Fallon. Le plafond montait plus haut qu'il n'aurait dû, les murs étaient plus éloignés.

Un feu brûlait dans le foyer, en face duquel étaient placées deux chaises rustiques. Plutôt qu'un canapé, il y avait un large banc au revêtement en cuir brun foncé. Des bougies dans les chandeliers sur une table. Un tapis en laine s'étendait sur les lames brutes du parquet.

La cuisine était située au fond de la maison. Elle abritait une seconde cheminée, plus petite, un billot et un évier surmonté d'une fenêtre. Des bottes d'herbes séchées pendaient. Une large planche accueillait des pots de racines, baies, champignons et graines.

Fallon espérait que Mallick avait l'intention de faire apparaître une cuisinière et un réfrigérateur. Avec le courant pour les faire fonctionner.

Mais pour l'instant, il était assis au coin du feu avec un verre, probablement de vin.

— Tu auras la chambre orientée au sud. Laisse tes armes sur la table. Nous mangerons lorsque tu auras rangé tes affaires.

— Il n'y a pas de gazinière, pas de four.

— Nous avons une cheminée.

— Pas de frigo.

— Il y a une boîte ensorcelée pour garder la nourriture au frais.

Soudain, Fallon fut prise d'un très mauvais pressentiment.

— Où sont les toilettes ? Et la salle de bains ?

— Tu as un cabanon, et le ruisseau ou le puits pour te laver.

— Vous me faites marcher ?

— Tu te retrouveras, c'est une certitude, dans des endroits dépourvus des avantages que tu as connus jusqu'ici. Tu apprendras.

— C'est déjà nul, cette histoire.

Elle laissa tomber les armes sans ménagement et, plus choquée qu'en colère – comment ça, pas de salle de bains ? –, elle partit en tapant des pieds vers ce qui serait sa chambre.

Si elle restait.

Au moins, elle n'avait pas à supporter des lits superposés ridicules ou une couverture écossaise hideuse, pensa-t-elle en balayant du regard la minuscule pièce, sourcils froncés. Le lit était constitué d'un matelas posé sur un tout petit sommier à lattes, mais la couverture avait l'air épaisse et chaude.

En fait de commode, elle avait un coffre. Elle en aimait la forme, tout comme elle appréciait le tableau au-dessus, qui représentait trois femmes. Peut-être des déesses. Elle disposait d'une lampe à huile et d'un tapis, ainsi que d'un miroir carré qui montrait son visage fatigué et insatisfait.

Au moins, la fenêtre – sans rideau – donnait sur les bois. Elle repéra le puits en pierre, qui lui aurait épargné les allers et retours au ruisseau si quelqu'un avait pris la peine de lui en parler.

Elle remarqua un petit poulailler, ce qui signifiait des œufs frais, et fut surprise d'apercevoir une vache.

Alors il pouvait créer tout ça, mais ne pouvait ajouter une bête salle de bains ?

Elle ne prit pas la peine de défaire son sac et ressortit pour se plaindre.

— Je veux une salle de bains. On n'est plus au VIIe siècle.

— Alors, il faudra que tu en apprennes suffisamment pour en fabriquer une. Pour l'instant, nous avons ce qu'il te faut pour le ragoût du dîner, dans la glacière et dans le placard.

Un choc en suivait un autre.

— Vous voulez que je cuisine ?

— Je t'ai préparé ton petit déjeuner, lui rappela-t-il en coupant des tranches d'une miche. Et nous avons du pain et du fromage pour midi. Ta mère t'a appris comment faire la cuisine. C'est une cuisinière exceptionnelle.

— Et qu'est-ce que vous ferez, si moi, je prépare le repas ?

— Je mangerai. Nous avons une vache pour le lait, des poules pour les œufs – et pour la viande, quand il le faudra –, une forêt pour le gibier et des plantations sous une serre. Tu seras bien nourrie.

Comme elle avait faim, elle prit le pain et le fromage.

— Il nous faut une ruche. Il faut qu'on élève des abeilles pour leur miel, sauf si vous avez une source de sucre. Où trouvez-vous la farine, le sel, la levure ou le levain ?

— Je troque. Nous nous occuperons ensemble du bétail et des plantations. Je n'ai pas de connaissances en matière de ruches, donc cette tâche te reviendra et tu me montreras comment on s'y prend.

Elle mangea comme lui, debout, pendant qu'ils se jaugeaient.

— La clairière est trop petite pour contenir la maison, l'écurie, les dépendances. Et la maison est trop minuscule pour toutes les pièces qu'il y a dedans. Vous m'apprendrez à créer ce genre d'illusion.

— Je suis là pour t'enseigner des choses.

— Si j'apprends, je veux une salle de bains. Des toilettes, une douche, un lavabo. Avec eau courante, chaude et froide.

Mallick haussa les sourcils.

— Cela me paraît une récompense bien grande pour un apprentissage.

— Qu'est-ce qu'il faudrait ?

Il réfléchit.

— Je vais t'assigner trois quêtes. Lorsque tu auras terminé les trois, tu auras ce que tu désires.

— Quelles quêtes ?

— Il existe un arbre dans les bois qui porte une seule pomme d'or. Un oiseau blanc la garde jalousement. Tu dois me rapporter cette pomme sans faire de mal à l'oiseau, ni endommager le fruit, ni grimper à l'arbre.

Cela paraissait fabuleux. Une aventure. Mais…

— Quelle est la suivante ?

— Accomplis déjà la première tâche, et alors, je te donnerai la deuxième.

Il enveloppa le fromage d'un torchon avant de le replacer dans la glacière.

Elle était capable de trouver une pomme d'or et de surpasser un crâne de piaf en intelligence.

— Qu'est-ce qui se trouve à l'étage qui ne devrait pas exister ?

— Un atelier et ta salle de classe, répondit Mallick en emballant le pain. Je vais te montrer, et ensuite, il faudra traire la vache, ramasser les œufs et il y aura le ragoût à commencer.

Elle aurait préféré se lancer dans la chasse à la pomme, mais songea qu'elle pouvait au moins jeter un œil là-haut.

Elle suivit son maître sur une échelle de meunier, puis eut de la peine à ne pas montrer son émerveillement. Elle ne souhaitait pas lui donner cette satisfaction.

Des fioles soigneusement étiquetées remplissaient les étagères le long d'un large mur. Selon toute logique, des potions. Aussi négligemment que possible, elle les longea pour les voir de plus près. Des ingrédients pour préparations, dont certains émettaient une lumière magyque. Le mur d'en face était couvert de livres, dont certains incroyablement vieux. Le mur ouest regorgeait d'outils : chaudrons, athamés, cloches, assiettes creuses, bougies, pierres, baguettes et bâtons.

Elle avait envie de tout toucher, aussi enfonça-t-elle résolument les mains dans ses poches.

Une longue table accompagnée de deux chaises se dressait au centre de la pièce. Une autre cheminée, froide, sur le mur est, était flanquée de deux placards fermés. Dessus, encore des bougies ainsi qu'une épée à la garde sculptée.

L'unique fenêtre, percée dans le toit, laissait le soleil de l'après-midi entrer à flots.

— Ici, tu t'entraîneras, tu apprendras et pratiqueras. Et tu deviendras ce que tu es.

Elle désigna l'épée au-dessus du foyer.

— Ce n'est pas l'épée que vous avez utilisée l'autre fois.

— Elle n'est pas pour mon usage.

— Pour le mien ? C'est de celle-là que vous avez parlé à ma mère ? L'épée et le bouclier que je dois recevoir…

— Non, mais lorsque tu en seras digne, elle te servira.

— Je ne sais pas manier une épée.

— Tu apprendras en temps et en heure.

Cette idée lui plaisait, tout comme cette pièce renfermant toutes ces merveilles. Elle aimait l'idée de trouver une pomme d'or. Mais elle n'allait pas défaire son sac dans l'immédiat. Elle allait s'accorder une semaine. Une semaine, c'était honnête. Elle voulait trouver la pomme d'or et la balancer dans la main de Mallick. Elle voulait apprendre à se servir de l'épée, pratiquer de la magye qu'elle ne connaissait pas, dans la pièce à la lucarne.

Une semaine, pensa-t-elle. Ensuite, elle se déciderait.

Comme Mallick l'occupa le restant de la journée en débordant largement sur la soirée, Fallon n'eut pas le temps de réfléchir à sa décision. Il l'envoya à la serre rassembler ce qu'elle avait besoin d'ajouter au gibier pour le ragoût. Elle approuva son œuvre là-bas, même si elle entrevit une marge d'amélioration. Elle déterra les oignons, l'ail, les carottes, cueillit des tomates, coupa des herbes qu'elle utiliserait avec la viande et les pommes de terre en réserve dans la chaumière.

Elle se dit que sa mère serait très fière de la voir peler, hacher et mélanger aussi bien. Et même si Mallick regimba à l'idée qu'elle mette du vin dans le ragoût, Fallon tint bon.

Pendant qu'elle se lançait dans la confection de pâtes maison, ce qu'elle n'avait jamais fait seule, il lui demanda de noter ce qu'il lui faudrait pour construire la ruche et ses alvéoles.

— Ce sont les abeilles qui fabriquent les alvéoles. Nous, on ne fait que la ruche. (Elle s'essuya les mains, prit le papier et le crayon qu'il lui tendait.) Il va falloir glaner.

— Écris simplement ce qu'il faut. Je me débrouille.

— De façon magyque ? demanda-t-elle en relevant des yeux intéressés.

— Pas exactement. Lorsque tu auras fini, rejoins-moi là-haut. Nous débuterons.

Il commença par tester ses connaissances et compétences élémentaires. Il lui fit allumer des bougies, soulever de petits objets par la pensée, fabriquer des potions, jeter ce qu'elle considérait comme des sorts de cuisine.

Des trucs de bébé, à son sens.

Ensuite, il la sonda sur les rituels, les déités, le symbolisme et les sabbats.

L'opinion de Mallick sur ses connaissances se résuma à un hochement de tête dépité et un soupir. Puis à une pile de livres qu'il lui remit avec l'ordre de « lire et apprendre ».

Malgré tout, elle se sentit satisfaite quand la pluie arriva, comme elle l'avait prédit, bien avant la tombée du jour. Et le ragoût qu'elle servit avec des pâtes fraîches était plus que correct.

Elle espérait que le lendemain impliquerait l'entraînement à l'épée et la chasse à la pomme d'or, ce qui serait plus sympa que la cuisine et la préparation de soporifiques ou de baumes contre les brûlures.

Elle lut dans sa chambre à la lueur d'une lampe à huile jusqu'au moment où esprit et corps cédèrent à la fatigue.

À la première lueur du jour, elle prit l'initiative de soigner les chevaux. En sortant, elle trouva un paquet emballé dans du papier kraft et de la ficelle à la porte d'entrée. Elle scruta les bois pour repérer tout mouvement et ramassa le présent.

Elle le rapporta à l'intérieur et le posa sur la table. Elle réfléchit. Il devait être destiné à Mallick, mais… il n'y avait pas de nom dessus, pas vrai ? Et elle habitait également là. Pour une semaine, à tout le moins.

Satisfaite de ce prétexte, elle tira sur la ficelle et enleva le papier.

Une tomme de fromage, qu'elle renifla. Un sac de farine, un plus petit contenant du sel, et une bouteille au bouchon de liège, sans doute du vin.

Mallick sortit de sa chambre alors qu'elle les examinait.

— C'était devant la porte.

— Ah, fit-il en regardant les denrées. Nous sommes reconnaissants.

— Qui a laissé ça ? Pourquoi ?

— D'autres personnes vivent dans ces bois et autour. Elles sont également reconnaissantes et font des offrandes. Elles savent que l'Élue est arrivée.

— Pourquoi ne pas frapper ?

— Il n'y en a pas besoin, à l'heure actuelle. As-tu nourri les chevaux ?

— Non, j'allais juste…

— Occupe-t'en. Les animaux doivent recevoir leur nourriture avant que nous rompions notre jeûne.

Plutôt qu'avec des épées, Fallon passa le plus clair de sa matinée en compagnie de livres. Elle aimait lire, mais à voir les bois tout illuminés après la pluie, elle aurait préféré l'employer à apprendre à se battre à l'épée.

Malgré tout, elle apprécia de s'instruire sur les dieux, l'héroïsme, les trahisons, les combats et les victoires, même sur les histoires d'amour.

Mallick critiqua ses lacunes et sa compréhension médiocre de l'aspect spirituel de l'Art et de ses rituels.

Elle se hérissa.

— Nous devions nous nourrir, aider nos voisins. Ma mère nous a enseigné ce qu'elle pouvait, ce qu'elle savait.

— Et elle a fort bien fait avec ses connaissances. Avec ce qu'elle a pu découvrir par elle-même. Mais tu dois en connaître davantage. Tu feras usage de ce que ta mère t'a appris, de ce que je t'enseigne, et de ce qui est déjà en toi, en sommeil.

Il faisait les cent pas dans ses bottes souples tout en parlant, puis il s'arrêta et pointa l'un de ses longs doigts.

— Voici une leçon, Fallon. Ton esprit est le tien, tout comme mon esprit est le mien. Ce que tu éprouves, ce que tu sais fait partie de toi et ne sera jamais l'exact reflet de ce qu'éprouve et sait quelqu'un d'autre. Mais le respect pour l'esprit et la lumière, la compréhension des ténèbres doivent l'être. Et c'est ce qui est montré dans la tradition du rituel, dans ses mots, ses symboles, ses attributs.

» Ton pouvoir n'est pas né du vide, jeune fille. Il y a une source à la lumière, à tout ce que nous sommes, à l'air que nous respirons, à la terre que nous foulons. La vie est un don, même pour un brin d'herbe, et elle doit être honorée. Nous avons reçu davantage, et nous devons faire honneur au don et au donneur.

— Quand on cultive la terre, qu'on s'occupe des animaux ou qu'on s'entraide, est-ce qu'on n'honore pas ?

— Si, mais de certains, on n'attend pas seulement qu'ils mènent une vie honorable. Même un acte simple peut se révéler un symbole. Si je te tends la main et que tu la saisis, ce n'est pas seulement un salut. C'est un geste de confiance, éventuellement d'accord. Ma main droite vers la tienne. Les mains qui tiennent l'épée, serrées dans ce geste de confiance.

Elle détailla la main de Mallick, longue comme ses doigts, à la paume étroite. Elle releva alors les yeux vers son visage.

— Il y a des gauchers.

Il ne put s'empêcher de sourire.

— En effet. Et certains peuvent faire le geste, mais sans honorer son symbole, quelle que soit la main qui tient leur épée. Tu dois donc apprendre à juger à qui faire confiance. Et c'est encore une leçon.

Il alla choisir une pierre sur une étagère.

— Qu'est-ce ? la questionna-t-il en la posant devant elle.

— C'est… euh… un héliotrope, répondit-elle en fouillant dans sa mémoire. On l'utilise pour les sorts de guérison.

— Même avant mon temps, les soldats gardaient un héliotrope sur eux lors des combats, pour faire cesser les saignements des blessures.

— Si ça ne tenait qu'à ça, il n'y aurait pas eu autant de morts sur les champs de bataille.

— Ton pragmatisme est légitime. Il ne suffit pas d'une pierre, fût-elle puissante, et de foi pour guérir. Mais une pierre rituelle, ou une pierre utilisée lors d'un rituel, bénie et employée dans un sort ou une potion, est capable de guérir. Cela aussi suppose de la foi ainsi que des connaissances et du savoir-faire.

— Ma mère est guérisseuse.

— Elle a ce don.

— Elle… Oui, c'est ça, de la poudre d'héliotrope mélangée à du miel et… ah, du blanc d'œuf et de l'huile de romarin.

— Bien. Les pierres sont des dons et des outils. Tu dois apprendre à les purifier, à les recharger et à les utiliser. À partir de ce que tu vois ici, prends de quoi concocter une poudre pour passer une nuit reposante, une autre pour clarifier l'esprit et une troisième pour calmer un cœur jaloux. Ensuite, tu pourras faire ce qu'il te plaît jusqu'au crépuscule.

Il se tourna vers les marches avant d'ajouter :

— Ne sors pas du bois. Ne t'éloigne pas et sois de retour à la tombée du jour. Pas plus tard.

Elle farfouilla un peu dans la pièce. Les préparations qu'il lui avait demandées n'étaient pas compliquées, ne représentaient pas un défi, mais elle souhaitait les réaliser à la perfection – afin de se faire donner un défi la fois suivante. Et elle préférait fabriquer les petits sacs qui les contiendraient.

Elle inspecta l'un des placards à côté du feu, dénicha du tissu, du ruban, de la cordelette et choisit ce qu'elle voulait.

Elle passa au deuxième placard, qu'elle trouva fermé.

Ce qu'elle jugea très intéressant.

Elle commença par lever la main – car ouvrir une serrure n'était pas un défi pour elle non plus –, puis elle se ravisa. Ce n'était pas ainsi qu'elle avait été élevée. Elle pouvait peut-être le déplorer à cet instant, devant une porte fermée des plus fascinantes, mais le fait demeurait.

Mallick avait droit à son intimité, tout autant qu'elle.

Elle préleva donc des plantes séchées dans les pots. Anis, camomille, lavande, cyprès. Et des fragments de pierres. Azurite, aigue-marine, citrine, œil-de-tigre. Du poivre noir, de l'huile de bergamote et de romarin.

Elle répartit les ingrédients en trois groupes et inscrivit un sort simple pour chacun sur une longueur de ruban blanc. À l'aide d'une aiguille, elle cousit ensuite soigneusement la cordelette dans le tissu pour former un petit sac. Elle assembla chacun des trois, en énonçant les mots inscrits sur le ruban trois fois avant de fermer le sac avec celui-ci, au moyen de trois nœuds.

Lorsqu'elle les descendit, elle n'aperçut pas Mallick. Elle laissa ses productions sur la table et attrapa son blouson. Ravie par l'idée de la liberté et de la chasse à la pomme, elle courut au-dehors. Elle suivit le ruisseau un moment, mais pas dans le sens où ils étaient arrivés, car elle n'avait pas vu de pommier.

Quoique, ce ne serait pas forcément un pommier, réfléchit-elle. Cela pourrait faire partie du piège.

Elle scruta les branches, repéra des oiseaux – moineaux, geais, cardinaux, bouvreuils. Un nid de faucon et un perchoir de hibou. Mais pas d'oiseau blanc.

Elle s'éloigna du ruisseau pour s'enfoncer dans les bois. Elle reconnut des traces et des déjections de cerfs, d'ours et d'opossums. Elle nota des empreintes de sanglier et se dit que la prochaine fois, elle apporterait son arc. Et Grace, aussi. Sa jument allait s'ennuyer, après plusieurs jours à l'écurie.

Elle distingua des fées du coin de l'œil, mais elles décampèrent quand elle se tourna vers elles. Il était normal qu'elles soient encore timides, elles avaient besoin de temps pour s'habituer à elle. Fallon changea tout de même de direction et suivit l'éclat de leur lumière dans les endroits plus ombragés où une épaisse mousse recouvrait les arbres tel un manteau, donnant à ces ombres une teinte vert tendre.

Dans cette luminosité se dessinait un petit étang du bleu le plus foncé qui soit, parsemé de nénuphars vert clair. Sur l'un d'eux sommeillait une grenouille bien grasse, entourée d'une dizaine de libellules qui filaient et plongeaient à coups de longues ailes moirées.

C'était une clairière enchantée, comprit Fallon. Même l'air dégageait bonheur et douceur.

Elle s'assit en tailleur devant l'étang, le menton posé sur son poing, et s'émerveilla que l'eau soit transparente comme du verre. Elle voyait distinctement le fond, la vase où ressortaient de petits galets colorés et des poissons, rouges et dorés, qui se déplaçaient dans l'eau bleue.

— Comme c'est joli, ici. (Elle se pencha pour tremper un doigt.) Elle est bonne ! Vous me permettriez peut-être de me baigner.

La prochaine fois, elle apporterait une offrande, se promit-elle.

Le lieu était très abrité, pas comme le ruisseau où elle se sentait exposée lorsqu'elle retirait ses vêtements pour se laver. Se baigner serait aussi délicieux que prendre une douche, voire plus.

Contente pour la première fois depuis qu'elle était partie de chez elle, elle s'allongea sur le dos et inspira profondément.

Et c'est alors qu'elle aperçut la pomme aux reflets dorés sur une haute branche, au-dessus d'elle.

— Oh, c'est pas vrai ! Je l'ai trouvée.

Ainsi que l'oiseau, constata-t-elle en se relevant à la hâte.

Ce n'était pas la colombe qu'elle s'était imaginée, mais un hibou. Le plus gros qu'elle ait jamais vu. Perché sur la branche à côté du fruit, il la regarda de ses yeux durs d'or terni.

Comme Ethan, elle savait se mettre en relation avec les animaux, oiseaux, insectes ou poissons. Elle essaya donc le charme d'abord et sourit.

— Bonjour ! Tu es très beau, tu sais.

Le volatile garda le regard fixé sur elle, sans ciller.

— Je m'appelle Fallon. Je suis dans une chaumière à juste un kilomètre ou deux d'ici. Avec Mallick. Tu le connais peut-être.

Elle perçut les gloussements des fées, ne s'en soucia pas pour le moment. Ce n'était pas les mots qui comptaient, elle en était consciente, mais le ton, l'intention et les images dans son esprit.

Lorsque apparut l'image d'elle tenant la pomme, le hibou déploya ses ailes majestueuses pour en protéger le fruit.

Elle insista, juste un peu. On lui avait interdit de faire du mal au hibou, et jamais elle ne voudrait blesser un être aussi magnifique, or elle tenta de pousser un peu plus loin. Plutôt que de partir comme elle l'avait espéré, il ébouriffa ses plumes et la dévisagea avec une antipathie manifeste.

— Bon, OK, j'avoue. J'ai envie d'avoir une douche. Et des toilettes. Tu peux pas savoir. Écoute, je suis l'Élue, du coup, ça fait de moi quelqu'un d'important. Tu devrais avoir envie de me faire une faveur.

Il ne bougea pas d'un pouce et au bout de dix minutes à tenter d'utiliser son esprit pour l'inciter à partir, elle avait un léger mal de tête.

Il lui faudrait un plan. Maintenant, elle savait où il était. Elle mettrait au point un plan de bataille et reviendrait.

Elle haussa les épaules, comme si hibou et pomme n'avaient pas la moindre importance, et repartit d'un pas tranquille dans les ombres vertes, puis la lumière mouchetée. Elle reviendrait avec un cadeau pour les fées afin de pouvoir se baigner dans l'étang, et aurait un plan pour distraire le hibou assez longtemps pour cueillir la pomme.

Elle ne raconta pas à Mallick qu'elle avait repéré le fruit de la première quête, et même si, pour sa deuxième nuit, elle se mit au lit armée d'une pile de livres, elle passa beaucoup de temps à élaborer sa stratégie.

Et au matin, pour la seconde fois, elle trouva des présents à la porte. Étonnée et ravie, elle s'accroupit pour détailler les morceaux de bois, le grillage, la peinture, les clous. Le bienfaiteur avait même trouvé des lattes pour séparer les ouvrières de la reine.

Fallon se releva et scruta les arbres.

— Merci ! cria-t-elle. Quand on aura du bon miel, on pourra partager.

Elle alla vite nettoyer les stalles et renouveler la paille. En donnant de l'eau et de la nourriture aux deux chevaux, elle promit à Grace qu'elle la monterait plus tard.

Pour la construction de la ruche, c'était Fallon l'enseignante, ce qui lui plaisait. Cela compensait la matinée de leçons, instructions et pratique – le tout, sans épée – et les réactions guère enthousiastes de Mallick à son travail scolaire.

Mais s'agissant de la ruche, Fallon prenait les rênes parce qu'à son sens Mallick n'y connaissait rien, zéro au sujet des abeilles et de la production de miel. Une fois le matériel et les outils organisés selon son idée, elle annonça :

— On va partir du bas vers le haut. Donc là, on a le plateau support pour éviter que la ruche repose sur le sol. On va faire un plateau d'envol en pente pour les abeilles.

Ayant déjà mesuré et coupé le bois, elle montra à Mallick comment déposer une pointe de colle à bois. L'odeur lui rappelait son père.

— Chez nous, on a trois ruches. La première, c'est ma grand-mère qui a offert le kit de construction à mon grand-père pour son anniversaire, le printemps avant la Calamité. Les deux autres, j'ai aidé mon père à les fabriquer. Et on en a construit une autre pour les dames de la Ferme des Sœurs. Elles ne sont pas vraiment sœurs, précisa-t-elle en s'affairant. Ce sont des sorcières, très gentilles, et surtout amies de ma mère.

» Maintenant, le sol. Il faut du grillage pour la ventilation et une entrée. Les abeilles entrent et sortent par là. Alors on fabrique un réducteur d'entrée, pour éviter les souris et les guêpes, les nuisibles et les voleurs.

Elle était bonne enseignante, pensa Mallick. Elle travaillait bien, expliquait chaque étape et le guidait tout du long. Elle le chargea de construire une planche en lattes espacées, encore une fois pour la ventilation, afin de séparer le nid à couvain.

— Je fabrique deux hausses de taille moyenne. Deux, juste pour nous, ça suffit. C'est assez pour nourrir la ruche et pour en avoir à troquer. Et on va s'occuper de la grille pour séparer la reine.

— La séparer ? s'étonna Mallick. Je croyais qu'elle était essentielle pour la ruche.

— Oui, mais on ne veut pas qu'elle ponde dans le miel, hein ?

— J'avoue ne jamais y avoir réfléchi.

— Si elle le faisait, vous y réfléchiriez. Elle est plus grosse que les ouvrières et les faux bourdons, donc sa grille la sépare. Elle ne peut pas entrer dans les hausses, or les autres abeilles peuvent venir à elle. On va construire huit cadres pour le corps. C'est là qu'elles commencent à faire leur cire. La grille se place entre le corps et les cadres à miel.

— C'est ton père qui t'a appris tout ça ?

— Oui. Il a dû s'initier avant. Il s'est documenté dans les livres de son père, parce que, avant sa mort, il ne s'était pas trop occupé de la ruche, donc il ne connaissait pas bien le fonctionnement. Et ensuite, on en a fabriqué d'autres. Mon père aime créer. Il est très doué. Il a fait les meubles et ajouté des pièces à la maison, fabriqué des tables de pique-nique et le…

Elle s'arrêta, garda la tête baissée et les mains occupées.

— C'est naturel qu'il te manque, ainsi que ta famille.

— Si j'y pense trop, c'est trop dur.

Il lui avait dit qu'il n'avait jamais aimé, or c'était faux. Il avait aimé sa mère. Mille cinq cents ans n'anéantissaient pas le souvenir de son chagrin lorsqu'il l'avait quittée.

Son devoir était d'enseigner et non de réconforter. Cependant, une certaine dose de réconfort et de compréhension ouvrait sûrement la voie à l'enseignement.

— Ce que tu fais là, ce sacrifice, les connaissances et le savoir-faire que tu apprends, c'est pour eux. Pour le monde, mais ils en font partie. Ce qu'a fait ta mère pour te protéger, ce qu'ont fait ton père de naissance et ton père de vie. Et ils t'ont donné une vie, une base. Des frères, une famille. Une raison, Fallon, au-delà du simple devoir, pour affronter ce qui viendra. Ils t'ont dispensé des leçons de qualité et des connaissances. Suffisamment pour que tu puisses me montrer comment construire un refuge pour les abeilles.

— Si… Si j'avais dit non, ils mourraient ?

— Je ne puis te le dire. Je n'en sais rien. Mais tu n'as pas refusé. Pour l'instant.

Elle lui jeta un coup d'œil et retourna à son travail.

Elle examina sa planche à lattes, qu'elle approuva, puis lui fit suivre ses étapes pendant qu'elle fabriquait une hausse et lui l'autre.

— Bon, cette partie-là est très salissante. Il faut enduire ce plastique de cire d'abeille. Ça avancera les ouvrières. On va la ramollir. Je peux rentrer la faire fondre sur le feu.

Mallick haussa un sourcil.

— Ou tu peux considérer que ça fait partie de ton entraînement à la magye.

Elle préférait cette façon-là.

Elle avait posé deux pains de cire laissés par leur bienfaiteur dans un petit chaudron. Sous le regard attentif de Mallick, elle passa les mains dessus, sur les côtés, encore au-dessus.

Elle sentit la chaleur, lente et régulière, vit la lumière tremblotante s'élever de ses paumes et de ses doigts. D'un blanc pur et doux.

À l'intérieur du chaudron, la cire commença à fondre.

— À quoi en appelles-tu ?

— À la lumière, murmura-t-elle, le regard fixé sur la cire en train de fondre. À la chaleur. Pas de feu, pas de flamme. La chaleur et la lumière.

— Où montent-elles en toi ?

— Partout. Depuis le ventre et… en dessous. Depuis le cœur et la tête. C'est tout en moi.

— Comment les contrôles-tu ?

Cette question lui fit froncer les sourcils.

— Je… pense. Assez pour faire fondre, mais pas pour brûler ou faire bouillir. Ça suffit.

Elle releva les yeux et sourit.

— C'est maintenant que ça devient salissant.

Cela prit presque tout l'après-midi d'assembler le tout et de peindre l'extérieur d'un blanc lumineux. Pendant que Fallon tournait autour et s'accroupissait pour mieux l'examiner, Mallick recula. Et se trouva bêtement satisfait d'avoir participé à fabriquer un objet de ses propres mains.

— Elle est bien, décréta Fallon. Solide.

— Une fois que nous aurons des abeilles, tu me donneras des leçons sur leur élevage. Viennent-elles d'elles-mêmes, attirées par la cire ?

— Ce n'est pas comme ça qu'on attirerait une colonie saine, et on ne ferait jamais venir une reine. On les appelle, on les invite.

— Montre-moi.

— J'ai repéré une colonie hier. Elles vont se plaire ici. Vous n'avez jamais appelé des abeilles ?

— Non. Ce n'est pas mon don. Montre-moi, répéta-t-il.

Elle ferma les yeux un instant, cette jeune adolescente élancée, aux longues jambes, ses cheveux aile de corbeau tressés par-dessus son épaule.

— Je suis dans l'air et de l'air. Je suis dans la lumière et de la lumière. Je suis sur terre et de la terre. Je suis au bord de l'eau et de l'eau. Et tous ces éléments et la magye s'unissent. Je suis faite des magyes reliant les créatures qui marchent, rampent, volent, creusent et nagent. Nous appartenons à un grand tout… La reine pond pendant que les autres nichent, travaillent, chassent, construisent. J'offre ici un habitat, humblement. Venez voir. Venez vivre. Venez prospérer.

Elle ouvrit les bras.

— Venez.

Il ne voyait rien, n'entendait rien d'autre que cette jeune fille, les bras largement écartés, le corps immobile telle une statue. Et son visage, pensa-t-il, était lumineux.

Une minute passa, puis une deuxième, une troisième. Il envisagea de l'arrêter, de lui dire qu'elle pourrait réessayer à un autre moment.

Puis il entendit l'essaim.

L'air s'emplit d'un bourdonnement persistant et Fallon ne bougea pas. Un tourbillon quitta les bois. L'instinct de Mallick était de courir vers elle pour vite l'entraîner à l'intérieur, où elle serait protégée.

Avant qu'il ne se décide, elle ouvrit les yeux. Et rayonna.

Une grosse abeille – la reine ? – vola au-dessus de la main droite de Fallon. Et l'essaim recouvrit ses bras tendus, ses cheveux, ses épaules, en une rumeur étourdissante.

Elle rit, comme si elle était entourée de papillons.

Connaissait-elle, pouvait-elle connaître, l'étendue de son pouvoir ? Tout ce qu'elle pourrait devenir, s'il ne lui faisait pas défaut ? À l'heure actuelle, son pouvoir était fort, mais encore jeune et innocent à pleurer.

Que serait-elle, que détiendrait-elle, une fois que ce pouvoir aurait mûri, que son innocence serait perdue ?

Alors, elle bougea, désignant du bout des doigts la ruche sur le sol.

— Bienvenue, dit-elle.

Et une par une, les abeilles entrèrent dans la ruche.

— Comment… (Il s'interrompit pour raffermir sa voix.) Comment savent-elles qu'elles doivent aller à l'intérieur ?

Elle lui répondit avec un sourire perplexe :

— Je leur ai dit, voyons.

— Ah. Alors c'est bien, bravo. Je vais ranger les outils et le reste. Tu es libre jusqu'au coucher du soleil.

— Je veux monter Grace.

Il donna son accord d'un signe de tête.

— Ne t'éloigne pas trop et sois rentrée à la tombée du jour.

Elle partit, jeune et innocente. Mallick écouta le bourdonnement des abeilles et se sentit très vieux.

DEVENIR

L'apprentissage n'est pas un jeu d'enfant ;
Nous ne pouvons apprendre sans souffrance.

Aristote

6

Tous les jours pendant trois jours, Fallon visita ce qu'elle considérait comme le pays des fées. Elle tenta des sorts sur le hibou, sans succès. Elle essaya la corruption, l'intimidation, et ce que sa mère appelait l'esprit de contradiction.

Bah, de toute façon, je m'en fiche, de ta pomme.

Il ne bougea pas de sa branche haute, gardant la pomme qui en pendait, alléchante.

Elle se baignait dans l'étang, donc au moins, elle se sentait propre. Les petites fées s'habituèrent à elle et venaient danser ou flotter sur l'eau pendant sa baignade.

Pour autant, elle ne parvint à convaincre aucune d'elles de l'aider à se procurer la pomme.

Au terme de sa première semaine, elle était assise dans l'herbe, occupée à se sécher les cheveux tout en examinant le hibou têtu aux yeux durs.

Elle ne pouvait grimper à l'arbre, mais si elle s'élevait sans y grimper ? Elle s'était entraînée en dehors de la surveillance de Mallick, et même si sa technique laissait à désirer, elle avait réussi à léviter à largement cinquante centimètres au-dessus du sol.

La pomme, au juger, nécessiterait de monter à bien trois mètres. Sans oublier de prendre en considération ce grand bec acéré et ces serres coupantes. Elle devrait donc pratiquer jusqu'à pouvoir aller haut, et faire vite.

À présent, elle souhaitait déjouer la surveillance de l'oiseau autant par principe que pour la salle de bains.

— Une semaine de passée, plus que cent trois, déclara-t-elle à voix haute en se tressant les cheveux.

Elle n'avait toujours pas défait ses bagages, et se disait qu'en partant le matin elle pouvait être chez elle en moins de deux jours.

Les cours, leçons et heures de pratique ne lui pesaient pas autant que prévu. Elle en trouvait certains intéressants, même si son temps libre était réduit depuis que Mallick avait ajouté l'entraînement physique.

Toujours pas d'épée, en revanche.

Et même si elle ne voyait pas en quoi savoir tenir en équilibre sur une main ou jongler avec des boules de lumière pourrait l'aider à sauver ce fichu monde, elle aimait apprendre. Cela ne la dérangeait pas d'étudier, d'en savoir plus sur les gens qui, selon Mallick, étaient ses ancêtres. Elle aimait aussi jeter des sorts.

Mais tout prenait tellement de temps. Il fallait tout refaire, encore et encore. Elle ne s'imaginait vraiment pas passer encore cent trois semaines à refaire toujours la même chose. Ou à n'avoir personne à qui parler hormis Mallick.

Elle pourrait essayer de tenir sur une main au-dessus de l'eau. Voilà qui serait intéressant. Si elle parvenait à travailler avec deux éléments – l'eau et l'air – et à tenir en équilibre…

Même Mallick serait impressionné.

Elle allait s'entraîner à léviter dans sa chambre avec la pomme comme objectif et pratiquer l'équilibre ici, au pays des fées. Une fois qu'elle se serait perfectionnée dans ces disciplines, elle prouverait à Mallick qu'elle était prête à manier l'épée.

Elle regrettait de ne pas avoir pensé à se projeter sur l'eau avant, car elle avait utilisé la plupart de son temps libre de la journée.

— Demain, murmura-t-elle.

Elle ne se douta de rien, n'entendit rien avant qu'il soit trop tard. Elle se tourna vite vers ce qu'elle avait senti, juste à temps pour voir un garçon émerger à moitié d'un arbre, une flèche déjà encochée dans son arc.

Puis, au moment où elle levait la main pour se défendre, elle vit que la flèche n'était pas destinée à elle, mais au hibou.

Elle ne réfléchit pas, agit à l'instinct. Le choc, la peur pour quelqu'un d'autre. Et cet instinct la projeta à trois mètres au-dessus du sol, la main tendue pour dévier le projectile. La pointe lui effleura la paume, puis la flèche alla se planter dans un autre arbre. Le choc de la douleur, de la lévitation, la déconcentra. Elle retomba maladroitement au sol et son atterrissage lui coupa le souffle.

— T'es folle ! lança le garçon aux cheveux broussailleux de bronze et aux yeux furieux de la couleur des feuilles d'automne. J'aurais pu te tuer.

— Pourquoi tuer l'oiseau ? Personne ne mange de hibou.

— Tu saignes. Montre-moi si c'est grave.

— C'est rien. (Elle ressentait une brûlure intense, mais elle repoussa sa main.) Tu n'as pas à tirer de flèches ici, et sur le hibou, en plus !

— Je vis ici. (Il secoua sa tignasse où une toute petite tresse solitaire lui retombait sur l'oreille droite.) Plus ou moins. Et je ne visais pas le hibou.

— Mais si !

— Non. Taibhse est le dieu de la clairière. Jamais je n'essaierais de le blesser. Je visais la pomme. C'est ce que tu cherches à avoir, non ?

— Pourquoi tu te sens concerné ?

— Et pourquoi pas ? Si tu n'avais pas pourri mon tir, tu aurais la pomme, et c'est moi qui aurais bien eu Taibhse. Elle est profonde, ta coupure. Mallick doit avoir un baume de guérison. C'est un grand mage. Tu es son élève.

— Et je n'ai pas besoin qu'on s'occupe de moi.

— Si tu le dis. (Il sortit un bout de tissu qu'il jeta vers elle.) Bande-la, au moins.

Agacée, elle tendit le tissu autour de la plaie dans sa paume, pressa ses mains l'une contre l'autre, puis retira le linge taché de sang et le lui lança.

La blessure s'était refermée et avait commencé à guérir.

— Tu visais peut-être la pomme, mais tu allais louper et toucher le hibou.

— Je ne manque jamais ma cible, répliqua-t-il en relevant le menton.

— Tu l'as loupée, pourtant.

— Tu t'es mise en travers. On raconte que tu es l'Élue, genre une grande guerrière, une sorcière, la Sauveuse. Pour moi, t'as juste l'air d'une fille.

Il n'était guère plus âgé qu'elle, un an, deux tout au plus. Plus grand, certes, mais à peine plus vieux. Elle se hérissa que quelqu'un de son âge la relègue au rang de « fille ».

— Si j'étais « juste une fille », ta flèche ne serait pas plantée dans l'arbre là-bas.

La fierté tout autant que son pouvoir la poussèrent à avancer la main, à arracher le projectile et à le faire voler tranquillement vers eux, pour le lâcher au pied de l'arbre où était resté le hibou.

Elle avait l'intention de le laisser aux pieds du garçon, mais c'était bien suffisant.

— Pas mal.

Il alla chercher sa flèche sous le regard méprisant du rapace.

— Écoute, j'essayais seulement de te rendre service, poursuivit-il. Ça fait des jours que tu t'escrimes à cueillir cette pomme.

À l'aide du tissu, il essuya le sang sur la flèche, avant de la glisser dans son carquois.

— Ça ne te regarde p… Mais comment tu le sais ? (Horrifiée, prise d'un subit embarras très féminin, elle comprit.) Tu m'espionnes !

Il eut la bonne grâce de paraître gêné, ce qui lui rosit le lobe des oreilles.

— Je dirais pas vraiment que c'est espionner. J'ai juste vu que tu venais ici. Personne du dehors ne connaît cet endroit, et personne qui n'est pas des nôtres ne peut y entrer. Alors quand tu y es arrivée, j'ai voulu savoir ce que tu mijotais.

— T'es un… t'es un… (Elle chercha un mot qu'elle avait entendu dans un film.) Un voyeur !

— Non, je suis simplement Mick. Et d'abord, c'est quoi, un voyeur ?

— Quelqu'un qui espionne.

— C'est pas ma faute si tu t'es déshabillée, et de toute façon, t'es toute maigre. Et je voulais juste te rendre service. Tu nous as laissé des gâteaux.

Elle plissa les yeux.

— C'est toi qui laisses des présents au chalet.

— Il y en a un de nous qui le fait. C'est un hommage, on n'attend rien en retour. Mais c'était gentil à toi de nous laisser les gâteaux. Ils étaient bons, en plus. Mon père dit que si on remercie la gentillesse par la gentillesse, tout le monde en profite.

— Je suis sûre que ton père ne serait pas ravi d'apprendre que tu m'as espionnée, affirma-t-elle en partant à grands pas vers son cheval. Ne le refais pas. Je m'en apercevrai. (Elle sauta en selle.) Et ne tire pas sur le hibou ni sur la pomme. Ce n'est pas comme ça qu'il faut s'y prendre. Ce n'est pas juste.

Elle le regarda depuis sa position élevée, de façon aussi royale qu'elle le pouvait, en sachant qu'il l'avait vue toute nue.

— Nous apprécions les dons, alors merci à toi, à ton père et aux autres. Maintenant, va fouiner ailleurs.

Elle lança Grace au trot.

— Tu reviens demain ?

Elle soupira, pensa : *Les garçons…* et s'abstint de répondre.

En arrivant au bord de la clairière, elle entendit un bruissement d'ailes. Elle tira sur les rênes et regarda en l'air. Elle ouvrit de grands yeux fascinés en voyant Taibhse planer au-dessus d'elle, la queue de la pomme dans son bec.

Un instinct – que Mallick aurait appelé le sang – l'incita à lever le bras. Ce qui ne l'empêcha pas d'être stupéfaite lorsque le rapace descendit en douceur et se posa dessus comme sur une branche.

Elle sentit son poids, considérable, mais pas la griffure de ses serres. Il plongea ses yeux d'or dans les siens et elle sentit un lien se forger.

Mallick sortit de la chaumière pour la voir arriver à cheval vers lui, une main tenant les rênes, le magnifique hibou sur l'autre bras.

N'en avait-il pas rêvé ? N'avait-il pas vu cette scène ? Le hibou, le dieu fantôme, le chasseur, serait désormais à elle. Tout aussi lié à elle que Mallick lui-même.

— J'ai trouvé la pomme. Je n'ai pas fait de mal au hibou. Il s'appelle Taibhse.

— Oui, je sais.

— Je n'ai pas grimpé à l'arbre. Je ne veux pas lui prendre la pomme, ce serait du vol. Mais vous voyez que je l'ai trouvée, et ensuite, il peut la remporter. Je veux la salle de bains, Mallick, mais je ne vais pas voler pour l'avoir.

— Tu as accompli la première quête. La pomme est encore un symbole, Fallon. Beaucoup auraient été aveuglés par l'or et n'auraient pas saisi où était la vraie valeur. Tu as gagné la loyauté de Taibhse, chasseur, gardien et esprit sage. Il t'appartient, maintenant, autant que tu lui appartiens.

— Je… je peux le garder ?

— Mon enfant, il ne sera jamais domestiqué ni possédé. Vous êtes l'un à l'autre. Lève le bras pour le laisser partir. Il n'ira pas loin.

Lorsqu'elle s'exécuta, Taibhse s'éleva en flèche et s'installa sur une haute branche. Il y déposa la pomme, dont la queue s'attacha comme si le fruit d'or avait poussé là.

— Il est beau et courageux. Quelle est la deuxième quête ?

— Nous en parlerons lors du dîner. Occupe-toi de ta jument.

— Vous n'avez pas envie de savoir comment j'ai eu la pomme ?

— Oh, si. Pendant le dîner.

Cette nuit-là, elle défit ses bagages et suspendit le carillon de Colin à sa fenêtre. Sur le rebord, elle posa un petit pichet orné de la fleur d'Ethan, ainsi que le livre de son père de naissance et la photo d'elle avec sa famille.

En regardant au-dehors, dans la nuit, dans les danses des lumières des fées, elle distingua l'éclair blanc du grand hibou en chasse.

Demain, elle chasserait aussi. Après les corvées, les cours, la pratique et les leçons, elle s'enfoncerait dans les bois avec

Grace pour la deuxième quête que Mallick lui avait confiée. Elle trouverait le collier d'or, et le loup qui le portait.

Pendant qu'elle rêvait, d'autres chassaient. Leurs doigts tâtonnaient dans les ténèbres pour venir gratter à la surface de ses rêves. Elle était la proie, depuis avant même sa naissance.

Elle s'agita dans son sommeil, la peur lui soufflant de se détourner des images, des voix juste hors de sa portée. Les fuir, se cacher, survivre.

Ce qu'elle était poussée à voir et à entendre était flou, indistinct. Pour savoir quoi combattre.

Les corbeaux en cercle, un vol réjoui qui annonçait la mort. Les éclairs, noirs pour la mort, rouges pour le feu. Un cercle de pierres qui flottait dans la brume, un homme qui y évoluait pour contempler la terre brûlée et craquelée dans la danse ancienne.

La garde de l'épée qu'il portait luisit à l'unique rayon de lune. Soudain, il détacha son regard de la pierre et un vert sombre et éclatant traversa les frontières des rêves.

— *Ici, le premier de sept boucliers, détruit par la trahison et la magye noire. Ici, le sang versé par un fils des dieux, et ici, le sang de notre sang empoisonné. Ainsi l'épidémie a fait rage.*

» Maintenant, Fallon Swift, j'attends. Nous attendons. Cela attend.

Il leva son épée. L'éclair frappa le point fatal, jaillit et il se retrouva avec une lame de flamme blanche étincelante.

— *Ceindras-tu l'épée et le bouclier de l'Élue ? Répondras-tu à l'appel ? Viendras-tu ? Seras-tu toi ?*

Lorsqu'il plongea la pointe de l'épée dans le sol, la brume se consuma. Dans le cercle de pierres, quelque chose bouillonna et remua.

— *Choisis.*

Pendant qu'elle rêvait, pendant que d'autres chassaient, certains se préparaient toujours pour un sacrifice sanglant.

Dans ce qui avant la Calamité avait été une banlieue chic de Virginie, un groupe de Guerriers de la Pureté établissait un camp de base. Là, presque cent hommes et femmes, et les enfants qu'ils avaient engendrés, capturés ou endoctrinés, vivaient dans de grandes demeures et organisaient des exécutions publiques hebdomadaires.

Parmi eux, certains suivaient par croyance les préceptes de Jeremiah White, fondateur et grand gourou autoproclamé de la secte. Tous les Insolites, n'importe qui disposant de capacités magyques – ou leurs sympathisants –, venaient de l'enfer. Les démons et ceux qui les soutenaient devaient être anéantis.

D'autres se joignaient à eux et portaient le symbole de la secte parce qu'ils appréciaient la liberté de violer, torturer, tuer, or une ferveur religieuse couvée dans le sang et le rejet de l'autre offrait cette possibilité.

White lui-même était venu en visite à la base. Il avait passé deux jours dans l'une des luxueuses maisons, prononcé des sermons vibrants sur la vengeance de son dieu tordu et présidé à la pendaison de trois prisonniers.

Une elfe d'à peine vingt ans, blessée dans les combats autour de Washington. Une guérisseuse septuagénaire, qui avait soigné les blessures de l'elfe et d'autres personnes, dont celles qui la maudissaient et la traitaient de démon. Et un homme, un homme ordinaire, accusé de sorcellerie pour le crime d'avoir essayé de protéger un enfant de dix ans d'une volée de coups.

Avant la pendaison, c'était la torture. Selon White, les cris des damnés résonnaient comme autant d'appels aux armes pour les vertueux. Ceux qui le suivaient l'acclamaient en une vague noire de haine qui déferlait comme une mer fatale.

White voyageait avec une escorte de gardes du corps, stratèges, lèche-bottes et soldats. Certains, s'ils étaient assez téméraires ou soûls pour s'y risquer, chuchotaient qu'une partie de cet entourage était composée d'Insolites noirs.

Mais White récompensait ses fidèles par de la nourriture, des esclaves, ces fameux sermons inspirants et une promesse de vie éternelle lorsque la menace démoniaque serait éradiquée. Par conséquent, la plupart gardaient le silence.

Le dimanche, jour du Seigneur, commençait avec les prières. Le révérend Charles Booker, précédemment escroc au succès mitigé spécialisé dans l'extorsion aux personnes âgées sur les réparations et la pose d'alarmes dans les maisons, menait la congrégation dans les oraisons et les versets de l'Ancien Testament en l'honneur d'un dieu assoiffé de sang. L'office était suivi d'annonces proférées par Kurt Rove, nommé chancelier par Jeremiah White en reconnaissance du rôle qu'il avait joué dans le Massacre de New Hope. S'il dirigeait la base d'une main de fer et se plaisait dans sa position, le dimanche, il savourait.

Rove pouvait annoncer des changements de loi, souvent arbitraires. Il lisait des dépêches de White, des rapports issus d'autres bases, des comptes rendus de combats, indiquant le nombre de personnes tuées et capturées, sous les applaudissements qui célébraient le sang versé.

Il terminait d'ordinaire par la liste des prisonniers et ceux qui avaient été sélectionnés par un comité pour être exécutés ce dimanche.

Il était obligatoire d'assister à la messe, aux annonces et aux exécutions dominicales. Seuls ceux qui étaient de garde en étaient dispensés. La maladie était tolérée comme excuse pour une absence uniquement si le médecin de la base, à qui on avait retiré le droit d'exercer avant la fin du monde, accordait une dispense.

Ceux qui ne venaient pas risquaient, si on les dénonçait, vingt-quatre heures dans les fers installés devant le garage à trois emplacements qui servait de prison.

Depuis la nomination de Rove, les exécutions avaient lieu à minuit précis. Pas une minute avant, pas une minute après. Des « escortes » sélectionnées par tirage au sort faisaient sortir les prisonniers du garage pour les emmener au jardin public où se dressait l'échafaud. Chaque détenu portait une marque de pentagramme sur le front – une fantaisie de Rove que White avait inscrite par décret dans le règlement des Guerriers de la Pureté. Leurs cheveux, sommairement tondus, montraient souvent des morceaux de crâne à vif. Ils n'avaient pas droit aux chaussures, seulement à un vêtement en toile de jute confectionné par des esclaves.

Si le prisonnier possédait des ailes, elles lui étaient coupées. Les sorciers restaient comme ils l'étaient depuis leur mise en captivité, bâillonnés et un bandeau sur les yeux, pour éviter qu'ils ne jettent le mauvais œil ou ne profèrent une incantation.

Cette nuit de dimanche, lorsque des ombres et des formes s'imposèrent dans les rêves de Fallon, les corbeaux tournaient au-dessus de l'échafaud, des spectateurs déjà présents et de deux des six détenus qui entamaient leur marche forcée.

La sorcière, violée, battue, tous les doigts cassés, luttait pour ne pas boiter, ne pas trébucher. Si elle tombait, ils la bourreraient de coups de pied, alors qu'ils avaient déjà brisé son mental par la douleur. Elle était prête à mourir.

À côté d'elle, le métamorphe qui s'efforçait d'être courageux du haut de ses douze ans à peine gardait la tête haute. Il avait couru pour détourner les chasseurs de sa petite meute. Il avait sauvé son frère et les autres, alors il passait son temps à se dire qu'il ne mourrait pas en lâche.

Il pouvait rester sourd aux moqueries et aux provocations de la garde et des gens qui couraient dans la rue, mais il devait éviter les regards tristes et désespérés des esclaves sous peine de céder au hurlement dans sa tête.

Il n'était pas prêt à mourir, mais il ne s'abaisserait pas à demander grâce.

Une pierre lui érafla la joue. La douleur vive, l'odeur du sang incitaient l'animal en lui à se démener pour recouvrer la liberté. Il retint le couguar. Cette lie de l'humanité ne verrait jamais son esprit.

L'un des gardes cria :

— Interdit de lapider ! Vous arrêtez, ou c'est une heure aux fers ! (Puis il poussa le garçon sans ménagement.) Avance, salopard de démon !

À l'intérieur du garçon, le couguar grondait. Ses pattes antérieures puissantes tiraient sur la corde qui retenait les mains du garçon dans son dos.

Alors, il aperçut l'échafaud, les deux nœuds coulants, la foule amassée sur la pelouse bien éclairée. Ils allaient le tuer, se dit-il dans une prise de conscience froide que sa jeunesse l'avait aidé à nier jusque-là. À minuit, ils allaient le pendre, il s'étoufferait et battrait des pieds pendant que les spectateurs se réjouiraient à grand bruit.

Puisqu'ils allaient le tuer, pourquoi ne pas mourir en combattant ? Pourquoi ne pas lutter de toutes ses forces ? Et peut-être en emporter un ou deux avec lui… Il inspira fortement l'air de la nuit, autorisa le fauve à s'étirer à l'intérieur de ses os, de ses muscles, de sa peau. Ils pouvaient le tuer, se dit-il, mais ils ne le briseraient pas.

Pendant qu'il s'ouvrait à la métamorphose, l'accueillait pour ce qu'il pensait être la dernière fois, une flèche jaillit de l'obscurité.

Le garde qui l'avait poussé émit une espèce de grognement avant de tomber à terre. Les huées se transformèrent en hurlements avec la venue de nouvelles flèches, et la foule se dispersa.

Au milieu des flèches qui sifflaient, le couguar se glissa hors de ses liens et se retrouva à quatre pattes. Ses yeux étincelèrent, il bondit dans la foule paniquée. Il vit un homme – plutôt un ado – ôter le bâillon et le bandeau de Jan, la sorcière, puis la soulever quand elle chancela.

Il courut avec un objectif, une destination en tête. Ce qui avait été sa prison. Il entendit les coups de feu, encore des hurlements, des piétinements paniqués. Il sentit le sang, sentit la peur.

Il voulait le sang. Il voulait la peur.

Or, quand il arriva à la prison, sa proie était déjà à terre, sans connaissance, en sang. Une jeune fille se tenait au-dessus d'elle. Elle se retourna et le regarda dans les yeux. Elle vint s'interposer entre lui et ce qu'il désirait le plus. Le goût de ce sang dans la bouche.

— Il est à terre et désarmé. Tu pourrais sans doute déjouer ma surveillance assez longtemps pour l'égorger, mais si tu le tues, tu ne seras plus jamais le même. On a mis ton frère en lieu sûr, Garrett. On a Marshall et les autres.

Le couguar frissonna et redevint humain.

— Marshall ? Tout le monde ?

— Marshall et tous les autres. Tous les huit. Neuf avec toi. Tu es en sécurité aussi. Et il faut qu'on dégage tout le monde d'ici. Jonah ! cria-t-elle en direction du garage. J'ai Garrett ! Le métamorphe.

— Emmène-le au point de rendez-vous. On en a quatre ici et il faut qu'on les transporte.

— Compris. Il faut que tu…

Elle s'interrompit en voyant Garrett sortir ses griffes de couguar de sa main de jeune garçon pour en lacérer le bras du gardien.

— Ils nous battaient, ils nous brûlaient, ils nous cassaient des os. Ils nous ont marqués. Et... Il m'a violé. (Garrett parvint à inspirer en tremblant.) Maintenant, je l'ai marqué aussi.

— D'accord, dit la jeune fille en lui mettant la main sur l'épaule et en l'éloignant. On doit filer vite, faire partir autant de détenus qu'on peut. Tu peux courir ? C'est à moins de cinq cents mètres.

— Je peux courir.

Elle s'élança en un sprint pour qu'il prouve ses dires.

Elle avait des cheveux sombres formant une explosion de boucles retenues par un bandeau. Elle courait vite en détaillant tous les alentours attentivement. Ses yeux devaicnt être bleus, mais difficile d'en être sûr alors que la lune n'arrêtait pas de se cacher.

Elle portait une courte épée et un carquois avec un arc.

— C'est toi qui as tiré la flèche ?

— Laquelle ?

— Celle qui a tout déclenché. La première.

— Non, c'est mon frère. C'est lui qui a gagné à pile ou face. Moi, c'est Tonia.

Avec un grand sourire, elle lança la main en l'air et, du bout du doigt, forma trois cercles de lumière. Devant eux, on leur répondit par le même signal. Ensuite, ils virent deux hommes armés de fusils à côté d'un camion.

— Je suis avec le frère de Marshall. Garrett.

— Marshall va être heureux ce soir. Tu es blessé, mon garçon ?

L'homme avait l'air vraiment très vieux, mais il tenait son arme avec l'air de savoir la manier.

— Ça va.

— Je suis Bill, et voici Eddie.

— Comment ça roule, mon pote ? Tiens, viens tenir compagnie à Joe dans la camionnette.

— Qui ça ?

— Mon chien, Joe.

Eddie ouvrit le hayon. Un grand chien se releva, un peu lent, un peu raide, et remua la queue.

— Je dois y retourner, dit Tonia.

Eddie hocha la tête.

— Vas-y, on s'occupe de lui. Reviens en un seul morceau, sinon ta mère va me mettre une raclée.

— On va éviter, dit-elle en filant, engloutie par la nuit.

— Allez, on va t'installer là, mon pote.

— Je peux monter tout seul.

Garrett monta à l'arrière et s'assit. Quand le chien vint se frotter à lui, il céda au petit garçon en lui et enlaça l'animal, enfouit le visage dans son pelage pour que personne ne voie ses larmes.

Il sursauta en entendant des explosions et frissonna en voyant du feu s'élever dans le ciel.

— C'est quoi, ça ? Qu'est-ce que c'est ?

— On termine juste le boulot, répondit Eddie pendant que Bill venait mettre une couverture sur les épaules de Garrett. Tu ne voudrais quand même pas qu'ils te suivent, ces enfoirés ? On pique certains de leurs véhicules, et le reste, boum. Autant que possible, en tout cas. Si tu faisais un peu de place avec Joe ? On va avoir de nouveaux passagers.

Certains couraient, comme lui. D'autres étaient portés. Une camionnette s'arrêta à côté et l'homme au volant fit un geste vers l'avant.

D'autres personnes vinrent s'entasser sur le plateau du camion, aidées par Eddie ou Bill. Pour la plupart des mineurs, quelques femmes. Garrett en reconnut un ou deux. Quand leurs geôliers prenaient la peine de nourrir les détenus, c'étaient les esclaves qui apportaient le brouet qu'ils faisaient passer pour de la nourriture.

Le garçon à côté de lui, plus jeune que le plus petit de sa meute, tremblait de froid.

— Tiens, on peut partager ma couverture. Le chien s'appelle Joe.

Il entendit le rugissement d'un moteur, vit la fille avec qui il avait couru sur une moto, derrière un garçon aux cheveux de la même couleur que les siens, mais pas aussi bouclés.

C'était celui qui avait aidé Jan, se rappela Garrett.

Le garçon arrêta la moto après un demi-cercle.

— On a emmené tous ceux qu'on pouvait. Certains se sont enfuis pour qu'on ne puisse pas les embarquer. Ils vont avoir du boulot à éteindre les feux, alors ceux qui ont fui pourraient s'en sortir.

— Jonah dit qu'il faut partir, cria Eddie avant de bondir au volant.

— On va l'écouter. Flynn et Starr prennent les côtés.

Il repartit à grand bruit, ses cheveux volant autour de sa tête.

Eddie ouvrit la vitre donnant sur le plateau et éleva la voix tout en se plaçant dans le convoi.

— Salut à tous, je m'appelle Eddie et c'est moi qui vous conduis ce soir. Installez-vous bien, parce qu'on en a pour une trotte. Vous avez de l'eau et des couvertures. Soyez mignons et partagez entre vous.

Garrett s'approcha.

— C'était qui, sur la moto ?

— Duncan. C'est le jumeau de Tonia. Notre trublion maison. Bois un coup, mon pote, fais une sieste si tu veux. On a une bonne heure de route. Quand on y sera, vous pourrez manger et vous faire examiner par des médecins.

— Marshall est là-bas ? Et tous les autres ?

— Un peu mon neveu. (Eddie lâcha le volant de la main droite pour la passer par la petite fenêtre et presser l'épaule de Garrett.) Ils t'attendent tous, alors tu peux souffler maintenant.

Comme d'autres larmes lui montaient aux yeux, Garrett cilla fort.

— On va où ? C'est où, « là-bas » ?

— Mon gars, on se dirige vers New Hope.

7

Fallon s'était embrouillée dans une incantation toute simple – deux fois – et faillit bien ajouter de la belladone plutôt que de la bergamote à une potion de base. Elle fut arrêtée à temps par Mallick :

— Tu cherches à empoisonner un ennemi ?

— Comment ? Non, fit-elle en relevant les yeux, les sourcils froncés, avant de regarder enfin la fiole clairement étiquetée dans sa main. Oups.

Elle reposa la fiole et au bout d'un moment – trop long au goût de Mallick –, elle prit la bergamote à la place.

— Oh, c'est bon, j'ai fait une erreur.

Il désapprouvait presque davantage sa réaction légère que la négligence elle-même.

Les deux étaient inacceptables, mais l'inconséquence était signe de faiblesse.

— Une erreur avec la belladone peut tuer. Tout comme une erreur dans une incantation peut avoir des répercussions dévastatrices. Tes mots, tes actions et leur précision ont de l'importance.

— Peut-être que si vous ne vouliez pas que je retienne absolument tout par cœur et que vous ne restiez pas là à m'observer tout du long, je ne me tromperais pas.

— Peut-être mon erreur a-t-elle été de m'imaginer que tu avais assez progressé pour connaître les propriétés et utilisations des extraits, des huiles et des poudres. Dans ce cas, rassieds-toi et nous allons repartir du début.

— Oh, ça va, je les connais, les propriétés, OK ? répondit Fallon d'une voix dont le tremblement démentait le mordant. J'ai juste pris la mauvaise fiole. Et les ingrédients comme la belladone, la digitale pourprée et les autres poisons devraient être à part, plutôt qu'avec tout le reste par ordre alphabétique.

Mallick inclina la tête.

— Tu as tout à fait raison. Je t'autorise à t'atteler à cette tâche sur-le-champ.

— Mais il y en a des centaines ! Ça va me prendre la moitié de la journée !

— Raison de plus pour t'y mettre. Ce travail devrait t'aider à te calmer et à te concentrer.

— Je veux pas passer la journée enfermée ici à faire un truc qui aurait déjà dû être fait au départ. Je veux aller dehors. Prendre l'air. Je me sens pas bien.

C'était visiblement vrai. Mallick était plus que troublé par la tristesse dans ses yeux, le voile de larmes qui les recouvrait.

Pourquoi, lui qui savait si peu des enfants et encore moins des filles, avait-il reçu la tâche de s'occuper d'une jeune fille et de l'entraîner ?

En dépit de son pouvoir, elle était encore une enfant.

— Hum, hum… As-tu déjà ta menstruation ?

— Ma… ?

Il lui fallut un instant pour comprendre, puis la tristesse se mua en dégoût, bientôt remplacé par le mépris.

— Oh, c'est pas vrai ! (Elle tourna en rond en se tirant sur les cheveux, allumant les bougies sans le faire exprès.) Ma mère avait raison. Complètement raison ! Dès qu'une femme est bouleversée ou pas dans son assiette, les hommes croient qu'elle a ses règles ou sont assez débiles pour faire une remarque à ce sujet !

— Je suis… perplexe.

— Et jusqu'au moment où les hommes commenceront à douiller et à saigner tous les mois, ils devraient juste se taire sur le sujet.

— Soit.

Fallon laissa retomber ses mains, puis les releva pour les presser sur ses yeux.

— Je suis fatiguée. C'est tout. Je n'ai pas très bien dormi.

— Tu as fabriqué un bon élixir pour un sommeil paisible. Prends-le et utilise-le. Je vais t'aider à reclasser les ingrédients, car tu as raison de suggérer de les séparer. Ensuite, nous te confectionnerons une nouvelle potion de sommeil. Et plus tard, tu iras faire un tour à cheval, dans l'air frais.

Il s'arrêta parce que ses yeux, vidés de leur colère, ses puissants yeux gris étaient emplis d'un chagrin accru.

C'était davantage qu'une mauvaise nuit, pensa-t-il. Et lui, bêtement, se fourvoyait pour s'occuper d'elle, tout autant qu'elle s'était trompée dans son incantation.

— Ta famille te manque, et je ne suis pas ta famille. Tu voudrais le réconfort de ta mère, l'épaule de ton père. Je ne peux pas les remplacer. Mais refuses-tu de me faire confiance au point de taire ce qui te mine ?

— J'ai eu des rêves…

— Des rêves ou des visions ?

Les yeux gris s'emplirent de larmes, et il s'interrompit. Décidément, il était bête et se fourvoyait.

— Peu importe pour l'instant, reprit-il. Viens, assieds-toi. Je vais te préparer une infusion.

— Je ne veux p…

— Simplement pour t'apaiser, lui promit-il en allant choisir des plantes adéquates. Je vais en prendre aussi. Je peux t'enseigner des choses et te former, je puis te guider et te défendre. En revanche, je ne sais pas grand-chose des jeunes filles et de leurs besoins en dehors de l'entraînement. Tu dois me laisser le temps d'apprendre et de pratiquer. Alors, tes rêves t'ont perturbée.

— J'avais… j'ai défait mes bagages. J'ai installé le carillon de Colin, j'ai mis la fleur d'Ethan à la fenêtre. J'ai accroché la photo que mes parents ont fait faire pour moi, de toute la famille. Pour que la chambre soit un peu plus à moi.

Elle se frotta les yeux, non à cause des larmes, mais de la fatigue.

— J'ai trouvé Taibhse, et ça, c'était… génial. Et comme je vous ai dit, j'ai rencontré Mick. Il est un peu crétin, mais bon… (Elle haussa les épaules.) Et j'ai réfléchi pour trouver le loup au collier d'or, ça devrait être sympa. Donc si je dois passer ce temps ici, au moins, après avoir étudié, m'être entraînée, j'ai Grace, et maintenant Taibhse et ce crétinos de Mick. Alors je pourrai peut-être en apprendre suffisamment. Comme pour construire une ruche. C'est étape par étape, pièce par pièce. Comme dit mon père, on fait ça, puis ça, puis on passe à la suite. Je me sentais bien.

Il posa la tisane sur la table et s'assit face à elle.

— Et après, tu as rêvé. Tu veux bien me raconter ?

— Le premier rêve, c'était un endroit. C'est idiot.

— L'endroit est idiot ?

— Mais non, mais non. Je n'y ai jamais mis les pieds. Je ne me suis jamais autant éloignée de la ferme qu'en venant ici, donc je ne connais pas ce lieu, pourtant, j'en avais l'impression.

Avec les pierres en cercle qui s'élevaient de la brume, les champs vides, les bois sombres, tout proches. Et puis un homme marchait dans le brouillard pour aller vers les pierres. Je sais que je ne l'ai jamais vu avant, mais il y avait quelque chose… et j'ai senti un truc. Il avait les cheveux noirs et une épée. Des yeux verts. D'un vert foncé, comme les ombres au pays des fées.

— Le pays des fées ?

Elle rougit, juste un peu, et prit sa tasse.

— C'est comme ça que j'appelle la clairière où j'ai trouvé Taibhse. Je connais la couleur de ses yeux parce que même si je n'étais pas dans le rêve, comme ça arrive des fois, il a tourné la tête et m'a regardée droit dans les yeux. Comme à travers une fenêtre ou un miroir. Et il m'a parlé.

— Qu'a-t-il dit ?

— Il a dit : « Fallon », puis il m'a raconté que le cercle était le premier parmi sept boucliers et que le sang des dieux – le sang de nos ancêtres, les siens et les miens – avait été versé là. Qu'il avait été empoisonné, que ça avait détruit le bouclier et provoqué la maladie. Il a sorti son épée, il l'a levée. L'éclair est tombé dessus et elle s'est enflammée, mais d'un feu blanc. Il m'a demandé si j'allais répondre à l'appel, si j'allais ceindre l'épée et porter le bouclier, si j'allais combattre et être forte, si je… si j'allais devenir ce que j'étais. Il m'a dit de choisir.

» Je ne sais pas si c'est un rêve ou une vision.

— Cela peut être les deux à la fois.

— Ma mère avait des visions, et moi… ça arrive que je sache où mes frères se cachent ou s'ils vont me jouer un tour. Je le vois dans ma tête. Pas tout le temps, mais par moments. Une fois, un homme est passé à la ferme. Il avait le visage et le bras couverts de cicatrices. Je l'ai vu dans un incendie, en train de hurler et de s'enfuir, puis tomber dans le noir dehors. Ils l'ont laissé pour mort. Des Pilleurs. Je l'ai vu.

— Ça t'a effrayée.

Elle l'admit d'un signe de tête et but de petites gorgées de tisane.

— Tu as parlé du premier rêve. Tu en as eu d'autres.

— Un autre. Plus long, et pas aussi clair que le premier. Il était flou la plupart du temps. Comme si je le voyais à travers une vitre sale, et les voix étaient lointaines. J'entendais une partie de ce qui se disait, mais pas tout. C'était un lieu différent. Comme quand on est passés là où il y avait de grandes maisons regroupées, vous voyez ?

— Oui, on appelle ça des lotissements. Un genre de communauté.

— D'accord, c'était dans un endroit comme ça. Des maisons vraiment grandes. C'étaient des Guerriers de la Pureté qui y vivaient. Je sais ce que c'est.

Une partie de sa tristesse s'effaça au profit de la colère.

— Ils nous traquent et ils nous tuent, juste parce qu'on n'est pas comme eux.

— Ils nous craignent, ainsi que tout être différent d'eux.

— Et ils ont des esclaves, lui raconta Fallon. Ils réduisent en esclavage des gens qui n'ont pas leurs croyances. Même des enfants. Et ils enferment les gens magyques. Ils leur font des choses atroces. Il y a un garçon, j'ai pu voir dans sa tête. Un petit peu. Des bribes de ses pensées, donc je connais les choses horribles qu'il a subies. Ils allaient le pendre, et la femme emprisonnée avec lui aussi. Une sorcière qui s'appelle… Je me souviens plus.

— Ce n'est pas grave.

— Lui, c'est Garrett. Ou c'était Garrett. Je ne sais pas quand c'est. Maintenant, avant, plus tard ? Je ne sais pas. Mais c'est son nom, et il est métamorphe. Plus jeune que moi. Il a été battu, brûlé, coupé et… il a été violé. On l'a tondu, et la femme aussi. Elle était bâillonnée, un bandeau sur les yeux, et tous les deux avaient les mains attachées dans le dos. Ils devaient avancer pieds nus dans la rue sous les insultes, et un badaud a lancé une pierre qui a frappé le garçon au visage. (Elle se toucha le front.) Ils les ont tatoués. Un pentagramme.

— Les Guerriers de la Pureté marquent les gens comme nous qu'ils capturent.

— Les esclaves aussi, mais là, expliqua Fallon en montrant le revers de son poignet gauche. Ils gravent un cercle avec une croix à l'intérieur. Le garçon, Garrett, n'avait pas les yeux bandés, alors je pouvais voir un peu. Ils marchaient vers une plate-forme avec deux nœuds coulants.

— Un échafaud.

— D'accord, un échafaud. Et là, j'ai entendu clairement ce qu'il pensait. Il voulait se transformer, devenir le couguar qui vivait en lui. Il voulait se battre avant d'être tué. Alors, une flèche a surgi de la nuit et éliminé l'homme qui le forçait à marcher. Et puis d'autres. Le garçon s'est transformé, et le couguar a couru au milieu des gens qui hurlaient et s'enfuyaient. Mais j'ai vu un garçon, un autre. Un peu plus âgé que Garrett. Il est allé enlever le bandeau et le bâillon de la femme, et il l'a rattrapée quand elle s'est évanouie. Je les ai aperçus vite fait, parce que j'étais avec le couguar qui courait vers l'endroit où on enfermait les gens.

Elle prit sa respiration, but de nouveau la tisane et constata que son estomac se tordait moins.

— Il n'avait jamais tué personne avant, Mallick, ni en garçon, ni en couguar. Je le savais, je le sentais. Or là, il en avait envie. Mais le gardien de prison était déjà à terre. En sang et sonné, pas mort toutefois. J'ai senti la vie encore présente. Il y avait une fille, très jolie, qui n'avait pas peur du couguar. Là, tout se mélange. Je crois qu'il y en avait d'autres qui délivraient les détenus, et Garrett a repris son apparence humaine pour que la fille l'accompagne. D'autres les attendaient. Un vieux, un moins vieux et un chien. Le chien était vieux. L'homme s'appelait Eddie et le chien Joe. Je connais ces noms, Mallick. Je les connais.

— Oui.

Elle frissonna un peu que Mallick en convienne.

— La fille est repartie, et d'autres esclaves et prisonniers sont arrivés. Encore un camion avec d'autres. Il y a eu de nouvelles explosions dans le… lotissement, vous dites ? Un peu comme une mission commando, mais pour sauver des gens, les libérer et les aider. La fille s'est mise sur une moto avec le garçon qui avait aidé la sorcière. Duncan et Tonia. Je connais ces noms-là aussi.

— Oui.

— Ils sont tous partis, et quand Garrett a demandé à Eddie où ils allaient, ça, je l'ai bien entendu, il a répondu New Hope. Je connais cet endroit. C'est là que mon père est mort. Mon père de naissance, quand les Guerriers de la Pureté sont venus pour tuer. Me tuer en particulier.

Les mots quittaient sa bouche en cascade à présent, vite, vite, pour alléger le poids qu'elle portait.

— Ma mère a fui cet endroit pour me sauver et sauver les gens qui y vivaient. Ses amis. Eddie était son ami. Il avait un chien appelé Joe. Duncan et Tonia – Antonia – étaient jumeaux, tout bébés quand elle vivait là-bas. Leur mère était son amie. Tous, avec le vieil homme, ils ont risqué leur vie pour sauver Garrett, la sorcière, les autres. C'était trop… tactique, estima-t-elle, pour que ce soit leur premier sauvetage. Je n'aime pas dire commando. Sauvetage, c'est mieux. Duncan et Antonia ne sont pas beaucoup plus vieux que moi et ils se battent vraiment. Garrett est plus jeune que moi, mais il était prêt à lutter.

— Remets-tu en question la protection dont tu as bénéficié ?

Elle n'avait pas pleinement pris conscience que c'était là ce qui lui pesait le plus.

— Si je suis l'Élue, pourquoi je ne me bats pas ? Pourquoi je n'aide pas les gens ?

— Tu le feras. Ta mère et ton père de vie t'ont donné des bases solides, non seulement par ce qu'ils t'ont enseigné, mais aussi en partageant avec toi une vision : la famille, la communauté, la loyauté et l'amour. Une guerre telle que celle-ci ne peut impliquer seulement lame et éclairs. Tu dois croire, au plus profond de toi-même, que ta cause vaut la peine de mourir. De tuer. Et ce que tu dois encore acquérir, savoir, tenir, et même croire, est vaste, mon enfant. Vaste. Certains sont des guerriers, d'autres des meneurs, d'autres des symboles. Tu seras tout cela. Mais ton heure n'est pas encore venue.

— C'est pour ça que l'épée reste là-haut et que le placard est fermé ?

— Tu brandiras l'épée bien assez tôt. Pourquoi n'as-tu pas essayé de déjouer la serrure du placard ?

— Comment savez-vous que je ne l'ai pas fait ?

— Je ne suis pas dépourvu de vision, mon enfant.

— OK. Parce que ça serait impoli et irrespectueux.

— Et tu n'aurais pas cet entendement et cette sensibilité si on t'avait privée de ces années auprès des tiens. Ils te sont et te seront utiles.

C'était peut-être vrai. Pourtant…

— Vous connaissez l'endroit du premier rêve ? demanda Fallon.

— Oui.

— Il y en a six autres. Si détruire le premier bouclier a tué quasiment tout le monde, que va-t-il se passer si les autres sont détruits ?

Elle avait tant de questions…

— Le premier n'a pas été brisé rapidement ni facilement. Il a fallu une grande concentration de pouvoir des ténèbres, ainsi qu'un manque de lumière. Les croyances peuvent s'estomper, et lorsque la foi s'atténue, il en est de même pour le pouvoir. La peur des ténèbres ? Elle est intrinsèque, et c'est ainsi que les ténèbres peuvent se multiplier. À mesure qu'il est devenu plus facile de rejeter la lumière, elle a faibli et la protection entourant le bouclier s'est atténuée. Jusqu'au jour où elle a cédé. Peut-être a-t-il fallu que cette horreur survienne pour faire ressurgir et rayonner la lumière, mais elle est bel et bien réveillée maintenant.

— Tout ça ne répond pas à ma question, se plaignit Fallon.

— Les boucliers sont désormais gardés plus soigneusement.

— Mais ?

Mallick soupira. L'esprit de Fallon n'était jamais au repos, et il devait le respecter.

— Si un par un, les boucliers venaient à tomber, d'autres personnes mourraient encore, seraient infectées par la folie, les récoltes ne donneraient rien, grilleraient dans les champs, se dessécheraient sur pied, pourriraient dans la terre. S'ensuivrait la famine. Une épidémie se déclarerait parmi les animaux. Les poissons, les volailles, les mammifères. Seuls resteraient ceux qui rampent. Le niveau des fleuves et des rivières, des lacs et des océans gorgés de sang, de mort et de pourriture, pollués, monterait et l'inondation répandrait leur poison.

Déjà pâle, Fallon blêmit encore en l'entendant. Or sa question méritait une réponse complète et juste.

— Une chaleur implacable cuirait la terre, brûlerait les arbres par des éclairs qui s'abattraient sur les forêts. Le monde ne serait plus que feu et fumée. Et puis les ténèbres descendraient, et le massacre de tous les survivants commencerait.

Le sol tremblerait, se fendrait et ce qui règne sur les ténèbres dominerait tout.

— Pourquoi ? Pourquoi ? demanda-t-elle. Il ne resterait rien à dominer.

— C'est le but. Tout ce qui est lumière serait exterminé, tout ce qui est bon réduit au silence, tout ce qui est espoir assassiné.

— C'est complètement débile.

— Alors, ceux de nous qui combattent cet objectif doivent se montrer intelligents.

Fallon peinait à se calmer et à comprendre. À ne pas être « ignorante de bien des choses ».

— Donc, quand le bouclier a cédé et que la Calamité a décimé la population, des gens qui pensaient juste être des personnes normales ont découvert leur magye. Pour que les gens croient de nouveau ?

— La foi est une épée et un bouclier, tant qu'elle est soutenue par le courage, l'intelligence et l'action. Certaines des personnes qui ont vu leur magye révélée se sont tournées vers les ténèbres, certaines en sont devenues folles. Et d'autres, comme ton père de naissance, ont appris à mener. Comme ta mère, à assumer, construire et protéger. Certaines, comme ceux qui ont peuplé ta vision, à travailler ensemble pour aider les autres. Encore une fondation pour toi, l'Élue, à partir de laquelle bâtir.

Elle ne put que soupirer.

— La moitié du temps, j'arrive même pas à obtenir de mes frères qu'ils fassent ce que je leur demande. Plus de la moitié, en fait. Comment je suis censée conduire tout le monde ?

— Comment as-tu construit la ruche ? À partir de connaissances et de compétences acquises. Comment as-tu appelé les abeilles ? Par la foi, la lumière et un pouvoir innés.

Fallon repoussa sa tasse. Elle était peut-être calmée, mais ne se sentait pas plus intelligente et n'avait pas davantage de certitudes.

— Je n'aurais pas dû faire l'erreur dans l'incantation ni avec la belladone juste parce que j'étais troublée. Je ferai plus attention.

— Oui. J'aurais dû ordonner les ingrédients selon un système plus raisonné plutôt qu'en suivant de vieilles habitudes. Je ferai plus attention également.

— Maman mettait toujours les plantes toxiques sur l'étagère du haut, et hors de portée de… (L'émotion monta de nouveau et déborda de ses yeux avant qu'elle ne puisse l'endiguer.) C'est bon, dit-elle en appuyant la base de ses paumes sur ses paupières. Ça va.

Une enfant, pensa encore une fois Mallick, et souvent, les dieux étaient trop exigeants.

— Regarde le feu, une minute seulement. Regarde, répéta-t-il quand elle abaissa les mains. Et vois.

Lorsqu'elle se tourna, il entrouvrit la fenêtre, juste un peu, un petit instant, pour Fallon.

Dans les flammes, elle distingua la ferme, les feuilles qui tombaient rapidement dans un vent vif. Ses frères, tous les trois, empilaient du bois de chauffage pendant que son père réparait un bout de clôture dans le pâturage d'à côté. Sa mère s'affairait au jardin.

Tandis que Fallon regardait, voyait, s'en imprégnait, Lana se redressa. Elle posa la main sur son cœur, sourit, les larmes aux yeux. Et elle porta un doigt à ses lèvres pour envoyer un baiser avant que l'image ne s'efface.

— Elle m'a vue ? Vraiment ?

— Elle t'a sentie. Je ne pouvais faire que cela.

— Elle m'a sentie. Je vous remercie.

— Va monter ta jument. Prendre l'air.

— Je vais le faire, mais d'abord, je vais terminer la potion et on va ranger les ingrédients. Je vais mieux.

Pendant une semaine, Fallon consacra toute son énergie à étudier, à travailler et à progresser dans son entraînement physique. Désormais capable de jongler avec cinq boules de lumière, elle ne connaissait pas pour autant la sensation d'une épée dans sa main. Elle devait encore maîtriser l'équilibre à une main sur l'eau. Elle pratiquait en faisant apparaître un rideau au cas où Mick essaierait de nouveau de l'espionner. Or elle ne s'y exerçait que vingt minutes par jour.

Elle consacrait le reste de son temps libre à la recherche du loup au collier d'or. Elle avait ratissé les bois, mais n'avait trouvé ni animal, ni trace, ni aucune piste.

Elle aperçut bien Mick quelquefois, mais elle changea délibérément de direction pour bien se faire comprendre. Cependant, dans les feuilles qui tombaient en tourbillons, laissant les branches dénudées, elle décida de le laisser la rattraper.

Lorsqu'il déboula d'un arbre devant elle, elle arrêta Grace.

— Tu n'as rien de mieux à faire ?

— Les bois ne sont pas qu'à toi, répondit-il en regardant le hibou se poser sur une branche. Il te suit partout, maintenant.

— Quand il en a envie. Les pommes sont bien mûres ce matin. Si j'en avais d'autres, et du sucre – brun, si possible –, je pourrais faire du beurre de pomme.

— Comment on peut faire du beurre à partir de fruits ?

— Ma mère m'a appris. C'est bon. Si j'en fais, je peux t'en laisser. Ça se tartine sur du pain ou des biscuits.

Mick marcha à côté de sa jument, courant de temps à autre jusqu'en haut d'un arbre pour en redescendre d'un bond. Il fallait qu'elle apprenne à faire ça.

— Tu cherches quoi ? lui demanda-t-il.

— Qu'est-ce qui te dit que je cherche quelque chose ?

Avec une moue suffisante, il répondit :

— Je sais quand quelqu'un essaie de relever des pistes. Or tu ne chasses pas.

— On a assez de viande. En plus, Mallick aime pêcher. Je pourrais chasser le sanglier, mais pas tout de suite.

— Et donc, qu'est-ce que tu cherches ?

— Eh bien, si tu tiens à le savoir, je suis dans ma deuxième quête.

— Et la première ?

— C'était Taibhse et la pomme d'or, gros bêta.

— Ah oui. D'accord. (Il monta dans un arbre.) La deuxième, alors ?

— Un loup au collier doré. Je dois faire en sorte qu'il me remette le collier.

Mick rit si fort qu'il en tomba de son arbre.

— Tu vas jamais y arriver.

— Qu'est-ce que t'en sais, toi ?

— Je sais que Faol Ban te boufferait le foie plutôt que de te donner son collier.

— C'est son nom ? Tu le connais ?

— Tout le monde connaît Faol Ban. Mince, t'es née de la dernière pluie, ou quoi ? Il vit dans une tanière secrète et rôde dans les bois la nuit. La déesse de la lune lui a donné ce collier en récompense de sa loyauté et de sa bravoure. Jamais il va le remettre à une fille qui débarque.

— Quelle déesse de la lune ?

— Je sais pas, l'une de celles qui existent.

C'était sûrement important, se dit Fallon. Maintenant qu'elle connaissait son nom et en savait davantage, elle pourrait peut-être se renseigner dans un livre de Mallick.

— Bref, fit Mick, on fait un feu de joie pour Samhain. C'est sympa. Tu peux venir, si tu veux.

— Je dois suivre un rituel avec Mallick, honorer ceux qui sont partis derrière le voile. Chez moi, on faisait toujours un feu. C'est un rituel aussi, mais on pouvait mettre des déguisements qu'on avait fabriqués, jouer et découper des visages dans des citrouilles.

— C'est où, chez toi ?

— À une bonne journée de cheval d'ici, au nord. Dans une ferme. Avant, ma mère était chef dans un restaurant et mon père était soldat. J'ai trois frères. Tu as des sœurs ?

— Non, je vis seulement avec mon père, Thomas, mais on fait partie du clan. On est trente-trois. Non, trente-quatre, parce que Mirium vient d'avoir un bébé.

» Il y a les métamorphes, poursuivit-il avant de marcher sur les mains sur quelques mètres. Ils sont, oh, environ vingt-cinq. Il y a le clan des fées aussi.

Il se rétablit sur ses pieds.

— Et beaucoup d'autres si on compte les petits, les pixies et les nymphes. C'est eux qui ont laissé les pommes et les fleurs, l'autre jour. Ils sont très doués pour faire pousser des trucs. L'un d'eux a une aile dans un sale état depuis qu'il a été blessé pendant une attaque de Guerriers de la Pureté, et personne ne peut la guérir. Or il arrive à voler.

— Mallick pourrait peut-être le guérir.

— Il a essayé, il n'y est pas arrivé. C'est un bon guérisseur, pourtant, mais il n'a pas pu.

— Je suis navrée. Ils ont tué mon père. Celui qui m'a engendrée.

— Je sais. Tout le monde connaît l'histoire de Max Fallon et du Massacre de New Hope.

— C'est vrai ?

— Bien sûr. (Mick inclina la tête de côté, comme s'il percevait un son au loin.) Faut que j'y aille. C'est sympa, le feu de joie. Mallick sera peut-être d'accord pour que tu viennes, après le rituel et compagnie.

Il fila, tellement vite que sa silhouette se brouilla, et disparut.

Un feu de joie, c'est vrai que ce serait sympa, songea Fallon. Mais même si Mallick lui lâchait suffisamment la bride pour l'autoriser à s'y rendre, elle ne pensait pas en avoir le temps.

Elle allait attendre que son maître soit endormi pour pouvoir sillonner les bois de nuit à la recherche de Faol Ban.

La nuit où le voile entre les vivants et les morts s'amincissait était fraîche et sans nuages. Le vent, léger et libre, envoyait voler les feuilles. Au crépuscule, de petites fées, points lumineux, regardaient de loin Mallick fabriquer un autel avec des pierres. Sur ses ordres, Fallon sortit l'athamé, les bougies, la pomme et les herbes. Elle fit d'autres voyages pour rapporter les citrouilles et les gourdes laissées à leur porte le matin, ainsi que le chaudron.

Suivant les enseignements de sa mère, elle décora la base de l'autel avec les fruits et les légumes ainsi que des fleurs sauvages ayant survécu à la première petite gelée de la saison.

Elle retourna à l'intérieur une dernière fois pour prendre une petite assiette contenant du pain, un bolline et le livre de son père.

Lorsqu'elle posa le livre sur l'autel, Mallick eut un signe de tête approbateur.

— C'est la nuit de nos ancêtres. On témoigne son respect.

— Vous avez quelque chose des vôtres ?

— L'athamé que tu as choisi appartenait à ma mère. Peut-être sa main a-t-elle guidé la tienne pour le placer sur l'autel ce soir. Trace le cercle.

— Moi ? s'exclama Fallon en arrondissant les yeux. Je n'ai jamais tracé de cercle pour le sabbat.

— Fais-le maintenant.

Anxieuse à l'idée de commettre une erreur et d'éveiller son ire, elle commença lentement. Elle plaça les bougies aux quatre points cardinaux. Elle en alluma une cinquième de son souffle et se déplaça dans le sens des aiguilles d'une montre autour de l'autel. Par la force de sa volonté, elle enflamma la bougie de l'Est.

Elle dut respirer lentement pour se calmer, lutter pour libérer son esprit de la nervosité et des doutes.

— Gardienne de l'Est, déesse de l'Air, nous t'invoquons, nous implorons tes pouvoirs de connaissance et ta sagesse, veille sur nous à l'intérieur de ce cercle, tracé dans l'amour et la confiance.

Elle jeta un coup d'œil vers Mallick pour recevoir son aval ou ses critiques, mais il ne dit rien. Elle alla au point du Sud, invoqua la gardienne, l'énergie et la volonté du Feu. Son assurance croissant, elle passa à l'Ouest, à l'Eau, à la passion. Enfin, le Nord, avec la Terre et la force.

Malgré le vent, les flammes s'élevèrent avec vigueur quand elle se tourna vers Mallick.

— Ainsi le cercle est-il tracé. Voulez-vous entrer dans la lumière et l'amour de la déesse ?

— Je le veux, répondit-il en s'avançant. Tu es la prêtresse ce soir. Invoque.

La gorge sèche tout à coup, Fallon alluma une bougie noire.

— Mère Sombre, déesse de la mort et de la renaissance, entends ta servante qui t'honore. Je demande ta bénédiction. En ce lieu, en cette heure, je t'appelle à utiliser ton pouvoir. Soulève le voile entre les mondes pour que ceux qui étaient là avant entendent nos paroles.

Elle alluma la bougie suivante.

— Père Sombre, seigneur du monde d'en bas, entends ta servante qui t'honore. Je demande ta bénédiction. En ce lieu, en cette heure, je t'appelle à utiliser ton pouvoir. Garde et protège, pendant que ce voile s'amincit, tous ceux qui sont derrière et tous ceux qui sont devant.

— Et les flammes s'élèvent, intervint Mallick, car la déesse et son consort t'entendent.

Elle sentit le pouvoir, de petites flammèches comparables à celles des bougies, de petites brûlures amenant plaisir et douleur. Sans que Mallick le lui demande, Fallon continua, énonçant ce qui lui venait tout simplement à l'esprit, au cœur, à la langue.

— Cette nuit, avec cette lumière, en embrassant les ténèbres, sa contrepartie, nous accueillons les esprits avec un cœur entier. À tous ceux qui sont passés d'un monde à l'autre, nous offrons notre main à saisir jusqu'à l'aube où vous partirez.

Elle s'avança, prit la pomme et le bolline, coupa le fruit en biais, gravant dedans le pentagramme symbolique. Après avoir croqué une petite bouchée de l'une des moitiés, elle les plaça dans le chaudron, ajouta des herbes, des morceaux de pain, du vin sorti du calice et fit jaillir des flammes au-dessous du récipient.

Elle prit la baguette qu'elle leva, y projeta son pouvoir, et des étoiles se jetèrent dans la fumée.

— Voici une offrande à tous ceux qui viennent, avec l'amour envers tous et la haine envers personne. Que cette lumière brille fort durant la nuit pour guider vos pas pendant que vous la suivez.

Sentait-elle le vent se lever ? s'interrogea Mallick. Sentait-elle le souffle des dieux sur elle ?

— Voici, Mère Sombre, chaudron de mort et de renaissance, de l'Air et de la Terre. Père Sombre, lame de protection, lame de sang fort, si je suis ce que vous avez prédit, prenez mon sang.

Elle prit l'athamé, s'entailla la paume et laissa le liquide rouge couler dans le chaudron.

Sous les yeux éblouis de Mallick, la lumière en jaillit, inonda l'autel, transforma le cercle en lumière du soleil.

— Sang de votre sang, sang des miens ici en tribut s'entremêlent. Alors que l'année meurt doucement, les morts et les vivants ont beaucoup à craindre. Votre lumière, ma lumière, lumière des esprits passés et de ceux à venir, je vous appelle maintenant à me rejoindre pour combattre les ténèbres, pour apposer notre marque. Si je suis votre enfant, habitez-moi. Tel est votre vouloir, qu'il en soit ainsi.

Elle reposa la baguette dans le calme revenu. Attrapant sa tresse d'une main, elle la trancha d'un coup d'athamé.

— Et je prête ici serment. Voici un symbole de l'enfant devenant guerrière.

Elle poussa un long, très long soupir. La lumière du chaudron diminua. Les mèches des bougies qui s'étaient embrasées haut comme des torches retournèrent à de petites flammes dans l'obscurité.

La peau picotant encore, le cœur tambourinant encore, Mallick s'avança d'un pas vers Fallon. Lorsqu'il posa la main sur son épaule, elle sursauta comme s'il l'avait éveillée d'une sieste ou d'une transe.

Et c'était bien le cas.

Elle le regarda, les yeux sombres et incrédules.

— C'était… tout à travers moi, tout en moi.

— Oui, je sais.

— Au début, c'était juste ce que je connaissais par maman, enfin, grosso modo. Mais ensuite… C'était ce que je savais, et c'est devenu de plus en plus fort. J'ai un peu la nausée.

— Cela fait beaucoup en une seule fois.

Sans réfléchir, il saisit le calice et le lui tendit.

Elle but une gorgée, et l'enfant de treize ans grimaça de pur dégoût.

— C'est quoi, ce truc ?

Amusé, il secoua la tête.

— Simplement du vin. Une gorgée ne peut pas te faire de mal. Nous allons refermer le cercle, et tu pourras te restaurer un peu, t'hydrater et te reposer.

— Je me sens tout… (Elle s'arrêta pour regarder, éberluée et consternée, la tresse qu'elle avait encore à la main.) Je me suis coupé les cheveux !

— Oui.

— Mes cheveux ! Pourquoi vous ne m'avez pas empêchée ?

— Mon enfant, je ne sais pas si le pouvoir des dieux aurait pu t'arrêter.

— Mes cheveux…

— Ils repousseront. Peux-tu refermer le cercle ?

— Ouais, ouais.

Lorsque ce fut fait, il réchauffa une partie de la soupe dont ils avaient dîné. Fallon n'en prit que quelques cuillerées, mais but comme un chameau.

— Tu as offert ton sang.

Elle regarda, les sourcils froncés, sa paume sans marque.

— Vous l'avez guérie ?

— Non. J'aurais pu t'empêcher d'accomplir le sacrifice, son symbole et son pouvoir, si j'avais connu tes intentions. J'aurais eu tort. Ton offrande a été bien reçue.

Elle tâtonna pour trouver le bout de ses cheveux tranchés.

— J'imagine.

— Tu as honoré les dieux et tes ancêtres et tu as prêté serment.

— C'était comme si j'étais quelqu'un d'autre, mais pas vraiment. Comme si je savais ce que je faisais, mais pas vraiment.

— Je peux t'aider à savoir, et je le ferai. Tu as prêté serment. Tu as fait ton choix, pour de bon ?

Elle donna un petit coup de cuillère dans sa soupe.

— Je l'ai fait quand j'ai déballé mes affaires, je crois. J'ai peur.

— Tu serais bien sotte de ne pas être effrayée. Mais sache que tu as bien agi ce soir. Et demain, tu commenceras l'épée.

Ses yeux s'éclairèrent.

— Vraiment ?

— Demain. Pour l'instant, au lit.

8

Fallon ne dormit pas. Elle attendit d'être certaine que Mallick était lui-même au lit, puis se faufila dehors par la fenêtre. Elle ne se sentait pas obligée d'aller chercher le loup – ce qu'elle avait déjà fait la nuit précédente sans résultat –, mais elle avait besoin de se retrouver dans la nuit, l'air, les bois.

Malgré toute la fatigue de son corps, son esprit restait alerte, rayonnant, engagé dans une quête bien à lui. Alors elle se glissa dans les ombres dansantes, à travers les arbres qui se dressaient, dénudés, au sein des soupirs et des murmures de la nuit. Au loin, la clarté du feu de joie du clan des elfes miroitait dans le noir. Il y aurait fête, jeux et danses à cette lueur. Peut-être des filles de son âge à qui parler.

Et pourtant, elle se détourna et resta dans l'ombre. Elle était trop tendue ce soir pour les jeux et les bavardages entre filles, et cette tension battait, battait, battait avec autant d'insistance que les percussions tribales du camp.

Cette musique du cœur, en provenance des arbres, de la terre, des tambours, les esprits qui passaient d'un côté et de l'autre du voile aminci, tout tourbillonnait en elle. Les créatures de la nuit, prédateurs et proies, rampaient dans ces ombres avec elle, et les branches décharnées au-dessus craquaient comme les os d'un vieillard.

Elle n'avait pas peur, simplement un besoin profond et insatiable d'être dehors, de chercher quelque chose qu'elle ne pouvait encore voir.

Elle passa la main dans ses cheveux qui s'arrêtaient sur sa nuque. Ils étaient plus courts que ceux de ses frères, se rendit-elle compte, encore choquée.

C'était peut-être ce savoir l'ayant poussée à les couper qui la conduisait, maintenant, à chercher dans la nuit. Elle marcha vers la clairière enchantée, mais découvrit que ce n'était pas non plus ce qu'elle voulait. Agitée, comme si on lui chatouillait la colonne vertébrale de haut en bas, elle erra sans but.

Et c'est probablement parce qu'elle ne cherchait pas le loup qu'elle le trouva.

Il était là, d'un blanc immaculé, entre deux arbres. Des yeux d'un bleu franc l'observaient. À son cou, l'épais collier d'or brillait.

Elle ne pouvait prétendre qu'il semblait amical or, en y réfléchissant, Mallick ne l'aurait pas envoyée en quête d'un loup susceptible de la dévorer.

Et quelque chose dans la nuit, dans le goût de l'air sur sa langue, la pulsation régulière du pouvoir qui l'avait envahie durant le rituel, la rendait imperméable à la peur.

— Salutations, Faol Ban. Euh, béni sois-tu. Je suis Fallon Swift, enfant de la Tuatha de Danann, disciple de Mallick le Sorcier. Je te cherchais.

Elle avança d'un pas prudent. Le loup découvrit ses dents.

— D'accord. Je vais rester là, alors.

Elle fourra les mains dans ses poches et trouva le morceau de cake à la citrouille qu'elle avait oublié avoir mis là cet après-midi. Elle le sortit et le montra à l'animal.

— Il est plutôt réussi. Je l'ai fait ce matin. Je ne suis pas aussi douée que ma mère, mais je n'en avais jamais préparé toute seule avant. Tu le veux ?

Elle vit les yeux du loup se poser sur le cake dans sa main, puis revenir directement aux siens.

Se disant que leurs chiens Jem et Scout avaient été dressés à coups de biscuits faits par sa mère dans ce but, elle lui envoya la tranche à proximité.

Peut-être pourrait-elle fabriquer des biscuits pour chiens et lui en apporter la prochaine fois.

Faol Ban examina le cake, le renifla. Il dévisagea encore Fallon d'un autre regard froid, puis ramassa la tranche d'un geste vif.

— Il est pas mauvais, non ? Je crois que j'aurais dû mettre un peu plus de miel, mais le résultat n'est pas mal. Dans tous les cas, Mallick est vraiment nul en cuisine, alors j'essaie.

Elle perçut plutôt qu'elle n'entendit les mouvements derrière elle. Sortant son couteau, elle fit volte-face pour défendre le loup. Elle distingua l'ombre d'un homme.

Couteau dans une main, pouvoir s'élevant de l'autre, elle se prépara à protéger l'animal.

— Si vous essayez de vous en prendre à lui, je vous blesserai avant.

— Jamais je ne m'en prendrais au dieu loup, ni à toi.

L'ombre émergea des ombres, et la main de Fallon trembla sur la garde de son poignard. Dans sa poitrine, son cœur eut un raté.

— Je vous connais, chuchota-t-elle.

— Et je te connais. Tu as mes yeux et la bouche de ta mère. Regarde un peu comme tu es grande, comme tu es forte, courageuse et belle.

Son père, celui qui l'avait engendrée, s'approcha d'elle. Il était plus grand qu'elle ne se l'était figuré, et plus mince que sur la photo du livre. Ses cheveux, noirs comme les siens, ondulaient autour d'un visage qu'elle avait regardé tant de fois.

— Je rêve pas. Je ne me suis pas endormie.

— Tu ne rêves pas, confirma Max. Tu m'as appelé.

— Je...

— Dans ton cœur. Le voile est fin, ce soir. Encore plus, avec ton pouvoir. Et tu me l'as fait traverser.

Prudemment, avec curiosité, elle tendit la main et constata que le bras qu'elle rencontrait était de chair.

— Tu es réel.

— Incarné pour un bref instant. Tu veux bien que... (Il lui toucha la joue et son sourire apparut, lui remua les lèvres, le visage, s'invita dans ses yeux.) Voilà.

— Tu es mort pour me sauver.

— Te protéger était mon droit, mon but, ma joie. Marche avec moi, tant que nous disposons de ce temps. Tu es heureuse et en bonne santé ?

— Je... Elle t'aimait. Ma mère.

— Ma douce enfant, je le sais. Et je l'aimais aussi. Nous avons eu peu de temps ensemble pour nous aimer, pour apprendre. Beaucoup de ce temps, trop de ce temps, a été parasité par la peur et la violence. Mais nous avons eu plus que ça, nous avons aussi eu le plaisir et les rires. L'émerveillement et la joie. Je suis tombé amoureux d'une jolie sorcière qui préférait aller s'acheter des chaussures que pratiquer l'Art, et je l'ai regardée se transformer en une femme puissante, forte et sans peur. Tu as participé à ce changement qui nous a rendus meilleurs que nous n'étions.

» Mais je veux connaître ta vie. Il y a des parties que je peux voir, d'autres pas. Raconte-moi ton souvenir le plus heureux.

Les larmes lui brûlèrent la gorge, la culpabilité lui tordit le cœur.

— Quand j'ai appris à monter à cheval, je crois. Avoir le droit de monter seule pour la première fois.

— Qu'y a-t-il ? (Entendant ses larmes, Max orienta le visage de Fallon vers le sien.) Non, voyons. Tu crois que je t'en voudrais d'avoir eu un père qui t'a appris l'équitation ? Ou à Lana d'avoir eu un homme avec qui construire une vie ?

— Je ne sais pas.

Et elle ne l'avait jamais su.

— Comment pourrais-je t'aimer et te reprocher tout ce qu'il est pour toi, et tout ce que tu es pour lui ? Je lui suis reconnaissant.

— Tu… C'est vrai ?

— Oui, et il est clair qu'il devrait l'être aussi envers moi. Je t'ai faite avec ta mère, et avec ta mère, il t'a mise au monde. L'amour n'est pas un sentiment fini, Fallon. Si tu n'apprends rien d'autre de moi, apprends ça.

En parlant, il lui caressa les cheveux.

— L'amour n'a pas de fin, pas de frontières, pas de limites. Plus on en donne, plus il y en a. Ta mère t'a donné mon nom, Simon Swift t'a donné le sien. Il est ton père, et moi aussi. Je pense que tu as d'autant plus de chance.

— C'est ce que dit maman.

— Et voilà, dit-il simplement. Pas étonnant que je l'aie aimée !

— Papa… Simon est reconnaissant. Il dit que tu es un héros et qu'il te doit tout ce qui est le plus cher à ses yeux. Maman et moi, et j'ai trois frères. J'aimerais que tu puisses le rencontrer. C'est bizarre.

Max rit et lui enlaça les épaules pendant qu'ils marchaient.

— Le monde ne manque pas d'étrangetés.

— Tu écrivais sur des choses étranges. J'ai lu tes livres. Maman dit que tu étais en train d'en rédiger un quand tu es mort, et qu'elle a dû s'enfuir pour me protéger et protéger les gens de New Hope. De quoi il parlait ?

— De l'amour et de la magye, de la lumière et des ténèbres que comprennent les deux. Des combats et de la bravoure, et de l'avènement d'une Sauveuse.

— Je ne sais pas comment mener les gens.

— Moi non plus, je ne savais pas. J'aurais préféré me bâtir une vie simple avec ta mère. Simple, ça paraissait précieux, après la Calamité. Mais on avait besoin de moi, et on a besoin de toi maintenant. Je pourrais te souhaiter une vie simple, Fallon, or le monde a besoin de davantage. Tu mèneras, et bien. J'en suis absolument convaincu.

— L'homme dans mon rêve a dit que je dois choisir. C'est ce que j'ai fait.

— Quel homme ?

— Je ne sais pas trop. Peut-être le garçon qui a grandi. Peut-être.

— C'est-à-dire ?

— Duncan, je crois. De New Hope. Je l'ai vu dans un autre rêve.

— Duncan, le fils de Katie ?

Tout mort qu'il fût, Max sentit un léger chatouillis à l'idée que sa fille rêve d'un garçon.

— Il a sauvé des gens des griffes des Guerriers de la Pureté. Ce sont eux qui t'ont assassiné.

— C'est mon frère qui m'a tué. Les ténèbres qu'il a choisies. Son sang, mon sang, le tien…

Max marqua une pause et lui agrippa la main en la regardant droit dans les yeux.

Elle ressentit le lien et le pouvoir dans leurs mains jointes.

— Le même sang, reprit-il, et pourtant, Eric s'est détourné de la lumière, de l'amour et de la loyauté. Il ne faut jamais lui faire confiance, Fallon, ni le sous-estimer.

— Maman pense qu'il est mort. Qu'elle les a tués, lui et la femme.

— Allegra. Je ne connais pas la réponse. Même les morts ont des interrogations. Mais s'il est en vie, ce qu'il a en lui fera tout ce que peut le mal pour t'anéantir. Il a souillé son sang et tout ce qui en découle. Fais attention à lui. Attention aux corbeaux.

— D'accord.

Et s'il était encore vivant, elle fit le serment de le tuer.

— Mallick va m'apprendre à me servir d'une épée, ajouta-t-elle.

— Grands dieux.

— On ne peut pas se battre qu'avec la magye. Le Roi sorcier avait une épée.

Max eut un petit rire.

— C'est vrai. Raconte-m'en plus sur ta vie, tes frères…

C'était merveilleux. C'était magyque de marcher et parler avec celui qu'elle ne connaissait que par des récits, par une photo sur un livre. À présent, elle connaissait le son de sa voix, sa gestuelle, ce qu'il pensait.

À présent, elle savait pourquoi la nuit l'avait appelée, avait créé cette pulsation en elle. Elle lui avait tendu la main à travers le voile. Il l'avait franchi pour elle.

Elle l'emmena à la clairière des fées, où ils s'assirent et parlèrent pendant que Taibhse se posait sur une branche comme pour monter la garde et que le loup, qui les avait suivis, restait dans l'ombre.

Lorsque Fallon demanda à son père de lui raconter leur échappée de la grande ville et ce qui s'était ensuivi, il ne censura pas ses paroles, comme elle avait toujours soupçonné sa mère de le faire.

Il évoqua honnêtement les horreurs et les difficultés, les merveilles et le poids de sentir son pouvoir croître. Et quand il parlait d'Eric, d'avoir essayé de tuer son propre frère, elle entendait à la fois le chagrin encore là et la froide détermination.

— Tu as dû choisir, dit Fallon en s'appuyant contre lui. Ma mère, moi, les autres que tu protégeais.

— Oui, j'ai dû choisir, et il n'y avait aucun doute, c'était ce qu'il fallait faire. Mais utiliser le don pour causer la douleur est un choix difficile, Fallon. Faire mal à sa famille, à quelqu'un qui partage ton sang, c'est encore plus dur.

Elle comprenait. Elle le voulait. Elle essayait. Mais…

— Si je suis là, c'est parce que tu as fait ce choix dans la montagne, et une deuxième fois à New Hope. Tu es mort à cause du choix de ton frère.

— En tant que meneuse, tu seras confrontée à des décisions difficiles.

— Tu aurais préféré ne pas avoir dû en être un ?

— Tout le temps. (Il lui effleura la tempe des lèvres.) Mais au bout du compte, on est ce qu'on est.

— C'est ce que tu crois ?

— Oui.

— Alors tu devrais arrêter de ressentir le moindre semblant de culpabilité d'avoir essayé de tuer Eric. Au bout du compte, il était ce qu'il était.

Max rit à moitié.

— Là, tu m'as eu. Tu as raison.

— Raconte-moi d'autres choses sur New Hope. Maman nous a dit plein de trucs, et des fois, avec la radio qu'a dégotée papa, on entend la journaliste.

— Arlys ? Arlys Reid ?

— Oui, elle donne des infos sur les Pilleurs, les Guerriers de la Pureté, les missions de sauvetage et des trucs comme ça. Et d'autres choses. Elle change souvent de fréquence, par sécurité. Papa disait qu'il pourrait sans doute s'arranger pour que maman lui parle par radio, mais maman refuse.

— Elle s'inquiète.

— Oui, elle a peur qu'ils comprennent où est la ferme, ou qu'ils l'utilisent pour attaquer New Hope encore une fois. Mais je sais qu'elle était très amie avec certains des gens de là-bas.

— On avait de bons amis, c'est vrai, approuva Max. On a voyagé jusque là-bas avec Poe et Kim, Eddie et Joe, depuis la montagne, et Flynn et son groupe du petit village plus bas.

— Le garçon qui a un loup.

Elle jeta un regard en arrière et vit le loup blanc encore dans l'ombre.

— Lupa. Et sur la route, on a récolté encore du monde.

Il lui peignit un tableau plus détaillé que celui de sa mère. Et elle commença aussi à voir Lana à travers ses yeux. Jeune, courageuse, belle, en apprentissage de la conduite, stressée de devenir mère, s'opposant à une grosse brute lors d'une réunion de la communauté.

Elle s'endormit au son de sa voix, la tête sur son épaule.

Et c'est sa voix qui la réveilla.

— Fallon, réveille-toi, ma chérie, l'aube est presque là.

— Quoi ? Mais… Je me suis endormie. Je ne voulais pas.

— Tu m'as donné l'occasion de tenir ma fille dans mes bras pendant qu'elle dort. Encore un cadeau. Allez, viens. Je te raccompagne jusqu'où je pourrai.

— Je ne veux pas que tu partes.

— Tu sais, quand les gens qui t'aiment te disent qu'ils seront toujours avec toi, c'est vrai.

— Ce n'est pas pareil, répliqua-t-elle en traînant les pieds.

— Je sais, or ce n'en est pas moins la vérité. Qu'est-ce que tu vas faire, aujourd'hui ?

— Nourrir les poules et ramasser les œufs. En général, c'est Mallick qui trait la vache. Après le petit déjeuner, ce sera leçons dans la salle de classe. Des fois c'est soporifique, d'autres fois non. On doit aussi s'occuper des plantes de la serre. Et il a dit qu'aujourd'hui je pourrais m'initier à l'escrime.

— Et tu es impatiente.

— J'apprendrai avec une épée choisie pour l'adolescente que je suis. Mais une nuit, comme celle de ma naissance, déchirée par les éclairs, une nuit après avoir tenu le Livre des Sortilèges, après avoir voyagé dans le Puits de Lumière, je prendrai l'épée et le bouclier de l'Élue. De la fille de la Tuatha de Danann, la Guerrière de Lumière. Ainsi armée, je défierai les ténèbres et lutterai sans merci. Dans cette épée et ce bouclier, mon pouvoir et mon sang coulent comme glace et flamme.

Ses yeux, devenus sombres et féroces, clignèrent. Et l'enfant revint.

— Tu ressemblais à ta mère quand une vision lui venait.

— Je ne me sentais pas comme d'habitude. Forte.

— Tu l'es, dit-il en l'embrassant sur le front. Je dois y aller.

— Papa, s'écria-t-elle en l'étreignant avec force. Est-ce que je te reverrai ?

— Je sais que oui, dit-il en l'embrassant encore une fois avant de la faire reculer. Nous sommes ce que nous sommes, Fallon. Je vois qui tu es et je suis immensément fier. Je t'aime.

Il recula dans les ombres alors que le premier rayon de soleil pointait au-dessus des collines de l'Est.

— Je t'aime, papa.

Furieux et plus qu'inquiet, Mallick sortit de la chaumière en claquant la porte. La jeune fille n'avait pas dormi dans son lit et elle était introuvable. S'il mettait la main sur elle, par les dieux, elle saurait quelle était la punition pour une bêtise de toute une nuit.

Alors qu'il se dirigeait vers l'écurie, avec l'intention de seller son cheval, il aperçut le hibou blanc qui arrivait des bois. Et puis Fallon apparut. Et le loup, le satané loup qu'elle avait sûrement passé la nuit à poursuivre, s'arrêta à la lisière avant de rebrousser chemin.

La main sur la garde de son épée, passée à la hâte à sa ceinture, se relâcha complètement de soulagement. Et sa colère monta d'un coup.

— Es-tu folle, ou simplement idiote ? Partir flâner en pleine nuit, sans prévenir. Je m'apprêtais à lancer un sortilège de recherche en espérant ne pas trouver ton corps en charpie quelque part. Il y a des prédateurs, mon enfant, à quatre pattes et à deux jambes, qui te trouveraient tout à fait à leur goût. Tu sors par la fenêtre et tu t'aventures seule dans la nuit ?

— Je n'étais pas seule. J'étais avec mon père.

— Tu risques ta vie pour…

Son ouïe et sa vue rattrapèrent sa colère. Elle avait les yeux fatigués, oui, mais également éblouis et humides.

— Ton père ? Celui qui t'a engendrée.

— Il a dit que je l'avais appelé, avec mon cœur, et il est venu. Il a traversé le voile. On a marché dans les bois, parlé et parlé. Je l'ai amené au pays des fées et je me suis endormie un moment. Je le regrette. Ensuite, il a dû s'en aller.

— Tu as reçu un cadeau.

— Je sais bien. Je ne suis pas vraiment triste, dit-elle malgré les larmes sur ses joues. Il est comme papa. Simon. Fort, courageux et gentil. Il est content qu'on ait Simon, tout comme papa est heureux qu'on ait eu Max.

— Tu as de la chance.

— Vous êtes encore fâché.

Si le mage était considérablement impressionné qu'elle détienne le pouvoir et la volonté de faire revenir son père parmi les vivants, le professeur se devait d'être ferme.

— Tu as trompé ma confiance, ou du moins la confiance que je croyais établie entre nous.

— Je suis désolée. Le loup chasse la nuit et je voulais le suivre. J'aurais dû demander si je pouvais, mais j'avais peur que vous disiez non.

— Tu es déjà sortie avant ?

— Oui, et cette fois, j'ai trouvé Faol Ban. Je dois encore réussir à le faire s'approcher, mais je l'ai vu hier soir, avant que mon père arrive. Si je suis destinée à être une guerrière, je dois être capable d'aller dans les bois la nuit.

— Tu n'es pas encore une guerrière, et il est en mon pouvoir de t'interdire d'aller dans les bois.

— Mais…

— Tes parents te permettaient-ils de déambuler la nuit, seule ?

Elle baissa la tête.

— Non, mais maintenant, j'ai treize ans, alors…

Mallick croisa les bras.

— Ce qui est âgé ou enfantin selon ce qui t'arrange.

Comme elle avait les yeux au sol, il ne vit pas le calcul qui y brillait.

— Vous m'avez donné la quête. J'aurais dû vous dire que j'avais besoin de suivre le loup la nuit, et je suis désolée de ne pas l'avoir fait. Mais je ne peux pas accomplir la quête si je ne peux pas suivre le loup.

— Tu as oublié d'être bête, marmonna-t-il.

Elle garda la tête baissée et releva cependant les yeux.

— Je ne mens pas. Je suis désolée, et vous m'avez donné la quête. Il a pris la tranche de cake que j'avais dans la poche. Pas encore de ma main. Je sais comment faire les biscuits que nos chiens aiment bien. Je peux l'amener à s'approcher, le convaincre de me prêter son collier, si j'ai le temps.

C'était au tour de Mallick de calculer.

— Mick t'accompagnera.

— Mick ? Pourquoi…

Il la coupa par un regard froid.

— Mick connaît les bois, et mieux que toi. À l'arc, il est d'une précision remarquable.

— J'ai pas besoin d'un garçon pour…

— Son sexe est sans importance. C'est son savoir-faire qui compte. Je serais plus incliné à te laisser sortir la nuit si tu étais avec quelqu'un. Mais ce sera seulement deux heures. Voilà mes conditions.

— Bon, bon.

— Je veux ta parole, ici et maintenant, que tu les respecteras.

— Je respecterai vos conditions. Vous avez ma parole.

— Très bien. Je t'autorise à dormir une heure avant le début des leçons.

— Je suis pas fatiguée, je vous promets. Je me sens… vraiment bien.

— En ce cas, utilise ton énergie pour t'occuper des poules et de la vache avant de préparer le petit déjeuner et de rentrer du bois. Tout à l'heure, tu récolteras des légumes de la serre pour la soupe.

— Pourquoi c'est moi qui me tape tout ?

— Châtiment bien léger en regard de l'ampleur de ton manquement. Nous verrons si tu peux gagner la confiance de Faol Ban et regagner la mienne.

— Vous allez quand même m'apprendre à manier l'épée ? J'ai eu une vision sur celle de la cheminée, et sur l'épée et le bouclier que j'utiliserai pour combattre.

— Impossible enfant ! Tu attends aussi longtemps pour m'en parler ?

— Vous étiez fâché.

Et il l'était encore, comprit-elle.

— Raconte-moi maintenant.

— D'accord.

Elle ferma les yeux pour ramener les mots, à défaut de la sensation qui avait circulé en elle.

— Je les sentais presque dans mes mains. C'est difficile à expliquer, et pourtant… J'avais l'épée dans la droite et le bouclier dans la gauche. Je ne peux pas prendre cette épée avant de m'être entraînée avec celle de la cheminée.

— Oui, tu as oublié d'être bête. Mais tu es rusée aussi. Accomplis tes corvées et applique-toi. Si je suis satisfait, nous prendrons l'épée choisie pour que tu apprennes.

Fallon poussa un cri de joie et partit en courant. Mallick, levant les yeux au ciel, pria tous les dieux d'avoir la force de gérer l'enfant et préparer la guerrière.

Malgré le sortilège de Mallick sur les lames pour les empêcher d'entrer dans la chair et de faire couler le sang, Fallon termina sa première leçon couverte de bleus, endolorie de partout, et au comble de la joie.

Au crépuscule, elle sortit avec des biscuits dans sa poche pour aller voir Mick, qui attendait à la lisière des bois.

Elle prit également son arc et son carquois. Ils allaient bien voir qui était d'une précision remarquable.

— Salut. Alors, tu as trouvé Faol Ban ou tu as inventé parce que Mallick était en pétard après toi ?

— Je n'invente rien. Je l'ai trouvé, et je le retrouverai.

— Peut-être. Faut être taré pour se promener dans les bois pendant la nuit de Samhain. Tu peux croiser des esprits, et pas tous très sympas. En plus, les fées aiment bien jouer des tours.

— Je sais me débrouiller toute seule. Tu es là juste parce que Mallick m'a obligée. Et en plus, j'ai rencontré mon père cette nuit.

— Celui qui est mort ? Tu inventes ou… (Il haussa les épaules, courut sur un tronc d'arbre et en redescendit. La plume de faucon qu'il avait ajoutée à sa tresse voleta.) Tu n'inventes pas, donc c'est cool. J'ai jamais parlé à un vrai esprit. C'était comment ?

— C'était mon père, qui m'a engendrée. Je l'ai vécu comme un cadeau.

— Ma mère est morte juste après ma naissance. Moi aussi, j'aimerais bien lui parler.

Comme elle savait ce que c'était de souffrir et se poser des questions, elle se radoucit un peu.

— Ça t'arrivera peut-être un jour.

— Peut-être. Pourquoi tu t'es coupé les cheveux ?

— J'avais envie. (Une partie d'elle avait dû en avoir envie, en tout cas.) Ce sera plus pratique. Si tu n'arrêtes pas de parler, on ne va jamais pouvoir approcher le loup.

Mick s'étrangla de rire.

— Tu parles, il nous entend respirer. Tu ne le trouveras que s'il est d'accord. Et pourquoi il le serait, puisque tu veux lui piquer son collier ?

— Je ne vais pas le lui piquer. Je vais le lui emprunter, avec sa permission. (Elle sentit l'ombre du hibou passer au-dessus d'elle et afficha une moue narquoise.) Ce n'est pas moi qui tire des flèches sur des dieux hiboux pour leur voler leur pomme.

Mick balaya la remarque d'un haussement d'épaules, bondit de trois mètres pour grimper à une branche, replongea, effectua un saut périlleux et atterrit avec légèreté sur ses pieds.

Si elle était condamnée à l'avoir pour chaperon, il pourrait peut-être lui apprendre ce genre de choses. Une fois qu'elle aurait trouvé le loup.

Lorsque Faol Ban vint au-devant d'eux sur le chemin, Mick s'abîma dans un silence rare et respectueux.

Fallon saisit l'un des biscuits durs et ronds qu'elle avait confectionnés, s'accroupit et le lui tendit.

— Waouh, il est vraiment grand.

— Chut ! lui souffla Fallon.

— J'aurais jamais cru que je le verrais un jour.

— Chut ! Tiens-toi tranquille.

— Genre, il va venir te manger dans la main. C'est un dieu !

Sans l'écouter, Fallon s'adressa à Faol Ban :

— C'est juste un gamin. Et il parle trop. J'ai préparé ces biscuits pour toi. Une offrande. Peux-tu me lire, Faol Ban, de la même façon que je peux te lire ? Peux-tu voir dans mon cœur, dans ma tête ? Ce que je suis respecte et honore ce que tu es.

Elle lança le biscuit. Le loup le renifla, le prit entre ses mâchoires et s'éclipsa.

— Je te l'avais bien dit.

— Il a pris mon offrande, le contra Fallon. Je ne m'attends pas à ce qu'il me mange dans la main direct. Ça prend du temps.

— Tu as pu le lire ?

— Un peu. C'est plus facile avec les chiens, les chevaux ou les chats. Il est puissant, et il n'est pas prêt à me faire confiance. Ça prendra du temps, répéta-t-elle.

— Tu veux qu'on le suive ?

— Non. Je crois que c'est mieux si je le laisse me trouver quand il en a envie.

— Il nous reste presque l'intégralité des deux heures.

— Pas grave, tu peux commencer à m'apprendre comment on fait des sauts périlleux et comment on escalade un tronc d'arbre en courant.

— T'es pas une elfe.

— Ça veut pas dire que je ne peux pas y arriver.

Pendant deux semaines, le quotidien fut à peu près identique. Mick attendait Fallon, puis se mettait à parler beaucoup trop. Faol Ban venait sur le chemin, prenait un biscuit et repartait.

Cependant, Fallon avait l'impression qu'il restait un peu plus longtemps chaque fois. Il commença à la regarder s'entraîner aux sauts périlleux et aux réceptions depuis l'ombre où elle le sentait s'attarder.

Au cœur du mois de novembre, après une gelée sans pitié qui avait craquelé le sol et rendu les eaux de l'étang brumeuses, elle retrouva Mick par une nuit où la lune était blanche et les étoiles froides.

— Tu auras un million d'années avant qu'il te laisse l'approcher à moins de cinquante centimètres. Sûrement plus d'un million, même. Pourquoi tu n'utilises pas… (Mick agita les doigts.) T'es censée être une sorcière, avoir des pouvoirs.

— Je suis une sorcière et j'ai des pouvoirs. Ça va juste prendre du temps.

— Tu dis toujours ça. On pourrait l'avoir par la ruse.

— Tu n'as rien appris de Taibhse ? Il ne se laissera pas avoir, et c'est irrespectueux d'essayer. Si Taibhse m'a offert la pomme, c'est parce que je n'ai pas tenté la ruse, et que j'ai saigné plutôt que de le voir blessé.

— Je peux viser Faol Ban, et tu peux dévier la flèche comme l'autre fois.

Fallon poussa un soupir.

— Ne l'écoute pas, dit-elle au loup quand il vint sur le chemin. Il est bête.

— C'est toi qui apportes des biscuits à un dieu loup tous les soirs, et c'est moi qui suis bête ?

Insulté, et bien décidé à montrer sa valeur, Mick s'élança. Fallon le renvoya en arrière d'un simple geste de la main.

— Il ne cherche pas à mal. (Cette fois, au lieu de s'accroupir, elle s'agenouilla.) Je suis Fallon Swift, fille de la Tuatha de Danann. Je suis de la lumière et de l'épée. Je suis des bois et de la clairière, de la vallée et de la colline, de la grande ville et de l'humble chaumière. Je suis tous ceux qui sont venus avant moi et tous ceux qui viendront après. Tout comme je suis attachée à Taibhse, le dieu hibou… (Elle leva le bras, le coude plié. Taibhse vint silencieusement se poser dessus.) Je m'attacherai à toi.

Elle tendit le biscuit.

— Ce n'est pas grand-chose, une menue offrande, mais fabriquée de mes mains pour te faire plaisir. Me feras-tu l'honneur de l'accepter ?

Il la scruta, puis elle le sentit se glisser dans son esprit pour le sonder, évaluer son courage et son âme.

Il s'avança vers elle et enfin, ils se retrouvèrent face à face. Et il prit l'offrande dans sa main. Les yeux dans les siens, Fallon posa la main sur sa tête, caressa son pelage soyeux.

— Je ne peux pas prendre le collier. Je ne veux pas. Il est à toi. Tu veux bien venir, te montrer à Mallick pour qu'il sache que j'ai accompli la deuxième quête ?

Alors qu'elle se levait, Mick pressa son épaule du bout du doigt.

— Je peux le toucher ?

— J'éviterais, à ta place, répondit Fallon avec sévérité. Sachant que tu viens de parler de lui tirer une flèche dessus.

— Pas *dessus*. Jamais je… Il a mangé dans ta main. Il t'a laissée le toucher.

Elle discerna du respect et un zeste de peur dans l'expression de Mick.

— Je suis la même qu'avant. Je ne peux pas faire l'entraînement ce soir. Il faut que je prévienne Mallick.

— Tu crois que Faol Ban va venir avec toi ?

— C'est lui qui choisit, mais je dois le dire à Mallick, de toute façon.

N'ayant pas grand-chose à ajouter, Mick la raccompagna jusqu'à la sortie du bois.

— On peut se retrouver demain après-midi pour s'entraîner encore, lui proposa Fallon, les yeux malicieux. À moins que tu aies peur de moi, maintenant.

— Tu me fais pas peur. La prochaine fois que tu me repousses comme ça, je me défends.

Elle ignora superbement sa remarque et quitta le bois.

Comme s'il l'avait senti, Mallick sortit de la chaumière et la regarda revenir avec le hibou sur un bras et le loup à côté d'elle, sous la lumière de la lune blanche.

9

L'initiation de Fallon à l'épée la laissait chaque fois en piètre état, mais très déterminée. Sa troisième et dernière quête, en revanche, la plongeait dans la perplexité.

Elle s'en plaignit pendant qu'elle s'efforçait de bloquer et parer les attaques de Mallick.

— J'ai déjà un cheval. Et un très bien. Pourquoi je devrais en chercher un autre ?

Elle se retrouva une nouvelle fois sur les fesses, et cette zone malmenée l'élança encore une fois au contact rude du sol gelé.

— L'équilibre, mon enfant. L'épée ne concerne pas que la force et les coups. L'équilibre.

— Ouais, ouais, bon ! (Elle se releva, fesses et bras en feu, et réessaya.) Et une selle d'or ? C'est débile. Ce serait trop lourd, trop dur.

— Si c'est ce que tu penses, inutile de chercher.

— Je veux une salle de bains, alors…

Et encore une fois, elle atterrit sur les fesses, la pointe ensorcelée de l'épée de Mallick sur le ventre.

— Tu es éviscérée.

— Votre épée est plus longue que la mienne. Vos bras aussi.

— Et tu penses que tu n'affronteras que des adversaires de ta taille ?

Reculant, il lui fit signe de se relever.

— Simple remarque, ajouta-t-il.

Elle parvint à parer et à rester sur ses pieds.

— Bref, je vais chercher le cheval et la selle, mais je n'en ai pas besoin. (Elle esquiva, et bien, cette fois.) Si le cheval vient avec moi comme Taibhse et Faol Ban, qu'est-ce que je fais ?

— Ce sera peut-être une question à te poser à condition que tu les trouves.

— Oh, je les trouverai.

Ayant acquis une confiance nouvelle grâce à une troisième parade réussie, elle tenta un coup sous la garde de Mallick.

Il esquiva, pivota et tapa le plat de son épée assez fort sur ses fesses endolories pour l'envoyer sur le ventre.

— Merde !

— Il se présentera des cas où tu devras te battre au milieu de distractions innombrables, et malgré tout, si tu ne te focalises pas sur ton adversaire, tu échoueras. Ôte-toi cette quête de la tête, ne pense à rien d'autre qu'à ton épée et mon épée, ton corps et mon corps. Mes yeux. Apprends.

Elle fit de son mieux pour se concentrer et se retrouva quand même sur les fesses, à genoux, ou face contre terre. Souvent avec un membre arraché, la gorge tranchée ou une autre partie de son corps transpercée. À la fin de la leçon, son bras tenant l'épée criait grâce.

L'automne glissait peu à peu vers l'hiver, et elle s'entraînait, encore et encore. Bien que Mallick fût avare de compliments, elle était consciente d'avoir progressé. Pour améliorer la force du haut de son corps, elle commençait chaque matinée par des pompes, comme le lui avait montré son père, et clôturait chaque séance par un peu de yoga, comme sa mère l'aimait, dans l'espoir d'augmenter sa souplesse et son équilibre.

Pour s'ajouter des défis, elle escaladait les arbres – domaine où elle devenait meilleure – et pratiquait des postures de yoga sur une branche pour rechercher la stabilité et la concentration. En outre, c'était tout simplement drôle, et elle s'imaginait faire rire ses frères en exécutant la posture de l'arbre.

Un arbre dans un arbre.

Elle soulevait des seaux d'eau pour fortifier ses biceps et ses épaules, jusqu'à ce que ses muscles tremblent et brûlent.

Lorsqu'elle était absolument certaine que personne ne pouvait la voir, elle dansait dans l'espoir d'améliorer son jeu de jambes.

Elle étudiait les dieux, les histoires, les traditions, les magyes, s'entraînait avec Mick et fouillait les bois à la recherche d'un cheval blanc appelé Laoch et de sa selle d'or.

Avec Mallick, elle suivit le rituel de Yule, alluma des feux, des bougies pour représenter le retour de la lumière après la nuit la plus noire du solstice d'hiver. Elle confectionna la couronne et la suspendit en un symbole de la Roue de l'année.

Elle souhaitait avoir une vision, vivre une nuit avec sa mère comme elle l'avait eue avec Max, mais elle ne sentait que des frémissements de pouvoir, n'entendait que la voix des dieux.

Lorsque le rituel fut observé, elle laissa des morceaux de gâteau pour les oiseaux et versa une partie du vin par terre pour la déesse.

Son premier Noël loin de chez elle lui serra le cœur avec autant d'intensité que quand elle s'était éloignée de la ferme sur Grace. Même l'arbre de Yule que Mallick lui avait permis de choisir, d'illuminer et de décorer ne la mit pas de bonne humeur.

Pour autant, la Roue de l'année continuait de tourner et passa à l'année suivante.

Janvier apporta de la neige et des blocs de glace dans le ruisseau qui scintillaient au soleil. Ce fut le mois des chasses au gibier dans le froid et des traques à l'invisible cheval blanc dont Mick prétendait que c'était un grand étalon de deux mètres au garrot, qui refusait de prendre tout cavalier.

Janvier, enfin, apporta des nuits qui duraient trop longtemps, et laissa trop de place aux rêves de corbeaux qui tournoyaient, de tempêtes qui se préparaient. D'un cercle de pierres qui émergeait de la brume, et de choses inconnues qui rampaient dans le noir.

Pendant que l'hiver saisissait Fallon de sa poigne glacée, la communauté de New Hope pelletait de la neige. On chassait, on récoltait les produits des serres. La cuisine communautaire mise en place par Lana des années auparavant produisait des marmites de soupe, des fournées de pains et de tartes, fabriquait du beurre et des fromages.

Les enfants fréquentaient l'école pour apprendre des savoirs livresques et pratiques. L'Académie de Magye Max Fallon aidait les enfants aux capacités magyques à les contrôler, les respecter, et respecter les autres.

Avec une communauté qui comptait désormais plus de cinq cents membres, la sécurité, tant intérieure qu'extérieure, demeurait essentielle. Ils avaient un maire dûment élu, un conseil municipal, ainsi qu'une modeste force de police et une caserne de pompiers.

Plus de quatorze ans après que le premier groupe de survivants s'était arrêté là, New Hope vivait dans la vision de ses fondateurs.

Aucun de ceux qui avaient connu la Calamité et survécu au voyage et au massacre du 4 juillet n'oubliait combien il était vital de protéger la communauté, et combien la ligne était ténue entre lumière et ténèbres.

Katie Parsoni, qui avait survécu à tout cela, le savait mieux que personne. Non seulement elle avait perdu ses parents, mais elle savait que son père, sans en être aucunement responsable, avait répandu le virus qui devait le tuer ainsi que sa mère, son mari, toute la famille hormis les jumeaux encore dans son ventre, et emporterait des milliards d'individus.

Une épidémie qui avait renversé des villes, des gouvernements, avait laissé libre cours à une magye qui habitait encore les deux côtés de cette ligne ténue.

Elle avait survécu, et avec la bonté, la compassion et l'héroïsme des deux personnes qui avaient mis au monde ses deux enfants dans ce monde troublé, elle avait adopté une autre nouveau-née orpheline.

Elle s'était demandé pourquoi ses jumeaux chéris étaient dotés de magye alors qu'elle en était dépourvue, tout comme leur père. Or, au fil du temps, elle avait vu des enfants sans parents magyques développer des dons et d'autres nés de parents magyques ne montrer aucune capacité surnaturelle.

La magye venait de la chair et du sang, elle en était certaine, mais pas toujours des parents. Elle pensait que les incroyables dons de Duncan et d'Antonia leur venaient, comme les yeux de Tonia, de leur grand-père. Un homme bon qui ne savait pas ce qui était présent dans son sang et ignorait que les ténèbres derrière la frontière se débrouilleraient pour l'utiliser afin de détruire.

Elle s'inquiétait que les pouvoirs des jumeaux ne fassent d'eux des cibles en dehors des frontières de New Hope. Des cibles des sanguinaires Guerriers de la Pureté. Des cibles des forces secrètes du gouvernement, qui survivait confiné et souhaitait enrôler ou rafler les gens doués de magye.

Et avec leurs dons, leurs compétences, leur hardiesse, même leur mère ne pouvait les maintenir à l'intérieur de leur communauté.

Dans le vieux monde, ses trois enfants lui auraient causé des soucis sur bien d'autres points. Les devoirs, les bouderies et rébellions adolescentes. Non qu'elle n'ait pas à en gérer un peu, mais dans le vieux monde, elle n'aurait pas eu à supporter que ses bébés partent dans des missions de recherche, de traque ou de sauvetage.

Son fils de quatorze ans n'aurait pas conduit une moto, c'était clair et net. Et elle s'en voulait encore de l'y avoir autorisé. Dans le vieux monde, ses jumeaux n'auraient jamais appris à se battre, et ne seraient certainement pas assez avancés pour en former d'autres.

Sa mignonne Hannah serait en train de rêver de garçons ou de passer de la musique trop fort dans sa chambre, au lieu de recoudre des blessures et de remettre des os en place à la clinique.

Les ténèbres leur avaient volé leur enfance à tous les trois. Elles leur avaient tout pris.

Et pourtant, tout n'était pas si sombre, se redit Katie en s'habillant. Ils avaient noué des amitiés aussi solides et précieuses que des diamants. Ils faisaient partie d'un groupe soudé qui bâtissait quelque chose de bon.

Et l'amour, inattendu, doux et fugace, qui lui était venu en la personne d'un homme, un homme bien, ancien professeur d'histoire, qui avait adopté ses enfants et allégé son fardeau.

Par malheur, Austin était mort lors d'une mission d'approvisionnement, et elle s'était retrouvée de nouveau en deuil. Mais le temps apaisait le chagrin, et elle gardait le souvenir des moments doux.

Plus que tout, elle s'accrochait à la joie de voir ses enfants devenir des personnes brillantes, fières et authentiques.

Elle avait besoin de croire que ce qu'elle avait contribué à construire ici, pour eux, tiendrait et les ferait tenir tous. Elle avait donc du travail.

Elle descendit l'escalier de la maison où elle avait élevé ses enfants, remarqua que le feu crépitait déjà dans la cheminée du salon.

Elle trouva Duncan dans la cuisine, non seulement habillé, mais en train de se couvrir pour aller dehors.

— Coucou.

Il lui adressa son sourire à dix mille gigawatts, or l'œil d'une mère y décelait une pointe de culpabilité.

— J'allais te laisser un mot, enchaîna-t-il.

— Ah oui…

— Oui. La mission de recherche part ce matin. J'ai dit que j'irais avec Flynn et Eddie.

— Il y a cours aujourd'hui.

Il leva au ciel des yeux aussi verts que ceux de Katie.

— Maman… (Misère, elle se réentendait avec sa mère à quatorze ans.) Je suis au niveau, tu le sais. Au point où on en est, j'aide à faire la moitié des cours, et on n'a pas besoin de moi aujourd'hui. De toute façon, Tonia va à la chasse avec Will, Micha et Suzanne.

— J'allais demander la permission avant, précisa Tonia en entrant et en gratifiant son frère d'un regard noir.

— Ben voyons.

— C'est vrai !

Katie fourragea dans ses courts cheveux bruns, puis esquissa un geste d'avertissement.

— Personne ne part d'ici avant d'avoir pris le petit déjeuner. Hannah est levée ?

— Oui, elle arrive.

Tonia, grande et mince, ses cheveux noirs déjà tressés – Katie la considérait comme sa tresse de chasse –, ouvrit le réfrigérateur pour prendre le pichet de jus de légumes fait par sa mère dans un antique mixeur.

— Hannah fait une demi-journée, annonça Duncan, toujours prêt à dénoncer l'une de ses sœurs. Ensuite, elle va à la clinique.

— Ce qui s'appelle « service à la communauté » et fait partie du temps scolaire, lui rappela Katie.

— Même chose pour l'approvisionnement et la chasse. (Elle soupira et il sourit de nouveau.) Je dis ça, je dis rien. Si on prend d'abord le petit déj, ça pourrait être du pain perdu ?

Il vint enlacer sa mère.

— C'est toi qui le fais le mieux.

C'était un charmeur, se dit-elle, quand il le souhaitait. Elle avait encore du mal à accepter de devoir lever la tête pour le regarder. Pour Tonia aussi, mais pas aussi haut. Il n'y avait qu'avec Hannah qu'elle était à la même hauteur – et sur la même longueur d'onde.

— Enlève ton manteau.

— Oui, madame la maire.

Katie secoua la tête. Pour ce poste de maire, elle s'était laissé convaincre. Enfin, il lui semblait le faire plutôt correctement. Elle prit des œufs, un pichet de lait, et son précieux stock de sucre et de cannelle.

Pas de sirop – ce temps béni était révolu – mais les ados submergèrent le pain de compote de pommes et dévorèrent comme des ogres.

— Du pain perdu ? Miam !

Hannah arriva, avec ses souples cheveux châtain doré brillants, ses yeux de biche et une silhouette voluptueuse qui, Katie le savait, incitait déjà les ados à regarder sa fille chérie un peu trop longtemps.

Non qu'Hannah leur accorde beaucoup d'attention. Pour l'instant. Ses intérêts tournaient autour de la clinique et de sa soif d'apprendre tout ce qu'elle pouvait de Rachel, médecin de la ville, et de Jonah, ambulancier à l'origine, mari de Rachel et héros qui avait accouché Katie dans l'affreux temps de la Calamité.

Tout en cuisinant, Katie écoutait les frère et sœurs se taquiner. Ce n'était pas grave. Elle les laissait se chamailler et se défouler un peu. Une fois les reproches tombés, ils se soutiendraient, comme ils l'avaient toujours fait et le feraient toujours.

Avant que Katie n'ait pu l'arrêter, Duncan saisit la première tranche sur l'assiette, l'enroula sur elle-même et la mangea sur place, debout.

— Assieds-toi, comme un être humain. Hannah, tu travailles à la clinique, tout à l'heure ?

— Si tu veux bien. Rachel m'a dit que ma présence ne serait pas de refus. Ray fait des visites et Carly peut avoir son enfant d'un moment à l'autre, alors elle reste à l'administratif. Vickie et Wayne ouvrent le cabinet dentaire aujourd'hui, donc ils vont manquer de monde à la clinique.

— Il va y avoir une tempête, intervint tranquillement Tonia. D'ici ce soir. On va se prendre une bonne couche de neige.

Duncan approuva tout en reprenant du pain perdu et de la compote.

— On pourrait avoir trente centimètres, et il va y avoir du vent aussi.

On pouvait leur faire confiance, pensa Katie, ces prédictions faisaient partie de leurs dons.

— Ça va prendre du temps de creuser, après, poursuivit Tonia. Donc les missions de chasse et de recherche sont aussi importantes que la clinique, aujourd'hui.

Katie vit le clin d'œil lancé par Duncan à sa sœur pendant qu'il engloutissait la nourriture.

Et elle renonça à contrecarrer leurs projets.

— Tu ne conduis pas, prévint-elle Duncan avec un doigt accusateur.

— Allez, maman ! Je…

— Sinon, tu n'y vas pas. C'est Eddie ou Flynn qui conduit. On a déjà eu de la neige et les routes en dehors de New Hope seront forcément dangereuses. Tu n'as aucune expérience de conduite dans ces conditions.

— Et comment je vais en acquérir ?

— On verra, mais pas aujourd'hui. Est-ce qu'Eddie ou Flynn se sont inscrits pour la ration de carburant ?

— Oui. On en rapportera peut-être. Il y a encore plein de voitures qui traînent. On siphonnera ce qu'on peut.

— Tu devrais prendre de la nourriture au cas où.

— Eddie emporte des en-cas de la cuisine communautaire. On ne devrait pas en avoir besoin, mais on aura de quoi manger. C'était super bon, maman, merci, sauf que là, je dois filer.

Il se leva et prit son manteau.

— Il te faut des gants, et…

— J'ai tout dans mes poches. (Il se pencha pour l'embrasser, lui pressa les épaules.) Tu t'en fais trop.

— C'est mon boulot. Le premier. Le meilleur.

Elle savait qu'il allait prendre l'épée et l'arc dans le débarras, et se rassura en se disant qu'il savait comment les utiliser, ainsi que toutes les armes à l'intérieur de lui.

— Bonne façon d'échapper à la vaisselle, dit Tonia. Moi aussi, il faut que je zappe, ou je vais être en retard.

— Vas-y, Tonia. Tu resteras bien avec le groupe.

— Oui, oui, dit-elle en embrassant sa mère sur la joue. On sera tous les deux de retour avant le dîner. Bonne journée, Hannah.

— Toi aussi. Je m'occupe de la vaisselle, maman. Il me reste presque une heure avant l'école. Et ils seront de retour avant le repas. C'est soirée spaghettis, non ?

Katie rit.

— Oui, c'est vrai. Ils ne voudront pas manquer ça. Je t'adore, ma puce.

— Moi aussi, maman.

Ils grandissaient tellement vite, pensa Katie en mettant ses bottes – une précieuse paire de UGG que Duncan lui avait rapportée trois ans auparavant. À onze ans, il prospectait déjà dans les voitures abandonnées, les centres commerciaux pillés.

Bien trop tôt.

Elle mit la parka pour laquelle elle avait rudement marchandé, et qu'elle portait tous les hivers depuis plus de dix ans, puis le bonnet et l'écharpe qu'Hannah, la seule à savoir vraiment tricoter dans la famille, lui avait faits pour Noël.

Elle attrapa sa mallette, une antiquité que lui avait transmise le premier maire de New Hope, et quitta la maison qu'elle en était venue à aimer pour se rendre à un travail dont elle s'espérait digne.

Dans une autre vie, elle avait été petite dernière et seule fille d'une famille unie, née et élevée à Brooklyn, mariée et heureuse en ménage avec son copain de la fac. Elle avait travaillé dans la firme de marketing familiale, puis quand Tony et elle avaient appris qu'elle attendait les jumeaux, elle avait prévu de rester à la maison et de se consacrer à ses enfants.

Peut-être – peut-être – de temps en temps donner un coup de main à MacLeod & MacLeod, mais elle s'imaginait amener les bébés au parc, recevoir des petits copains, noter les premières fois de ses enfants dans de jolis livres de naissance, des albums de photos, des vidéos.

Avec sa mère et sa belle-mère, elle avait rénové et décoré la chambre des enfants, et elle s'estimait la femme la plus chanceuse au monde.

Puis, le monde s'était effondré. Elle avait perdu son père et sa mère à quelques heures d'intervalle, puis son frère, son mari et toute sa belle-famille. Dans les semaines suivantes, elle s'était retrouvée seule, en deuil, terrifiée, et avait lutté pour les vies qu'elle portait.

Elle était maintenant convaincue que si elle en avait réchappé, c'était justement grâce aux enfants qu'elle attendait.

Elle arpentait désormais le trottoir d'une ville fondée par des survivants au nom de l'espoir. La fumée s'échappait des cheminées dans un ciel d'un bleu clair et dur d'hiver. Elle ne repéra pas de signe de tempête à venir, mais ne remit pas en doute les prévisions des jumeaux.

Si Tonia lui donnait un parapluie par un jour de grand soleil, Katie le prenait.

Elle se dirigea vers le centre, dépassant la maison où son ancienne colocataire, médecin et mentor d'Hannah, vivait avec son mari – le héros de Katie – et leurs enfants.

Et puis il y avait la maison où Arlys et Will vivaient avec leur famille.

Lana et Max y avaient vécu, avec Poe, Kim et Eddie dans les appartements attenants.

Maintenant, Poe et Kim avaient une maison à une rue de la rue principale, et deux enfants à eux. Et le couple étonnant et si mignon formé par Eddie et Fred habitait une petite ferme aux frontières de New Hope.

Et Fred, infatigable fée réjouie, attendait leur quatrième enfant.

Fred s'inquiétait-elle quand Eddie partait comme aujourd'hui, pour prospecter ? Les Pilleurs passaient encore, des Guerriers de la Pureté chassaient, des factions fondamentalistes tendaient toujours des filets. Il y avait tant de sujets d'inquiétude en dehors de New Hope. Et pas mal à l'intérieur.

Leur communauté semblait calme et paisible, comme une petite ville dans n'importe quel livre d'histoire. Elle vit le panonceau OUVERT des Oubliés, la boutique de troc tenue par Bill Anderson. En revanche, le petit salon de coiffure et de beauté créé par une esthéticienne, une coiffeuse et une sorcière était encore fermé.

Le snack, reconverti en poste de police. Le chef, Will, fils de Bill Anderson, allait mener la chasse de ce matin. Parmi les adjoints, un ancien policier, un métamorphe et un elfe.

Pour l'elfe, il s'agissait d'un temps partiel, car Aaron enseignait également à l'académie.

L'équilibre, se dit Katie. Cela faisait partie du plan, élément essentiel du projet établi des années auparavant dans le salon de sa maison. Un mélange de magyque et de non magyque dans tous ses aspects, donnant un sentiment d'unité.

La plupart du temps, ce principe fonctionnait.

En quatorze ans, seules cinq personnes avaient été condamnées à la punition ultime de la communauté : l'exil.

Katie avait fait partie du jury pour deux des cinq, et priait tout ce qu'elle pouvait de ne jamais être rappelée à le faire.

Elle s'arrêta pour entrevoir un renard, traînée de roux sur la neige. Puis elle traversa la rue vide afin de se rendre dans le vieux bâtiment qui avait été une maison, puis une agence immobilière, et était devenu la mairie.

Elle déverrouilla la porte et alluma une seule ampoule. Les économies d'énergie restaient d'actualité.

La maire s'installa dans son bureau, qu'elle avait choisi pour sa fenêtre donnant sur la rue principale. Une fois assise, elle ouvrit sa mallette et se mit au travail.

Moins d'une heure après, l'aménageuse arriva avec son programme et l'employé de mairie avec le sien.

Elle devait lire des rapports sur l'ordinateur portable reconverti par leur responsable informatique et communication. Sans Chuck, ils feraient sans doute appel à des crieurs publics. Ou à des signaux de fumée.

Des demandes de fournitures de la part de divers secteurs de la communauté. Les écoles, la cuisine, les jardins, les cliniques.

Des rapports sur les déchets et l'énergie, avec des demandes d'étendre le courant à des zones en dehors du réseau actuel.

L'école allant de la maternelle au secondaire, logée dans un ancien magasin de meubles, avait besoin d'être rénovée, et comme toujours, nécessitait des fournitures. Cinquante-huit élèves la fréquentaient actuellement, et ce chiffre allait augmenter.

Le conseil municipal devait se réunir, discuter, débattre et trouver un moyen de remédier aux problèmes.

L'aménageuse urbaine, une femme énergique de soixante-dix ans, toqua à la porte ouverte.

— Tu as une minute ?

— Bien sûr, Marlene. Qu'est-ce qu'il te faut ?

— Ce dont on a tous besoin : une bonne tasse de café et du chocolat.

— Pourquoi tu me tortures, je peux savoir ?

Avec un grand rire, Marlene entra dans ses bottes Timberland éraflées et s'assit sur l'un des fauteuils clubs apportés par Will et Jonah quand elle avait pris son poste.

— Alors, voilà : Fred, Selina, Kevin et d'autres estiment qu'ils peuvent y arriver désormais. Ils pensent savoir ce qui a fait défaut la dernière fois.

Katie avait déjà entendu ça.

— Essayer de créer un climat tropical dans un endroit en plein climat semi-océanique, qu'est-ce qui pourrait mal tourner ? Ah, c'est vrai, fit Katie en tapant du doigt sur sa tempe comme si elle venait juste de s'en souvenir. Plusieurs tornades.

— Oh, des minuscules, qui ont causé très peu de dommages, répondit Marlene en souriant.

— On a perdu six arbres.

— Qui ont donné du bois de chauffage.

— L'un d'eux est tombé sur le garage d'Holden Masterson et a déclenché un incendie.

— Tout petit, que Kevin a maîtrisé tout de suite. Et Holden n'avait pas besoin de ce garage. Ils ont démêlé les ficelles du sortilège.

Katie leva les yeux au ciel.

— Les ficelles, je vois.

— Je ne m'y connais pas plus que toi en sortilèges, mais Fred est plutôt à fond sur l'idée.

— Fred est enceinte, en pleine saturation hormonale, et elle veut du chocolat.

— Possible. Moi, je ne suis pas enceinte et les hormones ne sont plus mon problème depuis longtemps. Je veux quand même du chocolat. Et pas seulement : des citrons, des oranges, des bananes, et pas les miniatures qu'ils arrivent à faire pousser dans la serre. De la canne à sucre. Du poivre, davantage que ce qu'on a eu du groupe qui en rapportait du Sud. Des médicaments, poursuivit Marlene en levant les doigts à mesure. Nos groupes d'herboristes et de médecine holistique sont pour.

C'était Kim à la tête de ce dernier groupe, et aux yeux de Katie, il n'existait pas plus raisonnable qu'elle. Mais tout de même, des tornades. Marlene poursuivit :

— Et Fred dit que s'ils y arrivent, ils pourront créer d'autres climats. On pourrait trouver un moyen d'extraire du sel : au lieu de devoir envoyer les gens de plus en plus loin pour récupérer ces denrées de base, on produirait les nôtres.

Le sel était un point sensible. Cet ingrédient était tout en haut de la liste des priorités quand Austin était mort.

Mais lorsqu'elle était devenue maire, elle avait dû mettre de côté cet objectif et s'occuper de l'instant présent.

— Je vais l'inscrire à l'ordre du jour. Or je peux te dire que Fred et son groupe devront venir défendre leur projet. Vigoureusement.

— Je leur dirai. Et je dois t'annoncer à toi qu'ils pensent avoir une arme secrète. Les jumeaux.

— Mes enfants ?

— Ce sont des amplificateurs de pouvoir, a dit Fred. Elle pense qu'ils en ont en suffisance, mais elle dit qu'avec Duncan et Tonia ils auront plus de chances de faire fonctionner le plan.

— Elle leur en a parlé ?

— Katie, tu sais qu'elle ne le ferait pas sans voir avec toi avant. C'est une maman aussi.

— OK, bien, dit Katie en appuyant les doigts sur ses yeux. Il faut que je réfléchisse et que j'en avise le conseil municipal. Ensuite, on parle à Fred et à son groupe de sorciers du climat. Misère.

— Tu voulais le poste, madame la maire.

— Ah oui ? (Katie jeta un nouveau coup d'œil nostalgique au plafond.) Je ne comprends pas pourquoi.

— Et si on demandait à LeRoy de te faire sa tisane énergétique ? C'est pas mon truc, mais… Ah, bonjour Arlys.

— Salut, Marlene. LeRoy en aurait assez pour faire deux tasses ?

— Logiquement, oui, répondit Marlene en se redressant. Assieds-toi.

— Merci. Katie, tu as un moment à me consacrer ?

— Tu portes quelle casquette ?

— Toutes, répondit Arlys en souriant.

— Dommage, parce que tes cheveux sont superbes.

— Carlotta est un génie, dit Arlys en faisant bouffer sa courte coupe lisse au châtain subtilement balayé de bronze. En plus, Fred est passée pendant que j'étais au salon.

Katie poussa un soupir.

— Alors, tu es au courant du projet Tropiques.

— Oui, et je n'en parlerai pas. Pour l'instant.

— Je t'en suis reconnaissante. (Elle s'interrompit quand Marlene revint avec deux mugs fumants.) Merci, Marlene.

— De rien. Je ferme la porte ?

— Elle ferme la porte ? demanda Katie à Arlys.

— Si tu veux bien, oui.

— Pas de problème, dit Marlene en refermant derrière elle.

Arlys ne perdit pas de temps :

— Chuck a intercepté une communication des Guerriers de la Pureté. Ils préparent une grosse attaque.

— Où ça ?

— Contre un camp d'Insolites dans le parc national de Shenandoah. D'après ce qu'il a compris, ils ont créé un genre de confrérie là-bas. Paisible. La communication des Guerriers de la Pureté dit qu'ils sont entre trente et quarante et qu'ils n'ont pas d'armes.

— Quoi ? Aucune arme ?

Arlys se pencha en avant.

— Ils ont fait un vœu, ou je ne sais quoi, ce n'est pas très clair, qui leur interdit l'usage des armes et de la magye.

— Pour faire du mal, tu veux dire ? C'est le principe de base : ne pas nuire, même contre une attaque, se défendre seulement.

— Pas de magye tout court. Une secte religieuse, j'imagine. Je tâche de vérifier. Dans tous les cas, ils seront sans défense. Les Guerriers de la Pureté sont en train de mobiliser du monde et prévoient d'être là-bas après-demain. Ils vont encercler le camp et le raser.

— Est-ce que les nôtres peuvent les prévenir ?

— On peut essayer, mais Chuck pense que ça ne fera pas de différence. Ils ne lutteront pas pour se défendre. Sur les trente ou quarante, il y a une douzaine d'enfants, y compris en bas âge.

— OK. (Après avoir soufflé un coup, Katie pressa les doigts sur ses tempes.) Va en parler à Jonah. Il nous faudra Will et Eddie dès qu'ils seront revenus. Chuck doit tenter de localiser précisément la communauté, et ensuite, on a besoin d'un Insolite doué en projection astrale. Pas mes enfants, précisa-t-elle avant qu'Arlys ne puisse répondre.

Elle se leva et se mit à faire les cent pas.

— Pas parce que je veux les surprotéger, mais parce que ce ne sont pas des adultes. Pour relayer quelque chose d'aussi important, convaincre ces gens de partir, de se cacher ou de se battre, il nous faut quelqu'un de plus âgé.

— Je suis d'accord avec toi. Chuck est déjà avec Jonah, et il pense être près du but pour la localisation.

Katie regarda par la fenêtre, observa l'un de ses voisins avec un bambin et un jeune chien en laisse.

— Est-ce que ça va s'arrêter un jour, je me demande ? On va envoyer des gens se battre pour d'autres qui ne veulent pas se défendre.

— C'est ce dont décideront Will, Jonah et Maggie, en tant que responsables de nos forces de mobilisation.

— Duncan et Tonia voudront y aller. (Elle en avait déjà l'estomac retourné.) Je ne pourrai pas les en empêcher. Je pourrais essayer, taper du poing sur la table, or je ne ferais que retarder l'inévitable. C'est le monde où ils vivent. Le monde où je les ai fait naître. Où tu as fait naître tes enfants. Les tiens sont trop jeunes, pour l'instant, mais…

— Pas pour longtemps. Theo a onze ans et Cybil neuf. Et ses capacités sont chaque jour plus impressionnantes. D'où ça vient ? Du côté de son père, je dirais.

Katie sourit légèrement.

— Elle lui ressemble énormément.

— C'est vrai, hein ? Enfin, à part les ailes. (Arlys se leva pour venir regarder la ville avec Katie.) On a bâti quelque chose de chouette ici, de précieux. On ne peut pas s'arrêter en si bon chemin. Tant qu'on construit et qu'on lutte, on gagne. Et il faut croire, il faut croire qu'un jour… le monde sera seulement aussi tordu qu'il l'était avant.

Plutôt que d'en rire, Katie inclina la tête vers celle d'Arlys.

— Duncan rêve d'une fille. D'une femme.

— Comme tout garçon de quatorze ans, non ?

Cette fois-ci, elle rit.

— Il ne m'en parle pas, mais il se confie à Tonia, qui le dit à Hannah, et Hannah me raconte. Une femme grande et svelte, aux cheveux sombres, aux yeux gris. Très belle. Tantôt elle est nimbée de lumière. Tantôt elle combat à ses côtés dans le noir, dans la tempête. Arlys, tu crois que c'est la fille de Lana ? De Lana et Max ? Cette Sauveuse dont parlent certains Insolites ? L'Élue ?

— Je pense tout le temps à Lana. (Elle lui manquait tous les jours.) Je revois ce jour affreux où Max est mort. Où tant de personnes sont mortes. Quand elle a fui pour protéger son bébé et essayer de nous éviter le pire. Et je me raccroche à l'idée qu'elle a trouvé un endroit sûr où elle a pu accoucher.

Fred en est convaincue, elle pense que la fille de Lana est la réponse que tout le monde attend.

— Elle serait un peu plus jeune que mes enfants, songea Katie.

Elle s'éloigna de la fenêtre.

— Prenons les choses dans l'ordre. Dès que tout le monde sera rentré, on se réunit et on voit quel est le meilleur moyen de sauver un groupe d'Insolites pacifistes. Disons 20 heures, par précaution.

Arlys hocha la tête.

— Je retiens une baby-sitter.

10

Un sorcier zélé et un tant soit peu fanatique avait fondé la confrérie simplement appelée Paix. Il croyait, de tout son être, que la paix était la réponse à tout.

Javier Martinez, autrefois immigrant sans papiers qui avait travaillé dans les champs de coton du Texas, coulé du béton au Nouveau-Mexique, ramassé des choux-fleurs dans l'Arizona, consacrait désormais sa vie à la paix pour remercier Dieu de l'avoir épargné.

C'est le jour où la femme qu'il aimait était morte de cette terrible maladie répandue par le diable sur le monde qu'il s'était éveillé à ses capacités. Il avait vingt-six ans. La peur et le chagrin avaient fait naître des éclairs au bout de ses doigts, et ces éclairs avaient embrasé la petite maison où il vivait avec Rosa et trois autres personnes, toutes moribondes.

Il avait été le seul à en réchapper, les doigts brûlants, l'âme hurlante. Dans sa folie, il avait projeté des éclairs sur des champs, des immeubles et même des gens.

Tout avait brûlé.

Pas lui.

Il avait erré dans le désert, la peau cuisant et cloquant sous le soleil sans merci. Et il avait suivi la fumée, les corbeaux qui tournoyaient, tout en parlant aux démons que lui seul voyait. Pendant un temps, il n'avait rien trouvé à manger et les côtes saillaient sous sa peau brûlée. Il avait assouvi sa faim avec les rats et les lapins qu'il foudroyait.

Des mois durant, il avait volé tout ce qu'il pouvait, noyé sa rage et son chagrin dans la boisson. Et brûlé encore plus dans une jubilation alcoolisée.

Il se déchaînait sur les morts qu'il trouvait.

Il avait survécu. Par la suite, il croirait de toute son âme que le divin l'avait protégé, pris en pitié et mis à l'épreuve. Comment, sinon, aurait-il su quand se cacher des groupes de Pilleurs qui passaient à côté dans des vrombissements de moteurs ? Ou quand se dissimuler pour voir des convois militaires embarquer des gens dans des camions ? Combien de fois avait-il entendu les hurlements des damnés comme lui capturés par les Guerriers de la Pureté ?

Mais ils ne l'avaient pas repéré. Pas en un an, puis deux, puis trois. Pas sur tous les kilomètres qu'il avait parcourus à pied, dans le désert et la forêt, sur des autoroutes couvertes d'épaves et de cadavres.

Puis il avait eu une vision.

Par une nuit d'hiver glaciale, pendant qu'il frissonnait, en proie à des quintes de toux qui le secouaient tout entier, dans ce qui restait d'un dépanneur à la sortie de l'I-70 à côté de Topeka, Rosa était venue à lui.

La belle Rosa, avec ses cheveux doux et ses yeux plus doux encore, avait posé les mains sur lui dans le noir, dans le froid, et l'avait réchauffé.

Le soulagement, le splendide soulagement du froid mordant qui le rongeait, lui avait fait monter les larmes aux yeux.

À travers ses larmes, il la voyait pour ce qu'elle était et avait toujours été : un ange, une messagère du divin, les ailes blanches et lumineuses.

Lève-toi, lève-toi ! lui avait-elle ordonné. *Purifie ton corps et ton esprit. Débarrasse-toi du démon qui est en toi, car ce n'est que là que tu pourras te mettre au service de ton noble objectif. Lève-toi, car tu es le Désigné.*

Il avait tendu les bras, lui avait pris les mains. Dans son délire, Martinez avait réussi à se remettre debout.

Le démon est plein de ruses, l'avait prévenu Rosa. *Tu dois fermer les yeux et les oreilles. Purge-toi. Rejette-le, rejette son pouvoir, car si tu le laisses libre, il te consumera et tout sera perdu. Avance, avance et transmets ta connaissance au monde. Avance et rassemble le troupeau des damnés. Purifie-les, bénis-les, amène-les à la paix. Guide-les dans la vallée, montre-leur le sommet de la montagne, fermez-vous aux méfaits de l'homme et des démons, pour être purs le jour du Jugement dernier.*

Les larmes avaient jailli, brûlantes, de ses yeux rougis.

— Reste avec moi, Rosa, avait-il supplié d'une voix éraillée, les mots comme des lames de rasoir dans sa gorge. Montre-moi le chemin.

Tu trouveras le chemin une fois que tu seras purifié. Je te protégerai comme je l'ai déjà fait lors de tes terribles épreuves. Repens-toi et sois sauvé. Sois sauvé et sauve tous les autres.

Malade dans son corps et dans sa tête, Javier Martinez était sorti d'un pas heurté du bâtiment où il se trouvait pour aller se purifier avec la neige, sous l'œil froid et fendu de la lune blanche.

Ainsi avait débuté son nouveau voyage.

Il avait jeûné, trouvé des gants pour couvrir ses doigts maudits par le diable. Il avait tempêté et prié, boitant sur ses pieds gelés. Fiévreux, en plein délire, il était arrivé dans un petit camp. Les lumières l'aveuglaient, les ombres tournaient autour de lui. En perdant connaissance, il avait entendu Rosa lui répéter : *Repens-toi et sois sauvé. Sois sauvé et sauve tous les autres.*

Pendant des jours, il avait été entre la vie et la mort, malgré les soins d'une guérisseuse. Ses cheveux à présent striés de gris tombaient autour de son visage marqué par la famine et la maladie. Un visage de prophète.

Mais il avait survécu.

Lors des semaines suivantes, il avait recouvré ses forces et son esprit s'était éclairci. Il avait gentiment expliqué à la guérisseuse qui l'avait sauvé par ses dons que ses pouvoirs étaient en contradiction avec Dieu, l'avait pressée de se repentir, avait éprouvé du chagrin devant son refus de rejeter son démon.

Il avait prêché de cette manière douce auprès de tous ceux qui voulaient l'entendre, et de beaucoup qui ne le voulaient pas. Une fois assez en forme, il avait marché parmi eux, homme maigre aux yeux bons et saisissants, qui parlait d'un monde sans armes, sans mort, un monde de paix et de prières.

D'une vallée bénie et d'un sommet sacré où ceux qui le suivraient vivraient pour toujours.

Lorsqu'il avait quitté le village, deux personnes l'avaient accompagné.

Arrivé dans le Tennessee, il avait réuni douze apôtres et noté les commandements dictés par les anges dans ses rêves.

Parmi ceux qui ont été infectés par les démons, seuls les repentis seront autorisés à entrer en terre bénie.

Nul parmi les fidèles ne possédera ni n'utilisera une arme d'aucune sorte. Un couteau destiné à déterrer les racines ou à préparer le repas sera sanctifié.

La chair animale ne sera pas consommée, ni aucune partie de créature vivante utilisée par les fidèles.

Ce qui appartient à l'un appartient à tous.

Les femmes, à partir de l'âge de douze ans, rempliront leur devoir divin et chercheront à concevoir pour ainsi emplir la terre de fidèles.

Nul ne lèvera la main en un geste de colère ni ne donnera de coup.

Qui utilisera le pouvoir du démon sera banni de la terre bénie.

Pendant qu'il se dirigeait vers l'est (à pied, car ses anges lui interdisaient l'utilisation de tout véhicule à moteur), son troupeau fluctuait. Sur les trente fidèles qui s'étaient établis deux semaines du côté de Shelbyville pour un accouchement, seuls dix-huit avaient réchappé à l'attaque d'un groupe de Pilleurs.

Ceux laissés derrière, vivants ou morts, avaient rencontré la gloire, expliquait Javier. Le sacrifice exigé par le divin était que les autres reprennent leur marche.

Certains étaient morts de maladie ou en donnant naissance. D'autres avaient fui dans la nuit. D'autres encore s'étaient joints à eux simplement pour la sécurité du groupe, et pour la plupart, ceux-là étaient repartis.

Par une verte journée de printemps, trois ans après sa rédemption, Javier Martinez avait mené son troupeau de vingt-trois âmes au sommet d'une montagne.

Là, avec ses cheveux grisonnants voletant au vent, son visage tanné par le soleil lumineux, ses yeux bons et fous, il avait ouvert les bras vers la vallée au-dessous.

— Dans cette vallée sacrée nous vivrons, avait-il annoncé. Dans cette coupe de terre bénie nous vénérerons. Et avec nos prières et notre foi, le monde sera purifié comme nous sommes purifiés, et rendu digne de la venue du divin.

Cela avait pris des jours d'atteindre la vallée, traversée par une rivière enflée par les pluies printanières. Ils avaient établi leurs feux et planté leurs tentes.

Les femmes, dont les mains et les cœurs étaient plus purs, avaient préparé le repas de baies et d'avoine. Les hommes, dont le dos était plus fort et l'esprit plus vif, avaient rassemblé des pierres, des branches et de la boue pour construire des abris plus solides.

Là, dans cette vallée calme, un fou mystique avait créé son image de la paix.

Huit ans plus tard, Duncan était accroupi dans la neige. Le crépuscule descendait en un soupir fin et gris, au travers duquel il observait la fraternité.

— Aucune défense. *Nada*, dit-il, stupéfait, à Will. Aucun garde, aucune porte d'entrée. Pfft, Suzanne a même essayé de les avertir, ils ne lui ont prêté aucune attention et lui ont fait du prêchi-prêcha. Donc maintenant, l'ennemi peut s'installer sur l'une de ces crêtes et les tuer comme des mouches.

Will acquiesça, tourna son regard bleu foncé vers la crête pour la scruter.

— J'imagine qu'ils vont placer quelques tireurs là et viser ceux qui courent. Ils voudront en capturer plein. Les exécutions, c'est leur grand spectacle.

À côté d'eux, Eddie émit un grognement. Ses cheveux couleur paille débordaient du bonnet de ski noir tricoté par Fred.

— Ici, ils vont s'en payer une bonne tranche. Aucune défense, mais en plus, qui a eu l'idée de dresser un camp à un endroit où y a pas d'issue ? Tu peux aller jusqu'à la rivière, et après, qu'est-ce que tu fous ? Tu peux pas la traverser à la nage en plein hiver, c'est clair. Le froid te tue aussi sûrement qu'une balle. De ce côté, t'as la montagne qui bloque. Si tu pars dans les bois, OK, mais jusqu'où ? T'en as pas un qui a des bottes correctes. Et sérieux, c'est quoi ces robes zarbies ?

Flynn, moitié dans un arbre et moitié au-dehors, posa la main sur la tête de son loup.

— On pourra les questionner sur leurs choix vestimentaires une fois qu'on aura sauvé ces culs-bénits. Starr et moi, on va s'approcher.

Starr émergea d'un arbre dans le plus grand silence et se contenta de hocher la tête. Si elle pouvait dire quelque chose en deux mots, elle n'en utiliserait pas trois.

— Steve et Connor nous rejoindront de cet endroit, dit Flynn en désignant un petit bosquet où les deux elfes attendaient avec d'autres.

— OK, dit Will en se déplaçant. Dites-leur.

Facile, car les elfes pouvaient communiquer par télépathie.

— Et il faut dire à Maggie d'amener son groupe sur cette crête. Si des Guerriers de la Pureté y montent, il faudra les éliminer en silence. Eddie ?

— Tu veux que je fasse quoi ?

— Emmène ton équipe vers le sud avec celle de Jonah. Les Guerriers de la Pureté seront bientôt là.

— Ils arrivent, signala Flynn, grand et sec comme un coup de trique, en plissant ses yeux vert vif. J'entends les moteurs.

— L'ouïe des elfes…

— De quelle direction ? demanda Will.

— Du sud-est. Ils sont à peut-être quatre cents mètres. (Flynn regarda Starr pour qu'elle lui confirme cette évaluation, puis leva la main.) Ils se sont arrêtés.

— Ils arrivent à pied pour l'effet de surprise. En position, ordonna Will. On va arroser les arroseurs.

Pendant qu'ils prenaient tous place, Duncan observa les cibles qui se rassemblaient. En « robes zarbies » et chaussures étranges, ils sortaient de leurs tentes et de huttes sans doute faites de boue et de morceaux de bois pour se disposer en cercle autour d'un feu central.

Des enfants aussi, nota-t-il. Des bébés en écharpe.

Personne ne parlait. Lorsque l'un des bébés gémit, la femme qui le portait découvrit un sein pour le lui offrir.

Et puis ce fut le silence, hormis le vent qui fouettait les arbres, tandis que tous, y compris les enfants, mettaient leurs capuches et inclinaient la tête.

Des cibles faciles, se dit-il. Chacun d'entre eux. Le vent soulevait un peu les robes, exposant des jambes nues qui devaient être gelées.

Un homme émergea de l'une des huttes, ses cheveux longs striés de gris volant autour de lui. Il se plaça à l'intérieur du cercle et leva haut les bras.

— Nous sommes les Désignés.

— Soyons-en dignes, répondit le cercle.

— Nous avons tous été pécheurs.

— Nous nous en repentons.

— Rejetez-vous le démon à l'intérieur de vous ?

— Nous le rejetons, lui et tous ses maux.

— Embrassez-vous le divin ?

— Nous l'embrassons et prions pour qu'il nous embrasse.

Pendant ces échanges, Duncan se déplaça sur le côté jusqu'à être tout contre Tonia.

— Si les fées n'arrivent pas à cueillir tous les enfants, chuchota-t-il, on devra les bloquer ou les traîner vers les bois, pour aller les chercher plus tard.

— Il y a trois femmes avec des bébés. Si on ne peut pas faire dégager les femmes, on prend quand même les bébés.

Deux nouveau-nés, compta-t-il, et un d'environ un an.

— OK.

— Duncan ? Ils sont complètement tarés.

— C'est sûr, mais ça veut pas dire qu'ils méritent de se faire massacrer.

— Non, mais si on sauve leur peau ce soir, et même si on les emmène ailleurs, en sécurité… Ils vont juste revenir ici. Parce qu'ils sont tarés.

Sa sœur n'avait pas tort, mais il haussa les épaules. Ce soir, c'était ce soir. Demain, on verrait. De plus, on ne pouvait pas passer à côté de l'occasion d'affronter et de vaincre un escadron de Guerriers de la Pureté.

Il voulait se battre.

Will leva une main, puis montra sept doigts avant de désigner la crête.

Un message des elfes. Sept Guerriers de la Pureté qui montaient là-haut. Will désigna ensuite Eddie et montra deux fois ses dix doigts. Vingt adversaires approchaient par le sud. Quinze à l'ouest, c'est-à-dire de leur côté. Et encore huit à l'est.

Avec une équipe de six qui se déployait dans les bois. L'équipe de nettoyage, conclut Duncan.

Les elfes, c'était vachement pratique, et beaucoup plus discret que les talkies.

Il perçut du mouvement, le craquement d'une brindille, pendant que le groupe autour du feu continuait les questions-réponses au sujet d'anges et de démons. Il toucha le genou de sa sœur.

— Prête ?

— Ah ça, oui.

Aussi rapide et silencieuse qu'un serpent, elle se releva et pivota derrière un arbre, puis encocha une flèche. Duncan empoigna la garde de son épée et se balança légèrement sur ses pieds.

— Crête récupérée, murmura Will. Lumière !

Duncan leva plusieurs fois sa main libre et transforma la nuit en pleine journée, ce qui aveuglerait de façon très efficace tout ennemi portant des lunettes à infrarouge. Et les hurlements commencèrent.

Certains fidèles tombèrent à genoux, peut-être, pensa brièvement Duncan, en croyant que la clarté soudaine était un signe de leur divinité. Les autres s'égaillèrent.

Des coups de feu éclatèrent et les Guerriers de la Pureté investirent la zone.

Duncan avait entendu dire qu'un couteau ne faisait pas le poids par rapport à une arme à feu, mais il considérait qu'une épée, c'était différent. En outre, un pistolet ne servait pas à grand-chose si la main qui le tenait était tranchée.

L'homme qu'il blessa poussa un cri aigu pendant que son sang giclait. Tonia en élimina un autre d'une flèche bien ajustée et la riposte de Will en dézingua d'autres.

Entre deux coups d'épée, Duncan fit partir une vague de pouvoir et renvoya deux hommes et une femme voler en arrière. Sentant du mouvement sur sa gauche, il fit volte-face pour bloquer une attaque. Heureusement, penserait-il plus tard, car il entendit une balle siffler tout près de sa tête.

Ils avaient des fusils de chasse aux cartouches bourrées de morceaux de métal. Les éclats criblèrent les arbres, les huttes, le sol. Duncan sentit sa hanche le piquer, évita d'y prêter attention et projeta du pouvoir vers le fusil, qui fondit. Son propriétaire le lâcha avec un grand cri.

L'un des elfes surgit de derrière un rocher et le descendit.

Le chaos était à son comble. Au milieu de la confusion, l'un des guérisseurs se précipitait pour embarquer des blessés en lieu sûr. Les fées risquaient leur vie pour plonger et emporter les enfants loin des balles qui fusaient dans tous les sens. Duncan combattait avec la concentration qu'on lui avait apprise. Il fallait repousser l'adversaire. Protéger les innocents et les siens.

Horrifié, il vit que trois des Guerriers de la Pureté avaient opéré une percée par le flanc nord. Et l'un d'eux maniait un lance-flammes. L'adolescent repoussa un autre attaquant, fit couler le sang et versa le sien avant de pouvoir courir vers l'espace dégagé.

Pas assez vite pour arrêter la femme qui brailla de triomphe en transformant l'un des fidèles agenouillés en torche humaine.

Le hurlement aigu atroce, le son affreux de la chair qui grésillait couvrirent les coups de feu, le vacarme de la mêlée et le sifflement des flèches.

Duncan ne réfléchit pas, et des années d'entraînement s'envolèrent sous ses pieds qui chargeaient. Vociférant un cri de guerre, il se jeta vers les trois assaillants, et parvint de justesse à figer les flammes qui allaient l'engloutir.

Son épée semblait avoir pris vie dans sa main : il terrassa la femme, et altéré par cette horreur et cette rage, il se déchaîna sur les deux autres. Dans sa fureur aveugle, il ne remarqua pas le couteau, ne l'aurait pas aperçu avant d'avoir été éventré.

Il le vit cependant glisser de la main d'un quatrième homme dans son dos quand celui-ci lui tomba dessus, une flèche dans le cœur.

Alors, tout sembla s'arrêter. Quelques faibles gémissements lointains, des appels aux guérisseurs. Duncan resta là, au milieu des flammes qui se reflétaient sur son visage et de l'odeur cauchemardesque de chair brûlée. Quatre morts gisaient à ses pieds.

Il entendit Will crier des ordres pour entreprendre des recherches sur les ennemis et les cibles. Mais il resta là, son épée ensanglantée lourde dans sa main.

Tonia le rejoignit.

— Allez, on y va.

— J'ai un peu perdu la tête.

Et il se sentait encore dépassé.

— Oui, j'ai remarqué.

Il baissa les yeux sur le mort transpercé d'une flèche.

— Merci d'avoir couvert mes arrières.

— Si je rentrais à la maison sans toi, maman serait pas contente.

D'un revers d'avant-bras, il essuya la sueur, le sang et allez savoir quoi d'autre sur son visage avant de se tourner vers elle.

— Mais tu saignes !

Tonia grimaça en regardant son biceps.

— Oui, j'ai reçu des éclats. Ça fait hyper mal.

— Tu l'as dit. Moi aussi, dit-il en montrant sa hanche. Allez, je te soigne, tu me soignes et maman n'en saura jamais rien.

Tonia le dévisagea d'un air sceptique.

— Elle verra les trous dans ton pantalon, mon blouson et mon tee-shirt.

— Ah, c'est vrai. Bon, on s'en inquiétera plus tard.

Il posa la main sur le bras de sa sœur ; elle appuya la sienne sur sa hanche à lui. Les yeux dans les yeux, ils assemblèrent le froid et le chaud pour guérir.

Quand Will arriva à grandes enjambées, Duncan comprit à son expression qu'il était bon pour une soufflante.

— Là, t'es tout seul, murmura Tonia.

— Qu'est-ce qui t'a pris, Duncan, merde ? Des héros morts, on n'en veut pas ! Tu fonces dans le tas, sans couverture, à un contre trois ?

— J'ai juste…

— T'as juste rien ! s'écria Will.

— Ils lui ont mis le feu, Will. Il était là, à genoux, et ils l'ont embrasé.

— Donc tu as risqué ta vie pour un mort ! On a rempli notre mission ici sans déplorer la moindre perte dans nos rangs. Mais on aurait ton cadavre sur les bras si ta sœur n'avait pas été assez rapide pour descendre celui qui allait t'éventrer, juste parce que t'étais trop occupé à jouer les samouraïs pour t'en apercevoir ! Merde !

— C'est bon, j'ai compris, fit Duncan, même s'il ne le pensait qu'à moitié. Je suis désolé.

— Désolé, ça suffit pas. Bordel, je dois te faire confiance, vous faire confiance à tous, pour que vous vous serviez de votre tête, pour que vous appliquiez votre formation. Tu imagines si j'avais dû annoncer ça à ta mère ?

Will s'interrompit et se passa les mains sur le visage.

Duncan pensait qu'il n'était pas tiré d'affaire, mais Eddie arriva en boitant, ce qui détourna l'attention de Will.

— Tu es blessé ?

— Juste le genou un peu amoché. Rachel pourra me soigner. Mais, Will, j'ai vu Kurt Rove. Avec eux.

— Rove ? Tu es sûr ?

Dans les yeux d'Eddie couvait une fusion de rage froide et de chagrin brûlant.

— Je le connais, ce salaud. Il a vieilli, un peu grossi, mais je le connais. Il courait, le sale lâche. Je vais te dire, j'ai rompu les rangs pour le poursuivre. C'est là que je me suis bousillé le genou. J'ai pas pu l'avoir, Will. J'ai pas pu l'avoir.

— D'accord, c'est bon. Maintenant, on est sûrs qu'il est en vie. On l'aura, Eddie. Un jour, on l'aura.

Duncan avait bien envie de demander pourquoi Eddie récoltait un « c'est bon » pour avoir rompu les rangs alors que lui avait eu droit à une copieuse engueulade. Mais il savait qui était Kurt Rove. Un acteur du massacre du 4 juillet.

— Allez, dit Will en posant la main sur l'épaule d'Eddie. On ramène ces gens à New Hope. Et ceux qui refusent, ben, on leur donne quelques vivres. On rentre.

— Ça, je veux bien.

Duncan attendit qu'ils se soient éloignés, afin d'éviter que Will ne se souvienne de terminer son sermon.

— Il n'en parlera pas à maman, lui dit Tonia. Il pourra t'en menacer pour t'effrayer, mais il ne le fera pas, parce que c'est elle que ça effraierait. (Elle s'arrêta quelques secondes.) Tu m'as fait peur aussi, mais je comprends pourquoi tu l'as fait. C'est en nous. Will ne peut pas comprendre. Maman non plus, parce que c'est en nous. C'est à cause du don, je sais pas, en tout cas c'est là.

Son soupir se transforma en un petit nuage.

— On aide à nettoyer et on rentre. Cette fois-ci, Duncan, je sais pas, mais ça ne me donne pas le sentiment d'accomplissement d'un sauvetage.

— On est deux. T'as raison, on nettoie et on rentre.

En se retournant pour partir avec sa sœur, il surprit un mouvement du coin de l'œil. Son épée jaillit dans sa main. La jeune fille qui se cachait derrière une hutte se recroquevilla et geignit. Ses yeux bleu myosotis, apeurés, brillaient de larmes.

Duncan souffla avec soulagement et rengaina son arme.

— On ne te fera pas de mal. Tu n'as plus rien à craindre.

Elle secoua la tête, se ratatina encore plus.

— Allez, viens avec nous, ordonna Tonia en essayant d'imiter le ton d'autorité de sa mère. On va t'emmener dans un endroit sûr et chaud.

— Les femmes ne doivent jamais quitter la vallée sacrée.

Duncan estima qu'elle devait avoir son âge, peut-être un peu plus jeune. À ses yeux, ça ne la portait pas au rang de femme, or il laissa passer ce détail.

— Ce n'est plus sûr ici. Les Guerriers de la Pureté connaissent, ils pourraient revenir. Comment tu t'appelles ?

— Je… Petra.

— Écoute, Petra. Est-ce que tu as ta mère dans le coin, ou peut-être ton père ? On peut t'aider à les chercher.

— Ma mère est morte en me donnant la vie parce que je suis maudite. Mon… mon père…

Elle désigna une silhouette noircie sur le sol.

— Je suis désolée, dit Tonia en s'accroupissant devant elle. Sincèrement. Il faut que tu viennes avec nous. Tu n'as plus rien à faire ici.

— Javier le Désigné dit…

— Il n'est pas là. (Duncan montra la mort, le sang, la destruction autour d'eux.) Tu le vois ?

— Ils l'ont emmené.

— Qui ? demanda Tonia.

— Les gens qui sont venus pour défier la vallée sacrée. Je les ai vus l'emporter.

— Donc il n'est pas là, conclut Duncan. Et il n'y a personne d'autre là, maintenant. Il faut que tu viennes.

— C'est un chouette endroit où on t'emmène, ajouta Tonia.

— Un lieu sacré ?

— Un chouette endroit, répéta la jumelle en tendant la main. On va emmener des… gens d'ici aussi. Tous ceux qui voudront venir. On a de quoi manger et s'abriter. (Et prendre une douche, songea Tonia, qui en rêvait.) Personne ne te fera de mal.

Quand elle prit la main de Tonia et se leva, Duncan vit qu'elle était à peu près de la même taille. Ses cheveux rassemblés en une tresse emmêlée devaient être blond cendré, sous toute cette crasse.

La robe, qui ressemblait plutôt à un sac, avait l'air tissée dans le même matériau que les chaussures ridicules qui lui montaient jusqu'aux chevilles.

Elle suivait Tonia sans protester désormais, donc il considéra le problème comme réglé. Il décida de rester en arrière – sa propre punition pour avoir rompu les rangs – et d'aider à brûler les morts, car le sol était trop dur pour les enterrer.

Une fois qu'ils eurent établi qui de la secte venait avec eux (onze mineurs, en comptant les bébés, et trois adultes), Eddie les dirigea vers New Hope.

Il n'allait pas encombrer la clinique, où Rachel, Jonah et d'autres soignants et guérisseurs s'occuperaient des blessés. Il lui demanderait de regarder son genou au matin. Il voulait simplement rentrer chez lui.

On n'aurait pas besoin de lui à la cuisine, où des volontaires faisaient à manger aux nouveaux arrivants. Ils se débrouilleraient sans lui pour remettre des vêtements, des vivres, ou installer des gens dans des maisons que d'autres volontaires avaient préparées à cet effet.

Il voulait voir Fred. Il voulait voir Joe. Il voulait aller regarder ses enfants en train de dormir. Juste les regarder.

Il entra dans la maison que Fred avait transformée en un foyer gai et coloré. Il monta l'escalier et passa d'abord dans la chambre des filles. Rainbow, leur aînée, était blottie sous la couverture multicolore avec un chat et un chiot, le sourire aux lèvres.

Angel, la plus jeune, était étalée sur son lit, quasiment enfouie sous sa collection de peluches.

Il alla dans la chambre de son fils, Max. Leur second, nommé d'après un ami disparu, dormait avec un autre chiot et son camion préféré. Même dans son sommeil, il semblait prêt à faire des bêtises.

Les yeux d'Eddie lui piquèrent.

De toute sa vie, il n'avait jamais imaginé aimer rien ni personne autant qu'il aimait ses enfants. Les aurait-il, aurait-il

Fred, qui illuminait son monde, tout bêtement, aurait-il cette vie, sans Max et Lana ?

Il se dirigea vers la chambre où Fred devait l'attendre. Elle était assise dans le lit, ses cheveux roux formant un magnifique halo de boucles, son ventre arrondi accueillant leur quatrième enfant, en train de fabriquer une couverture au crochet pour leur futur bébé.

Par terre, roulé en boule sur le tapis avec encore un autre chiot, Joe battit de la queue pour l'accueillir.

— Je t'ai entendu, dit Fred en repoussant son ouvrage. Bryar a fait passer le message il y a deux heures pour dire que tout allait bien. (Son sourire s'effaça.) Tu n'as pas l'air, pourtant. Je vais te trouver à manger.

— Non, non, te lève pas. (Eddie entra en lui faisant signe de ne pas bouger et s'assit lourdement sur le bord d'un lit qu'il avait rapporté d'une maison abandonnée à cent kilomètres de là parce qu'il savait qu'elle aimerait le baldaquin.) J'ai pas faim.

— Tu boites.

— Je me suis juste amoché le genou.

— Tu peux demander à Rachel ou…

— Demain, d'accord ? J'avais besoin d'être à la maison. Quelqu'un m'examinera demain.

— Je vais faire de la glace pour que…

— Arrête, Fred.

Elle se rapprocha, se pressa, elle et le bébé, contre lui.

— Qu'est-ce qui s'est passé ? Qu'est-ce qui ne va pas ?

— C'était moche, là-bas. Ces gens, là, qui étaient en rond à prier ou je sais pas quoi. Des enfants aussi, et ils portent pas de vraies fringues, de vraies grolles. Tout maigres et sales et… Je crois qu'ils sont grave cinglés, Fred.

— Les gens ont différentes façons de gérer l'horreur, j'imagine. Y compris des moyens un peu cinglés.

— Notre plan était bon, on était bien en place, et ça a fonctionné. Dans l'ensemble. Ces salopards en ont abattu une dizaine, et y en a d'autres qui ont juste foutu le camp, mais on a tous les enfants. Des bébés, certains, Fred. Juste des bébés.

Pour se réconforter, il posa la main sur le ventre de son aimée.

— On a eu quelques blessés, rien de trop grave. Tout le monde s'est fait soigner sur place, ou sinon Rachel terminera le boulot. Rien de méchant. On a ramené quatorze personnes, dont onze enfants. Certains des cinglés ont décarré, et les éclaireurs ne les ont pas retrouvés. De toute façon, on va pas les obliger à venir. Mais on en a ramené quatorze, c'est pas mal.

— Qu'est-ce qu'il y a, Eddie ? Il faut que tu me racontes.

— J'essaie, répondit-il en serrant fort la main de Fred. J'ai vu Rove. Cet enfoiré de Kurt Rove. Je l'ai vu tirer sur l'une des cinglés. Dans le dos. Et puis il s'est enfui parce qu'on les abattait. On leur foutait une raclée, et ils prenaient la fuite, comme les lâches qu'ils sont. Je me suis lancé à sa poursuite. J'ai désobéi aux ordres et j'ai foncé. Mais j'ai pas vu une saleté de racine de merde. Parce que je pouvais penser qu'à Rove, ce salopard. Et je me suis fait mal au genou et il m'a échappé.

» J'ai pas pu l'avoir, Fred. J'ai pas pu l'avoir pour Max. J'ai pas pu l'avoir pour Max et Lana. J'y suis pas arrivé.

Fred l'enlaça et le serra fort pendant qu'il pleurait.

VISIONS

Qui regarde au-dehors rêve.
Qui regarde en dedans s'éveille.

Carl Gustav JUNG

11

Dans les trois jours qui suivirent, l'une des femmes sauvées s'éclipsa de New Hope avec son bébé et deux des enfants. Le seul homme ayant accepté de venir partit également avec un sac de vivres, laissant derrière lui une petite de cinq ans qu'il avait dit être sa fille.

Rachel était dans son bureau et étudiait les fiches de ceux qui étaient restés.

Malnutrition, hypothermie, teigne, impétigo, dents pourries – le cabinet dentaire allait avoir du boulot –, infection rénale. Deux filles de pas plus de quatorze ans enceintes. Un cas de double pneumonie, plusieurs vieilles fractures mal ressoudées et blessures – morsures d'animaux ou plaies – mal recousues.

Et c'était sans aborder les problèmes de santé mentale.

Rachel se cala mieux dans son fauteuil, prit les lunettes qu'elle avait commencé à utiliser deux ans plus tôt et se frotta les yeux. Sa masse de cheveux crépus était relevée et elle avait appliqué les cosmétiques bios fabriqués par Fred pour se sentir mieux après plusieurs longues journées.

Jonah entra et s'assit sur son bureau. Il lui tendit un mug.

— Fais comme si c'était du café noir bien fort.

— Si seulement je pouvais oublier quel goût ça a… Des grains bien torréfiés fraîchement moulus…

Elle but la tisane d'échinacée à la place.

— Fred est bien décidée à ce qu'on ait de nouveau des grains de café.

— Là, tout de suite, je suis prête à dire que ça vaut le coup qu'ils réessaient, soupira Rachel. Mais je suis faible.

— Jamais, la contredit Jonah en se penchant pour l'embrasser.

Il avait besoin d'une coupe, même si elle aimait ses cheveux quand il ne prenait pas le temps d'aller chez la coiffeuse.

— Tu as fait déjeuner les enfants et tu les as emmenés à l'école ?

— Bien sûr, je fais mon devoir. C'est Henry qui t'a préparé ta tisane. Il a dit que tu en avais besoin. Et Luke a fait la vaisselle, malgré ses protestations.

— Ils sont mignons, nos garçons.

— En parlant de garçons, il y en a un qui vient de la secte. Et crois-moi, Rachel, c'est bien une secte.

— Je ne dis pas le contraire.

— Donc, ce petit, il a juste trois ans. Il dit qu'il s'appelle Gabriel. Il m'a parlé. Je n'ai pas abordé le sujet hier soir parce que tu étais fatiguée. On l'était tous les deux.

— On a un groupe de gens qui rejettent les traitements les plus basiques. Ou assez d'entre eux qui intimident les autres pour qu'ils les refusent. Et pour ceux qui veulent bien, il va falloir beaucoup de temps et de soins pour être en bonne santé. On a un enfant en bas âge en malnutrition et déshydratation sévères parce que sa mère est dans le même état : du coup, son lait ne suffit pas. Un autre d'un an, peut-être quatorze mois, encore allaité, dont la mère est morte dans l'attaque, qui a une otite terrible.

Rachel but une nouvelle gorgée et se massa les tempes.

— Ils refusent les couvertures si elles sont en laine, ne veulent pas des bottes parce qu'elles sont en cuir…

— C'est une secte. Ils sont endoctrinés. (Jonah vint derrière elle lui masser les épaules.) Mais les enfants peuvent s'en sortir, et ils le feront. Plus vite. Celui-ci…

— Gabriel, trois ans, sexe masculin, malnutrition, teigne, otite sévère.

— Oui, celui-ci. Il y a un truc chez lui, Rachel. Je vois qu'il va s'en sortir. Par contre, celui qui a une double pneumonie…

— Il se fait appeler Isaiah, la soixantaine.

— Il ne va pas survivre.

— S'il acceptait le traitement…

— Peut-être qu'il acceptera. Mais il ne va pas s'en sortir.

Comme le don de Jonah lui permettait de voir la mort, et souvent la vie des morts, Rachel ne protesta pas.

— Bon.

Jonah retourna s'asseoir au coin du bureau.

— Les enfants vont avoir besoin d'une famille.

— La secte… c'en est une, on est d'accord, se considère comme leur famille.

— Mais elle ne l'est pas. Une famille ne permettrait pas à des enfants de crever à moitié de faim alors qu'il y a du gibier autour. Elle ne les laisserait pas geler alors qu'il y a des endroits où s'abriter. Les adultes ne peuvent pas être désintoxiqués ou je ne sais quoi, mais les enfants, si. Les jeunes, sûrement. Il a trois ans, Rachel. Son père, ou celui qu'il pensait être son père, est mort pendant l'attaque. Sa mère est morte à sa naissance ou peu après. Il ne sait pas trop.

Elle avait hoché la tête tout du long, et enfin, quelque chose dans le ton de son compagnon la fit réagir.

— Jonah, tu me demandes bien ce que je pense que tu me demandes ?

Il prit l'une des mains de Rachel et la frictionna entre les siennes.

— Il a besoin d'un foyer. On en a un. Il a besoin d'une famille. On en est une. Il y a un truc chez lui, Rachel, je ne peux pas vraiment l'expliquer, mais il y a quelque chose. Il a besoin de nous.

Elle s'affala de nouveau dans son fauteuil.

— Jonah. Un enfant de trois ans. Nos garçons en ont onze et huit. Ce gamin a vu des toilettes et une baignoire pour la première fois il y a deux jours. Et nos garçons…

— Il faudrait leur en parler. Qu'ils soient d'accord.

— Henry serait partant. Il a bon cœur. Pour Luke… Plus compliqué. (Il tenait plus d'elle, se dit Rachel, du point de vue physique et côté tempérament.) Et je n'ai pas encore dit oui. C'est toi qui es convaincu.

Encore un peu abasourdi lui-même, Jonah étendit les mains.

— À l'instant où je l'ai regardé, où il m'a regardé. C'était immédiat. Pas comme la première fois que j'ai vu Henry et Luke, que je les ai tenus dans mes bras. Cet amour qui t'engloutit, qui te stupéfie. Mais c'est plus… « Hé, salut, toi. Ne t'en fais pas, je suis là, je te comprends. »

— C'est ton don ou ton cœur d'artichaut qui parle ?

— Tu veux la vérité ? Les deux, je pense.

— On va demander aux garçons.

Il lui prit les mains, les porta à ses lèvres.

— Je t'aime, merci.

— Je t'aime aussi, mais il y a du chemin avant de me remercier.

Duncan repartait vers chez lui après ses cours à l'académie avec son meilleur ami Denzel, métamorphe. Denzel n'ayant pas encore terminé sa formation au combat et aux armes, il n'avait jamais livré de vraie bataille ni participé à un réel sauvetage. Il n'avait connu que des simulations. Comme toujours, il voulait donc tous les détails du combat de Shenandoah.

Antonia suivait, plusieurs pas derrière avec April. Duncan entendait les filles rire – surtout April, qui voletait en cercles. Elles parlaient garçons, se dit-il. La fée était obsédée par l'amour.

— Donne ton score, mec. T'en as descendu combien ?

— C'est pas comme ça que ça se passe, je t'ai dit. C'est pas un jeu de Chuck ou une simulation.

— Allez, sois cool.

Denzel, grand ado qui se changeait en panthère – la classe ! –, donna un coup d'épaule à Duncan.

— Il paraît que t'en as eu trois en même temps et que t'as failli te faire cramer par un lance-flammes ! C'est pas des conneries ?

Duncan revit une fraction de seconde l'homme agenouillé, la robe crasseuse, la barbe sale, les yeux vidés de toute expression autre que la peur et une espèce de ravissement. Les flammes qui l'avaient embrasé et dévoré vivant.

Ce n'était pas quelque chose qu'il voulait partager avec Denzel, meilleur ami ou non. Le métamorphe était bien plus fragile qu'il ne le pensait.

— Ce que j'ai fait, c'est que j'ai désobéi, et c'est pour ça que je me retrouve avec une dissert pourrie sur la chaîne de commandement.

— C'est pas juste, mec. Je veux de l'action !

— T'as loupé l'arc, le corps-à-corps et tu n'arrives toujours pas à choper la cible avec des balles en caoutchouc. T'arrêtes pas de te planter en chimie, et t'en auras besoin, mec, parce que t'auras pas forcément toujours un sorcier avec toi pour faire un feu ou lancer du pouvoir ou quoi. En tactique de base, t'as tout juste eu la moyenne.

Denzel roula ses immenses yeux noirs, puis afficha un grand sourire aux dents blanches.

— Bah, je me transforme en Kato et je les bousille.

— Oui, oui.

Duncan pensait plutôt que Denzel aurait dû s'en tenir au sport, où il se distinguait, que ce soit pour récupérer un ballon, mettre un panier ou manier une batte.

Tout le monde n'était pas fait pour les champs de bataille.

— Tu veux qu'on fasse un truc, ce soir ? Magna a un film d'horreur dans le choix de DVD.

Magna, dix-huit ans et seul elfe flemmard que connaisse Duncan, habitait un appartement dans une résidence que tout le monde considérait comme celle des elfes, parce que beaucoup vivaient là-bas.

Son antre empestait souvent le linge sale, la vaisselle en attente et les ordures qu'il avait oublié d'apporter au centre de recyclage et de déchets.

Duncan ne se considérait pourtant pas comme spécialement maniaque. Sa propre chambre pouvait ressembler, et ressemblait souvent, à un immense dépotoir avant que sa mère vienne le rappeler à l'ordre.

Magna refusait de se battre, disant que c'était contraire à son code moral, et se défilait souvent pour les travaux communautaires, mais il était sympa et pas méchant pour deux sous. Duncan l'aimait bien.

Or…

— J'ai la dissert, souviens-toi.

— Ah oui, ça craint. Tu devrais zapper, mec. Trot y sera, il emmène Shelly. Là où Shelly vient, il y a Cass. Et t'as un peu l'œil sur elle.

En ce moment, il avait même les deux yeux sur Cass, cette jolie brune qui allait à ce qu'il considérait comme l'école civile. Elle avait des seins très intéressants depuis l'été.

Mais s'il laissait tomber la dissertation, il allait le payer. Non seulement en colère maternelle, mais aussi en étant automatiquement évincé de l'opération suivante.

— Je peux pas.

— Trop con pour toi. Tu veux de l'aide ?

Et Denzel l'aurait fait. Il aurait été prêt à laisser tomber la soirée sympa, se dit Duncan, s'il le lui avait demandé.

— C'est bon, je vais gérer.

— Si t'arrives à terminer tôt, viens nous rejoindre. Faut que je file. À plus, dans l'bus.

— OK.

Il regarda Denzel, avec ses épaules larges et ses bras musclés, traverser la rue d'un saut, sa queue-de-cheval crépue rebondissant derrière lui. Il aperçut le garçon du sauvetage de l'année précédente, Garrett, avec sa meute, qui courait sur le trottoir d'en face. L'un d'eux se changea en loup, puis de nouveau en humain, faisant rire les autres.

Garrett s'arrêta, lança un immense sourire à Duncan en agitant la main. Puis il salua Tonia avec enthousiasme.

Il en pinçait pour elle, comprit Duncan. Parfait, il allait disposer de munitions suffisantes pour taquiner sa sœur sans fin. Bonne info.

Content de lui, il mit les mains dans ses poches pendant que Tonia le rattrapait. April, avec ses battements d'ailes et ses petits rires, était partie chez elle.

— Elle est amoureuse de qui, maintenant ?

— Greg.

— Greg, l'elfe roux plein de taches de rousseur ? Greg, le frère de Denzel ? Ou Gr…

— Celui aux taches de rousseur. Elle trouve ça troche.

— Elle trouve ça quoi ?

— Trop chou. Elle a entendu ça dans un film. C'est son nouveau mot préféré.

Troche ? Sérieux ?

— Pourquoi tu traînes avec elle ?

— Elle est chouette. Un peu fofolle, mais sympa. Et elle est plus intelligente que tu ne crois. Assez pour se remettre de sa déception avec toi.

Il courba les épaules, encore mortifié au souvenir d'April qui rigolait et voletait autour de lui.

— C'est pas mon genre de fille.

— T'as quatorze ans, fit Tonia avec mépris. Je le sais parce que, coucou, moi aussi ! Donc tu n'as pas encore de genre. À ton âge, les mecs qui s'intéressent aux filles, ils ont une seule exigence : des seins.

Aussitôt, il pensa à ceux de Cass… et à cette débilité de dissertation.

— Qu'est-ce que t'en sais ?

— J'en ai.

Il faillit bien émettre un rire méprisant à son tour, puis s'arrêta net, comme frappé par la foudre.

— Si y a un connard qui essaie de te tripoter, tu m'en parles.

— Si y a un connard qui essaie de me tripoter, je peux m'en charger.

— Rien du tout. Si quelqu'un tente de te… je lui pète la main, et ensuite la face.

Tonia rabattit ses cheveux, longs et lâchés sous sa casquette en laine.

— J'ai pas besoin que tu te battes à ma place. Et puis, s'il y a quelqu'un qui me plaît assez pour que j'aie envie qu'il essaie ?

— Laisse tomber !

L'idée qu'un mec fasse à Tonia ce qu'il s'imaginait faire à Cass le mettait dans une rage noire.

— Je lui défonce la main, ensuite la tronche, et après, je m'occupe de toi.

— Tu « t'occupes » pas de moi, pauvre débile, dit-elle en le poussant.

— Attends un peu, fit-il en la poussant en retour.

— Occupe-toi plutôt de tes fesses, dit-elle en le dégageant d'un coup de coude.

— C'est ce que je fais.

Il lui prit le bras pour la ramener vers lui.

Juste avant le coup de pied – qu'elle lui assena assez fort pour lui faire voir trente-six chandelles –, il aperçut la blondinette aux grands yeux choqués, qui essayait de se cacher derrière un arbuste couvert de neige.

Au lieu d'enserrer le bras de Tonia, il se contenta d'une légère pression pour la prévenir, puis se déplaça pour qu'ils soient tous les deux en face de la jeune fille.

— Salut, euh… Petra ?

Il avait failli ne pas la reconnaître, car une sacrée beauté se cachait sous la crasse. Ses cheveux étaient en fait d'un blond ensoleillé et doré, sa peau avait l'air douce. Mais comme dans le camp, elle eut un mouvement de recul.

— On déconnait juste, dit-il avec encore une pression sur le bras de Tonia pour l'avertir d'y aller doucement.

— Les garçons, fit sa sœur avec un haussement d'épaules exagéré. Allez, sors de là.

— Je… Je ne devrais pas être dehors.

— Et pourquoi ? s'étonna Tonia, qui résolut le problème en s'approchant d'elle.

— Parce que… Nous devons rester chacun de notre côté. C'est Mina qui le disait.

— Plus maintenant. On vit juste ici, dit Tonia en désignant la maison. Entre !

— Je ne sais pas si c'est permis.

À sa manière volontaire, Tonia prit la main de Petra, la hissa vers eux et l'entraîna à sa suite.

— Bien sûr, que c'est permis. Comment ça va ?

— Je ne sais pas.

— J'aime bien tes chaussures.

Petra regarda ses Converse noires un peu usées.

— Elles ne sont pas vraiment à moi, mais ils m'ont pris les miennes. Ils m'ont apporté celles-là, mais elles sont en peau d'animal.

Tonia la fit entrer par la porte qui n'était pas verrouillée. D'un geste de la main, elle alluma le feu dans la cheminée.

Suffoquée, Petra recula.

— C'est le démon…

— Pourquoi le démon ? demanda Duncan en se débarrassant de son manteau sur le dos du canapé. On ne croit pas à ces choses-là. Tu peux si tu veux, mais nous, non. On a un don, et pour nous, il nous vient de la lumière. Dans tous les cas, je meurs de faim.

— Il a toujours faim, commenta Tonia pendant que Duncan prospectait dans la cuisine. Allez, enlève ton manteau.

— Il n'est pas vraiment à m…

— Maintenant, si. (Tonia ôta le sien, le jeta sur celui de Duncan et attendit que Petra retire soigneusement une parka bleue un rien trop grande pour sa silhouette fine.) Hannah, notre sœur, est sans doute à la clinique. Tu l'as peut-être vue.

— Je ne sais pas.

— Tu as consulté, hein ? demanda Tonia en guidant encore une fois Petra vers la cuisine. Les docteurs et tout.

— Ils ont dit que je suis un peu dénu…

— Dénutrie. Alors mangeons.

Duncan poussa un cri de victoire.

— Maman a trop assuré ! On a de la pizza !

— Ils en font à la cuisine communautaire, expliqua Tonia en prenant une bouteille scellée. On peut la congeler, puis la réchauffer. Et on a ça.

— Qu'est-ce que c'est ?

— Du ginger-ale. C'est un soda à base de racine de gingembre, de citron et de levure pour faire les bulles. Hannah a fait celui-là, mais on doit tous prendre des leçons de cuisine et de chimie. Fabriquer des trucs comme ça, c'est de la chimie. En plus, c'est bon.

Tonia en versa dans trois petits verres, pendant que Duncan gardait les mains au-dessus de la pizza jusqu'à ce que la pâte brunisse et que le fromage fasse des bulles.

— C'est quoi, ton don ? demanda-t-il tranquillement à Petra, avant de hausser les épaules en la voyant se recroqueviller. OK. Bon, comment ça se passe au foyer ?

— La doctoresse… Elle a dit que certains d'entre nous étaient contagieux, qu'il leur fallait des médicaments, et que les bébés avaient besoin d'être mieux nourris. Et Clarence et Miranda ont toutes les deux pris des bottes en peaux d'animaux, alors maintenant, on doit les éviter.

— Pas sympa, dit Duncan en coupant des parts de pizza.

— C'est difficile pour toi, reprit Tonia en attrapant des assiettes, parce que tu as vécu ailleurs et d'une autre façon, et tu te retrouves ici à vivre autrement. Mais tu ne pouvais pas rester là-bas.

— Si le divin apporte la violence pour prendre des vies…

— Tu te contentes de te coucher et de mourir ? rétorqua Duncan en distribuant les assiettes remplies. Ça fait pas très divin.

— Tu as quel âge ? demanda Tonia en s'asseyant au comptoir avant de désigner le tabouret à côté d'elle.

— Je ne sais pas avec certitude. Je suis femme, mais je n'ai pas encore conçu.

Duncan arrêta de chauffer sa pizza.

— Quoi ?

— Je suis femme, répéta Petra, mais même si je me suis donnée, y compris à Javier, je n'ai pas reçu la bénédiction d'un enfant.

— Tu dis que tu dois le faire, et avec ce vieux ?

— Javier n'a pas d'âge, répliqua Petra, rayonnante. C'est un grand honneur de concevoir un enfant avec lui.

— Tu délires. C'est malsain et écœurant.

— Duncan…

Sans écouter sa sœur, il poursuivit :

— Tu avais envie de le faire avec lui ? Ou tu devais parce que c'était sa loi, un truc comme ça ?

— C'est un grand… J'avais peur, chuchota-t-elle. Mais c'était ma faiblesse. Et j'ai eu mal, mais c'est le sacrifice de toutes les femmes pour le péché d'Ève.

— Encore des conneries.

Tonia fit signe à Duncan de se taire. Petra avait baissé la tête.

— Écoute, ce n'est pas comme ça qu'on fonctionne, ici. Et si tu lis, que tu écoutes les gens plus vieux que nous, ce n'est pas comme ça que ça marchait avant non plus. Les gens qui faisaient ça étaient condamnés par la justice s'ils étaient pris. Tu as des droits. Tout le monde en a. Et ce n'est pas parce qu'on est des femmes que ça donne à quiconque le droit de nous faire du mal ou de nous obliger à coucher avec lui. Ici, personne ne te fera ça.

— Mais il doit y avoir des enfants pour accroître le nombre d'adeptes, s'occuper des plus âgés, répandre la bonne parole. Tant d'enfants meurent, dans le ventre ou peu après la naissance. Nous accomplissons toutes notre devoir.

Tonia, féministe-née, mais plus diplomate que son jumeau, garda un ton dégagé.

— À New Hope, et dans une société civilisée, les gens ont des enfants parce qu'ils le veulent, et parce qu'ils ont envie de s'en occuper et de les aimer. Combien de temps tu as passé dans ce camp ?

— Je ne sais pas. Je ne suis pas née là-bas. Deux hivers, je crois. Avant, on changeait d'endroit tout le temps, on marchait et on se cachait. Et mon père me frappait et il m'insultait à cause de ma malédiction, même si lui aussi était maudit. Javier et les nôtres ne me frappaient pas et ne m'insultaient pas. Et mon père a arrêté quand il a choisi la rédemption.

— Il a arrêté de te frapper, mais le reste, c'est juste une autre forme de violence. (Penser à tout cela donnait à Duncan des aigreurs d'estomac.) On a aussi des lois, ici. Si quelqu'un fait délibérément du mal à un autre, il est puni. Tout le monde participe à ce qu'il peut. On prend soin les uns des autres.

— J'ai une question, intervint Tonia. Tu étais heureuse, là-bas ?

— J'étais… je ne sais pas.

Visiblement en émoi, Petra se tordit les mains avant de répéter encore une fois qu'elle ne savait pas.

— Peut-être que tu t'en rendras compte si tu es heureuse ici. La pizza refroidit.

Petra baissa les yeux sur son assiette.

— Je vous remercie pour la nourriture, mais… c'est de la chair animale ?

— Du chorizo, répondit Duncan en mordant dans sa part. Tu peux l'enlever si tu n'en veux pas.

— On produit la plupart des choses à la grande ferme, lui expliqua Tonia. Et on les distribue à la cuisine communautaire.

Petra retira soigneusement les rondelles de saucisse, puis préleva une minuscule bouchée de la pizza. Elle ouvrit de grands yeux avant d'en avaler une bouchée plus grosse.

— C'est super bon !

— On peut aussi en faire sans chorizo, lui dit Tonia en lui tendant l'une des serviettes sur le comptoir.

— Tout le monde peut en avoir, comme ça ?

— Tout le monde met la main à la pâte, redit Duncan. Et tout le monde mange.

— Vous avez une grande maison et plein de choses…, dit Petra en regardant autour d'elle. Vous vivez seuls ?

— Il y a notre sœur, Hannah, et notre mère. Les enfants ne vivent pas seuls avant d'avoir au moins seize ans. Il y en a qui arrivent sans parents ni adultes. Mais quelqu'un s'en occupe.

Petra se mordit la lèvre.

— Clarence peut aller vivre avec d'autres, il en a envie. Il a essayé de fuir le divin, mais ils l'ont ramené. Sa malédiction, c'est des ailes, et des boules de feu et…

— Fée, conclut Duncan.

— Il a fallu l'éviter beaucoup de fois et l'enfermer dans la hutte de rédemption avant qu'il cesse de céder à son démon. Comme c'était un enfant, il n'a pas été banni, mais nous avions peur qu'il ne cède encore à son démon une fois à l'âge de raison.

— Ce n'est pas son démon, c'est sa nature, rectifia Duncan. Son don. Il a déjà fait mal à quelqu'un ?

— Une fois… non, deux fois, il s'est battu avec d'autres garçons qui lui avaient parlé durement.

— Ce n'est pas la même chose. Ça s'appelle savoir se défendre.

— Ce soir, il va avec des gens qui s'appellent Anne et Marla.

— Elles sont sympas, dit Tonia, la bouche pleine. Elles vivent à côté de l'académie. Elles élèvent des moutons et des lamas, et elles font des couvertures et des pulls. Et des œuvres d'art aussi, très jolies. Anne est elfe, mais Marla n'a pas de capacités particulières. Il paraît qu'avant la Calamité elles vivaient à Baltimore et elles allaient avoir un bébé.

— Ce sont deux femmes. Ce n'est pas possible. Et c'est un péché.

— Ce n'est pas un péché d'aimer quelqu'un. Et avant la Calamité, il y avait la science et la médecine pour aider les gens qui voulaient un bébé à en avoir. Ce sont des dames très bien. Clarence a de la chance d'y aller.

— Il m'a dit… que Miranda pouvait aller avec lui. Et que ces femmes pourraient en accueillir un de plus. Je pourrais y aller.

— Tu pourrais tenter le coup, renchérit Duncan. Si tu n'aimes pas, tu n'es pas obligée de rester.

— Je pourrais y aller et ensuite ne pas rester ?

— Anne et Marla ne t'obligeraient pas, si ça ne te plaît pas.

— C'est tellement différent. Tout est tellement différent.

— Ne pleure pas, la consola Tonia. Ça va aller. Tiens, bois du *ginger-ale*.

Obéissante, Petra goûta. Elle rit en essuyant ses larmes.

— Ça chatouille.

— À cause des bulles.

— Je n'ai jamais bu de bulles avant. Ou je ne m'en souviens pas. Il y a tant de choses d'avant qui sont floues et mélangées. Esmé disait qu'il fallait y retourner.

— Esmé ?

— Elle est partie avec son bébé en emmenant deux des enfants. Elle a dit qu'il fallait y aller, sinon on serait damnés. Mais personne n'a voulu partir avec elle. Elle a dit qu'elle retournait en terre bénie, dans la vallée sacrée. Et Jerome est parti aussi. Il a pris des choses dans l'endroit où on vit et il a dit que je pouvais venir avec lui, mais je ne voulais pas. C'est bien d'avoir chaud et de porter des chaussures, et des habits qui ne grattent pas. De manger de la pizza et boire du ginger-ale. Avant, c'est flou, et c'était dur, j'avais peur et froid et faim.

— Bon, dit Duncan en mettant une deuxième part de pizza sur son assiette. Maintenant, c'est l'avenir.

— Maintenant, c'est l'avenir, répéta-t-elle.

Elle lui sourit. Elle mangea sa deuxième part, et comme il fallait rationner le soda, Tonia lui donna du jus de fruits dans son deuxième verre.

— Je vous remercie pour la nourriture et la boisson. Je dois retourner avec les autres. Ils vont s'inquiéter. (Petra se leva, hésita.) Si je ne vais pas vivre avec Clarence et Miranda chez les deux femmes, et que je reste avec Mina et son bébé, vous me parlerez encore ?

— Oui ! On se verra à l'école, tu pourras rester avec nous.

— Je ne sais pas comment aller à l'école.

— Ne t'en fais pas, tu vas t'habituer. Je te raccompagne.

Petra commença à suivre Tonia, puis s'arrêta pour se retourner vers Duncan.

— C'est difficile de parler à des gens que je ne connais pas. C'est bien, mais c'est dur. Tu as tué les hommes avec ton épée et ta malédiction. Pardon, ton don, se reprit-elle, le rouge aux joues. Je sais qu'ils allaient me tuer. On nous apprend que le divin nous interdit de lever la main sur quelqu'un, de prendre une arme, même si notre vie ou celle de quelqu'un d'autre est menacée. C'est le plus grand péché. Mais j'avais peur de mourir. J'avais peur.

— Rester les bras ballants au lieu d'aider quelqu'un ? Moi, on m'a appris que c'est de la lâcheté. Ce n'est peut-être pas un péché, mais c'est la plus grande faiblesse.

— Dans ce cas, tu n'es pas faible.

Il resta sur place à ruminer pendant que Tonia l'emmenait. Ressassait encore quand sa sœur revint. Il savait que si elle se chargeait de la vaisselle tout de suite, sans le tanner pour qu'il l'aide, c'était parce qu'elle voulait s'occuper les mains.

Sa manière de ruminer, probablement.

— Ça aurait pu être moi, finit-elle par affirmer.

— Alors là, pas du tout.

Elle secoua la tête.

— Elle a à peu près mon âge. Ou un petit peu plus jeune, difficile à dire, mais dans ces eaux-là. Si on n'avait pas eu maman, si elle n'avait pas eu Jonah et Rachel pour l'aider à nous faire sortir de New York, s'ils n'avaient pas rencontré Arlys, Chuck, Fred…

— Beaucoup de si qui ne se sont pas produits.

— C'est le principe du si. Je veux dire que j'aurais pu être emmenée dans un endroit comme ça, forcée à vivre de cette façon, me faire laver le cerveau… c'est pas autre chose, non ? Penser que je ne suis rien. Juste un objet à utiliser pour faire des bébés et vénérer une espèce de connard qui prétend être en contact avec Dieu. Et je serais restée allongée pendant qu'un…

— Un putain de malade. Maman n'est pas là, donc tu peux le dire.

— Oui. Allongée à me faire violer par un putain de malade. Parce que c'est du viol. Et je croirais que ma nature est mauvaise, comme elle.

— C'est là que tu te trompes, dit Duncan en rangeant les assiettes qu'elle avait lavées et essuyées. Tu ne serais jamais comme elle, parce que t'es forte, intelligente, et que tu défoncerais les couilles de ce malade avant qu'il te viole.

Elle se sentait mieux grâce à lui, alors elle lui adressa un sourire narquois.

— Je croyais qu'il fallait que tu casses des mains et des gueules pour moi.

— J'ai jamais dit que t'en avais besoin, j'ai dit que c'est ce que je ferais. Tu serais jamais comme elle. Rien ni personne ne pourrait te rendre comme elle. Peut-être, qui sait, peut-être que si elle reste ici, si elle s'y autorise, elle trouvera sa vraie personnalité ?

— Je suis contente qu'on l'ait pas sauvé, ce Javier, dit Tonia. Je sais que je ne devrais pas, ça va à l'encontre de tout, mais je préfère que les Guerriers de la Pureté l'aient embarqué avant qu'on l'ait sauvé. Sinon, il serait là et elle n'aurait pas l'occasion de trouver quoi que ce soit. Aucun d'eux.

Duncan comprit alors – et se dit qu'il aurait dû s'en rendre compte avant – que toute cette entrevue avec Petra avait bouleversé sa sœur encore plus que lui.

— Je sais que selon certaines... écoles de pensée – c'est le mot, il me semble – les choses sont comme c'était écrit, que c'est le destin et compagnie. J'y crois pas du tout.

» Les gens font arriver les choses, d'une façon ou d'une autre. Mais si j'y croyais, je dirais qu'on n'était pas destinés à le sauver. On devait sauver les enfants comme Clarence, Miranda et elle.

Tonia n'en savait rien.

— Destin ou pas, c'est ce qu'on a fait.

— On devrait en parler à Rachel. À maman, mais surtout à Rachel, qui est médecin, à cause du viol.

— Je suis à peu près sûre que forte comme elle est, Rachel le sait déjà. Surtout que l'une des filles que j'ai embarquées, de notre âge, elle aussi, était enceinte. Assez avancée, je dirais.

— Oh, purée.

— Mais tu as raison, faut vérifier que Rachel est au courant. On peut y aller maintenant.

— C'est un truc de filles.

Et il avait assez parlé de trucs de filles pour la journée. Pour l'année, même.

— Un « truc de filles » ? le reprit la féministe-née avec un mépris audible.

— T'es une fille, et vu que t'es sur le coup… ça peut être un truc de filles. De toute façon, j'ai la dissertation pourrie à faire.

Or, une fois dans sa chambre, Duncan s'affala sur son lit et regarda le plafond. Il pensa à la poitrine de Cass. Aux cheveux dorés de Petra.

Et il pensa, comme souvent, à la grande fille mince aux courts cheveux noirs et aux yeux couleur de ciel d'orage.

Il ne se demandait pas si elle était réelle. Il l'avait vue dans sa tête, dans ses rêves, trop souvent pour la croire imaginaire.

Il se demandait qui elle pouvait bien être.

12

Au printemps, Fallon savait se défendre avec une épée. Mallick la mettait à terre, la désarmait et la décapitait fictivement plus souvent qu'elle ne l'aurait voulu, mais elle se rappelait qu'il avait des siècles de pratique en regard de ses quelques mois.

Le printemps impliquait les plantations, période familière que la fille de ferme trouvait réconfortante. Elle savait que pendant qu'elle travaillait la terre, sa famille faisait de même. Elle n'avait pas besoin des cours de maths dont Mallick l'assommait pour calculer qu'elle avait passé le quart de son temps de formation.

Mallick lui donnait des leçons dans les disciplines de base : mathématiques, histoire, littérature, les aspects pratiques de la tactique, de la stratégie et des cartes. Lorsqu'il étendait le champ à l'ingénierie et à la mécanique, elle éprouvait de la fierté à le voir surpris de ce qu'elle savait déjà.

Après tout, elle avait aidé son père dans ses constructions, elle avait appris comment fonctionnaient les moteurs, comment les réparer, et même les assembler à partir de pièces récupérées.

Dans le domaine de la magye, il la poussait plus loin et plus durement que ne l'avait fait sa mère, ce qu'elle voyait d'un bon œil. Plus elle en savait, plus elle s'ouvrait, et plus la pulsation en elle était forte.

Cependant, la boule de cristal qu'il lui avait offerte à sa naissance restait impénétrable.

Elle gagnait en adresse au tir à l'arc, en partie grâce à son désir inné d'égaler la maîtrise de Mick, ou même de la surpasser.

Alors que l'air se réchauffait et que les feuilles poussaient, Mallick lui permit de rendre visite au camp des elfes, à la chaumière des fées, à l'antre des métamorphes. Elle recevait de la nourriture, des potions et des baumes de guérison, et considérait ces escapades comme une récompense de ses progrès, une pause dans ses tâches et ses études.

Mais elle s'initiait aussi, comme le voulait Mallick, aux autres cultures, rites, croyances et histoires. Elle aimait bien parler à des filles de temps en temps, mais se trouvait plus intéressée par les garçons, avec leurs concours et leurs courses, ou par les gens plus âgés, qui racontaient leurs chasses et leurs combats.

Une fois où elle courait dans les bois avec de jeunes elfes et s'entraînait à escalader des arbres, une petite fille, pas plus vieille qu'Ethan, tomba à cause d'une branche qui avait cédé sous son poids.

Elle atterrit durement, son bras droit plié sous elle. Sonnée, elle gémit, or quand les autres accoururent et la retournèrent, elle hurla de douleur.

— Bagger, va chercher sa mère, ordonna Mick. Vite ! Je pense qu'elle s'est cassé le bras. Ça va, Twila, ça va aller.

Il dégagea ses épais cheveux noirs de son visage devenu tout pâle malgré son teint mat. Un filet de sang s'échappait des éraflures sur son front et sa pommette.

Pour toute réponse, elle cria encore :

— Maman !

— Je vais t'emmener la voir, d'accord ? Je vais juste te soulever et…

— Non.

Fallon s'interposa, même si elle comprenait que les elfes avaient leurs manières de soigner et qu'une fillette aussi jeune avait besoin de sa mère.

— Ne la déplace pas. Elle s'est peut-être fait mal ailleurs.

La jeune fille s'agenouilla et posa la main sur l'épaule de Twila qui sanglotait. Les larmes qui roulaient sur ses joues brillaient comme du verre liquide.

— Je veux ma maman.

— Je sais. Elle arrive. Tu me vois, Twila ?

Tout en murmurant, elle passa les mains au-dessus de sa tête, sa gorge, son cœur, son torse, ses membres.

— Tu me vois ? répéta-t-elle, les yeux rivés à ceux de la petite fille.

Des yeux sombres emplis de douleur qui l'appelaient. Lentement, elle laissa ce qui montait en elle se calmer.

— Tu me vois.

Les yeux sombres se voilèrent sous l'effet de la transe.

— Je te vois.

— Tu m'entends, Twila ? Entends-tu ma voix ? Les battements de mon cœur ? Entends-tu ce qui vit en moi s'agiter et s'élever ?

— Je t'entends.

Fallon n'écouta pas les bruits de pas pressés, les cris alarmés, et resta entièrement concentrée sur la petite elfe.

Derrière elle, le père de Mick prit la mère de Twila par le bras.

— Attends. Attends, l'Élue s'occupe d'elle.

— Je vais être en toi, tu vas être en moi. Tes os sont encore tendres, et la cassure est nette. Je suis en toi, tu es en moi. Nous partageons la douleur et elle s'atténue. Voilà. Ne vois que moi.

Fallon posa la main sur la fracture, s'ouvrit à la connaissance.

— Avec moi, Twila. Vite.

Et, attrapant l'os cassé, elle serra. Elle retint son souffle en même temps que l'enfant dans un moment partagé de chaleur et de douleur. Les yeux de Twila s'agrandirent sous l'effet du choc, ses pupilles dilatées se rétrécirent, puis revinrent à la normale. Enfin, elle ferma les yeux dans un soupir plaintif.

Une nouvelle larme glissa sur sa joue.

— Tu vas mieux, ça y est. Elle va bien, annonça Fallon en reculant, le pouvoir encore mouvant en elle.

Comment pouvait-elle se sentir si forte, avec cette douleur fantôme dans le bras, avec son estomac encore noué ?

— C'était son bras, articula-t-elle en se redressant. Le reste, ce ne sont que des bosses et des égratignures. Elle va bien.

Avec un cri, sa mère s'élança pour soulever Twila et déposer une pluie de baisers sur son visage et ses cheveux. Câlinant sa fille, elle prit la main de Fallon.

— Merci.

— Pas de quoi.

Elle se tourna vers le père de Mick. Elle pensa que Thomas avait tout d'un épouvantail, avec sa silhouette longiligne et sa masse de cheveux semblables à des enveloppes de maïs, rassemblée en une tresse épaisse.

Il lui paraissait un peu flou, à cet instant.

— La branche a cassé. Son bras était plié sous elle quand elle est tombée dessus.

— Oui. Tiens, dit-il en lui tendant une gourde. Bois de l'eau.

Fallon se rendit compte qu'elle avait la gorge brûlante et se mit à boire à grandes goulées, mais il posa la main sur la gourde.

— Doucement, doucement.

Elle suivit ses instructions et vit le monde autour d'elle redevenir plus net et plus fixe.

— Nous n'oublierons pas tes soins à l'une de nos enfants, dit-il, lui prenant la main quand elle haussa les épaules comme si ce n'était rien. C'est le plus précieux, de s'occuper les uns des autres. On va ramener Twila au camp et Mick te raccompagne, pas vrai, Mick ?

— Oui, père.

Thomas alla prendre Twila.

— Nous nous en souviendrons, promit-il en emmenant l'enfant pendant que sa mère lui caressait les cheveux.

Les autres coururent derrière eux.

— Je ne savais pas que tu pouvais faire ça.

Moi non plus, se dit Fallon.

De retour à la chaumière, elle trouva Mallick en train de récolter du miel, ce qu'il commençait à apprécier, malgré une piqûre ou deux.

Il portait le grand chapeau à filet et les gants. Elle voyait les derniers nuages de fumée qu'il avait fait apparaître afin de chasser les quelques abeilles qui n'étaient pas sorties de la ruche pour butiner. Il retira une hausse, la remplaça par celle qu'ils avaient fabriquée en supplément.

— Nos abeilles se sont montrées productives.

Comme elle lui avait demandé de faire, il se mit à avancer avec le seau vers la serre, pour éviter qu'en plein air l'odeur de miel n'attire les abeilles.

Fallon le suivit et huma les odeurs de terre et de légumes en train de pousser.

— Il s'est passé quelque chose.

Il lui lança un bref regard incisif, mais ce qu'il lut sur le visage de Fallon le rassura. Il réchauffa un couteau et commença à desceller les rayons.

— Alors ?

— L'une des filles, Twila, qui doit avoir cinq ou six ans, est tombée. Elle grimpait aux arbres et une branche a cassé. L'atterrissage a été vraiment rude et son bras… Bref, elle se l'est fracturé.

De nouveau inquiet, Mallick s'interrompit dans son geste.

— Ont-ils besoin d'aide ?

— Non, je l'ai… guéri. Le bras.

Il approuva de la tête et se remit au travail, séparant le miel, la propolis et la cire. Tout était utilisable.

— Comment ?

Machinalement, Fallon attrapa un bocal propre pour y mettre la propolis.

— Ça m'est venu comme ça. Je n'en avais jamais fait autant. Elle avait très peur et mal. Elle réclamait sa mère en pleurant, alors j'ai dû la calmer d'abord. Je l'ai mise dans une transe légère. Je ne l'avais jamais pratiquée avant, Mallick, mais je savais quand même m'y prendre. Je n'avais pas besoin de réfléchir ni de me demander comment faire.

— C'était avisé. Une enfant de cet âge n'allait pas se calmer toute seule.

— J'ai suivi ce que je savais et ce que ma mère m'a appris. Chercher les blessures dans son esprit, dans la lumière. C'était seulement le bras, ou quasi. Fracturé net. J'ai fusionné les deux parties. Avec de petites blessures, on n'a pas besoin. C'est juste…

— Superficiel, compléta-t-il.

— Oui. Mais pour soigner un os, il faut davantage. Je crois que c'est allé vite parce que j'étais là, ça venait d'arriver et elle était très jeune. J'imagine. J'ai dû lui faire un peu mal.

— Tu as partagé sa douleur.

— Juste une seconde. (Une seconde qu'elle n'oublierait jamais.) L'os s'est remis vraiment vite, il y a juste eu cet instant de feu et de douleur, et ensuite, elle allait mieux.

— Et toi ?

— Je me sentais bizarre. Forte, mais bizarre, et tout était un peu flou. J'avais très soif. Thomas m'a donné de l'eau et il a porté Twila chez elle.

— Tu as bien fait. Tu as appris.

— Appris quoi ?

— Parfois, on réfléchit, on planifie, on pèse le pour et le contre. Et d'autres fois, on ressent et on agit. Il faut toujours, toujours faire confiance à ce qui est en toi. À ta nature. Tu as bien agi.

Le lendemain matin, Fallon trouva un don sur le seuil. Un sachet de sel, un autre de sucre – denrées précieuses – et un petit flacon de poivre en grains, plus précieux encore.

Le tout avait été disposé dans un joli panier tressé et arrosé de pétales.

En le soulevant, elle aperçut Twila et sa mère. La femme tapota les fesses de sa fille pour la pousser en avant.

— Je suis venue te remercier.

— Il n'y a pas de quoi.

— Je t'ai fait ça.

Elle tendit une couronne de marguerites d'un blanc éclatant entrelacées avec des boutons de rose.

— C'est très joli.

Fallon l'accepta et la mit sur sa tête, ce qui fit sourire la petite.

— Tu es très belle. Comme une princesse, mais maman dit que tu es une reine.

— Je ne suis pas…

— Je suis allée dans ta lumière, dit Twila en lui souriant, le visage confiant. Elle était très brillante et chaude, et j'avais plus mal, alors ça faisait pas peur.

Fallon s'accroupit.

— Je suis allée dans ta lumière. Elle était douce et jolie, comme les fleurs.

Twila rit et embrassa Fallon avant de courir retrouver sa mère.

Mallick étant content d'elle, il lui accorda une heure de plus à consacrer à sa quête. Elle s'y rendit seule, convaincue que chercher avec Mick, ou même Faol Ban et Taibhse, empêcherait le cheval de se montrer.

Or elle devait reconnaître qu'elle y était déjà allée seule avec les mêmes résultats.

Elle avait progressé dans tant de domaines : les sortilèges, les matières générales, le tir à l'arc, l'escrime. L'équilibre à une main, sur l'étang comme au sol, ne lui posait plus de problème.

Mais elle n'avançait absolument pas dans sa traque de Laoch.

Pendant l'hiver, elle s'était dit que c'était question d'attendre que la neige ait fondu. Ensuite, elle le trouverait.

Au début du printemps, elle avait pensé qu'elle le verrait au moment où les arbres auraient des feuilles.

Ce jour-là, comme tant d'autres, elle partit en suivant une direction au hasard. Elle se consola en se disant que si elle ne trouvait pas le cheval, les jours s'allongeaient et se réchauffaient. Et dans les bois poussaient de nouvelles fleurs. Elle en cueillit certaines, en déterra d'autres. Pas seulement pour leurs usages magyques et médicinaux, mais parce que les avoir dans la maison lui rappelait chez elle.

Par pure envie, elle fit danser sa lumière sur du muguet, puis fit tinter les clochettes. La jolie musique douce attira des papillons bleus et jaunes.

La magye, lui avait appris sa mère, devait apporter la joie où elle le pouvait.

Et le tintement des clochettes des fleurs, les ailes colorées qui s'agitaient lui apportaient de la joie.

Alors qu'elle souriait à ce spectacle, elle entendit des bruissements. Des bruits qui ressemblaient fort à un raclement de sabot et à un ébrouement de cheval.

Un instant, elle y crut, et son cœur bondit dans sa poitrine.

Et puis ses sens s'aiguisèrent, s'étendirent. Elle leva les yeux au ciel.

— Sois pas con, Mick. Comme si je n'allais pas faire la différence entre un cheval et une andouille d'elfe qui essaie de m'avoir.

— Avoue, elle était pas mal ! (Il surgit d'un fourré avec un saut périlleux, atterrit sur ses pieds et adressa un grand sourire à Fallon.) On était en chasse, et d'ailleurs, on va manger comme des rois ce soir. Et puis j'ai vu tes traces.

— Je ne tentais pas de les cacher.

— Même. Je peux traquer n'importe quoi, n'importe qui.

— Vraiment ? Tu es avec moi depuis des semaines, mais tu n'as pas trouvé le cheval.

— C'est pas pareil. Laoch ne laisse pas de traces, et la plupart du temps, il est invisible.

— Allez, maintenant, tu inventes.

— Il n'est sans doute même pas dans le coin, jugea Mick, qui sauta sur un affleurement rocheux et s'y plongea jusqu'à la taille. Il paraît qu'il vit dans une clairière au sommet d'une montagne, où c'est l'été toute l'année.

— T'inventes des trucs, et t'es même pas bon.

Mick sortit des rochers et bondit directement sur une branche d'arbre.

— C'est aussi possible qu'un cheval qui vit dans les bois, comme un chevreuil ou un ours.

— Mallick dit qu'il est ici, et il ne ment jamais.

— Alors, il est ici un jour par an. C'est imaginable. (Mick redescendit et ils se remirent à marcher.) Peut-être juste pour le solstice d'été. Ce n'est pas dans trop longtemps. Pourquoi tu lances pas un sortilège d'invocation, un truc comme ça ?

— Ça alors, pourquoi je n'y ai pas pensé ? fit-elle avec sarcasme. Je l'ai envisagé, mais ce n'est pas la manière de procéder. Je n'ai pas trouvé Taibhse ni Faol Ban par des sortilèges.

— C'est toi qui veux tellement ta salle de bains.

Elle allait lancer une réplique acide, quand elle comprit quelque chose.

— Ce n'est plus pour ça. J'imagine que pour Mallick, ça n'a jamais été l'enjeu. Il a juste utilisé mes plaintes pour me donner les quêtes. Et maintenant, ce n'est plus l'enjeu pour moi non plus.

— Alors quoi ? T'as déjà un cheval. C'est une chouette jument.

— Grace est une super jument. C'est pas la question, c'est…

Elle fut frappée par un rayon de soleil. Elle s'arrêta, se tourna vers lui.

— Il existe trois esprits, purs et puissants. Ils sont un et ils sont séparés. Ils choisissent de donner leur loyauté et leur allégeance ou non. Y a-t-il de la foi, y a-t-il du courage, y a-t-il de la passion ? Ces trois sentiments également sont un et séparés.

» Lorsque les trois esprits s'unissent, lorsque les trois esprits se joignent à l'Élue, ils forment une épée brûlante, enflammée, pour frapper les ténèbres, un miroir brillant pour apporter la lumière.

Pendant un moment, Mick ne dit rien.

— OK. Tu deviens vraiment bizarre quand tu parles comme ça.

La vision se dissipa, or sa peau picotait encore.

— Je me sens vraiment bizarre aussi quand je parle comme ça, mais c'est la vérité. Et ce n'est pas tout. Ils sont trois, et c'est comme Mallick et ses symboles. La sagesse du hibou, la ruse du loup et l'héroïsme du cheval.

— Et toi, dans tout ça ?

— J'ai besoin d'eux. (En parlant, elle sentit quelque chose. Elle mit la main sur le bras de Mick.) Ralentis, l'avertit-elle.

Elle s'enfonça dans les arbres et vit que Mick percevait l'odeur comme elle. L'odeur de cheval. De fleur, de cheval et de cuir.

Il était là, non sur un sommet dégagé dans un été perpétuel, mais dans une petite clairière tapissée de fleurs exubérantes.

Elle était passée là un nombre incalculable de fois, et il n'y avait pas de fleurs. Ni de splendide étalon blanc aux yeux vert sombre, avec une crinière flottant dans la brise printanière.

Sa selle était en or, ainsi que le lui avait dit Mallick, mais pas faite du métal dur et lourd qu'elle avait imaginé. Elle voyait et sentait le cuir doux et souple et l'éclat des étriers brillants.

— Ça alors, souffla Mick. Il est vraiment vrai. Et vraiment très grand. Je ne le croyais pas aussi grand. Deux mètres, peut-être.

La fille de ferme mesura à son tour.

— Deux mètres vingt. Et probablement plus de cent trente kilos. Laoch, commença-t-elle, s'essayant à une révérence. Je suis Fallon Swift. Le mage Mallick m'a donné trois quêtes. La première était de trouver Taibhse, le hibou blanc et sa pomme d'or. La seconde, de débusquer Faol Ban, le loup blanc au collier d'or. Et la troisième, de te trouver, toi, le magnifique Laoch et sa selle d'or.

Elle s'apprêtait à avancer, mais Mick la rattrapa.

— Attends un peu. S'il fonce…

— Pourquoi ? Je ne suis pas son ennemie.

Lorsqu'elle entra dans la clairière, Laoch balança sa longue queue et se cabra, levant ses antérieurs en l'air.

Prestement, Mick s'interposa entre Fallon et les puissants sabots tranchants.

— Essaie un peu de lui faire du mal et t'auras affaire à moi !

Le sol trembla sous les sabots de Laoch. Fallon aurait juré que les arbres s'agitaient sur leurs racines.

Le grand animal releva alors la jambe droite, s'appuya sur la gauche pour l'épargner.

— C'est lui qui est blessé. C'est bon, Mick, ça va, dit-elle en le poussant pour se précipiter vers le cheval. Je peux t'aider. Montre-moi ce qui ne va pas. Laisse-moi t'aider.

— Merde, Fallon, il va t'écraser comme une mouche.

— Mais non ! Il me voit et il m'entend. (Regardant Laoch dans les yeux, elle posa la main sur sa jambe.) Et il me connaît. Laisse-moi regarder. Aider. Tu t'es montré à moi pour que je le fasse.

Elle souleva sa jambe, passa doucement les mains dessus.

— Je ne sens pas de foulure. Ah, voilà, murmura-t-elle en examinant le sabot. Il a récupéré une pierre. Une grosse. Il doit souffrir à chaque pas.

Elle releva la tête vers ses grands yeux verts.

— Je peux arranger ça. Tu me vois, dit-elle en sortant lentement son poignard. Jamais je ne te ferais de mal, tu le sais.

— Fallon…

— Je gère. Tu dois me faire confiance. Et toi aussi, Mick. Il va falloir que tu sois bien immobile. Je peux sortir la pierre. Je veux l'extraire sans te blesser davantage, alors ne bouge pas. Comme c'est tuméfié, ça pourra être un peu douloureux. Juste un peu.

Elle inspira une fois, deux fois, puis, avec de grandes précautions, fit jouer la pointe du couteau contre la pierre.

— Tu l'as bien enfoncée. Je suis navrée que ce soit désagréable. J'y suis presque. Ne bouge surtout pas, pendant encore un petit moment.

Elle dut creuser davantage qu'elle ne l'aurait voulu, mais elle délogea l'indésirable, qu'elle retira doucement et jeta à Mick.

— Encore un peu de patience, dit-elle à l'animal en chantonnant presque.

Elle lui caressa la jambe, rengaina son couteau pour libérer son autre main, qu'elle tint au-dessus de la zone tuméfiée pour la soulager.

— Si tu viens avec moi, j'ai du baume pour t'apaiser. Tu n'es pas obligé de rester. Ou alors, je peux demander à Mick d'aller en chercher et…

— Fallon.

— Ça ira pour moi. Tu peux y aller et revenir en un rien de temps. Mallick saura quoi te donner.

— Fallon, répéta l'elfe, la faisant relever les yeux avec une certaine impatience.

Elle vit Taibhse projeter son ombre sur le sol avant de choisir sa branche. Faol Ban, qui émergea de l'ombre.

— Ils sont ensemble. Nous sommes réunis.

Réjouie, elle flatta la jambe de Laoch. Elle sentit le tremblement, les muscles qui se contractaient, et d'instinct, elle recula.

Sous le charme, elle regarda avec Mick la corne argentée s'élever sur la grande tête. Et quand il se cabra de nouveau, des ailes de la même couleur se déployèrent.

— Alors là. Ah ben ça. Merde, c'est pas un cheval !

— Une alicorne, souffla Fallon avec révérence. C'est ainsi qu'on appelle son espèce, et il est à moi. Il est à moi et je suis à lui. Comme il est à Taibhse et Faol Ban, qui sont à lui.

Elle pointa l'index vers le ciel et des couleurs s'y épanouirent. La joie, pensa-t-elle de nouveau. Et elle rit en laissant exploser la sienne en des dizaines d'arcs-en-ciel.

Elle agrippa la crinière blanche pour se hisser sur la selle d'or.

— Il… il n'a pas de rênes, bafouilla Mick.

— On n'en a pas besoin. Tu veux monter ?

— Je vais plutôt marcher. Je suis bien, là, en bas. Personne ne va me croire.

— Tu diras aux gens de regarder en l'air.

Riant, elle leva les bras. En un bond fluide, Laoch s'éleva et, suivie du hibou et du loup qui courait en dessous, elle monta l'alicorne au milieu de l'explosion de sa propre joie.

Mallick observa la jeune fille qui fendait le ciel coloré sur le cheval blanc. Une étoile filante, pensa-t-il, scintillante et magnifique.

L'homme responsable de l'enfant sentit son cœur se serrer quand elle décrivit des cercles et des huit dans le ciel. Le mage responsable de l'Élue sentit son âme se réjouir.

— Elle pourrait au moins s'accrocher, grommela l'homme.

Au lieu de quoi elle lança un bras pour accueillir le hibou, plongea et atterrit à un pas du loup qui fonçait.

C'est ainsi qu'ils arrivèrent. Elle vint à lui rayonnante comme le soleil.

Et la beauté, la puissance de cette vision, serra la gorge de Mallick.

— Je l'ai trouvé ! Vous n'aviez pas parlé d'alicorne.

— Ce n'était pas à moi de le faire. Laoch choisit ou non de révéler sa pleine nature.

— Eh bien il l'a fait. Mick a un peu halluciné. (Sans cesser de rire, elle lui flatta l'encolure.) Il est trop beau. Mais il lui faut du baume. J'ai extrait une pierre de son sabot avant droit. J'ai soulagé sa blessure, mais c'était profond et il a besoin d'être encore soigné.

— Nous allons nous en occuper.

— Je sais ce qu'ils sont pour moi, ce que nous sommes les uns pour les autres.

— Sinon, il ne t'aurait jamais permis de le trouver.

— Il faudra qu'on agrandisse l'écurie, pour les jours où il voudra rester.

Elle descendit de selle, ce qui représentait un saut considérable, avec une fluidité déconcertante.

— Oui.

— Mais pas une stalle. Un abri. Il ne voudrait pas être enfermé. Juste un auvent, de la litière et de l'eau. Il doit pouvoir aller et venir comme il veut.

Taibhse partit se poser dans un arbre voisin, et Fallon caressa le loup avant de se diriger vers la tête de Laoch.

— Je comprends, maintenant. Grace est à moi, mais elle n'est pas taillée pour la guerre. Lui, si, et il est à moi également. Je voudrais qu'il puisse voler, courir, être lui-même. (Elle posa sa joue contre celle du cheval.) Qu'on le puisse tous. Mais ce n'est pas possible, pas vrai ?

— Nous avons des combats à livrer. Mais pas aujourd'hui.

— Pas aujourd'hui, non. Je vais chercher le baume, dit-elle en se reculant.

— Tu n'as rien dit sur ton grand souhait.

— Je viens de dire que je voudrais qu'on puisse juste être nous-mêmes et vivre en paix.

— La salle de bains.

Elle le dévisagea une seconde avant d'éclater de rire.

— J'avais presque oublié. Mais je la veux quand même ! Un marché, c'est un marché. On va avoir besoin de pas mal de choses. Enfin, il faut d'abord du baume pour Laoch. Et une pomme.

Mallick resta avec le cheval, le hibou et le loup, sous un ciel encore bigarré. Il regarda la jeune fille qu'il allait envoyer à la guerre courir vers la maison.

Il éprouva une fierté incommensurable doublée d'une angoisse immense.

13

Par une journée ensoleillée de juin, Fallon fit tomber Mallick sur les fesses.

Même si son talent à l'épée s'était progressivement amélioré au fil de la saison, ce moment les souffla tous les deux. Mallick resta à terre, hors d'haleine, son épée à côté de lui, qui avait glissé de sa main sous l'impact du coup. Fallon était debout, les pieds bien ancrés, les deux mains sur la garde et venait de reculer pour porter un autre coup.

Elle-même essoufflée, la sueur perlant sur son visage, elle abaissa lentement son arme. Puis la releva, avec l'autre main, vers le ciel d'un bleu pur, tout en poussant des cris de victoire. Elle se mit à danser.

— Youpi ! Enfin !

Elle remua les épaules, les fesses, et, l'épée toujours en main, exécuta une espèce de lourde pirouette, ses bottes encore aux pieds.

— Et alors que tu es dos à moi et que tu danses sottement, je pourrais te tuer une demi-douzaine de fois.

— Oh, laissez-moi, vous voulez ? Laissez-moi savourer ma *victoire* ! (Elle s'arrêta et essuya grossièrement la sueur sur son front d'un revers de poignet.) Vous n'avez pas fait exprès, hein ? Vous ne m'avez pas laissée gagner ?

À sa grande honte, il eut envie de répondre que si. La jeune fille, qui l'avait attaqué avec force et ruse, avait blessé sa fierté et ses fesses dans des proportions égales. Or cela aurait été plus sot encore que sa danse. Certes, une fille de treize ans l'avait emporté sur lui (une fois seulement) mais il se rappela qu'il était son entraîneur.

La victoire était donc la sienne également.

— Non. Quel serait l'intérêt ?

Elle poussa un nouveau hurlement de triomphe, dansa encore un peu, puis roula des épaules, se mit en garde et arbora une moue suffisante.

— On s'y remet.

— Qui se montre arrogant au combat est vite défait.

— Je me sens arrogante et je vais vous battre encore une fois.

Il se releva en marmonnant :

— *Nid wyf yn credu hynny.*

Avec un grand sourire, elle remit la deuxième main sur la garde avant de répliquer :

— *I yn gwybod.*

Mallick repoussa ses cheveux en arrière, se mit en place. Puis s'arrêta et la dévisagea.

— Qu'as-tu dit ?

— Que j'allais vous battre une deuxième fois.

— Non, après.

— Vous avez dit que vous ne le croyiez pas, tout grognon. Et j'ai juste dit : « je sais ». Dans le sens « je sais que j'y arriverai ». Je suis prête.

— J'avais parlé en gallois.

— Pardon ?

L'épée de côté, il s'avança vers elle.

— *Ydych chi'n deall ?*

Elle le regarda un instant, expira un coup.

— *Dwi'n gwneu.* Oui, je comprends. Comment ça se fait ? demanda-t-elle. Je comprends les mots, mais je ne comprends pas comment je peux les comprendre.

— *An dtuigeann tú ?*

— *Tá.* Même question, même réponse, mais c'était en irlandais. Comment je sais que c'était de l'irlandais ?

— *Come ti chiami ?*

— Là, je ne connais pas le sens, et je ne sais pas quelle langue c'est.

— Je t'ai demandé ton nom en italien. Cela viendra.

— Qu'est-ce qui viendra ? C'est dingue ! fit-elle, paniquée, car comment pouvait-elle savoir ce qu'elle ne savait pas ? Je n'ai étudié aucune de ces langues, ni le gallois ni l'irlandais. C'est une langue, l'irlandais, d'abord ? Comment je le connais ? Et maintenant, je sais que quand vous marmonnez *damnar air*, vous dites « merde » en irlandais. Avant, je croyais que vous disiez des insanités en gallois, vu que vous êtes de là-bas.

— Et je devrai désormais prendre davantage garde à ne pas jurer.

— Mais c'est pas la question ! Je ne vois pas comment je peux savoir. Attendez, attendez. (Elle ferma les yeux, appuya la main sur sa tempe.) Le gaélique d'Écosse, je l'ai aussi.

— Ils ont une racine commune, dit Mallick. Qui a poussé en toi.

— Comment ? Comment je peux savoir ce que je ne sais… ne savais pas ?

Il planta son épée dans le sol et s'appuya dessus, en homme qui avait attendu un millénaire des moments tels que celui-ci.

— Tu es l'Élue, Fallon Swift. C'est en toi. La connaissance, les réponses, et même la capacité à jeter à terre ton maître d'armes. Crois-tu que tous ceux que tu croiseras, amis, ennemis, ne parleront que l'anglais ? Tu dois comprendre ceux qui mènent, ceux que tu combats, ceux que tu protèges, et inversement. Le langage n'est jamais que des pensées exprimées par des mots.

Lui qui la touchait rarement posa alors la main sur son épaule.

— C'est une nouvelle victoire pour toi. Je ne m'imaginais pas qu'elle se présenterait aussi vite. Et le mérite t'en revient entièrement.

Tant de mots bourdonnaient dans sa tête, comme des abeilles construisant une ruche.

— J'arrive pas à réfléchir. Tout se mélange dans mon esprit.

— Fais-le taire. Le savoir est une bénédiction et un pouvoir, une arme. Pour l'heure, pendant que les racines croissent, reçois ce don. Tu peux à présent me maudire dans plusieurs langues.

Cette remarque la fit sourire légèrement, et le sourire repoussa la panique qui s'était emparée d'elle.

— Parfois, j'ai l'impression que je serai prête. Je saurai quoi faire, comment le faire. Et d'autres fois… Je veux juste rentrer chez moi.

C'était un tel poids, pensa Mallick, pour une fille toute jeune par un après-midi ensoleillé. Il avait juré d'entraîner et de protéger, mais s'il ne prenait pas soin d'elle, que représentait tout cela ?

— Tu entends les abeilles bourdonner ? Tu vois le jardin que nous avons planté prospérer ? Hume la terre, les choses qui poussent. Est-ce que tu sens l'air autour de toi, chauffé par le soleil ? Écoute, sens, regarde. Plus loin.

La main encore sur son épaule, il agita l'autre en l'air. Et ils se retrouvèrent sur la butte où avait débouché sa mère, tant d'années auparavant, en vue de la ferme.

Lana récupérait le linge sec. Des draps flottaient dans la brise. Ethan lançait un ballon rouge aux chiens, qui couraient tous après. Son rire résonnait clair dans l'air. Travis essayait de marcher sur les mains, taquiné par Colin. L'échange de moqueries était si normal, si réel.

Et son père arriva derrière sa mère pour la prendre par la taille, la faire tourner sur elle-même, l'embrasser. L'amour, plus sincère que tout ce qu'elle connaissait, la frappa au cœur.

Les abeilles bourdonnaient, le jardin dégageant d'agréables senteurs de terre et de légumes en train de s'épanouir. Le soleil réchauffait l'air.

— Le temps passera, lui dit Mallick. Tu ne reviendras pas comme tu es partie, mais tu reviendras.

Les manches retroussées de son père. Le grand rire heureux d'Ethan en voyant les chiens sauter pour attraper le ballon rouge. Les draps qui gonflaient dans le dos de sa mère. Le visage au teint pâle de Travis, rosi par l'effort, pendant qu'il marchait sur les mains avec Colin qui dansait en cercles autour de lui.

Oh là là, une partie d'elle, le plus profond de son cœur, désirait courir, courir vers eux. Mais le reste, ce qu'elle savait dans son sang, l'arrêta.

— Je reviendrai comment ?

— Plus forte.

— Est-ce que je pourrai revenir comme ça ? Juste les voir une minute ?

— Quand tu auras appris.

— Alors j'apprendrai.

Ses frères s'étaient mis à se bagarrer, de même que les chiens. Sa mère rapportait le linge à l'intérieur, et son père ramassa le ballon et le lança pour que garçons et chiens se le disputent.

Et Fallon resta dans la clairière, se délectant du bourdonnement des abeilles, des odeurs du jardin, de la sensation du soleil.

— Merci.

— Les victoires méritent récompense.

Il s'écarta d'elle.

— D'accord. Reprenez votre épée, parce que j'en veux une autre.

Le jour le plus long, au moment où le soleil fut au zénith, Fallon traça le cercle. De son épée, à l'intérieur, elle dessina un pentagramme et à chacune de ses pointes, elle plaça une bougie qu'elle enflamma.

Elle avait disposé des tournesols et de beaux légumes du jardin, des herbes fraîchement coupées, de l'eau claire du ruisseau.

Elle invoqua le dieu du Feu, le remercia de sa lumière. Elle exprima sa gratitude à la déesse pour la fertilité qu'elle octroyait à la terre.

Mallick la regardait mener le rituel en repensant à Samhain, lorsqu'il avait vu son pouvoir s'élever.

Il le voyait en cet instant, tandis qu'elle prenait son épée, tandis que ses cheveux courts flottaient dans l'air qu'elle agitait.

— Son épée flambera. Il est le sang de mon sang. Mon épée reçoit son feu des dieux. Je suis la moelle de leur moelle. Ma lumière, sa lumière, leur lumière, notre lumière frapperont les ténèbres. Ma vie, sa vie, leurs vies, nos vies s'unissent dans ce but. Le soleil se lèvera et se couchera, se lèvera et se couchera. La terre fleurira et se reposera, fleurira et se reposera. La magye éveillée ne se rendormira pas. Le temps du sommeil est révolu et je prête ici serment.

» En ce jour, en cette heure, sous le soleil, parmi les fleurs, je suis votre servante, je suis votre enfant. J'affronterai ce qui me vient, que ce soit dompté ou sauvage. Vous qui avez forgé ma destinée, allumez la flamme en moi, et contre les ténèbres je promets de m'embraser, même si cela doit prendre dix mille jours. Je vous donne ce que vous exigez de moi. Tel est votre vouloir, qu'il en soit ainsi.

Fallon abaissa l'épée, resta calme. Elle ne pâlit pas comme l'autre fois. Elle montrait déjà la guerrière qu'elle allait devenir.

— Je ne peux plus revenir en arrière, dit-elle doucement, avec des intonations nullement enfantines. Je suis allée trop loin, j'ai trop en moi pour me dédire à présent.

— Tu as donc prêté serment.

— J'avais prévu de suivre le rituel que pratique ma mère pour le solstice. C'est très joli. Plein de spiritualité, j'imagine, mais franchement joli. Ensuite… *J'ai fait un choix*[1].

Il leva les sourcils.

— Tu parles en français.

— *Parlo anche italiano*. Je ne le parlais pas avant le rituel. Je ne crois pas. Cette fois, ça ne cogne pas dans ma tête, mais ça fait beaucoup.

— Absolument. Tu dois refermer le cercle. Et tu seras libre pour le reste de la journée.

Elle en avait envie, or…

— Ça représente beaucoup, mais j'ai encore tant à apprendre. J'ai besoin d'entraînement. De connaissances.

— Alors, nous travaillerons. Ce soir, tu iras au feu de joie. La fête contrebalance le travail et les études.

— Je veux y aller. Vous devriez venir aussi. C'est vrai, insista-t-elle en pressentant les excuses. La fête contrebalance le reste.

— Très sage.

Elle sourit.

— J'ai entendu ça quelque part.

1. En français dans le texte. (*N.d.T.*)

La nuit, une fois le soleil couché après la journée la plus longue, elle dansa autour du feu de joie avec les elfes et les fées, ainsi qu'une meute de métamorphes. Le poids du travail, de l'apprentissage et de l'incertitude du lendemain s'envola. Pour une nuit, une seule nuit, elle pouvait simplement être une jeune fille à une fête.

Elle porta la couronne de fleurs faite par Twila, sur laquelle elle avait jeté un sort pour la conserver. Elle apporta en cadeau à ses hôtes du miel, du beurre de pomme et du pain sucré par des groseilles. Comme elle avait grandi de plusieurs centimètres depuis qu'elle était avec Mallick, elle demanda à la jeune elfe débrouillarde Jojo, réputée capable de trouver n'importe quoi, de lui dégoter un nouveau pantalon. En échange, elle lui offrit un bracelet en cuir tressé par ses soins.

Dans les volutes de fumée, les craquements du feu et les percussions, elle s'assit avec une elfe qui faisait téter son bébé. Avant la Calamité, Orelana était aux États-Unis pour un échange scolaire. Fallon se testa en ayant avec elle une conversation en français.

— Elle était sympa, la famille chez qui j'étais. J'étais retournée en France pour Noël, et je suis revenue le 2 janvier. Personne n'était au courant de ce qui s'était déjà produit, à l'époque. Du coup, j'ai quitté mes parents et je suis rentrée aux États-Unis. À l'école, on commençait à entendre et à voir des choses, mais malgré tout, personne ne savait vraiment ce qui se passait. Le père de ma famille américaine a été le premier à tomber malade. Pendant qu'il était à l'hôpital, ça a été le tour de la mère, puis de Maggie, la fille de mon âge. C'était si rapide, atroce. À l'hôpital, il y avait tellement de morts et de mourants. J'ai appelé ma famille, et papa était déjà malade. J'ai essayé de rentrer, mais je n'ai pas pu avoir de billet. Je suis allée à l'aéroport pour tenter d'en avoir un, et c'était la folie.

D'un geste adroit, elle fit passer son bébé à l'autre sein.

— Des gens malades, désespérés, en colère. Des gens qui se poussaient, se frappaient, criaient. La police. Des soldats armés. Je me suis enfuie. J'ai mis des heures à retourner à la maison, qui était vide à présent. Tant de voitures arrivaient et partaient, tant de malades dedans. J'ai essayé de rappeler ma famille, mais la communication n'est pas passée. Je n'ai jamais reparlé à mes parents ni à mon frère.

Fallon regarda les flammes, les arabesques de rouge et d'or qui léchaient le cœur bleu.

— C'étaient des temps terribles, mais ça devait être encore plus horrible pour des gens comme toi, qui n'ont pas pu rejoindre leur famille.

— Je sais que mon père est décédé. Il était déjà malade. Or j'ai l'espoir que ma mère et mon frère aient survécu. Je suis restée morte de peur dans la maison vide. J'étais effrayée aussi par les changements en moi.

— Ton sang elfe.

— Oui, ça me terrifiait. Qu'est-ce que j'étais ? Pourquoi j'étais là ? La famille vivait en banlieue. Tu vois ce que c'est ?

— Oui. Mallick m'en a montré en venant ici. Des quartiers résidentiels autour des villes.

Orelana hocha la tête.

— Voilà. Le mien était calme, très aisé, une belle grande maison, mais dedans, j'étais seule et j'avais peur. Dehors, j'entendais des coups de feu et des hurlements, des rires horribles. Et j'apercevais aussi de magnifiques lumières.

— Les fées.

— Oui, confirma la femme en prenant le bébé contre son épaule et en lui massant le dos. Ce que j'avais en moi savait que les lumières étaient bonnes. J'ai emporté ce qui me semblait nécessaire. Je n'avais que dix-neuf ans, tu vois. J'étais une enfant privilégiée. Une jeune fille qui fait son premier voyage loin de chez elle. Une élève modèle qui rêvait de devenir styliste. Styliste, répéta-t-elle avec un rire. J'ai pris ce que je pouvais porter dans un sac à dos et j'ai suivi les lumières.

— Comment tu es arrivée ici ?

— Je ressentais un besoin, pas seulement de suivre les lumières, mais de prendre telle route plutôt que telle autre, tourner ici plutôt que là. Pendant des jours, j'ai laissé le besoin me guider, comme il m'avait guidée pour ne faire plus qu'un avec un arbre ou un talus quand quelque chose de mauvais s'approchait.

Elle adressa un sourire à Fallon pendant que le bébé somnolent rotait.

— J'ai appris à ne pas avoir peur de ma nature, mais à l'utiliser. Dès que je voyais des corbeaux s'approcher, je me cachais. Dès que j'entendais des bagarres, aussi. Ou alors, je m'enfuyais, vite comme le peuvent les elfes, pour ne pas être attrapée. Il y a des hommes qui m'ont eue. Des soldats.

— Tu as été raflée ? Je ne savais pas.

— Ils m'ont dit qu'ils allaient m'aider, m'emmener dans un endroit sûr. (Plongée dans ses souvenirs, Orelana câlina son bébé et le berça pour qu'il reste paisible.) Ils m'ont donné à boire et à manger. J'étais trop fatiguée, j'avais tellement peur et faim. Mais les elfes entendent très bien, comme tu le sais, et ils entendent les pensées aussi, si elles sont assez fortes. Ils pensaient et parlaient centres de confinement, laboratoires, tests. Camps d'isolement, tous ces mots et pensées terrifiantes. J'étais avec trois soldats à l'arrière d'un camion, tendu de grandes bâches sur les côtés pour qu'on ne puisse pas voir où on était ni où on allait.

— Je ne savais pas que tu avais été en centre de confinement.

— Je n'y suis jamais arrivée. L'un des soldats pensait très, très fort pour s'adresser à moi. Minh.

Fallon porta son regard vers l'elfe qui parlait à certains des hommes et faisait sauter un bambin fatigué sur ses genoux. Elle savait qu'il était le compagnon d'Orelana et que ses parents venaient du Vietnam. Elle ignorait qu'il avait été dans l'armée.

Pour mener, se dit-elle, il ne lui faudrait pas seulement comprendre les mots de n'importe quelle langue. Elle devrait aussi connaître les histoires de ceux qui les prononçaient.

— Qu'est-ce qu'il t'a dit ?

— Il a pensé : « Ce n'est pas pour t'aider. C'est pour t'emprisonner. Tiens-toi prête. »

— Qu'est-ce qu'il a fait ?

— D'abord, je dois te dire que c'était un bon soldat qui voulait servir son pays. Mais il avait caché sa vraie nature à ses camarades. Comme il avait vu les camps et les centres, il savait ce qu'il risquait, et ce qui arrivait à d'autres. D'autres dans l'armée faisaient comme lui, et ils s'étaient trouvés. Certains.

Elle libéra l'une de ses mains pour pouvoir prendre son verre.

— Il m'a dit de me tenir prête, et peu de temps après, le camion s'est arrêté, parce qu'une sorcière dans la résistance l'avait stoppé. Ils ont créé une explosion tout près du camion, puis une autre.

» Dans la confusion, Minh a fait le tour, à une vitesse d'elfe. Il a emmené un petit garçon. Un métamorphe, pas plus de trois ans. Et il a dit à la femme qui s'en occupait, qui était devenue sa mère, de courir. J'ai entraîné avec moi une petite fille immunisée contre la Calamité. On est parties vers les arbres, où d'autres nous attendaient pour nous aider. Et on s'est enfuis.

» Minh a mené des attaques contre l'un des camps, avec Thomas et d'autres. Ils ont libéré certains prisonniers, et il y a eu des morts des deux côtés. On est venus ici pour faire notre vie. Tu connais Gregory, là-bas ?

Fallon regarda le groupe d'ados qui faisaient semblant de s'ennuyer.

— Oui, il se change en loup.

— C'était lui, le petit garçon avec moi dans le camion. Darla n'est pas une Insolite, mais elle vit avec la meute. C'est sa mère, après tout. La petite fille qui était immunisée, elle est soldate dans la résistance. Elle fait passer des messages à Minh et moi, de temps à autre.

— C'est une histoire très intéressante. Très forte.

— C'est important de ne jamais oublier qui on est et pourquoi on est là. (Orelana écarta la tasse et poussa un soupir de satisfaction.) Je n'avais pas parlé ma langue maternelle aussi longtemps depuis des années. Tu m'as fait un cadeau.

— C'est ma première conversation en français, alors c'est un cadeau pour moi aussi. Je suis contente que Minh ait été là pour toi. Qu'il ait voulu servir et qu'il ait compris comment être un bon citoyen, qu'il ait eu le courage de faire ce qu'il fallait.

— J'ai ressenti beaucoup de reconnaissance envers lui ce jour-là. J'ai admiré son courage pendant les longues semaines qui ont suivi, sa capacité à aider les meneurs, à trouver des solutions. Mais je suis tombée amoureuse de lui par une nuit de printemps, juste là où on est maintenant, quand je l'ai vu en train de chanter pour une petite fille qui venait de faire un cauchemar.

Fallon connaissait la lumière dans les yeux d'Orelana quand elle regardait Minh. Elle avait vu la même dans ceux de sa mère quand il s'agissait de son père.

— Je me suis dit, c'est un homme prêt à se battre, à choisir ce qui est juste et à risquer sa peau pour ça. Un homme prêt à assurer. Et capable d'apaiser un enfant par une chanson.

» J'avais pensé trop fort ! avoua-t-elle en riant. Je n'avais pas appris à taire mes pensées, à les protéger. Alors il m'a entendue, il m'a regardée, et comme il était courageux, il m'a fait entendre les siennes. (Elle poussa un soupir.) Litha, c'est le temps de l'amour et des amoureux. Un jour, tu regarderas quelqu'un, et tu sauras, dit-elle en tapotant le genou de Fallon. Mais là, je dois mettre le bébé au lit.

Fallon resta à contempler le feu. Elle ne savait pas s'il y aurait un temps pour l'amour ou les amoureux en ce qui la concernait. Elle n'était pas sûre d'avoir en elle ce qui mettrait cette flamme dans ses yeux.

Elle avait prêté un serment. L'équilibre, oui, se dit-elle. Une danse autour du feu au solstice, un bon repas, des amitiés. Sa première conversation en français. En contrepartie, elle avait appris que Minh était soldat et faisait partie de la résistance. Quelqu'un qui connaissait, si besoin, l'emplacement des camps et des centres.

Lesquels existaient peut-être encore.

En ce moment même, elle voyait Mallick siroter un verre de vin. Mais il le faisait en compagnie de Minh, qui avait remis la petite à son frère aîné, avec Thomas et d'autres vétérans.

Elle doutait qu'ils évoquent amour et amoureux.

Ils devaient parler batailles, attaques, vivres, tactiques, sécurité.

Pas besoin d'oreilles elfiques pour savoir quels sujets abordaient ceux qui menaient la barque.

Elle avait accepté son devoir. Un jour, c'était d'elle qu'on attendrait des plans et des réponses. Il faudrait qu'elle soit prête. Elle posa son menton sur son poing, scruta les cœurs bleus de la flamme, la chaleur rouge et se demanda si elle pouvait voir son avenir.

Quand elle le vit, elle se releva et se détourna de la musique, des voix et des danses.

— Hé ! cria Mick en la rattrapant.

Il avait dans les yeux une étincelle malicieuse qui lui donna la certitude qu'il avait réussi à avaler en douce quelques gorgées de vin des fées.

— Tu vas où ? demanda-t-il.

— Je rentre. Il est tard.

— C'est le solstice. (Il courut sur un tronc et fit un saut périlleux. Il faillit tomber à l'atterrissage : il avait peut-être bu plus de quelques gorgées.) Avec d'autres, on va à la clairière se baigner. Viens ! dit-il en lui prenant la main.

— Non, je ne peux pas. Je dois commencer tôt demain matin.

— Demain, c'est demain. On est ce soir.

Il la tira par la main, cherchant à la ramener à la fête.

— Mick, je suis fatiguée. (L'esprit, le cœur. Jusqu'à la moelle.) Je rentre.

— Tu te sentiras mieux après t'être baignée, suggéra-t-il en se tournant vers elle dans la lueur de la lune qui passait à travers les feuilles. C'est le solstice. C'est magyque. Cette nuit, tout est magyque.

Elle entendit ses pensées, qui la firent sursauter, lui donnèrent un avertissement, mais elle ne s'échappa pas à temps. Peut-être, qui sait, se posait-elle quelques questions et en avait-elle même envie.

Alors, par cette chaude nuit de solstice d'été, sous la lumière qui filtrait à travers les feuilles, elle le laissa l'embrasser. Il y avait un côté doux à ce baiser, peut-être le vin des fées, peut-être le moment. Comment pouvait-elle savoir ? C'était son premier baiser. Il était… réconfortant et, en même temps, il remua en elle quelque chose qu'elle ne reconnaissait pas.

Doux, analysa-t-elle en même temps qu'elle vivait l'expérience. Et tendre. Encore un moment, elle le laissa s'attarder, rechercha la douceur.

Ensuite, elle recula. Il n'y avait plus d'étincelle malicieuse dans les yeux de Mick. Elle y voyait des souhaits.

— T'es trop jolie, murmura-t-il en voulant recommencer.

— Je ne peux pas. (Elle sentit autre chose, et cette fois, reconnut que c'était le regret.) Je suis désolée.

— J'aime être avec toi. Tu me plais.

— Je t'aime bien aussi. Mais je ne suis pas… Désolée, répéta-t-elle bien inutilement.

— OK, c'est bon. Comme tu veux, fit-il, les joues empourprées par ce rejet. Je me disais juste que tu pourrais avoir envie de t'amuser. D'être normale pour une nuit. Mais en fait, non, tu veux simplement bouder dans ton coin et t'enfermer dans ton rôle de l'Élue.

— C'est injuste. (Et c'était douloureux.) Vraiment injuste.

— C'est ce que tu fais. Toujours. Parce que tu te crois tellement importante. Tu te penses meilleure que tout le monde.

À la nouvelle piqûre, profonde et cuisante, elle sortit les griffes.

— Meilleure que toi, en tout cas. Là, maintenant, je sais que je vaux bien mieux que toi !

Elle le repoussa et, des larmes amères dans les yeux, s'éloigna à grands pas.

— Tu m'as embrassé aussi ! lui lança-t-il de loin.

— Et ça ne se reproduira pas. (Elle leva ses yeux brouillés de larmes vers le ciel.) C'est un autre serment.

Elle entra dans la clairière à grandes enjambées. Les bougies brillaient, et un sortilège les tiendrait allumées jusqu'à l'aube. Elle avait envie de les éteindre d'un geste de la main et de se pelotonner dans le noir.

Car elle se savait faite non pour la douceur, mais pour le combat et le sang. Les combats et le sang qu'elle avait vus dans le cœur bleu électrique du feu de joie. Les combats qui faisaient rage autour d'elle pendant qu'elle parcourait les bois sur Laoch, les chocs des épées, la pluie de flèches, l'éclair rouge. Le sang encore chaud sur sa figure et sur le fil de son épée.

Et dans les cendres, dans les cendres sales du feu, elle avait vu les corbeaux s'élever, les avait entendus crier en tournoyant au-dessus des morts et des agonisants.

Elle avait regardé dans le feu de joie du solstice, et les flûtes et les percussions de la fête s'étaient transformées en tambours de guerre. Elle avait vu son avenir.

Elle entra dans la chaumière vide et, pour la première fois depuis des mois, s'enferma dans sa chambre, où elle se roula en boule sur le lit et pleura toutes les larmes de son corps.

Avant l'aube, cette jeune fille qui n'avait pas encore fêté son quatorzième anniversaire prêta son troisième serment de la nuit.

Ce seraient les dernières larmes qu'elle verserait sur ce qui était à venir.

Fallon ne revit pas Mick pendant toute une semaine, ce qui lui convenait. Plus déterminée que jamais, elle poussait Mallick à lui en enseigner davantage, à lui donner plus de grain à moudre, à la mettre plus souvent à l'épreuve. À la fin de la semaine, elle pouvait faire ces demandes en espagnol et en portugais.

Il était conscient que quelque chose la tracassait, mais lorsqu'il avait essayé de savoir où était le problème – sans doute avec maladresse, il le reconnaissait –, elle s'était fermée comme une huître.

Il devait admettre que son appétit aussi soudain qu'insatiable de connaissances et de savoir-faire l'épuisait. Alors quand elle partait sur le dos de Grace ou de Laoch, il soupirait de soulagement… et piquait une sieste.

Car le soir, elle le bombardait de questions sur les combats qu'il avait livrés, qu'il connaissait. Elle creusait inlassablement pour connaître chaque détail, débattait jusqu'à ce que Mallick ait l'esprit embrumé sur les causes d'une victoire ou d'une défaite.

Il savait qu'elle faisait de même avec Minh, Thomas et la guerrière fée Yasmin. Elle ne s'intéressait pas seulement aux combats, mais aussi aux camps et aux villages, au nombre d'habitants, aux centres de confinement et de détention.

Il la soupçonnait de s'être disputée avec Mick, car il ne voyait plus le garçon dans les parages, et une simple question à son sujet avait énervé Fallon, qui avait sèchement répondu : « Qu'est-ce que j'en sais ? »

Or le jeune elfe était revenu et la froideur initiale de Fallon avait semblé se dégeler. Toutefois, elle partait rarement dans les bois avec lui comme avant, et passait davantage de temps avec Mallick ou les meneurs des clans et des meutes.

Alors que l'été tirait à sa fin, il ne retenait plus ses coups à l'épée. Et pourtant, elle le surpassait presque la moitié du temps.

Elle avait grandi, ses muscles s'étaient développés. Elle riait rarement et ce son manquait au mage. Il regrettait, en arrivant au bout de leur première année ensemble, de voir la guerrière aux yeux calculateurs consumer la jeune fille.

Pour l'anniversaire de Fallon, Mallick, conscient de son manque de talent, demanda à une elfe pâtissière de lui préparer un pain d'épices. Il offrit à Fallon une baguette qu'il avait fabriquée lui-même à partir d'une branche de sorbier des oiseleurs, trouvée lors d'un voyage effectué il y avait bien longtemps dans l'Himalaya. Il avait placé à la pointe un quartz transparent, y avait gravé des symboles de pouvoir, et utilisé trois éclairs pour fortifier, imprégner et consacrer l'objet.

Il l'avait préparée un siècle avant sa naissance.

— Mallick, elle est magnifique. (Elle la souleva, la tourna dans sa main pour l'éprouver.) Et elle recèle de la force. Merci.

— Elle te rendra service. Tu pourras t'entraîner avec cette baguette en créant un sort de dissimulation, une fois que nous serons revenus.

— Revenus ? On va où ?

— Comme c'est l'anniversaire de ta naissance, je vais t'emmener sur la butte donnant sur la ferme afin que tu puisses voir ta famille.

Le visage fermé, elle répondit :

— Inutile. Ils sont en sûreté, c'est tout ce qui importe. Si vous voulez m'emmener quelque part pour mon anniversaire…

Elle se leva, prit l'une des cartes et la déplia.

— Emmenez-moi ici.

Les sourcils froncés, Mallick regarda l'emplacement de son doigt.

— Le cap Hatteras, en Caroline du Nord. Pourquoi ?

— Hatteras Village, plus précisément. Je peux avoir envie de voir l'océan. Je ne l'ai jamais vu. Je peux avoir envie de marcher sur la plage.

— Mais ce n'est pas la raison, répondit-il en la fixant avec déception. Tu me caches la vérité.

— C'est pas un mensonge. J'aimerais bien voir la mer et marcher sur la plage parce que je ne l'ai jamais fait. Mais j'ai envie d'y aller parce que c'est l'un des centres de confinement que connaît Minh. Qui a existé, en tout cas. Je veux voir s'il y est encore, étudier la configuration, la sécurité, savoir combien il y a de monde.

Il aurait pu refuser. Mais il ne voyait pas de raison de le faire, d'autant plus que, sous peu, elle n'aurait plus besoin de lui pour les projections astrales.

— Très bien.

— Tout de suite ?

Il lui posa la main sur l'épaule.

— Tout de suite.

14

Fallon était sur une plage, de sable doré qui plus est. Et elle contemplait l'océan.

Vaste, puissant. Ses teintes de vert se confondaient avec le bleu, les vagues s'élevaient et retombaient en formant une écume blanche qui ressemblait à de la dentelle liquide. Le soleil, splendide dans un horizon sans nuages, projetait dessus des points lumineux dansants.

Fallon était époustouflée.

Elle avait vu la mer sur des photos, dans des livres, sur des DVD, or la réalite dépassait tout. L'émerveillement pur et simple la submergeait. Le son, les battements de cœur qui tonnaient, tonnaient, cette clameur du mouvement constant résonnait en elle.

Des mouettes survolaient l'eau et le sable en se laissant porter par les vents.

Fallon s'imprégna de l'odeur, qu'elle n'avait jamais connue avant, et laissa la vie qui y résidait la pénétrer, dans le vent vif qui cinglait son vêtement.

Incapable de résister, elle avança. L'eau léchait ses bottes et elle s'accroupit pour plonger les doigts dans l'Atlantique.

— Fraîche, dit-elle avant de poser l'index sur sa langue. Salée. On pourrait trouver des moyens d'en extraire le sel.

Pendant que son esprit se penchait sur ce problème, elle ramassa un petit coquillage blanc, puis deux autres. Elle pensa à Colin, combien cela lui plairait de les avoir dans sa boîte aux trésors.

En se relevant, elle les glissa dans sa poche et entrevit un éclat de lumière, un miroitement, une éclaboussure.

— Un poisson aussi gros, ça nourrirait tous les habitants de nos bois.

— C'est une sirène, rectifia Mallick.

— Une sirène…

— Je n'ai pas vu si c'était un homme ou une femme.

— On entend des choses à leur sujet. Ils vivent dans l'océan ?

— Et les mers, les baies, les anses, même les fleuves.

— Ont-ils des guerriers ?

— Oui, très féroces.

Fallon hocha la tête, en prit note et se détourna.

Elle vit d'anciennes maisons bâties sur pilotis au-dessus de la plage. Toits et fenêtres avaient été emportés par le temps et le vent. Les auvents pendaient de guingois.

— Les gens qui vivaient ici ont pu être évacués ou raflés. Et les morts, brûlés ou enterrés. Mais le gouvernement aurait utilisé ces locaux, les aurait entretenus. Pour logement personnel, stockage, opérations. Alors qu'on les a laissés s'écrouler.

Elle se dirigea vers les ruines tout en parlant. Marcher sur le sable, c'était nouveau. Il semblait aspirer ses pieds, sensation qu'elle trouvait à la fois amusante et déroutante.

— D'après Minh, ils avaient choisi cette localisation parce qu'ils pouvaient contrôler la seule route qui mène ici et qui se termine dans l'eau. L'océan d'un côté, le sable de l'autre. Et une seule route dans une étroite bande de terre. Un lieu isolé. Parfait pour une prison. Si quelqu'un s'échappait, où irait-il ? Mais ils ne pouvaient pas contrôler les intempéries. Les ouragans, les tempêtes et l'érosion qu'ils provoquaient. Ceux qui dirigeaient la prison devaient être aussi coupés du monde pendant les tempêtes que ceux qu'ils gardaient.

Mallick ne connaissait pas cet endroit auparavant. Mais elle, si, parce qu'elle avait posé des questions à tout le monde, creusé pour avoir des détails comme si elle était armée d'une énorme pelle.

— Minh est déjà venu ici ?

— Une fois, dans les premières semaines, quand il croyait encore que le gouvernement protégeait et défendait les gens. Il pensait qu'on les emmenait ici en quarantaine jusqu'à l'arrivée d'un antidote. Mais il a appris que c'était un mensonge. Des dunes…, dit-elle d'un ton absent. Des herbes marines… Et ces fleurs, il y en a partout ! Vous les connaissez ?

— Ce sont des gaillardes.

Elle répéta ce mot tandis qu'ils gravissaient les dunes.

— Ici, dit-elle en pointant du doigt sans cesser de marcher. Le centre de confinement. La prison.

Fait de béton et d'acier, le bâtiment sans fenêtres se dressait de l'autre côté de la route couverte de sable. Des tours de guet s'élevaient à tous les coins, et dans au moins l'une d'elles, elle distingua une sorte de canon. Une arme destinée à cracher des balles dans un vacarme terrible, imaginait-elle. Cet édifice également était construit sur pilotis.

Un oiseau maritime avait fait son nid dans une autre tour. C'était un bon poste avec une vue imprenable, pensa Fallon, pour un homme ou pour un oiseau.

Sur deux niveaux, un gris austère. En s'approchant, elle s'aperçut qu'en fait l'étage était pourvu de fenêtres, munies de volets métalliques.

Un haut grillage ceignait la prison. Dessus, les panneaux annonçant des décharges électriques fatales claquaient au vent. Le portail, assez large pour laisser passer l'un des grands camions qu'on voyait à l'intérieur, tenait bon, maintenu par des chaînes.

— Ils ont abandonné ce centre. Les garde-boue des camions sont ensablés, et il y a de la rouille à cause de l'eau et du sel. Sur la route, je sens des zones infranchissables, et au nord, c'est carrément écroulé. Il y a peut-être eu une inondation, et ils sont partis. Emmenez-moi à l'intérieur.

Entendant l'impatience sèche de sa voix, elle se retourna vers Mallick.

— Excusez-moi. Je veux vous remercier de m'avoir fait venir ici, et j'aimerais que vous m'aidiez à voir à l'intérieur.

— Ils sont partis, Fallon, comme tu l'as dit. Il n'y a plus de vie ici.

— J'ai besoin de voir.

— Bien, alors ouvre le portail. Tu en détiens le pouvoir. Imagine-toi comment tu l'aborderais s'il y avait encore de la vie à l'intérieur, conseilla-t-il pendant qu'elle s'avançait. Si l'ennemi était là.

Elle écarta l'envie de simplement envoyer du pouvoir pour faire exploser le portail. Les chaînes et les cadenas, c'était relativement simple. Toutefois, en imaginant l'ennemi dans les locaux, elle devrait se montrer plus subtile, pour déjouer la sécurité en place.

Mais après tout, elle avait appris la stratégie au berceau avec son père, et la magye avec sa mère.

— Pour commencer, j'ensorcellerais les caméras. Inutile de mettre l'ennemi au courant de notre arrivée. Il n'y a personne, pas de courant pour les faire marcher, mais si elles fonctionnaient… Par le pouvoir vivant en moi, ne voyez que ce que je vous dis de voir. Vous serez aveugles à tout ce qui est de chair et de sang jusqu'à ce que j'annule ce sortilège.

» Il faudrait que j'évite qu'ils envoient du monde pour vérifier ce qui se passe. D'abord, les chaînes et le cadenas mécanique… (Elle leva les mains en l'air et les brisa.) Maintenant, l'électronique.

Elle examina le portail.

— Si c'était en conditions réelles, on viendrait de nuit. Il y aurait des sentinelles dans les tours. La solution la plus rapide : des archers, en simultané. Si c'est possible de limiter le nombre de morts, des sorts d'endormissement simultanés, mais c'est plus compliqué. Ensuite, le portail. Non, l'alarme du portail.

— C'est bien, approuva Mallick d'un murmure.

— Un technicien pourrait la contourner ou la désactiver. Encore une fois, on fait au plus vite. (Elle avança le poing, puis ouvrit les doigts.) Voilà qui suffirait. Ensuite, le portail.

Elle serra les deux poings, cette fois, ensemble, fort. Lentement, elle les sépara. Le portail trembla, s'entrouvrit légèrement, puis encore un peu.

Fallon inspira avec difficulté.

— Il est lourd, enterré dans le sable, il résiste.

Ses muscles tremblaient, la sueur perlait à son front. L'ouverture s'agrandit un brin.

Emportée par la frustration, Fallon s'écria :

— Mais tu vas t'ouvrir, oui !

Le portail s'arracha à grand fracas.

— Bon, j'aurais peut-être pu faire plus discret.

— Considérablement. La prochaine fois, il serait opportun de penser à dégager le sable.

Comprenant son erreur, elle gonfla les joues et souffla.

— Ah, bonne idée. Bon, tant pis.

Elle avança dans le sable sur une plage sans mer où flottaient des camions et du matériel.

Elle examina la large porte d'acier.

— Là, par contre, j'exploserais ça, je rentrerais en vitesse. En espérant que quelqu'un de l'intérieur nous aurait rencardés en nous donnant une idée de la configuration des lieux, mais il faudrait aller vite. Il doit y avoir une autre porte, peut-être plus d'une. À l'arrière, sur les côtés. Même chose : entrer vite, dans toutes les directions. Ils seraient armés, donc il faudrait les neutraliser – mot de mon père – aussi vite que possible et protéger les prisonniers, les faire sortir. C'est la mission. Mettre autant de gens que possible en sécurité.

Elle consulta Mallick du regard.

— Et maintenant, je peux y aller ?

— Certainement.

Elle roula les épaules et se frotta les mains.

— De quoi m'amuser pour mon anniversaire.

La force vint à elle comme un éclair, brûlante et puissante. Et c'était une sensation très réjouissante. Elle se libéra d'un stress qu'elle ne soupçonnait pas d'un seul et violent coup de poing.

Les portes d'acier s'ouvrirent à la volée.

— Boum, déclara Fallon avant d'entrer, un peu sonnée.

Sans électricité, le bâtiment était plongé dans la pénombre, mais le soleil s'engouffrait par la nouvelle ouverture. À quelques pas de l'entrée gisait le premier corps. Des os dans un uniforme déchiqueté et brûlé.

— Oh, mon Dieu. Oh, mon Dieu.

— Lumière, dit Mallick en lui prenant la main. Avec moi. Lumière.

Elle trembla tout du long, mais joignit son pouvoir au sien pour créer une pâle lueur verte qui lui permit de distinguer une autre porte derrière les décombres, une porte faite de barres coulées dans un verre épais. Derrière, une cabine de vigiles. Et encore des morts, beaucoup plus de morts.

Des restes de squelettes affaissés dans des chaises derrière des écrans noirs. Des os étalés sur le sol en béton noirci par un feu maléfique.

Mallick lâcha la main de Fallon et ouvrit la porte vitrée lui-même. Il s'avança et se tourna vers elle en constatant qu'elle ne le suivait pas.

Pâle dans la lumière artificielle, elle avait les yeux sombres et choqués. Pas seulement par les morts, il le savait, car lui aussi sentait la puanteur de la magye noire enfermée là depuis des années, toujours présente.

Il faillit lui reprendre la main pour la ramener à la chaumière, loin de la mort et des ténèbres. Mais c'était la faiblesse de son amour pour cette enfant qui s'exprimait là, et non le devoir du maître de la Sauveuse.

— Voici ce que tu dois voir. La guerre – il en sera toujours ainsi – amène la mort. Par la main des hommes ou par la magye. En temps de guerre, tu causeras la mort, par ton épée, par ton pouvoir, par tes ordres. Pour être juste et avisée, assez forte pour tuer, tu dois la voir, constater son prix.

Elle trembla, mais franchit le seuil.

Encore des portes. Des dizaines de portes d'acier dans les murs de béton. Un escalier menant à l'étage, et encore des portes.

Elle se résolut à se diriger vers l'une d'elles, même si elle avait l'impression de nager plutôt que de marcher. Elle ouvrit le judas et regarda par le verre renforcé. La cellule sans fenêtre ne mesurait pas plus de deux mètres cinquante de côté, avait un W.-C. vissé au sol et une étroite couchette recueillant les os de celui qui s'était roulé en boule dessus.

Au travers du choc, la colère émergea et elle ouvrit la porte d'un coup, puis une autre, puis une autre, et ainsi de suite, dans de grands claquements qui résonnaient. Certains des morts étaient attachés à leur couchette. Certains étaient des enfants. Tous étaient seuls.

La rage surpassa la colère et, avec un cri de fureur, elle lança les mains devant elle. De nouvelles portes claquèrent, dont certaines assez fort pour fissurer l'acier.

— Ils sont encore enfermés là. Je les sens, dit-elle d'une voix éraillée par le choc. Vous les sentez ?

— Oui, je les sens.

Elle arracha une plaque d'identification à un corps à terre, la serra dans sa main.

— Montrez-moi, ordonna-t-elle en fermant les yeux. Montrez-moi.

Elle le vit tel qu'il avait été.

— Sergent Roland James Hardgrove, US Army, attaché à l'opération Confinement. Sous les ordres du colonel David Charles Picket. Trente-six ans. Marié, deux enfants.

Elle poursuivit, la main serrée sur la plaque :

— Il disait à ses subordonnés qu'ils emmenaient les gens raflés en sûreté. En cas de résistance, ils pouvaient utiliser la force, y compris tuer. C'était les ordres. Et un soldat obéit aux ordres. C'est lui qui a conduit le dernier groupe ici. Deux hommes, trois femmes, deux mineurs. Le garçon de huit ans environ lui rappelait son fils, mais il suivait les ordres. Il avait terminé le transfert et les papiers et il se dirigeait vers le mess quand il est mort.

» Les ordres. Il écoutait les ordres.

Elle lâcha la plaque et alla poser les mains sur les murs calcinés.

— Des gens suivront les miens. Je dois faire face à la mort pour l'ordonner, y envoyer d'autres, la causer. Alors, faites-moi voir. Ce qui a changé la lumière et la vie en mort et en obscurité.

— Fallon, tu n'es pas prête pour…

Elle tourna la tête d'un geste vif. Ses yeux, quasiment noirs de pouvoir et de fureur, lançaient des éclairs.

— J'en appelle aux puissances intérieures et extérieures. Montrez-moi maintenant et montrez-moi tout. Si mon devoir effleure les ténèbres, alors j'ouvrirai le rideau. J'entendrai, je sentirai et je verrai. Tel est mon vouloir, qu'il en soit ainsi.

C'était trop, pensa Mallick, c'était trop. Mais les dés étaient jetés.

Le corps de Fallon eut un sursaut, sa tête se renversa en arrière et ses yeux se firent aveugles, remplis de visions.

Des hurlements résonnaient dans sa tête, des pleurs, des gémissements, des supplications.

— Il y en a trop. Je n'entends pas. Oh, dieux, il y en a tellement.

C'était la nuit, même si, dans les cellules, rien ne la distinguait du jour. Les prisonniers avaient été amenés là en masse, déjà drogués via l'eau et la nourriture distribuées lors du trajet. Ils avaient donc suivi sans trop résister, avaient été examinés, déshabillés, catalogués et rhabillés en orange type prison. La plupart avaient dormi une fois dans leur cellule.

Certains rêvaient et criaient dans leur sommeil. D'autres luttaient contre les drogues qu'on leur faisait ingérer jour après jour. Et ceux qui luttaient étaient attachés pour se faire injecter une nouvelle drogue.

Catégorisés par MCNN – manifestation de capacités non naturelles – et par date de confinement, les détenus étaient amenés au laboratoire du centre pour y être testés.

En exigeant beaucoup d'elle-même, en repoussant ses limites, Fallon parvint à fusionner son esprit avec celui d'une jeune fille attachée à une table dans une pièce à la lumière crue. Janis, élève du secondaire au moment de la Calamité. Pom-pom girl qui récoltait de mauvaises notes en chimie.

Il préleva son sang, l'homme à l'expression neutre en blouse blanche et charlotte. Il la brancha à un appareil en collant de petits disques froids sur sa poitrine nue.

Ils lui avaient enlevé ses vêtements et elle était mortifiée de se trouver allongée nue sous les néons, sous ses yeux et ses mains.

— S'il vous plaît, je veux ma mère. Où est ma mère ?

Comme son père était mort, elles s'étaient enfuies ensemble. Parce que Janis avait désormais des ailes et que sa mère avait peur. Chez mamie. Elles allaient juste chez mamie, mais elle n'était pas là, alors elles avaient continué de s'enfuir.

Et les soldats étaient arrivés.

— S'il vous plaît, répéta-t-elle.

Or l'homme qui lui avait fait des piqûres et collé des disques dessus ne répondit rien.

Elle essaya de tourner la tête et eut la surprise de ne plus pouvoir bouger. Avait-elle eu un accident ? Était-elle paralysée ?

— Je vous en prie, aidez-moi.

Elle prit alors conscience que ses mots ne produisaient aucun son. Les mots étaient seulement dans sa tête, elle ne pouvait pas parler.

Ni parler, ni bouger. Mais elle voyait, elle sentait.

Lorsqu'une larme coula sur sa joue, l'homme l'essuya avec un coton-tige, qu'il mit dans un flacon. Il étiqueta l'échantillon.

— Brody, stimulant, à deux.

Une femme apparut dans son champ de vision et pianota sur une machine.

Janis sentit la brève décharge électrique dans tout son corps.

Devant l'écran, la femme donnait tout un tas de chiffres. Pulsation cardiaque, tension, rythme respiratoire.

— À quatre, ordonna l'homme.

Cette fois, la décharge était rude, et elle cria dans sa tête. Ses ailes se déployèrent dans l'instinct de s'échapper.

— Capacité qui se manifeste au niveau quatre. On va les lui couper.

Ils la blessèrent, lui firent mal, mal à ses ailes.

À travers le voile des drogues, elle se souvint qu'ils l'avaient déjà fait souffrir avant. Que sa mère n'était pas là, qu'ils l'avaient emmenée ailleurs.

Elle fut submergée par la douleur, comme plus tôt, quand il avait coupé une partie de son aile au scalpel. Des larmes coulèrent, et cette fois, c'est la femme qui les recueillit.

— Comme l'autre fois, la section d'aile perd sa luminosité une fois découpée.

L'homme scella le sac où il avait déposé le morceau d'aile ensanglanté, puis l'étiqueta.

— Il nous faut des cheveux et des poils pubiens avec leur racine, Brody. Dix échantillons des uns et des autres. Un autre échantillon d'urine. Tout ça à envoyer au labo d'analyse par coursier.

— Tous ?

— Pour cette fois. On pourra toujours en prélever d'autres quand on en aura besoin.

Il ne sourit pas et arbora toutefois une expression s'apparentant à de la satisfaction. De tout son cœur, Janis le maudit. Non pour la douleur, plus maintenant, mais pour cette mimique satisfaite.

Et puis le feu déferla, noir et brutal.

— Non, non, marmonna Fallon, ça ne vient pas d'elle. Mais d'où, de quoi, de qui ? Montrez-moi.

Des soldats étaient à leur poste. Trois en pause mangeaient au mess. Soupe de haricots, purée reconstituée, petits pains durs avec leur ration de margarine. Deux fumaient une cigarette dehors. Elles se monnayaient au marché noir pour cinq dollars, mais l'armée en fournissait.

L'un sortit d'un pas vif de la cellule du détenu qui était actuellement au labo. Le colonel demandait que chaque centimètre carré du centre soit en ordre, vingt-quatre heures sur vingt-quatre. N'ayant pas d'autres détenus prévus pour test avant le lendemain, le soldat Coons prévoyait de se reposer devant un DVD avant de partir se coucher.

Le colonel était dans son bureau à l'étage, lisant diligemment des rapports. Il avait sur son bureau une photo de sa famille : femme, fille et fils, leurs conjoints, ses deux petits-enfants.

Tous avaient été emportés par le virus, et il en était rongé d'amertume. Il avait la certitude absolue que les responsables étaient ceux qui étaient enfermés dans les cellules au rez-de-chaussée.

Dans l'une de ces cellules, un sorcier avait sombré dans la folie. Abraham Burnbaum, jusque-là éminent neurologue, un homme qui avait réussi, dévoué à son travail et à sa famille. Un homme qui contribuait au bien de la société et qui employait tout son savoir-faire à sauver des vies. Qui aimait le golf et la voile. Comme le colonel, il avait vu sa famille mourir, et rien dans ses compétences ni ses relations dans le monde médical n'avait pu la sauver.

Seuls lui et le petit-fils qui avait reçu le même prénom avaient survécu. Le petit Abe, avec son rire spontané, sa passion pour les dinosaures et sa fidélité indéfectible à Iron Man, était resté en vie, et comme son grand-père, il avait commencé à montrer des capacités que le scientifique aurait auparavant décrétées impossibles.

Pendant plus d'un an, il avait gardé le garçon en sûreté. Même quand ils avaient dû quitter la maison d'Alexandria, parce que les combats étaient trop proches, il avait assuré sa sécurité. Il avait présenté leur fuite comme une aventure : randonnée, cache-cache, pêche, bivouac dans les bois, ou dans une maison abandonnée.

Il l'avait emmené au sud, vers un climat plus doux et une belle saison plus longue.

C'est alors qu'il avait commis une erreur. Il était devenu moins prudent, ou las, ou simplement naïf. Il avait cru pouvoir s'installer avec le petit garçon dans la petite bicoque à la frontière de la Caroline du Nord. Pendant un temps, c'était ce qu'il avait fait, juste à l'écart de la route.

Mais les soldats avaient débarqué, si vite qu'il avait su immédiatement que toute fuite était impossible. Il pouvait se battre : il disposait d'une arme de poing et de ses étranges pouvoirs. Or il craignait pour son petit-fils.

— Abe, dit-il en entraînant le garçon dans la cuisine. Vite. Dans la cachette.

— Mais, papy…

— Souviens-toi de ce qu'on a dit, ordonna Abraham en relevant la trappe de la cave. Tu as promis.

— J'ai pas envie.

— Tu as promis. Descends et ne fais aucun bruit. Quoi qu'il arrive. Ne sors pas avant que je vienne te chercher. Ou avant qu'ils soient repartis. Et quand ils sont partis, qu'est-ce que tu fais ?

— Je reste sans faire de bruit et je compte jusqu'à cent dix fois.

— Tu ne commences à compter qu'une fois que tu n'entends plus rien, dit-il en poussant doucement le garçon sur l'échelle. Dépêche-toi. Pas un bruit. Je t'aime, mon garçon.

— Moi aussi, papy.

Il referma la trappe et, comme il s'y était essayé tant de fois, la dissimula. La poignée disparut. Pas la moindre rainure ne se voyait.

Ils ne frappèrent pas, ne lui demandèrent pas de sortir. Ils firent irruption par les deux portes, armés. L'un d'eux ouvrit le feu sur lui alors qu'il avait mis les mains en l'air. Ce n'était pas une balle, même si c'était douloureux. Il chancela sous l'effet du tranquillisant.

Il entendit les bottes marteler le sol dans toute la maison, les ordres criés pour trouver le garçon.

Il revint à lui, l'esprit embrouillé, dans une petite pièce. Attaché à une couchette, il peinait à réfléchir malgré le somnifère.

Le petit Abe ? Avaient-ils trouvé son petit-fils ?

Ils pouvaient lui faire tout ce qu'ils voulaient, tant qu'Abe restait sain et sauf.

Ils le torturèrent, utilisèrent un paralysant pour procéder à leurs examens iniques. Parfois, Abraham entendait des cris, mais ceux-ci ne duraient jamais longtemps. Personne ne lui parlait hormis pour l'interroger, et au bout de quelques jours, on ne lui adressait plus la parole du tout.

Il se consolait en se disant qu'il avait gardé Abe à l'abri. S'autorisait à rêver de ce rire merveilleux, de ces yeux malicieux.

Mais finalement, les jours, les semaines, les mois de captivité solitaire, les drogues, les tests violents étouffèrent tout espoir.

Était-ce Abe qu'il entendait hurler ? L'appeler au secours ?

Il cria, et quand les autres vinrent, il était bien décidé à se battre, à trouver la magye en lui malgré les drogues. Il alluma un feu suffisant pour brûler la peau de l'un de ses geôliers, et récolta des coups à n'en plus finir, jusqu'à ce que tombe l'ordre d'un supérieur.

Ils le rattachèrent à la couchette, lui injectèrent encore plus de drogues, lui firent passer d'autres tests.

Ils le rendirent fou et la folie le conduisit aux ténèbres.

Or les ténèbres étaient rusées.

Il se provoqua une attaque, une petite, juste assez pour qu'ils réduisent les drogues. Il se montra ensuite toujours obéissant, même quand ils l'emmenaient dans les douches et le passaient au jet d'eau. Même quand ils le torturaient.

Tout ce temps, il réunissait les ténèbres autour de lui, leur offrait ce qu'il était, et entendait leurs ricanements dans sa tête.

Ils brûleraient, tous. Feu noir, corbeaux noirs, fumée noire s'élevant pour masquer le soleil.

Il invoqua les ténèbres, leur donna des noms dans sa tête qu'il ne connaissait pas auparavant. Les vit lui sourire, entendit leurs promesses.

Tout et tous brûleraient, et il s'élèverait des flammes. Triomphant.

Alors, quand une fée en détresse maudit son tortionnaire, Abraham relâcha toute sa haine, sa fureur, sa folie et la déversa en des flammes noires. Et tous brûlèrent, tout brûla.

Décidément rusées, les ténèbres emportèrent Abraham avec les autres.

Tremblante, en sueur, Fallon se laissa glisser au bas du mur.

— J'ai vu. J'ai vu. Je suis malade. Je vais vomir

— Allons, allons, lui dit Mallick en la prenant dans ses bras. Dors, maintenant.

Il la ramena à la maison.

Après l'avoir allongée sur son lit, il alluma des bougies blanches, mit de la sauge blanche à brûler et lui posa des linges frais sur le visage. Quand elle s'agita, il lui fit boire une potion pour apaiser les nausées et le choc.

— J'ai vu… (Et elle voyait encore. Elle verrait toujours.) Je dois vous le dire.

— Tu l'as fait. Tu m'as raconté pendant que tu voyais, que tu entendais, que tu sentais. Tu m'as tout dit. Il faut que tu te reposes. Tu es allée plus loin que tu n'aurais dû. Tu n'étais pas prête.

— Si je n'avais pas été prête, je n'aurais pas pu le faire.

— Si tu avais été complètement prête, tu n'aurais pas été malade. Ça devrait passer, maintenant, et je vais te préparer une infusion qui calmera le reste.

Elle lui prit la main pour l'empêcher de partir.

— C'était un homme bon, Mallick. Quelqu'un de bien. Un médecin, un guérisseur. Il s'était sacrifié pour sauver son petit-fils. Ensuite, ils ne lui ont même pas dit s'ils avaient trouvé Abe, s'il allait bien. Ils refusaient. Et ils ne disaient pas non plus à Janis où était sa mère. Pourquoi tant de cruauté ?

— Pour saper le moral. Un esprit en miettes mine davantage qu'un corps en miettes.

— À la place, ils ont détruit sa raison, et c'est dangereux. Il s'est ouvert aux ténèbres, qui l'ont entendu. Et il a été…

— Exploité.

— Voilà. Et on lui a menti, parce qu'il est aussi mort que les autres. Janis n'a jamais fait de mal à personne, mais je pense que quand elle a maudit le scientifique qui la faisait souffrir, ça n'a fait que renforcer ce qui se jouait chez Abraham. Au début, j'entendais tellement de voix que j'ai dû les repousser. Je pense que tant de gens étaient brisés, tant avaient envie de rendre les coups, que tout est monté, et quand Abraham a allumé la mèche, ça a explosé.

— C'est plausible. Tout à fait plausible. Et avec tant de gens détenus, les ténèbres étaient probablement déjà présentes parmi la lumière. Ce qui en a ajouté également.

— Oui, vous avez raison, approuva Fallon avant de fermer les yeux un instant. Il y avait cent quarante-six personnes enfermées. Ils avaient de la place pour quatre de plus. Certaines, déjà mortes ou envoyées ailleurs. Mais cette nuit-là, il y en avait cent quarante-six. C'était il y a dix ans. Le 14 mars à 19 h 27. Il faut qu'on y retourne.

Quand il secoua la tête, Fallon lui serra la main plus fort.

— On doit s'occuper des morts, insista-t-elle. De tous. Et il faut purifier le terrain.

— Certes, il convient de s'occuper des morts et de libérer leur esprit. Un lieu de cruauté peut être détruit et le terrain purifié.

Il était fier qu'elle y pense et connaisse l'importance de ces actions.

— Mais pas en ce jour, la prévint-il. Demain. Ils ont attendu jusque-là. J'en parlerai à Minh, car il voudra être présent. Certains autres également.

— D'accord, demain. Mais on ne va pas détruire le bâtiment. Il est bien construit et la localisation est bonne. On pourrait en avoir besoin un jour.

Il alla préparer son infusion, parce qu'elle était plus faible qu'elle ne le pensait. La prochaine fois, elle ne le serait pas, se dit-il. Déjà, elle avait fait preuve de plus de sang-froid que lui. Avec ce qu'il avait vu et entendu par elle, il avait eu envie de détruire tout ce qui se trouvait sur place.

Mais la soldate, la meneuse, comprenait qu'une guerre impliquait la mort. Elle signifiait également des prisons.

Elle ne sera plus jamais une enfant, se dit-il en ajoutant du miel pour masquer l'amertume du breuvage reconstituant. *Plus après aujourd'hui.*

Le jour de son anniversaire, pensa-t-il. Bien souvent, la lumière pouvait être tout aussi rusée et cruelle que les ténèbres.

Il entendit Fallon s'activer, même s'il aurait préféré qu'elle se repose encore une heure. Ensuite, la douche. Les tuyaux faisaient un peu de bruit, mais elle était fonctionnelle. Et la jeune fille l'avait méritée.

Elle souhaitait probablement laver la puanteur de la prison, les traces de mort. Et Mallick se rendit compte qu'il voulait faire exactement la même chose.

Il se dirigea vers le ruisseau. Une fois qu'ils seraient à nouveau propres, il rapporterait le pain d'épices qu'il avait fait fabriquer pour elle, en espérant qu'elle en serait contente.

L'équilibre, pensa-t-il en se dévêtant. Une boisson chaude et un gâteau, une soirée tranquille sans corvées.

Une maigre façon de compenser la laideur de la journée, et le triste devoir qui les attendait le lendemain.

15

L'hiver succéda à l'automne et amena avec lui un froid glacial, des vents mugissants et une neige persistante. En dépit de ces conditions, Mallick mit l'accent sur l'entraînement. Les combats n'attendaient pas la douceur du printemps, répétait-il à Fallon.

Elle apprit à combattre une épée dans une main, un couteau dans l'autre. Et lorsque Mallick se multiplia par trois sous l'effet d'une illusion, comment affronter plusieurs adversaires.

Elle mourait souvent, mais apprenait.

Elle montait Grace pour le plaisir, Laoch pour le frisson et la pratique, car monture et cavalier doivent ne faire qu'un lors d'une bataille.

Armée d'une épée et d'un petit bouclier, elle luttait à cheval contre Mallick. La neige recouvrait le paysage, les flocons tourbillonnant au vent, et encore et toujours, une lame enchantée se mesurait à une autre lame enchantée.

Le bai expérimenté de Mallick, Gwydion, chargeait, reculait et pivotait avec une audace que Fallon admirait et respectait. Laoch le surpassait encore dans ce domaine, Fallon le voyait, et avait conscience que le défaut de sa monture était sa cavalière.

Elle progresserait.

Le fracas des épées qui se heurtaient était assourdi par le manteau de neige. Toutes les heures passées à croiser le fer, tous les seaux d'eau transportés, lui avaient donné des muscles déliés. Malgré le froid, ils étaient réchauffés par l'effort. Avec un œil et un talent qu'elle ne possédait pas quelques mois auparavant, elle déjoua la garde de Mallick et le toucha au cœur.

Il n'eut pour tout commentaire qu'un hochement de tête.

— Encore une fois, dit-il, faisant apparaître l'illusion d'une bataille qui faisait rage autour d'eux.

Des cavaliers et des fantassins, des flèches qui volaient, des boules de feu qui explosaient.

Gwydion s'élança, l'épée de Mallick étincela. Mais Fallon était prête. Elle se protégea avec son bouclier et le cribla de coups, tandis que Laoch faisait reculer Gwydion.

Malgré les cris de guerre et les hurlements de ceux qui mouraient, elle percevait le souffle haché de Mallick. Et avec sa jeune force affûtée, le frappa et le frappa encore. Puis elle le heurta de son bouclier et le fit tomber de cheval.

Il atterrit dans la neige avec un bruit étouffé.

Ravie, Fallon se reposa contre l'encolure de Laoch.

— C'est bon, vous déclarez forfait ? C'est la troisième fois en une heure que…

Son sourire s'effaça. Mallick restait à terre, les yeux clos.

— Merde !

Elle bondit de cheval pour venir à son côté. Pendant qu'elle promenait les mains au-dessus de lui, il ouvrit les yeux et lui fit signe d'arrêter.

— Juste à bout de souffle.

— Pardon. Je suis désolée. Vous n'êtes pas blessé, c'est sûr ? Laissez-moi regarder.

— Je sais si je suis blessé ou non, et je ne le suis pas, répondit-il en se dressant sur son séant. Tu m'as désarçonné, mais avec ton attaque tellement focalisée sur un seul adversaire, une demi-douzaine d'autres auraient pu t'atteindre par les côtés.

— Oh, non, Laoch m'aurait avertie.

Mallick regarda vers l'alicorne, à présent tranquille.

— Vraiment ?

— Oui. Et je peux sentir si l'un de vos fantômes vient sur moi. Pas pour tous, pas chaque fois, enfin ça arrive. À nous deux, on sait. On ne peut pas toujours savoir, mais il faut commencer par éliminer l'adversaire principal. C'est vous qui me l'avez appris. D'abord le plus fort, puis le suivant.

Il n'émit qu'un grognement, or elle y perçut de l'approbation. Ainsi qu'une grande fatigue.

— Il faut qu'on bouchonne les chevaux. Ça fait plus d'une heure qu'ils y sont, dit-elle.

— Ce sont des créatures fortes et en bonne santé. Et moi aussi. Nous allons recommencer.

Mais, alors qu'il remontait en selle, des cris s'approchèrent.

Mick courait vers eux, si vite et si légèrement qu'il laissait à peine des traces sur la neige. Ses cheveux recouverts de flocons volaient derrière lui.

— Il faut que vous veniez ! cria-t-il. Venez voir !

Aussitôt, Fallon agrippa son épée.

— Qu'est-ce que c'est ? Une attaque ?

— Non, non, les gens sont malades. Mon père. Venez !

— Doucement, dit Mallick en posant les mains sur les épaules de l'elfe. Quelle maladie ? Combien ?

— Beaucoup. Ça donne de la fièvre et des frissons, et mon père n'arrive pas à retrouver son souffle. Il tousse. Les tisanes et les potions n'y font rien. Faut que vous veniez.

— Tu n'as pas l'air très bien non plus, fit remarquer Fallon.

— Ça va. Je… (Il se contredit par une quinte de toux ravageuse.) Mon père…

— Entre donc.

— Non, je dois…

— Entre, répéta Mallick. Tu dois prendre des médicaments. Tu es fiévreux. Fallon, prépare une infusion. Achillée millefeuille…

— Achillée, baies de sureau et menthe poivrée. Je sais. Et ne perds pas de temps à protester, Mick.

Fallon entraîna l'elfe vers la chaumière tout en faisant signe aux montures de suivre.

— Assieds-toi près de la cheminée, ordonna-t-elle à Mick en activant le feu d'un geste.

Pour la toux, du gingembre, du thym et du miel. Elle ajouta de la réglisse et de l'échinacée, tout en rassemblant les herbes contre la fièvre.

Elle fit bouillir un mug d'eau en une seconde, y mit les plantes à infuser.

— Vous avez assez de couvertures ?

— Je crois. (Frissonnant un peu, il lui envoya un regard désespéré.) Il faut qu'on se dépêche.

— Et les métamorphes, les fées ?

— Les fées essaient d'aider, mais il y en a de malades aussi. Dans la meute, ça va. En tout cas, ça allait à mon départ.

— Bois ça. J'ai besoin d'autres ingrédients. On a des médicaments dans l'atelier. Mallick prend ce qu'il nous faut et je peux emporter encore des plantes d'ici et de la serre. On file dès qu'on a tout.

— Certains des plus âgés craignent une nouvelle Calamité. Ils s'en souviennent et ils ont peur.

— Ce n'est pas la Calamité. (Elle posa la main sur son front et le regarda.) C'est un virus, mais ça reste une pneumonie. Tu as un poumon atteint.

— C'est quoi, ça, une pneumonie ?

— Ce n'est pas la Calamité, se contenta-t-elle de répéter. Bois ça, je reviens tout de suite.

Elle courut à l'atelier, où Mallick remplissait deux sacs.

— C'est une pneumonie, lui dit-elle brièvement. Virale.

Il hocha la tête.

— Va à la serre récolter…

— Je sais quoi prendre.

Elle fila. Sa mère avait aidé à soigner trois personnes atteintes de cette maladie dans le village, et Fallon avait regardé. En outre, Mallick lui avait enseigné les spécificités de cette maladie lors de ses cours.

Elle remplit un autre sac, retourna à la chaumière au moment où Mallick en ressortait.

— On refera nos préparations au camp des elfes. Emmène Mick avec Laoch.

Une fois en selle, Fallon tendit la main à Mick. Celle du garçon, moite et sans gant, tremblait dans la sienne.

— Accroche-toi bien à moi, on va aller vite.

— Je peux me tenir, fonce.

La neige volait sous les sabots de Laoch. Une fois que Fallon estima Mick assez arrimé à sa taille, elle emmena Laoch dans les airs et il s'éleva au-dessus de la neige, prenant de la vitesse entre les arbres. Mallick serait moins rapide, mais elle pourrait commencer la préparation des tisanes.

Quand elle arriva au camp, Mick sauta à bas de la monture. En trébuchant, il parvint, chancelant, à la hutte qu'il partageait avec son père.

Fallon appela tous les gens valides à venir préparer les infusions.

Orelana, pâlie par la fatigue, ajouta du bois dans le feu.

— Les infusions n'ont pas marché. On croyait qu'elles aideraient, sinon, on vous aurait envoyé chercher plus tôt. C'est tellement soudain.

— Les plantes qu'on apporte seront plus efficaces. On doit faire des cataplasmes et mettre de l'eau à bouillir.

Autour du feu central, ellc indiqua à Orelana et à trois autres elfes comment procéder, regardant à peine autour d'elle quand Mallick arriva.

— Qui est le plus malade ? s'informa-t-il.

— Mon bébé. Mon bébé et le vieux Ned, s'écria Orelana en désignant une hutte. La petite-fille de Ned s'occupe de lui. Elle n'est pas atteinte. Minh est avec notre plus jeune enfant.

Mallick tendit l'un des sacs à Fallon.

— Tu sais quoi faire. Je vais voir Ned.

Fallon prit l'une des bouilloires, mit le sac sur son dos, puis ramassa celui qu'elle avait elle-même préparé.

— Reste aider encore, Orelana. Je sais où est ta hutte.

— Ce n'est qu'un bébé. Il avait l'air d'aller mieux, et puis ce matin… Ce n'est qu'un bébé.

— Prépare d'autres infusions, s'il te plaît.

Fallon partit en hâte. Elle sentait la maladie, les fièvres si élevées qu'il était étonnant que la neige ne fonde pas.

Elle entra dans la hutte où Minh, assis à côté d'un petit lit, rafraîchissait le visage du bébé à l'aide d'un linge.

— Il refuse de téter. Il n'a même pas un an. Il n'a que dix mois…

Fallon s'agenouilla et passa les mains au-dessus du bébé. Les deux poumons étaient remplis de liquide et la température était élevée. Les yeux, voilés par la fièvre, regardaient dans le vide, comme ceux d'un baigneur.

— Il doit boire cette tisane et cette potion.

— Il n'est pas sevré. Il ne…

— Mais tu vas m'aider, dit Fallon calmement en sortant un compte-gouttes de son sac. Il est petit et il n'aura pas besoin d'en absorber beaucoup, mais autant que possible. D'abord ça, Minh.

Pendant que son père lui donnait de la tisane, Fallon prit un petit récipient dans la cuisine, le remplit avec l'eau d'un pichet, ajouta les herbes, de la poudre de pierres et des gouttes d'une autre potion.

— Et maintenant, la potion. Quatre gouttes, pour commencer.

Minh peinait, car le bébé s'était mis à s'agiter et à résister.

— Le goût est amer, mais il doit avaler quatre gouttes.

Minh serra son fils contre lui et, les yeux embués, lui coinça les bras par un des siens pour lui faire avaler les gouttes de force.

— C'est bien, c'est bien, murmura Fallon. Que l'eau bouille et que la vapeur s'élève.

L'eau fit aussitôt des bouillons et Fallon s'empara d'un torchon.

— Il est propre ?

— Oui.

— Ça ne va pas lui plaire, mais tu vas lui maintenir la tête au-dessus de la vapeur et je vais lui mettre le torchon par-dessus. S'il pleure, ce n'est pas grave, parce qu'il inhalera de la vapeur qui guérit dans ses poumons. Il va tousser, ça ne sera pas forcément joli, tiens-le bien.

— Est-ce qu'il va avoir mal ?

— La toux fait mal, oui, dit-elle en prenant un autre torchon. Mais il va faire ressortir le liquide et la maladie de ses poumons.

Le petit toussa et brailla, le soldat avait les joues sillonnées de larmes. Fallon récupéra les expectorations dans le linge.

— Tu peux l'allonger, maintenant.

— Il respire mieux, non ?

— Oui. (Fallon positionna de nouveau les mains au-dessus de l'enfant.) Il y a moins de fluides, mais… (Elle capta davantage de la maladie du bébé, tourna la tête et recracha à son tour sur le torchon.) Il a encore de la fièvre, enfin plus autant.

Continue de lui donner de la tisane et laisse le cataplasme sur sa poitrine. Je vais aller aider d'autres malades, mais je reviendrai. Il faudra refaire tout ça.

— Le refaire, se désola Minh en fermant les yeux.

— Ce ne sera pas aussi horrible, je t'assure, mais il le faudra. Et peut-être une troisième fois. C'est plus dur pour les très jeunes et les très vieux. Quand il se reposera, fourre le torchon plein de crachats dans la marmite que j'ai mise à bouillir dehors. Il doit être désinfecté.

— D'accord. Bénie sois-tu, Fallon. Dis à Orelana qu'il va mieux.

— Bien sûr. Encore de la tisane, Minh.

Comme Mallick, elle alla de hutte en hutte, traitant d'abord les plus jeunes et les plus âgés. Ceux qui étaient suffisamment en forme continuaient de faire infuser des tisanes et de préparer des potions.

En entrant dans la hutte de Mick, elle vit Thomas frissonner sur sa couchette. Il essaya de se redresser à son arrivée, mais retomba, pris d'une quinte violente.

— Il faut que tu l'aides, dit Mick. Il a bu de la tisane, je lui en ai donné.

— C'est bien. J'en ai rapporté.

Une fois qu'il eut réussi à en avaler quelques gorgées, elle mit la tasse de côté et posa les mains sur lui. Comme le bébé, il avait du liquide dans les deux poumons.

— Mick, deux tasses, s'il te plaît, deux casseroles d'eau et quatre linges.

— D'accord.

Pendant qu'il réunissait les objets, elle confectionna le cataplasme.

— Tu vas garder ceci sur la poitrine. Je vais laisser la pâte pour le renouveler. Deux fois par jour, jusqu'à ce que les poumons soient dégagés.

Elle versa de la potion dans les tasses et en tendit une à Mick.

— Bois.

Ensuite, elle aida Thomas à boire la sienne.

— Tout, jusqu'à la dernière goutte.

Elle mit l'eau à bouillir.

— Un torchon sur la tête, expliqua-t-elle, et le visage au-dessus de la casserole, dans la vapeur. Vous inhalez, et vous utilisez le deuxième torchon pour recueillir ce que vous recrachez.

— C'est dégoûtant.

— Ce n'est pas joli.

Elle continua, patient après patient, puis recommença sa tournée. Juste avant le crépuscule, elle trouva Mallick au coin du feu avec une chope de bière.

— J'ai bien cru que nous allions perdre le vieux Ned, lui dit-il. Mais il est opiniâtre, il n'était pas prêt à mourir.

— Le bébé, celui de Minh et d'Orelana, il tète de nouveau.

— Nous allons leur laisser davantage de tisane et de potion, ainsi que du mélange pour les inhalations. Mais je crois que le pire est derrière eux. Nous y retournerons demain pour nous en assurer.

— On doit aller à la chaumière des fées.

Il acquiesça.

— Une fois que j'aurai terminé ma chope. J'ai envoyé quelqu'un là-bas. Ce n'est pas aussi grave qu'ici, ni aussi étendu. La meute des métamorphes demeure en pleine santé, sans signes avant-coureurs, mais nous leur laisserons un traitement préventif.

Il regarda le feu un instant avant d'enchaîner :

— Tu t'en es bien sortie aujourd'hui. Tu as soigné et réconforté, très probablement sauvé des vies. Et tu l'as fait avec dévouement tout en gardant la tête froide. Pas une fois je n'ai eu besoin de te dire quoi faire ou comment le faire.

— Vous m'aviez déjà tout expliqué. Et ma mère m'avait montré.

— Toutes tes actions ne te venaient pas de ta mère ou de moi. Détermine ce dont ils ont besoin jusqu'à demain, puis nous irons aider chez les fées et nous passerons à l'antre des métamorphes. Ensuite, par les dieux, je veux boire une autre bière, prendre mon repas et aller au lit.

— C'est contagieux. Vous devez avaler une potion préventive. J'en boirai aussi si vous me le dites, mais je ne tombe jamais malade.

— Tu n'es pas immortelle ni invulnérable, mais en effet, tu es résistante aux maladies, l'informa Mallick, avant de pousser un soupir. En revanche, je ne le suis pas, donc je prendrai le traitement préventif. Je n'ai jamais trouvé de moyen de lui donner un goût moins exécrable.

— Vous n'avez qu'à vous hypnotiser pour vous faire croire que ça a un goût de bière, de vin, ou n'importe. Si vous pensez que ça en a le goût, ça revient au même, non ?

Il abaissa sa chope et la dévisagea.

— C'est une idée de génie, et je suis extrêmement contrarié de ne pas y avoir pensé de toute ma vie.

Il but la potion préventive, deux jours de suite, sur l'insistance de Fallon, et tous deux firent la tournée des habitations pendant une semaine entière.

Mick arriva à l'aube, entièrement remis, et apporta à Fallon un nouveau pantalon, plus long, et de nouvelles bottes, à la pointure supérieure.

— Comment tu as su que j'en avais besoin ?

— J'ai des yeux. Ton pantalon est trop court, et tes bottes ont l'air de te gêner.

— Elles sont vraiment chouettes. Douces et solides. Merci beaucoup.

— C'est moi qui les ai faites.

— C'est vrai ? (Elle examina de nouveau le cuir brun tout doux, les semelles épaisses.) J'ignorais que tu savais faire des chaussures.

— Je suis un elfe, répondit-il sèchement. Bref. On se reverra peut-être à la clairière, plus tard. L'eau de l'étang est bonne.

— Peut-être.

Il détourna le regard un moment sur l'épaisse couche de neige.

— J'ai vraiment eu peur pour mon père. Il n'avait jamais été malade comme ça. Je n'ai jamais vu autant d'entre nous malades. Tu nous as sauvés. Toi et ton maître. On est tous très reconnaissants. Le vieux Ned est en train de fabriquer des bottes pour Mallick. Il a presque fini et il compte les apporter lui-même. Voilà. À plus tard.

Et avec la maladie, son amitié avec Mick guérit.

Dans l'hiver, dans la neige, dans des cieux plus souvent gris que bleus, Fallon vit deux fois des corbeaux tournoyer. Pas tout près, à une petite dizaine de kilomètres, d'après son estimation.

Mais cela lui signalait que pendant qu'elle s'entraînait, apprenait, restait en sûreté, d'autres combattaient et mouraient.

Deux fois, elle demanda à Mallick de la laisser chevaucher Laoch et s'approcher. Juste pour observer. Pour voir et apprendre. Deux fois, il refusa.

En mars, dans le vent, alors que les bourgeons du printemps les narguaient à attendre, elle les revit, redemanda. Nouveau refus.

Ce troisième refus la mit en colère.

— Comme est-ce que je peux savoir m'y prendre alors que je me bats seulement contre vous, avec des épées ensorcelées pour ne faire aucun mal ? Vous ne pouvez pas me battre à cheval, et quasiment jamais à pied. Je sais envoyer une flèche plus loin que vous et plus précisément maintenant. Et dans ce domaine…

Elle agita les mains pour faire flamber la cheminée, allumer les bougies, faire voler le chaudron puis reverser son contenu dedans.

— Je suis aussi douée que vous, conclut-elle.

— Je reste ton professeur, et toi mon élève.

— Alors, laissez-moi me renseigner sur ce qui se passe dans le monde. Toute ma vie, j'ai été protégée. À la ferme, et maintenant ici.

— Tu n'es pas prête.

— Qu'est-ce que vous en savez ? Je serai prête du jour au lendemain, pour mes quinze ans ? De toute manière, je les ai presque.

— L'âge n'est pas la limite.

— Alors quoi ? Quoi ?

— Essaie d'ouvrir cette porte, lui intima-t-il en lui désignant le placard fermé.

Elle se dirigea droit dessus et tira sur la poignée, sans résultat. Elle garda la main et sa colère sur la porte.

— Vous l'avez verrouillée pour que je ne puisse pas.

— Non. Quand tu pourras l'ouvrir, redemande-moi. D'ici là, je vais travailler en paix. Va faire autre chose, et ailleurs.

— Parfait. De toute façon, j'ai pas envie de vous voir non plus !

Elle partit en tapant des pieds, dans sa chambre, parce qu'elle ne voulait pas aller dehors par ce temps continuellement pourri. Elle n'avait pas envie de monter à cheval ni de se baigner dans l'étang des fées. Elle ne voulait tout simplement plus être là.

Elle s'allongea sur son lit.

— Je veux juste voir. Voir autre chose. Quelqu'un d'autre. Je veux voir, grommela-t-elle. J'ai envie de voir, d'être libre de commencer ce qui m'est demandé. Je dois jouer mon rôle dès maintenant, apposer mon sceau et repousser les ténèbres.

Elle n'avait pas eu l'intention de jeter le sort, qui s'était simplement imposé. Elle n'eut pas conscience du changement en se relevant pour tourner en rond dans sa chambre et bouder encore.

Alors, elle remarqua la boule de cristal sur sa table, devenue transparente.

— Je veux voir, répéta-t-elle. Tout de suite, dans cette boule, que ma vision se déroule. Je verrai ce que je dois voir.

Elle vit tout, à l'intérieur du globe, aussi nettement que la vie réelle. Pas ce qui était ou serait, mais ce qui avait été.

Elle regarda, le cœur tambourinant dans sa poitrine, des frissons lui parcourant l'échine, elle regarda tout.

Sachant ce qui suivait, ce qui devait suivre, elle ceignit son épée et prit son arc. Elle posa les mains sur la paroi de cristal et se laissa emporter.

Mallick se jeta dans le travail pour oublier cette contrariété et cet affront intolérable. Ou du moins, il essaya. Mais quand Fallon revint à l'atelier presque deux heures après ce qu'il considérait comme un caprice, il se rendit compte qu'il n'avait ni travaillé ni oublié.

— Je ne viens pas m'excuser, commença-t-elle.

— Dans ce cas, tu n'as aucune raison de m'interrompre dans mon travail.

— J'ai pu voir dans la boule de cristal.

Cette fois, il releva les yeux, la regarda. Elle était un peu pâle et avait les yeux encore remplis de visions.

— Et qu'as-tu vu ?

— New Hope. L'attaque. Mon oncle et sa harpie qui tuaient mon père de naissance. Maintenant, je connais leurs visages. J'ai vu mon père protéger ma mère et moi de son propre corps, de sa propre vie. Le chagrin et la fureur de ma mère. Et la vague meurtrière qu'elle a libérée. J'y étais.

— Sur place ?

— Je suis passée par le cristal.

Pour contenir sa réaction première, la colère, Mallick dut user d'une grande dose de volonté.

— Comment ?

— Il était ouvert à moi. Je me suis ouverte à lui. Je le devais. Ma mère s'est enfuie pour me sauver et préserver ses amis. Elle me portait, elle était en deuil et en sang. Elle s'est cachée, a fui, et à un moment, elle s'est effondrée, épuisée, près de renoncer. À ce moment, j'étais venue la voir, elle m'a raconté ce que je lui avais dit. Même si elle ne savait pas que j'étais sa fille, mon discours l'avait aidée à continuer. Alors j'y suis allée, je me suis montrée à elle et je lui ai dit ce qu'il fallait.

Mallick alla se servir un verre de vin. Puis un petit second, qu'il coupa d'eau avant de le lui tendre.

— Tu en as vu davantage que je ne t'en ai montré. La boule de cristal est à toi. Dedans, avec elle, tu en verras plus encore.

— J'ai suivi ma mère un moment, pour être sûre. Elle était tellement fatiguée, son cœur en miettes, mais si forte. Plus forte que je ne l'ai jamais connue. J'ai vu ça, et j'ai vu les visages des assassins de mon père de naissance. Je ne sais pas si ce qu'elle leur a jeté les a tués, mais s'ils sont en vie, c'est moi qui le ferai. Je suis leur mort. Je le jure.

Elle retourna vers le placard fermé et réessaya. Il ne bougea pas.

— Je l'ouvrirai.

— Sûrement, lorsque ce sera le moment.

Elle but le vin et regarda son verre d'un air maussade.

— Tant pis. Quand je traverse le cristal, suis-je protégée ?

— Tu es à la fois ici et là-bas, et vulnérable dans les deux endroits.

— D'accord. Je vais faire un tour à cheval. J'ai besoin de m'aérer.

Lorsqu'elle sortit, il resta là, plus contrarié ni insulté, mais plus effrayé que prévu. Elle retournerait dans la boule, et il n'était plus en son pouvoir de l'en empêcher. Cette étape appartenait à Fallon, depuis le début.

Du haut de ses quinze ans, Duncan supportait les cours à l'académie. Il enseignait davantage qu'il ne jouait les élèves, mais sa fréquentation satisfaisait sa mère et évitait les conflits.

Il prenait ses tours en missions d'approvisionnement, de reconnaissance et de chasse. Quand il ne pouvait y échapper, il participait aussi au jardin communautaire, au comité déchets, à l'électricité et à l'entretien.

Il connaissait les premiers secours et pouvait remplacer un soignant au besoin.

Il appréciait l'entraînement aux armes, le basket, et les balades à moto vers la ferme. Il aimait traîner avec ses amis, faire le fou avec Denzel, écouter ce dernier faire du rock à la guitare ou jouer au base-ball.

Il avait fait largement plus que poser les mains sur des seins intéressants, et aimait aussi cette activité. Beaucoup.

En ce printemps, en plus d'avoir rejoint les rangs des missions de sauvetage, il commença à aider à les planifier.

Il avait contribué à celle prévue pour le soir. Comme lui et Flynn avaient capturé un Guerrier de la Pureté blessé, l'avaient ramené pour être interrogé, il avait gagné sa place.

— C'est à plus de cent vingt kilomètres, déclara Eddie en regardant de nouveau la carte. On n'était jamais allés aussi loin pour ça. Ça fait beaucoup de route.

— Et selon notre invité, plus de trente personnes sont détenues, torturées et risquent l'exécution, ajouta Will en étudiant une autre carte qu'Arlys l'avait aidé à établir. Ils seraient une centaine, mais seulement la moitié de soldats. Ici, des murs de défense, là et là, du barbelé, et des gardes, là, expliqua-t-il en montrant les bonshommes bâtons sur la carte. Le centre de communication est ici, dans l'ancienne bibliothèque, et la prison ici, dans le poste de police.

— Ce seront les cibles prioritaires, enchaîna Duncan, une fois qu'on aura neutralisé les gardes, passé le portail ou la clôture. Si on n'explose pas le portail, ou qu'on ne fait pas valser un morceau de mur ou de clôture, on pourrait se retrouver acculés à l'intérieur.

— Exactement. Et avant d'y arriver, on doit contourner ou traverser des camps de Pilleurs qui, d'après nos éclaireurs, sont établis là, là et là. Alors repassons toutes les étapes. Si quelqu'un voit une faille, on la comble.

Au moment où Duncan allait rejoindre son groupe, Denzel, qui avait ses dizaines de tresses rassemblées en arrière par un élastique, bondit vers lui.

— Tu peux pas convaincre Will de me faire participer ? Allez, mec.

— Pas possible, mon pote. Tu as encore loupé l'examen des armes. Et la chimie.

Denzel, déjà plus d'un mètre quatre-vingts de muscles bien denses, donna un coup de pied dans un caillou en bougonnant :

— C'est nul, la chimie.

Duncan s'appuya contre sa moto.

— Faut que tu bosses plus. (Ce qui ne se produirait jamais, pensa-t-il, mais il détestait voir la déception de son ami.) T'as la vitesse, l'agilité. Il faut juste que tu étudies et que tu choisisses une arme, que tu t'entraînes.

— Mon arme, c'est Kato, dit Denzel avec un grand sourire, griffes de panthère à l'appui.

— C'est sûr. Écoute, t'es un désastre en chimie, je suis pourri en guitare. On peut s'entraider, et éventuellement progresser.

Ils avaient déjà essayé, avec des résultats pitoyables des deux côtés, mais ils pouvaient renouveler l'expérience.

— Je suis partant, répondit Denzel, non sans envoyer aux camions, motos et armes un regard de regret.

— Faut que j'y aille.

— Défonce-les.

Ils entrechoquèrent leurs poings et Denzel recula sur le trottoir pour regarder les guerriers s'éloigner.

Duncan prit place sur sa moto, Antonia derrière lui. Les premières journées d'avril restaient largement trop froides à son goût, mais il préférait la maniabilité et la vitesse de la moto. Même s'ils n'iraient pas très vite sur les cent vingt kilomètres, surtout avec des parties du meilleur itinéraire encore encombrées par de vieux véhicules.

Eddie conduisait le Hummer dépassé de Chuck – on ne faisait pas plus lent, aux yeux de Duncan, mais c'était pratique pour évacuer les tas de ferraille. De plus, ils l'avaient blindé, ce qui en faisait une arme assez remarquable.

Ils partirent de nuit, en prévoyant, d'après la vitesse, le kilométrage, les retards potentiels et les détours, d'arriver une heure avant l'aube.

Duncan aperçut sa mère avec Arlys et lui adressa un salut militaire. D'autres étaient dehors pour voir partir la mission de sauvetage. Il vit les frères qu'il avait aidé à ramener, ainsi que Petra.

Il lui envoya un bref sourire. Il savait qu'elle l'aimait bien, mais toute jolie qu'elle soit, elle lui paraissait encore trop jeune.

D'ici un an, peut-être…

— C'est dégoulinant, lui chuchota Tonia.

— Pardon ?

— La vénération du héros, ça dégouline tellement que ça va te boucher les pores de la peau.

— Oh, arrête.

Duncan fit partir la moto pour laisser New Hope derrière eux.

Ils rencontrèrent leur premier embouteillage de carcasses au cinquantième kilomètre et s'arrêtèrent pour laisser Eddie déblayer le chemin. Sur une autre moto, Maxie, une elfe du clan de Flynn, se gara derrière Duncan et désigna l'est.

Des flammes au loin dans la nuit, de la fumée qui s'élevait.

— Des Pilleurs, dit-elle. Ils brûlent des trucs pour le plaisir. On devrait envoyer un de nos groupes pour les dégager.

En temps normal, il aurait été d'accord et se serait porté volontaire. Mais il leur restait beaucoup de route.

— Ils seraient sans doute partis avant qu'on y arrive. Les Pilleurs mettent le feu après avoir ratissé un endroit, en général.

— C'est vrai, soupira-t-elle en relançant son moteur. J'aurais bien aimé essayer, quand même.

Maxie avait des cheveux violets décorés de plumes. Âgée d'environ trois ans de plus que lui, elle était dotée d'une poitrine extrêmement intéressante.

Pendant qu'ils continuaient, la possibilité de la persuader de faire des choses tout nus ensemble l'occupa une quinzaine de kilomètres. Jusqu'au bouchon suivant.

Ils passaient leur temps à s'arrêter et à repartir, pensa-t-il. Il avait envie d'arriver là-bas, d'agir. Dans dix kilomètres, ils feraient halte, et lui et Tonia se dirigeraient au nord-ouest, avec Maxie et Solo le métamorphe. Une autre équipe prendrait au nord-est. Duncan éliminerait les gardes, puis son objectif principal serait le portail : l'ouvrir, envoyer des éclairs – exercice auquel il était devenu très bon – sur le bâtiment qu'il voyait sur la carte dans sa tête : l'arsenal.

Bam.

Ensuite, ils entreraient. Tonia se dirigerait vers la prison avec son équipe, lui vers le centre de communication avec la sienne. La plupart seraient encore au lit, chercheraient leurs armes à moitié nus.

Gardes, portail, arsenal, centre de com. Ça allait faire mal.

Ils étaient à moins de vingt-cinq kilomètres quand les phares balayèrent la silhouette d'une jeune fille sur un cheval blanc, au milieu de la route.

Elle aurait pu être une statue, sous le projecteur bleuté de la demi-lune.

Il la connaissait. C'est ce qu'il se dit pendant que le groupe s'arrêtait. Par ses rêves. Il l'avait vue en rêve, et cette idée le troubla, l'irrita, le ravit.

— C'est un piège, lança la jeune fille. Ils savent que vous arrivez.

Duncan descendit de son véhicule, secoué, partagé entre plaisir, colère et fascination.

Savait-elle qu'une dizaine d'armes étaient pointées sur elle ? Si elle en était consciente, elle ne semblait pas s'en préoccuper.

Will sauta du camion.

— N'essaie pas d'attraper une arme ou tu le regretteras, la prévint-il.

— Je ne suis pas votre ennemie.

Eddie arriva derrière Will.

— Alors, t'es qui ? Et où tu as dégoté ce cheval ?

— On s'est trouvés, tous les deux. (Elle descendit de selle, simplement en relevant une jambe et en sautant légèrement à terre, les mains levées.) C'est un piège, répéta-t-elle.

— Eddie, va jusqu'en queue de cortège et dis à tout le monde d'attendre.

— Eddie ? répéta l'inconnue. (Duncan vit son visage si sérieux s'illuminer d'un sourire.) Eddie Clawson. Où est Joe ?

— Dans le… Comment tu connais Joe ?

— Je sais beaucoup de choses sur toi. Lana et Max t'ont trouvé, tu leur as appris à mettre des chaînes sur des pneus. Tu joues de l'harmonica et tu viens du Kentucky. J'ai vu où c'est, sur des cartes.

— Écoute, petite, va falloir…, commença Eddie en s'avançant. Oh, mon Dieu. Oh, putain. Tu as ses yeux.

— Je sais.

— T'as les yeux de ton papa. (Il courut sur les derniers mètres, la prit dans ses bras.) C'est la fille de Max ! La fille de Max et Lana.

— Tu étais leur ami. Je suis votre amie. Je suis Fallon.

L'ÉPÉE ET LE BOUCLIER

Les hommes, à de certains moments,
sont maîtres de leurs destinées.
Si nous ne sommes que des subalternes, cher Brutus,
La faute en est à nous et non à nos étoiles.

William SHAKESPEARE,
Jules César, acte I, scène 2[1]

1. Shakespeare, *Œuvres complètes*, traduction de François-Victor Hugo, Pagnerre, 1872. (*N.d.T.*)

16

Les mains sur les épaules de Fallon, Eddie recula, les yeux humides, pour examiner son visage.

— Elle t'a donné son nom. Tu leur ressembles à tous les deux, tu as pris le meilleur de chacun. Elle va bien, ta maman ?

— Très bien.

— J'ai… J'avais promis à Max que je m'occuperais de vous deux. J'ai pas pu.

— C'est faux. Tu as risqué ta vie pour essayer de les rejoindre pendant l'attaque. Mais Max était mort et elle était déjà partie.

— Elle est où ?

— Je ne peux pas te le dire, désolée. Il n'est pas encore temps. Mais elle est en sécurité.

— OK, OK, fit Eddie en se frottant les yeux. On y reviendra. Mais là, tu as quoi, quatorze ans ? Qu'est-ce que tu fais là, toute seule ? Sur ce cheval géant ?

— Je viens vous prévenir. Ils savent que vous arrivez. C'est une embuscade.

Will s'avança.

— Attends, Eddie. Comment sais-tu tout ça ? demanda-t-il à Fallon.

— Tu es le chef ? l'interrogea-t-elle.

— Will Anderson.

— Ton père s'appelle Bill, il était avec Eddie et les autres. Ils t'ont laissé des panneaux à suivre jusqu'à New Hope. Et tu y es arrivé. Ma mère m'a raconté, elle m'a parlé de vous tous. Mais si je sais que c'est un piège, c'est parce que… je suis la fille de Max Fallon et Lana Bingham. Je suis l'enfant de la Tuatha de Danann. L'homme que vous avez trouvé est un intégriste. Il s'est laissé capturer pour pouvoir vous donner de faux renseignements, vous faire tomber dans une embuscade.

— Il était à moitié mort, intervint Duncan en s'avançant.

Il ressentit une attraction langoureuse venue de loin. Il la connaissait. Grâce à ses rêves. Néanmoins, il avait participé à la capture, avait vu l'état du prisonnier.

— Un intégriste, répéta Fallon, dont les yeux s'accrochèrent aux siens. Tu es Duncan, et ta jumelle avec toi est Antonia. Ton don est semblable au mien et tu sais que je dis la vérité. Le prisonnier s'appelle Nigel Patrick, et il s'est porté volontaire pour être blessé, battu, et laissé là où ils savaient que vous viendriez en reconnaissance.

Duncan savait au fond de lui que c'était la vérité, mais il posa malgré tout la question :

— Comment savaient-ils où on irait ?

— Je ne peux pas te le dire. Je n'ai pas vu. Mais ils vous attendent, à huit kilomètres d'ici. Vingt-cinq de leurs soldats, armés. Ils ont fortifié les murs de leur base avec d'autres soldats. L'un des hommes à leur tête est Lou Mercer. Son frère est mort pendant l'attaque de New Hope, celle qui a tué Max. Mercer veut ton sang, encore plus que White et son cercle veulent le mien. Pour lui, c'est une affaire personnelle.

— C'est la fille de Max, l'appuya Eddie. Elle ne peut pas nous mentir.

— Piège ou pas, on ne peut pas laisser ces gens là-bas, objecta Duncan.

— Je suis là pour vous aider. (Elle sortit une carte qu'elle éclaira d'un simple effleurement.) Patrick vous a raconté que la prison est là, or elle est ici. Là, c'est l'arsenal et ils ont des réserves d'essence. Là. Il vous a parlé du portail principal, mais pas de celui côté ouest. Il est gardé, mais vous êtes attendus par ici. Leur première ligne sera ici, avec vingt-cinq soldats armés d'automatiques, embusqués des deux côtés de la route qui y mène. Ils comptent vous coincer entre deux feux, avec en plus un escadron qui vous prendra à revers pour vous couper la retraite. Cela fait des semaines qu'ils accumulent des munitions en prévision de ce moment. Les survivants à cette première vague seraient acculés, soit faits prisonniers, soit tués. Ils veulent certains de vous vivants, si possible.

— À torturer et à exécuter.

Elle approuva l'intervention de Will.

— Ils cherchent avant tout à capturer Duncan ou Antonia. Les deux, si possible.

— Ah oui ? fit Duncan, furieux. On est cotés ?

— Mercer hait tous les Insolites, mais les sorciers plus que tout. Il espère vous utiliser, surtout pour vous torturer l'un l'autre, dans le but de déjouer la sécurité et de prendre New Hope, comme ils ont voulu le faire avant.

— Alors là, bonne chance.

— Il ne vous connaît pas et ne vous comprend pas, poursuivit simplement Fallon. Maintenant, il faut qu'on fasse vite, sinon ils vont envoyer des éclaireurs. Vous allez dépêcher des hommes à pied depuis ici, pour prendre les premières lignes à revers et les briser. Ensuite, vous les récupérerez pour attaquer les portails, une équipe sur le principal, une autre sur celui de l'ouest.

— C'est pas toi, la chef, protesta Duncan.

Le regard dont elle le gratifia était aussi glacial que l'air.

— Je suis née pour ça, sinon je ne serais pas là. J'ai un maître très strict, et je ne dispose que de ce laps de temps pour vous aider. Il faut que vous vous prépariez pour votre attaque et que vous ayez des fantassins en place. Je ferai exploser les citernes.

— Comme ça, toute seule ?

Elle adressa à Duncan un sourire qui confinait à l'arrogance.

— J'aurai Laoch. (Elle posa la main sur la joue de sa monture.) Tu sais ce que je représente, dit-elle à Eddie. Tu sais pourquoi ma mère s'est enfuie ce jour-là, couverte du sang de mon père, le cœur brisé.

— Oui, pour vous protéger, et nous protéger aussi. Ils voulaient te voir morte. Ils voulaient tuer l'Élue.

— Tu es son ami. Tu es mon ami.

— C'est bien joli, tout ça, les interrompit Duncan, mais comment tu comptes passer ? Tu vas arriver à cheval et frapper au portail ?

— Non. Quand j'aurai fait exploser les citernes, qu'ils seront distraits, à courir dans tous les sens pour essayer de gérer, tu pourras faire le reste ? demanda-t-elle à Will.

— Bien sûr. On va se coordonner. Flynn avec les elfes et les métamorphes, à pied, pour prendre la première ligne à revers.

— Très bien, approuva Fallon. Plus rapide, plus silencieux. Tu as connu ma mère, dit-elle à Flynn.

— Et Max aussi. On t'a attendue longtemps.

— L'attente est bientôt terminée.

Elle écouta Will planifier la nouvelle attaque et former des équipes. Elle s'efforça de garder un masque impassible alors que son cœur tambourinait, que ses pulsations étaient chaudes et rapides sous sa peau.

— Tu es sûre des emplacements ? vérifia Will. La prison, l'arsenal, les quartiers des esclaves ?

— Certaine. Faites-moi confiance.

— C'est ce qu'on va faire, on dirait.

— OK, je suis à fond pour votre plan, mais tout ça repose toujours sur une fille à cheval qui fait s'embraser l'essence. Comment ? demanda Duncan.

En guise de réponse, Fallon se remit en selle et flatta Laoch.

Sa corne apparut, argentée. Ses ailes se déployèrent.

— Putain de merde ! s'exclama Eddie en reculant prudemment. Une licorne volante ! Je suis sur le cul.

— Une alicorne, précisa Tonia, les yeux brillants, en écartant son frère d'un coup de coude pour aller regarder Laoch dans les yeux et le caresser. Je n'en avais jamais vu. Je ne savais pas qu'elles existaient vraiment. Trop belle !

— Ils ne surveilleront pas le ciel, signala Fallon, qui ouvrit la main pour montrer une boule de feu. Et moi, j'enverrai un ou deux projectiles sur les citernes. (Elle referma les mains pour éteindre la démonstration.) Vous pouvez me faire confiance, je vise bien.

— Je te crois sans problème, dit Eddie, radieux. Attends un peu que je raconte ça à Fred.

— Tit'Fred ! Ma mère l'appelle comme ça, des fois. Elle l'adore.

— Moi aussi.

— Nous devons faire vite. Je n'ai qu'une heure avec vous.

— Attends. Tu pourrais descendre assez bas pour me déposer à la prison ? demanda Tonia.

Son frère s'inquiéta, mais elle lui fit signe de reculer.

— Les prisonniers, c'est la priorité. Si Fallon explose les citernes, puis me fait descendre, ce sera la panique en bas et je pourrai régler leur compte aux gardes. J'emmènerai les détenus au portail ouest, où il y aura les soignants et les transports. Ce serait faisable ?

— Je te déposerai, confirma Fallon.

— Will ?

— Tu sais combien de gardiens il y a dans la prison ?

Fallon ferma les yeux.

— J'en vois deux à l'extérieur, un à l'intérieur. Un homme et une femme, un homme.

— S'ils sont plus de deux devant, vous annulez, ordonna Will. Tonia, deux, tu peux gérer.

— Oh, oui. Je pars avec elle.

Tonia s'appuya sur l'avant-bras de Fallon pour monter et elles sentirent toutes deux le lien instantané, fort et profond, dans leur sang.

Tonia s'installa derrière elle.

— Enchantée de faire ta connaissance, tout ça.

— Pareil.

— Alors, c'est parti. Les éclaireurs, allez-y. (Will regarda Tonia.) Si tu tombes, ta mère ne fera qu'une bouchée de moi.

— T'inquiète.

À Fallon, il dit :

— Bonne chance. On entrera en entendant les explosions.

— Alors soyez prêts. Ça ne va pas durer.

Là-dessus, Laoch prit son élan sur ses jambes puissantes et s'éleva dans un déploiement d'ailes argentées.

— Tu crois que t'as tout vu, et puis hop, tu découvres un nouveau truc, commenta Eddie.

— On accorde beaucoup de foi à cette fille, marmonna Will.

— C'est l'Élue, dit simplement Flynn.

Will hocha la tête.

— En position !

Duncan remonta sur sa moto, mais son regard resta rivé sur l'alicorne et sur ses cavalières. Il sentait la joie de sa jumelle, qui brillait aussi fort que les ailes. Et il percevait quelque chose d'autre, qu'il ne pouvait vraiment identifier, de la part de Fallon.

Il y réfléchirait plus tard. Pour l'instant, il avait du travail.

— C'est incroyable ! s'écria Tonia en levant le visage au vent. On a étudié les alicornes à l'académie, mais personne n'en a jamais vu. Et maintenant, j'en chevauche une.

— Laoch est fabuleux. Tu es courageuse de penser d'abord aux prisonniers.

— Tu sais ce que leur font les Guerriers de la Pureté ?

— On me l'a dit. (Et Fallon l'avait vu dans la boule de cristal.) Il va falloir t'accrocher, on va faire vite.

— La vitesse, j'adore.

Et vite, c'était un euphémisme, découvrit Tonia. Elle dut retenir le cri de guerre qui résonnait en elle et elle se demanda, dans les claquements du vent, en voyant le sol défiler en bas, si leurs silhouettes se brouillaient comme celle d'un elfe en pleine course.

— Je vois l'embuscade. Ils sont postés exactement là où tu avais dit. Ils nous auraient défoncés.

— Tu sais faire des boules de feu ? s'enquit Fallon.

— Ça me prend plus longtemps qu'à toi, et je n'ai jamais réussi à en obtenir une aussi grosse. Mais je vise très bien.

— On pourrait cibler l'arsenal, après les citernes, en nous dirigeant vers la prison. Pas pour le détruire, pour bloquer l'accès à d'autres armes. Ensuite, ceux de New Hope pourront prendre les armes qu'ils voudront et détruire le reste.

— Bon plan.

— D'abord, l'essence.

Elles passèrent au-dessus du mur, des têtes des gardes et des troupes prêtes à faire feu. Elle vit la prison, l'arsenal, les maisons. L'échafaud.

Et les trois camions-citernes.

— C'est trop dommage de les faire exploser. L'essence pourrait nous servir.

— C'est du gâchis, confirma Fallon, mais c'est la meilleure façon de nous y prendre. Peut-être la seule. Accroche-toi bien.

Tonia n'était pas facilement impressionnée par la magye, mais elle admira la vitesse de Fallon : une, deux, trois boules de feu de la taille de ballons de basket, projetées avec une précision remarquable sur chaque camion.

Ils explosèrent en un monstrueux brasier tout droit sorti des Enfers. Elle vit les éclats de métal enflammé voler et sentit l'odeur de carburant chaud empuantir l'atmosphère.

Fallon fit effectuer un demi-tour à Laoch, puis plongea vers l'arsenal.

— On l'entoure d'un cercle de flammes, cria-t-elle pendant que, plus bas, des gens couraient dans tous les sens, paniqués. Entièrement, pour qu'ils ne puissent pas passer. Tu peux ouvrir ton esprit à l'elfe, Flynn ?

— Oui.

— Raconte-lui ce qu'on fait pour qu'il puisse passer le mot. Je n'y ai pas pensé avant qu'on ait pris notre envol, sinon j'aurais prévenu Will. Fais monter le feu, autant que tu peux.

Tonia chercha loin en elle, et, le corps collé à celui de Fallon, se surprit par la vitesse à laquelle elle produisit la boule. Elle mesura la distance, choisit l'endroit et jeta sa production.

— Joli.

— Je suis lanceuse dans l'équipe de base-ball junior de New Hope. Flynn est sur le coup, ajouta-t-elle.

Laoch contourna le bâtiment et ses cavalières érigèrent un mur de feu.

Par-dessus les flammes et les explosions, elles entendirent plusieurs détonations.

— Prépare-toi à sauter, cria Fallon pendant qu'elles filaient dans l'air. À plus tard.

— À tout à l'heure.

— Non, je vais aider jusqu'au moment où je serai emportée, mais je ne pourrai pas rester jusqu'au bout. On se reverra.

— Emportée où ?

— Tiens-toi prête, lui intima Fallon en refaisant plonger Laoch. Pas de gardes devant. Ils se sont enfuis, les lâches. Saute ! Bonne chance.

Elle vit Tonia atterrir, encocher une flèche, puis ouvrir la porte par son pouvoir.

Fallon fit remonter Laoch. Elle se sentait déjà tiraillée pour repartir. Encore quelques minutes, pensa-t-elle en étudiant la bataille en dessous pour rechercher des faiblesses à exploiter, ou aider en comblant un vide. Duncan, accompagné de deux autres, arrêta sa moto juste devant le mur de feu. Elle le supposait capable d'éteindre les flammes créées par sa sœur, mais ne savait pas trop ce qu'il en était pour les siennes. Elle leur ménagea donc une ouverture pour les laisser passer.

Il leva la tête, rencontra ses yeux, soutint son regard un instant, seulement un instant qui sembla s'étirer, s'étirer…

Et puis elle et Laoch se retrouvèrent dans la clairière face à Mallick, qui tenait la boule de cristal.

— Êtes-vous blessés ?

— Non.

Fallon descendit de selle et passa les mains au-dessus de Laoch. Avec tous les débris qui avaient volé, explosé aussi haut… Or il n'avait pas une égratignure.

— On n'a rien.

— As-tu réussi ?

— Je les ai interceptés à temps. Certains ont connu mes parents, ils m'ont crue. La carte que vous m'avez aidée à dessiner s'est révélée bien utile, tout comme l'astuce d'éclairer dans le noir. J'ai suivi le plan que vous aviez approuvé, sauf…

Il leva les sourcils.

— Sauf ?

— Tonia m'a demandé si elle pouvait venir sur Laoch avec moi pour être plus vite à la prison. Et une fois en l'air, je me suis dit qu'à nous deux… On a encerclé l'arsenal par un mur de feu pour que les ennemis n'aient pas accès à d'autres armes. Pour que les soldats de New Hope puissent prendre ce qu'ils avaient le temps d'embarquer, puis détruire le restant.

Il réfléchit.

— Cela représente une modification acceptable à notre accord.

Il ne l'aurait pas su, s'avoua-t-il. Il n'avait pas le droit de voir dans la boule de Fallon.

— Le reste est entre leurs mains, mais ils avaient l'avantage. Si j'avais pu rester un peu plus longtemps…

— Une heure. C'est ce dont nous étions convenus. Occupe-toi de l'alicorne et rentre ensuite.

— Je veux voir. La boule me montrera.

— Une fois que tu seras rentrée. Laoch a besoin de tes soins.

— Il a été parfait, Mallick. (Encore tout exaltée par le voyage, la bataille, la fuite, elle vint câliner l'animal.) On était tellement unis. Il savait, et je savais, pour chaque mouvement, chaque virage. Vous aviez raison de dire que Grace n'est pas faite pour le combat. Lui, si.

Elle emmena le cheval. *Toi aussi*, pensa Mallick avant de rentrer attendre sa disciple.

Cet épisode resterait dans les annales comme la Bataille du Feu.

C'était mieux qu'un sauvetage, pensa Duncan en filant vers New Hope à moto, Tonia derrière lui. Ils avaient emmené tous les prisonniers et libéré plus de vingt esclaves. Ils avaient ajouté à leurs réserves douze fusils semi-automatiques, vingt-deux armes de poing, quatre boîtes de grenades, deux fusils de chasse au canon scié et des kilos de munitions.

Les véhicules qu'ils n'avaient pas rendus inutilisables repartaient avec eux à New Hope.

C'était une déroute pour les Guerriers de la Pureté, pensa-t-il. Une vraie déroute. Ce qui avait bien failli être un massacre était devenu l'une des plus grandes victoires de la résistance de New Hope.

— Pas possible qu'elle se soit volatilisée comme ça.

Duncan soupira. Tous les quelques kilomètres, Tonia lui criait à l'oreille une variante sur ce thème.

— Possible, puisque c'est ce qu'elle a fait.

— Elle est partie en volant.

— Je te dis que non. Elle était là, et d'un coup, elle a disparu.

— Ce n'était pas une projection astrale. Je l'ai touchée. J'étais sur le cheval, merde. Elle était là.

— Oui. Et ensuite, elle n'était plus là.

Comment s'était-elle débrouillée ? se demanda-t-il… comme il le faisait tous les quelques kilomètres. Il avait carrément envie de le savoir et de le faire lui-même.

— Il y avait quelque chose chez elle, continua sa sœur.

— Ouais, ouais, c'est l'Élue, c'est la Sauveuse. OK, elle avait le cheval hyper cool et le pouvoir du feu, mais pour moi, elle ressemblait à une sorcière normale.

— Tu ne l'as pas touchée. Quand je l'ai fait, j'ai senti comme une vibration dans mon sang. Pas tout à fait comme entre toi et moi, mais il y a un truc. Et j'y pense depuis que j'ai le temps de penser plutôt que de me battre. J'étais contre elle, dans son dos, quand j'ai fait le mur de feu… Je ne réussis jamais des boules aussi vite ou aussi grosses. Je te jure, Duncan, ça marchait tout seul. Je crois que c'est à cause du contact physique.

— Si elle était restée, on aurait pu parler avec elle. C'était quoi, l'urgence, bordel ?

— J'ai oublié de t'en parler, elle a dit qu'il ne lui restait pas longtemps avant d'être emportée. Sans préciser où, comment ni pourquoi, évidemment. On était un peu occupées.

Le vent, froid et cinglant, soufflait fort, mais Duncan y décela la senteur d'un printemps qui s'éveillait.

L'image de Fallon s'imposa dans son esprit, le visage illuminé alors qu'elle dansait autour d'un feu de joie, une couronne de fleurs blanches dans ses cheveux noirs.

— Elle voulait rester.

— Quoi ?

— Oups, fit-il, car il n'avait pas eu l'intention de penser tout haut. Elle voulait rester. Je l'ai perçu. Oui, il y a un lien entre nous. Je l'ai senti quand je l'ai regardée droit dans les yeux, juste avant qu'elle s'évapore. Elle aurait préféré rester et se battre, mais… ce n'était pas le moment.

— En tout cas, si ce n'avait pas été le moment qu'elle débarque cette nuit, on serait nombreux, peut-être presque tous, à ne pas rentrer chez nous ce soir.

— Comment elle a su ? C'est ma question.

— On a tous les deux des visions, lui rappela Tonia.

— Tu en as déjà eu une tellement claire et détaillée que tu pouvais carrément dessiner une carte ? Et très précise ?

Il voulait ce don aussi. Il en était jaloux.

— C'est comme si elle était déjà allée à l'intérieur de la base, poursuivit-il. Elle savait combien de gardes étaient postés à la prison, connaissait l'existence des citernes…

— Et elle les a défoncées, ajouta Tonia gaiement. On n'est pas l'Élue, Dunc. Elle en sait plus parce qu'elle est plus que nous.

Duncan estimait avoir besoin de plus d'une heure, malgré le succès incontestable de cette nuit, pour en être sûr.

Lorsqu'ils rentrèrent dans New Hope, Tonia rejoignit l'équipe pour les explications, soins et propositions de logements aux prisonniers et aux esclaves libérés. Hannah passerait sûrement la matinée à la clinique.

Nombre de rescapés étaient en piteux état.

Duncan s'occupa du transfert des armes dans leur propre arsenal avec une autre équipe.

Will étant parti interroger Nigel Patrick, il ne s'attendait pas à le voir arriver moins d'une heure plus tard à l'arsenal.

— Il a avoué, ce connard ? demanda Duncan. Et qu'est-ce qu'on va faire de lui ?

— Non, et on va l'enterrer, répondit Will en faisant les cent pas dans la pièce. Ce salopard s'est pendu dans sa cellule.

Eddie poussa un long soupir.

— Ben, écoute, Will, c'est peut-être pour le mieux. On n'a plus à décider quoi faire de lui. C'est réglé.

— Je voulais lui parler, fulmina Will en tapant son poing dans sa main. Je voulais découvrir comment ils ont bien pu deviner qu'on viendrait là en reconnaissance. Ce qu'ils savaient de plus.

— Ils ont déjà été de mèche avec les Insolites noirs, fit remarquer Eddie. Ces enfoirés d'Eric et Allegra. On pensait les avoir tués en Pennsylvanie, dans les montagnes, mais ils ont survécu. Peut-être que Lana ne les a pas tués non plus après la mort de Max. Ou alors, ils se sont trouvé d'autres complices qui ont des visions, comme Lana en avait, comme en ont certains de chez nous.

— Possible, fit Will en se retournant, les yeux froids, le visage méfiant. Ou alors, on a un espion.

— Merde, Will…

— On accueille des gens dans notre communauté. Il y en a qui arrivent en ce moment même. Certains peuvent rester, d'autres repartir.

— On se renseigne bien sur eux, quand même.

— Quelques heures de plus, et Patrick serait mort, le jour où on l'a trouvé, dit Duncan, que ce début d'hypothèse inquiétait. Hannah me l'a dit, et elle s'y connaît. Rachel a dû l'opérer et il avait des blessures internes pour couronner le tout. C'est pour ça que j'avais du mal à croire Fallon au début.

— Un intégriste, opina Will. Ce ne serait pas le seul. On en a vu d'autres dans son genre.

— En général, ils sont à moitié tarés, releva Eddie. À moitié tarés, ça se remarque.

— J'aimerais en être sûr, dit Will en se passant les mains sur le visage. Je ne sais pas ce qu'il vaut mieux espérer. D'une façon ou d'une autre, on va devoir faire plus attention.

— On a déjà des protections magyques autour de la ville, mais on peut en ajouter, proposa Duncan en se disant qu'ils allaient y travailler. Si la personne en relation avec les Guerriers de la Pureté est déjà à l'intérieur, il faut qu'on comprenne comment elle communique avec eux.

— Sans doute pas quelqu'un de magyque. Ils s'acoquinent avec eux quand ça les arrange, réfléchit Eddie, mais ils évitent la plupart du temps. Ils peuvent pas les blairer. Désolé, Duncan.

— C'est réciproque, donc pas de souci. Ce n'est pas si compliqué de faire circuler des infos au-dehors, je pense. Il suffit de se porter volontaire pour la chasse, l'approvisionnement ou la reconnaissance. Ou même à une des fermes. Tu n'as plus qu'à laisser un message à un lieu convenu à l'avance.

— Ils ont aussi leur propre système de communication. Il peut y avoir quelqu'un qui transmet les renseignements par radio. On va commencer par là, décida Will. On renforce les protections, on commence à vérifier les transmissions, et ça ne me plaît pas, mais on observe de plus près tous les gens arrivés au cours des six derniers mois. L'un des esclaves, ou plus d'un, pourrait avoir été endoctriné.

Il alla regarder par la fenêtre.

— Si Fallon ne nous avait pas prévenus, je nous aurais conduits droit au massacre.

— C'est pas toi, le responsable, s'échauffa Eddie.

— J'ai accepté le poste, je suis responsable. Maintenant, je vais enterrer le pauvre connard que j'ai cru assez aux abois pour nous livrer des informations sur la façon de libérer des esclaves et des prisonniers.

— Il les a données, pourtant. Je suis d'accord avec Eddie, dit Duncan. Il nous a embobinés. On l'a cru parce qu'il nous a dit la vérité, ou presque. Je vais t'aider à l'enterrer.

— Merci, mais je m'en occupe avec Pinney. Ça sera bon pour Pinney. C'était lui qui surveillait Patrick, juste par précaution, jusqu'à notre retour. Il s'est endormi, c'était pas dangereux. Personne n'imaginait qu'il allait se suicider, le salopard. Quand il s'est réveillé, il est allé jeter un coup d'œil dans la cellule. Patrick était pendu avec son drap. Encore chaud, paraît-il. Il a coupé le drap, a essayé de le ranimer. Encore chaud, mais parti.

— Ce n'est pas non plus la faute de Pinney.

— Non, Eddie, on ne peut le reprocher à personne. Patrick a fait son choix. Allez, on n'a pas besoin de dresser un inventaire précis ce soir. Mettez bien les armes sous clé et rentrez chez vous. À demain.

— Will, je sais que ça te mine de penser qu'on a failli foncer dans une embuscade et de te demander comment ç'a été possible. Mais on est tous rentrés chez nous. On a fait ce qui était prévu et on est tous revenus chez nous. Tu dois pas oublier ça.

— Je n'oublierai pas.

La sortie de Will fut suivie par un soupir d'Eddie.

— Je suis carrément content de pas être chef. C'est vachement lourd. Être soldat, c'est déjà dur, mais ça l'est encore plus d'être celui qui donne les ordres. Alors on va se montrer de bons soldats et obéir. On ferme et on rentre. Je veux raconter à Fred que j'ai vu la fille de Lana.

Pendant qu'ils stockaient les armes pour un inventaire futur, Eddie donna un coup de coude à Duncan.

— Vachement jolie, hein.

— Ouais, elle était pas mal.

— Pas mal, tu parles. Cette fille, c'est une bombe.

— Eddie, arrête, tu pourrais être son père !

Peut-être un peu choqué de s'apercevoir que c'était la pure vérité, Eddie ne lâcha pas pour autant Duncan.

— Ça m'empêche pas d'avoir des yeux. Une bombe, répéta-t-il. Toi, t'es pas assez vieux pour être son papa, et t'as des yeux.

— Je suis plus ou moins avec une fille.

— Ouais…, fit Eddie qui ferma, mit les clés dans sa poche et attendit que Duncan ait ajouté une protection. Laquelle, cette semaine ?

Avec un petit rire, Duncan haussa les épaules. Il avait fricoté avec Cassie, était passé à Fawn, et là…

— On peut faire plein de choses sérieuses sans que ce soit sérieux avec une fille en particulier.

— Je comprends. À ton âge…

— Et bon, d'accord, elle était belle. Une bombe, je sais pas, mais elle envoie.

— Elle a les yeux de son papa. Ça m'a fait quelque chose, de les voir chez sa fille. Va te reposer, mon gars, tu l'as mérité.

— Toi aussi.

Quand, des heures plus tard, Duncan réussit enfin à dormir, il rêva de la fille aux yeux gris, la fille sur un cheval blanc aux ailes d'argent. Une fille qui marchait dans un endroit si illuminé qu'on en avait mal aux yeux. Et qui prenait une épée et un bouclier dans le feu qui l'éclairait comme un millier de soleils.

Lorsqu'elle les souleva, c'était elle, le soleil.

17

Fallon affrontait Mallick et ses guerriers fantômes. Elle reçut des coups imaginaires, et elle souffrit ! Son entraînement tirant à sa fin, il avait décrété qu'elle combattrait en ressentant la douleur.

Elle ne saignerait pas, mais elle sentirait les touches.

Aussi, quand l'épée de l'un des fantômes entama son épaule gauche, elle éprouva la vive morsure du métal qui entre dans la chair.

Elle continua de se battre.

Les premières fois qu'elle avait combattu dans ces conditions, le choc d'un coup l'avait paniquée. Et tuée. Elle comprit donc vite pourquoi Mallick la poussait à progresser.

Une blessure représentait non seulement un choc, mais aussi un affaiblissement. Mallick l'incitait à entraîner son esprit et son corps pour lutter contre les deux.

La sueur dégoulinait sur son visage et sa jambe droite peinait à garder l'équilibre contre la pointe de l'épée de Mallick. Elle défit toutefois deux des quatre opposants, et combattit avec hargne son maître et le dernier fantôme.

Elle sentit son endurance s'effriter, car l'adrénaline ne la soutenait que jusqu'à un certain point. Pour mettre fin au combat, elle lança une boule de feu sur le fantôme, effectua un roulé-boulé, puis faucha les jambes de son maître d'un coup d'épée.

Lorsqu'il s'écroula, elle lui enfonça la lame dans le cœur, puis se laissa tomber à côté de lui.

— J'ai mal partout.

La respiration entrecoupée, il acquiesça.

Surprise, elle le regarda. Il transpirait autant qu'elle, et sa pâleur était saisissante sous le film de sueur.

— Vous aussi, vous ressentez la douleur ? Mais pourquoi ? C'est moi qui m'entraîne.

— Lorsque ton épée frappe un adversaire, il le sent. Alors avec ce progrès, je le sens.

Elle se leva pour aller pomper de l'eau au puits et rapporta la louche.

— Buvez. Vous n'avez aucun besoin de vous battre avec la douleur, ou de vous battre tout court. Des fantômes suffiraient. Vous pourrez observer et évaluer.

Il la regarda par-dessus la louche avant de boire.

— Je suis capable de me battre, et de me battre en ressentant la douleur.

Fallon avait appris une leçon qui n'avait pas été difficile : son professeur était très fier.

— Être capable, c'est une chose, et vous l'êtes plutôt deux fois qu'une. Mais ça ne veut pas dire que vous avez besoin de le faire. Si vous observiez au lieu de combattre, vous pourriez mieux juger mes compétences et mes faiblesses.

Il but encore une gorgée.

— Essaierais-tu de protéger le petit vieux, mon enfant ?

— Le petit vieux m'a fait un trou dans la cuisse droite. (Pour prouver ses dires, elle frotta l'endroit douloureux.)

J'essaie juste de me montrer pragmatique. On s'est mesurés jour après jour, donc on connaît nos techniques, notre rythme, nos points faibles. Bien sûr, il y a des changements, mais dans l'ensemble, si vous feintez à gauche, je sais qu'il faut que je pare à droite pour prévenir une attaque de côté. Et quand vous vous préparez à porter le coup, vous soulevez légèrement l'épaule droite.

— Vraiment ?

— Oui. (Comme elle ne mentait pas en disant avoir mal partout, elle roula sur le dos pour regarder les nuages blancs cotonneux défiler sur le bleu du ciel.) Selon toute probabilité, je n'affronterai pas d'ennemis que je peux déchiffrer aussi bien que vous.

— La prochaine fois, nous nous battrons de la main gauche.

Son intérêt étant piqué, elle se redressa sur le coude.

— De la main gauche.

— Cette situation pourrait se présenter, et comme tu le disais, cela changera un peu. Mais pas aujourd'hui. Corps-à-corps, quatre adversaires, pas d'armes.

— Maintenant ?

Il lui tendit la louche avec le restant d'eau.

— Bois. Bats-toi. Je vais suivre ta suggestion et observer.

— Je suis blessée, je…

— Encore une excellente suggestion, la coupa-t-il tranquillement. Tu as perdu ton épée lors d'un précédent combat et tu te retrouves désarmée face à de nouveaux ennemis.

— J'aurai encore mon poignard.

— Imaginons que non, pour cette leçon.

— Et ma magye ?

— Elle est toujours avec toi.

Elle engloutit l'eau et lui rendit la louche en se remettant debout. Elle aimait bien le corps-à-corps. Son père lui avait appris les bases de la boxe, du combat de rue et du karaté. Mallick avait étendu ces connaissances à d'autres formes de karaté, au kung-fu et au taekwondo.

Les katas qu'il lui avait enseignés et lui avait fait pratiquer avec insistance lui plaisaient. Elle aimait leur danse fluide et mortelle.

Mallick fit apparaître quatre fantômes, deux hommes et deux femmes. Fallon jugea la plus petite des femmes très inquiétante. Elle semblait à la fois tonique et agressive.

Dès qu'ils prirent forme, elle décida de s'attaquer d'abord au plus grand des hommes. Il semblait très costaud et brutal. Il serait fort, mais pourrait manquer d'agilité, estima-t-elle.

Avant qu'ils ne puissent foncer sur elle, elle prit les devants et donna un coup de pied sauté à sa première cible, l'atteignant à la gorge. Elle roula pour retomber et esquiva de justesse un pied qui lui arrivait en pleine tête. Elle fit souffler un tourbillon pour les disperser et se jeta sur la deuxième femme.

Mallick observait en leur tournant autour. Elle n'était pas encore tout à fait parvenue à un authentique équilibre de ses armes : corps, esprit et magye. Cependant, il était fort satisfait de sa progression.

Et très fier de sa hardiesse.

Elle encaissait des coups : un poing sur la joue droite, un méchant coup de pied sur sa hanche gauche. Toutefois, elle avait appris à utiliser la douleur et à saisir sa chance au bon moment.

Lorsque la plus petite des femmes s'élança, tout en vitesse et en puissance, pour s'emparer des mollets de Fallon, celle-ci en profita pour bondir, les deux pieds en avant. Elle avait visé juste : ses bottes atteignirent de plein fouet l'entrejambe de l'homme restant. Quand il tomba, elle l'écrasa de son pouvoir.

Elle fit volte-face à temps pour parer le coup de pied de la plus petite femme et lui saisit la jambe pour la projeter sur son adversaire restante.

La petite était aussi agile que le soupçonnait Fallon et parvint à se rétablir sur ses pieds. Mais Fallon avait renversé la deuxième femme, ce qui lui accordait un peu de temps. Elle encaissa un deuxième coup de pied et vit trente-six chandelles. Pourtant, elle tourna encore à une vitesse prodigieuse.

Poing arrière, coup de pied arrière, coup de pied latéral. Cela suffit à faire tomber la femme. Fallon écrasa sa main sous sa botte.

Sa satisfaction fut de courte durée, car elle fut repoussée par une vague de pouvoir. N'étant pas préparée, elle se réceptionna mal et retint un cri quand sa cheville se tordit. Elle leva vite la main pour opposer du pouvoir au pouvoir.

À travers une brume – elle s'était cogné la tête –, elle vit la plus petite fondre sur elle, un couteau dans sa main valide.

L'instinct de survie prit le dessus. Fallon usa de son pouvoir pour tirer. Le couteau s'échappa des mains de son adversaire pour atterrir dans la sienne, qui le plongea dans le cœur de son ennemie.

Furieuse, submergée par la douleur, elle se releva.

— T'es finie ! cria-t-elle en projetant du pouvoir contre le pouvoir de l'autre femme.

Une main tendue pour repousser le pouvoir, elle projeta l'autre et envoya une lame de feu qui fendit l'air tremblant et atteignit sa cible. La dernière des attaquants s'embrasa.

Fallon fit quelques pas vacillants, abandonna et s'assit par terre.

— Je ne me savais pas capable de faire ça.

— Nous sommes rarement conscients de ce dont nous sommes capables quand nous sommes acculés.

— Vous ne m'aviez pas prévenue que l'un des fantômes serait une sorcière.

— Tu t'imagines que tu n'affronteras que des personnes sans magye ?

— Non, mais… ç'aurait été sympa de prévenir.

— Les batailles et les guerres ne sont jamais sympas.

Il s'approcha d'elle et se baissa pour lui relever le menton.

— J'ai la vision un peu brouillée.

— Hmm. Légère commotion cérébrale. Ferme les yeux, je vais régler ça.

Elle obéit.

— Ma cheville, la gauche, est très douloureuse. Pas cassée, salement foulée.

— Je vais m'en occuper. Respire doucement.

Le bourdonnement dans ses oreilles cessa, et elle put s'exécuter. Mais elle retint son souffle encore une fois quand Mallick passa à sa cheville. La douleur… une brume rouge, se dit-elle. À travers la brume, regarder vers la lumière. Son estomac se soulevait, alors elle imagina la nausée comme un étang, apaisant, très apaisant, relaxant…

La main de son maître passa au-dessus de sa hanche qui l'élançait, puis, à sa surprise, à hauteur de son visage, en douceur.

Elle ouvrit les yeux, regarda ceux de Mallick.

— Vous dites toujours que quelques bleus visibles servent à se rappeler d'être plus rapide, plus fort et plus intelligent la fois suivante.

— Je pense que tu n'oublieras pas. Comment as-tu fait apparaître la lame de feu ?

— La colère. (Comme la guérison la rendait somnolente, elle replia ses genoux et posa la joue dessus.) La petite avait un couteau. Vous aviez dit pas d'armes.

— Elle a triché, comme beaucoup de ceux que tu affronteras. Lève-toi maintenant et vois où en est ta cheville.

Il l'aida à se rétablir et la regarda marcher.

— Un peu désagréable, mais pas de vraie douleur. Je peux porter mon poids dessus.

— Vision troublée, nausées ?

— Non, c'est fini.

Content, il hocha la tête.

— Tu disposes d'une heure de liberté, et ensuite, tu feras six potions de mémoire et deux que tu inventeras. Si tu t'en tires bien, le reste de l'après-midi sera pour toi.

— Après les potions, je veux utiliser la boule de cristal. Aller à New York.

— Je ne puis te le permettre.

C'était toujours la même rengaine. Pour chaque oui qu'elle lui arrachait, elle récoltait vingt non.

— New York et Washington sont encore en guerre. C'est là que réside la plus grande population d'Insolites noirs. Il faudra qu'on reprenne ces villes, insista-t-elle. Comment je peux savoir si je ne vois pas ? Vous me dites toujours de regarder et de voir.

— Le moment n'est pas venu.

— Encore un truc que vous dites toujours.

— Parce que les deux sont vrais. Tu regarderas, et tu verras, quand ce sera le moment.

Elle s'attendait à cette réponse et avait sa réplique toute prête.

— Elle peut m'amener aux temps d'avant, comme quand j'ai pu voir le plan des Guerriers de la Pureté de tendre une embuscade aux gens de New Hope. Laissez-moi y aller, voir le New York que ma mère aimait tant. Là où elle et mon père de naissance se sont rencontrés et ont vécu.

— Je vois clair dans ton jeu. Tu demandes d'abord ce qui va t'être refusé, puis tu fais une proposition moins extravagante dans l'espoir qu'elle sera acceptée.

— Non, ce n'est pas vraiment ça. (En gros, oui, il fallait le reconnaître, mais pas exactement.) Je veux voir le présent. Aller à New York, à Washington, à d'autres endroits et voir ce qui s'y passe maintenant. Mais je me suis dit que j'aurais une meilleure chance avec le passé. Bon, c'est un peu la même chose.

— C'est une stratégie très connue parce qu'elle fonctionne souvent.

— C'est vrai ? s'exclama Fallon, pleine d'espoir.

— Tu le sauras une fois que tu auras confectionné les potions. File. J'aimerais te voir t'activer au jardin pendant cette heure. Dans le calme.

— Je vais prendre une douche. Une longue douche.

C'était une sensation délicieuse, même si les tuyaux s'entrechoquaient et que l'eau avait un débit plutôt crachotant. La légère pression soulagea les douleurs et inconforts restants, et le savon des fées dégageait une senteur rappelant la clairière : verte, douce et tranquille.

En s'habillant, Fallon planifia la suite de sa journée. Elle allait lire pendant le restant de son heure, puis s'occuper des potions. Elle voulait en faire une qui créerait une brume et une qui aveuglerait l'ennemi en approche.

Enfin, elle irait dans la boule et découvrirait la grande ville de sa mère, comme elle avait été. Elle suivrait ses parents ensemble. Mallick se doutait que c'était son vrai but. Elle souhaitait voir les gens qui l'avaient conçue, l'endroit où ils avaient habité.

Beaucoup de choses en une heure, songea-t-elle. Mallick ne lui octroyait jamais plus d'une heure. Elle s'arrangerait pour que ça suffise.

Et puis, en calculant son moment, elle demanderait à découvrir un autre lieu pendant une heure. Jusqu'au jour où elle se rendrait à l'endroit du premier bouclier. Celui dont elle avait rêvé, fait de champs, d'arbres et de collines, avec le cercle de pierres.

Elle jeta un coup d'œil vers la boule. Elle n'allait pas trahir la confiance de Mallick. Elle n'entrerait pas sans qu'il le sache. Mais il ne lui avait jamais interdit de regarder.

Se dirigeant vers elle, elle posa la main dessus.

— Fais-moi voir, seulement voir. Ici demeurent mon esprit et mon corps pendant que par des visions, tu me guides.

La boule s'éclaircit et lui montra dans la lumière pâle ce qu'elle avait déjà entrevu à la lueur de la lune.

Des champs vert et or, recouverts d'herbes folles et envahis par les ronces. Des cerfs noirs broutaient, de même qu'au temps présent. L'endroit était entouré de montagnes, une faible lumière miroitait à travers les arbres, mais la terre n'était pas cultivée.

Et les pierres, grises dans l'atmosphère lugubre, entouraient une terre noircie.

Même à travers le cristal, Fallon sentait une bataille de pouvoirs, la lumière qui s'opposait aux ténèbres.

Elle entendait le pépiement des oiseaux, le souffle du vent sur les herbes folles, l'écho des espaces vides.

Et puis le sol brûlé bougea, se mit à palpiter tel un cœur noir. Les oiseaux se turent à l'arrivée du morne vol de corbeaux qui tournoyaient au-dessus des pierres.

Les bois s'assombrirent, engloutis par les ténèbres qui répandirent une brume glissant à terre pour aller s'enrouler autour des pierres.

De cette obscurité, de ce brouillard, une voix émergea.

— Tu es à moi.

Elle tira sur Fallon, comme une main griffue. Une poigne qui entamait sa chair.

Dans la boule et dans sa tête, la voix murmura :

— Viens.

La peur lui glaça le sang. Des serres lui transpercèrent la peau. Douleur aiguë, plaisir sombre. Elle vacilla un instant, car quelque chose s'était mis à battre en elle, chaud, fuyant. Elle trembla de l'avoir, trembla pour le repousser aussi, perdue, effrayée. Exaltée.

Si elle y allait, elle en saurait davantage, en sentirait davantage, en verrait davantage.

Le sol palpitait plus vite, comme son propre sang. L'appel des corbeaux devint cri perçant. Et la lumière déclina, déclina, cheminant vers les ténèbres.

Choquée, Fallon eut un grand mouvement de recul, sentit des serres qui lui griffaient douloureusement le dos de la main.

— Non ! (Elle reprit son souffle.) Non, je refuse de venir. Tu ne garderas pas ce que tu as pris. Retourne en enfer !

Du même instinct qui l'avait incitée à lancer une lame de feu, elle inonda le globe de lumière. Les corbeaux tombèrent sans vie ; les ténèbres reculèrent avec un sifflement.

Fallon fit lentement quelques pas en arrière. Elle aperçut alors Mallick, épée en main, à sa porte.

— Je ne cherchais pas à…

— Qu'as-tu fait ? Tu es entrée ?

— Non ! Je vous jure que non. Je voulais voir l'emplacement du premier bouclier. J'en ai rêvé, j'avais envie de le voir. C'est désert, mais pas mort. J'ai senti la lumière et les ténèbres s'affronter, et là-bas, les ténèbres sont plus fortes maintenant. Et c'est venu. Je…

Elle examina sa main, qui ne portait aucune marque.

— Ça a parlé. Ça a enfoncé des griffes dans ma main. Et j'ai senti… (Elle croyait savoir et fut envahie par la honte.) Ça m'a donné la sensation…

— Oui, je comprends, dit Mallick en rengainant son arme. La séduction aussi peut être une arme. Tu l'as refusée, chassée. Et tu as détruit ses oiseaux de malheur. Es-tu certaine de ne pas y être allée ? Sans le vouloir, Fallon. La force t'a-t-elle attirée à elle, même une seconde ?

— Non. C'est fort, mais la boule est à moi Elle ne peut pas m'emmener où je ne veux pas aller. L'espace d'un instant, j'en ai presque eu envie. J'ai résisté. Comment vous avez su que vous deviez venir ?

— Tu m'as appelé, d'esprit à esprit. Je viendrai toujours quand tu m'appelleras.

— Et vous, vous pouvez m'appeler ?

— Je le puis.

— Je viendrai toujours quand vous m'appellerez.

Il lui posa la main sur l'épaule.

— Tu t'en es bien tirée. Nous allons nous restaurer avant de nous remettre au travail.

— Je veux bien manger, oui. Et je suis prête à passer du temps sur les potions plutôt que… Vous entendez ?

— Qu'entends-tu ?

— C'est comme… un chant. Les fées viennent peut-être nous rendre visite, mais…

— Ce ne sont pas les fées.

— Non, ce n'est pas vraiment ça. (Elle entendait le chant autour d'elle, en elle.) C'est magnifique.

Elle sortit sans rien dire. Mallick la suivit dans la petite chaumière, jusqu'à l'atelier.

C'était comme si un millier de voix l'appelaient, mais avec douceur, plus dans la bienvenue que l'exigence.

Le placard était à présent déverrouillé, et la lumière palpitait, comme les ténèbres sur le sol souillé du cercle de pierres.

— C'est vous qui l'avez ouvert ? demanda Fallon.

— Non, c'est toi.

— Comment ?

— En rejetant les ténèbres, par l'honneur et l'acceptation. Prends ce qui te revient, mon enfant.

Tout émue, elle esquissa quelques pas vers le placard. Un livre épais, à la couverture profondément gravée de symboles magyques, reposait dans la lumière. Il émettait une musique de harpes, de clochettes et de voix qui lui remuait l'âme.

— Il est à moi.

— Lui et tout ce qu'il renferme, si tu le choisis. C'est encore un tournant sur le chemin, Fallon Swift. Tu as encore le choix.

En elle, autour d'elle, à travers elle, le chant.

Elle s'avança, inondée de lumière, et souleva l'ouvrage sans peine.

— Il devrait être lourd.

Il renferme pourtant un poids considérable, pensa Mallick.

— Une jeune fille ouvrira le Livre des Sortilèges, disent les oracles. Et tout ce qu'il recèle se transmettra à cette jeune fille. Elle saura, et c'est armée de ce savoir qu'elle entrera dans le Puits de Lumière. Là, elle prendra l'épée et le bouclier, forgés dans la lumière, trempés dans le feu. Ainsi s'élèvera l'Élue.

Fallon ouvrit le livre.

La musique résonna en un chœur assourdissant. Un vent souffla, tiède et sauvage, au goût de terre, de chair et de mer, et des flammes coururent sur les pages.

Elles y inscrivirent son nom.

L'impact du pouvoir lui coupa le souffle. En elle, autour d'elle, à travers elle, à partir d'elle.

Sa tête retomba en arrière, ses yeux se révulsèrent sous le flot. Et malgré tout, elle ouvrit les bras pour en accueillir davantage.

Elle se dressa, grande et mince, les jambes arc-boutées, et but ce qui lui était destiné. Comme la nuit de sa naissance, des éclairs déchirèrent le ciel. Le vent mugit et fouetta les arbres.

Le chant enfla, s'éleva pour résonner dans l'air chaud et tourbillonnant. Par la fenêtre au-dessus, une onde de lumière éclatante parcourut le ciel.

Lorsque l'orage passa, que les voix s'arrêtèrent, Fallon referma le livre.

— C'est… beaucoup.

— Chaque sort jamais écrit, invoqué, jeté, blanc ou noir, pour le bien ou le mal, est en toi. Cette connaissance est tienne, avec son poids. D'autres peuvent ouvrir le livre, mais il ne leur parlera pas.

— Mon père a payé le prix pour que je sois ici. Il y a toujours un prix, je le sais. J'ai vu quel est le coût de ne pas payer le prix, et c'est bien pire.

Elle reposa l'ouvrage et mit la main dessus.

— C'était votre livre.

— Non, il n'a jamais été à moi. J'ai contribué à le créer, et je l'ai gardé en sûreté très longtemps. Tel était mon devoir et mon honneur. (Il posa la main sur la sienne.) Descendras-tu dans le Puits de Lumière, Fallon Swift ?

— Oui. (Elle expira longuement en se tournant vers le placard et la lumière.) Oui, mais j'ai laissé mon épée derrière moi.

Mallick recula et croisa les mains.

— Tu n'en auras pas besoin.

Elle lui faisait confiance, se faisait confiance, aussi avança-t-elle jusqu'au placard. Avec un dernier regard vers Mallick, elle entra.

Et sauta.

Elle descendit, descendit dans la lumière blanche brillante, à l'intérieur de murs d'un blanc transparent. L'air se ruait à côté d'elle sans produire de son.

Elle regarda en l'air : la lumière virevoltait, comme de l'eau. En bas, elle luisait.

Elle atterrit jambes écartées, une main posée sur le fond brillant du puits. Le battement se faisait au même rythme que ceux de son cœur. Son sang et la lumière vivante.

Quand Fallon se releva, la lumière flottait autour d'elle comme de l'eau, comme des effleurements de main, comme la caresse d'une aile.

Elle pensa à la ferme, à sa famille, à chevaucher Grace dans les champs, à courir dans les bois. Le bourdonnement des abeilles, le linge qui claquait sur le fil. Les années où la lumière l'avait protégée avec ceux qu'elle aimait.

Elle pensa à Max Fallon, qui avait fait naître l'étincelle de sa vie et donné la sienne pour la préserver, et elle referma la main sur les symboles qu'elle portait, qui unissaient ses deux pères.

Elle pensa à Mick, Twila, Thomas, à tous ceux qu'elle avait connus et pour qui elle s'était prise d'affection.

Elle pensa aux grandes villes et aux champs déserts. Aux habitants de New Hope, et à tous ceux qui, comme eux, luttaient pour survivre et construire.

Et elle pensa à Mallick, qui avait donné des centaines d'années pour l'amener là où elle se trouvait.

C'était à elle de choisir, mais ils lui avaient tous préparé la voie.

Baignée de lumière, elle regarda le long barrage de feu.

— Encore un bond. C'est la foi. Ils ont foi en moi. J'ai foi en eux, et en la lumière.

Elle avança dans les flammes.

La chaleur enroba sa peau. Sa lumière brilla dans ses yeux. Elle sentait son souffle.

— Ma décision est prise, alors écoutez ma voix. Dans la lumière et le feu, je prête serment, j'accepte ce dont les dieux m'ont dotée. Je suis votre fille, enfant de vent et de feu, de terre et d'eau. Avec la magye, j'entreprends ce combat. Avec cette épée, avec ce bouclier, sur le champ de bataille je frapperai.

Elle tendit les mains dans les flammes, attrapa une poignée et une lanière, souleva l'épée et le bouclier.

— Ils sont à moi, dit-elle. Le livre est à moi, le hibou, le loup et le cheval sont à moi. Et je suis à eux.

Elle leva haut le bouclier décoré d'un quintuple symbole, unissant les cinq éléments par la magye. Elle brandit haut l'épée ornée du même symbole sur la garde.

Elle étincela du même argent que les ailes de Laoch, et la flamme qui courait de la garde à la pointe brûlait d'un blanc ardent.

Dans la lumière et le feu s'éleva l'Élue.

Mallick l'attendait. Il sut à quel moment elle avait atteint les flammes grâce à l'éclair et aux bougies qui s'embrasaient.

Et au changement qu'il éprouva en lui. À présent, son horloge était repartie, son cycle vital allait recommencer. Il connaîtrait l'âge. Et pour cette simple raison, il la remercia.

Il attrapa le fourreau qu'il lui avait confectionné, bien avant sa naissance, et le posa à côté du livre.

Quand elle ressortit, la lumière faiblit derrière elle. Mais sur son visage, dans ses yeux, elle était éclatante.

Il mit un genou en terre.

— Qu'est-ce que vous faites ? Arrêtez !

— J'ai attendu ce moment des centaines d'années et je le marquerai, alors silence ! Je te remets ma magye, mon épée, ma vie, Fallon Swift. Je te jure allégeance, à toi, l'Élue.

— D’accord, mais relevez-vous, ça me fait trop bizarre.
— Certaines choses ne changent pas, déclara-t-il en se redressant.
— Vous n’avez pas besoin de jurer ce que je sais déjà.
Elle envoya un regard vers le placard et la lumière adoucie.
— Le puits, c’est hallucinant, reprit-elle. La lumière est éclatante et en même temps douce comme de l’eau. C’est sans doute la raison du nom. Et le feu… J’ai vu l’épée et le bouclier dans les flammes, tout dorés dedans. Mais quand je les ai sortis, ils étaient argentés. Et c’était comme s’ils m’appartenaient.
— Parce qu’ils sont à toi.
— Vous y êtes déjà allé, dans le Puits de Lumière ?
— Une fois, il y a bien longtemps, pour y déposer le bouclier et l’épée à ton intention.
— C’est vous qui les y avez mis, chuchota-t-elle.
— J’ai gardé ce fourreau pour toi.
— Il est superbe.
— Veux-tu nommer ton épée ? C’est une tradition, qui de surcroît ajoute du pouvoir.
— *Solas*. Lumière.
— Beau nom. Me permets-tu de l’inscrire sur la lame ?
Elle la lui tendit et, touché par sa confiance, il posa un doigt sur la lame pour y graver *Solas*.
— Tu veux bien t’asseoir ?
— J’ai l’impression que je pourrais courir quinze kilomètres. (Elle allait et venait dans la pièce en tournant l’épée pour que la lame reflète les rayons du soleil.) Et ensuite, quinze de plus.
— Assieds-toi, s’il te plaît.
Elle obéit, presque frémissante.
— Je n’ai plus rien à t’enseigner.

Elle arrêta d'admirer l'épée pour le dévisager. Elle tombait des nues.

— Quoi ?

— Tu en sais dorénavant plus que moi. Le savoir est en toi, et ton pouvoir bien au-delà du mien.

— Mais… et qu'est-ce qu'on fait, maintenant ?

— Pendant tes derniers temps ici, je vais t'aider à focaliser et à affiner ce que tu as. À te familiariser avec tout ce que tu as reçu aujourd'hui.

— Du livre et du puits.

— Oui. Mais tu as ouvert le livre, pris l'épée et le bouclier. Je ne puis t'obliger à rester. Je te demande de faire confiance à ma certitude que tu as besoin du temps qu'il nous reste.

Elle était comme frappée par une flèche.

— Vous dites que je pourrais retourner chez moi maintenant ?

— En effet. Tu as accompli les quêtes et accepté ce qui t'incombe. Tu possèdes le savoir et les compétences.

— Mais vous dites aussi qu'il nous reste du travail.

— Absolument.

Fallon se releva et marcha sans but.

— J'ai envie de rentrer chez moi. Parfois, ma famille me manque tellement que je peux à peine respirer. Je matérialise l'odeur des cheveux de ma mère, ou la sensation de la main de mon père sur la mienne, la voix de mes frères. Juste pour survivre, le temps d'arriver à respirer de nouveau. J'ai tellement envie de rentrer chez moi.

— C'est à toi de choisir, désormais.

— Je veux rentrer chez moi, répéta-t-elle. Je sais que ces presque deux ans n'étaient pas consacrés seulement à me former. C'était le plus important, mais l'à-côté était de m'habituer à être loin d'eux, loin de ma maison.

Mallick se renfonça dans son siège.

— Ce n'est pas un savoir acquis dans le livre, c'est une déduction logique.

— Vous êtes à fond sur la logique. Je ne vais pas pouvoir rester à la ferme avec eux. Je ne sais pas où je devrai aller, à quelle distance, pour combien de temps. Mais je serai loin. Ces deux années rendront la séparation plus facile. Ils me manqueront, mais pas au point de ne plus pouvoir respirer. Et c'est pareil pour eux, non ? Ça leur facilitera les choses aussi.

Elle se rassit et poursuivit :

— Je n'ai pas fini ici. Et j'ai besoin que vous m'aidiez à terminer. Alors je vais rester, et on travaillera pendant ces jours restants. Mais en rentrant, j'aurai besoin de temps pour être vraiment chez moi, avec eux. Il y a des choses que je dois faire là-bas, commencer là-bas. Avant de les quitter de nouveau, j'ai besoin de passer du temps avec eux.

— C'est désormais à toi d'en juger et non à moi.

— Alors c'est décidé. Et quand je repartirai, il faudra que je les protège. Quand j'aurai ce temps et que je ferai ce qui doit l'être, ce sera plus facile de repartir.

— Très bien. En attendant, va chasser avec Faol Ban et Taibhse, ou monter Laoch. Prends ton après-midi.

— Je n'ai pas préparé les potions.

— Tu as fait d'autres choses.

— Je vais fabriquer les potions, dit-elle en souriant. Ça ne me prendra pas longtemps.

— Que d'arrogance !

— D'assurance, rectifia-t-elle avant de se mettre au travail.

18

L'été vint et repartit, avec de chaudes journées ensoleillées emplies d'apprentissages. À l'approche de l'automne, les jours ardents contrastèrent avec des nuits fraîches, puis l'air entra en guerre. Au loin, des nuages en forme d'entonnoir tourbillonnaient dans des cieux violet foncé et envoyaient des grêlons pour déchiqueter les feuilles mourantes.

Les fées murmuraient que la bataille du vent, de la glace et de la chaleur signalait la fin du temps de formation de l'Élue et le début du vrai combat contre les ténèbres.

Fallon estimait que ce n'était que la météo.

En tout cas, lorsque des orages éclataient au-dessus de la chaumière, ils le faisaient avec la fureur d'une pluie battante et d'éclairs soudains, dans le grondement du tonnerre qui résonnait sans fin dans les bois.

Fallon piqua sa propre fureur soudaine quand Mallick, après lui avoir fait subir trois combats d'affilée, critiqua la forme.

Campée sur ses bottes couvertes de paquets de boue, sur un sol détrempé par la pluie de la nuit, elle essuya le sang créé par illusion des fantômes qu'elle venait de vaincre.

— Je les bats tous, chaque fois.

— Tu es blessée, fit observer Mallick, parce que tu as été lente et négligente.

Elle avait les poumons en feu, mais ce n'était rien à côté de la colère qu'elle sentait monter.

— Je suis debout ! Pas eux.

Aussi froid qu'elle était échauffée – encore un conflit –, il ne tint pas compte du résultat, préférant mettre l'accent sur la manière.

— Par cinq fois, tu as trébuché. Deux fois, tu n'as pu utiliser ton élan et tu as perdu l'avantage.

— C'est qu'un ramassis de conneries !

— L'usage de grossièretés ne te maintiendra pas en vie sur le champ de bataille et a pour seul effet de souligner tes faiblesses.

— Je me fous de ce que vous pensez !

En furie, vexée, elle fit apparaître trois fantômes et se jeta sur eux. Aveugle à tout hormis le besoin de frapper en retour, elle trancha, cogna, envoya en masse du pouvoir qui s'enflamma à l'image de sa colère qui bouillonnait. Avec l'ébullition vint le vent, puis l'orage.

Tuer, pensait-elle, emportée par sa rage. *Je veux tous les tuer.*

Et puis les éclairs, rouges comme le sang qui giclait sur elle, zébrèrent le ciel gris boursouflé, crachèrent des lances et des fourches. Alors qu'elle décapitait le dernier fantôme, la foudre fendit l'arbre où Taibhse se posait souvent.

L'arbre explosa, catapultant des morceaux de bois et des feuilles déchiquetées.

Trempée, boueuse, abasourdie, elle courut vers le brasier.

— Oh, dieux ! Taibhse !

— Il a eu la sagesse de garder ses distances avec ta colère et ta stupidité.

Elle scruta le ciel, à la recherche des grandes ailes blanches, tandis que les nuages chargés refluaient.

— Il va bien ?

— Si ce n'était pas le cas, tu le saurais.

Tremblante, elle dégagea ses cheveux dégoulinants de ses yeux.

— J'aurais pu… J'étais énervée, mais j'avais pas l'intention…

— L'intention n'est rien. Tu as mis les autres en danger, détruit une chose vivante par dépit. Tu as fait un mauvais usage de ton don.

Il ne criait pas, or elle aurait préféré, plutôt que ce ton empreint de dégoût qui l'anéantissait.

Des larmes lui montèrent aux yeux et elle eut mal au ventre à tenter de les retenir, mais elle y parvint. Elle ne méritait pas le soulagement des larmes.

— Je suis désolée. Je n'ai pas d'excuse. Mais…

— « Mais » précède une excuse.

Elle la ravala, même si le goût fut amer.

— Nettoie tes dégâts, ordonna-t-il d'une voix si froide qu'elle en frissonna.

Il s'éloigna et referma la porte de la chaumière fermement derrière lui.

Écœurée, chamboulée, elle mit fin à la pluie et alla voir les débris rougeoyants de l'arbre. Elle contempla la fumée qui s'élevait dans le ciel bleu de l'été et rafraîchit les débris.

Lentement, laborieusement, elle rassembla ce qui servirait de bois de chauffage ou d'allume-feu, et brassée par brassée, ajouta les fagots à leur réserve. Son corps était douloureux – les fantômes avaient réussi des attaques violentes – mais elle souffrait encore plus de la culpabilité. Cela lui prit des heures, car elle refusait d'utiliser la magye.

Une fois qu'elle eut terminé, elle choisit une brindille qu'elle tint entre ses mains et offrit sa pénitence. Elle se permit de pleurer, laissa les larmes ainsi que son souffle entourer la brindille et lui faire pousser des racines. En la plantant, elle parla humblement. Elle garda les mains au-dessus et appela une douce pluie pour faire sortir les premières feuilles.

— De ce qui a été pris, une nouvelle vie commence. Je demande pardon pour mes fautes.

Elle ramassa un bout de bois carbonisé, l'examina et commença à se fabriquer un rappel à elle-même.

Couverte de bleus, épuisée, la gorge desséchée, elle rentra dans la maisonnette. Elle voulait prendre une douche et boire des litres d'eau fraîche, mais elle monta en traînant les pieds jusqu'à l'atelier.

Mallick travaillait, un verre de vin à portée de main. Il ne lui accorda pas un regard.

— Je n'ai pas d'excuse. Je me suis laissé gouverner par la fierté et j'ai utilisé ma colère pour détruire. J'ai tué une chose vivante et j'aurais pu faire bien pire parce que… j'ai abandonné toute maîtrise de moi au profit de la colère. Je ne me contrôlais pas du tout. Je voulais juste tuer, pour vous prouver que vous vous trompiez. Vous ne vous trompiez pas.

Elle avait besoin qu'il le sache, pour la comprendre à défaut de lui pardonner.

— Je peux utiliser la colère sur le champ de bataille. J'ai besoin de sentir, Mallick. Si je ne sens pas – colère, joie, chagrin et tout le reste –, je suis diminuée. Sentir me rend plus forte. Mais je sais maintenant, surtout maintenant, que sans contrôle, mon pouvoir, ma force, mes sentiments sont une faiblesse.

Il referma une fiole de liquide ambré et l'étiqueta.

— Alors tu as appris une leçon importante. Peut-être même la plus précieuse.

— Je n'ai pas utilisé la magye pour déblayer, mais je l'ai fait pour ramener la vie à une partie de l'arbre. Pour en planter un nouveau et demander pardon.

Mallick se tourna vers elle, prêt à s'excuser aussi. C'est alors qu'il vit le bracelet de bois sculpté au poignet de sa main droite.

Interloqué autant qu'horrifié, il s'exclama :

— Tu t'es fabriqué un colifichet ? Tu te pares de ce que tu as détruit ?

— Non, ce n'est pas un bijou. C'est un rappel.

Elle avança le bras.

Il le prit, prêt à la sermonner encore. Puis il étudia sa création.

Le bracelet portait le quintuple symbole et les mots *Solas don Saol*.

« La lumière pour la vie. »

— Je vais faire couler du sang. Prendre des vies. J'enverrai des gens au combat ou je leur donnerai des missions qui pourraient mettre fin à leurs jours. Si je l'accepte, je dois croire ceci. « La lumière pour la vie. » Pour mener une guerre qui mettra fin à la guerre. Et ne jamais, au grand jamais, frapper sans raison, sans contrôle, comme je l'ai fait aujourd'hui. Je porterai cet objet pour m'en souvenir. Je suis désolée. Vous ne pouvez pas me pardonner ?

Il la regarda. Un œil au beurre noir, une joue vilainement éraflée dans un visage si jeune encore. La jeunesse ne pouvait représenter une excuse pour elle, mais il s'était permis d'oublier que c'était une raison.

— Nous nous pardonnerons l'un à l'autre.

— Vous n'avez rien fait.

— Ma propre colère t'ai laissée sans soins. La guérison est un don, et j'ai fait fi de mon don pour te punir. Assieds-toi, je vais m'occuper de toi ainsi que j'aurais dû le faire.

Au matin, après une nuit chargée de rêves, Fallon se leva pour apporter ses offrandes. Elle sentit l'automne dans l'air, ses senteurs épicées et fumées. Et elle pensa à chez elle.

Tout en se préparant une tisane, elle décida de consacrer son temps libre de la journée à passer dans la boule de cristal pour visiter de nouveau New York. Celui que sa mère avait aimé.

Elle fut frappée par la quantité d'odeurs, de couleurs et de mouvement. Et quel bruit ! Elle avait déjà marché sur les trottoirs au pied de bâtiments impressionnants, s'émerveillant de tous ces trésors. Des voitures, tant de voitures qui formaient un grondement constant. Des gens, tant de gens pressés, si bien habillés. Des vitrines remplies de vêtements, de chaussures, de sacs, de pierres précieuses, d'or et d'argent qui étincelaient.

La nourriture. Partout. Dans des chariots, des vitrines, des boutiques, même sur les trottoirs. L'odeur de viande, de fleurs, d'essence et de tout le reste. D'humanité.

Elle avait regardé une jeune Lana en blouse et toque blanches s'activer dans une immense cuisine pleine de monde et de toujours plus de bruits, de cris, de mouvement, de vapeur, de chaleur. C'était extraordinaire.

Elle avait observé Max qui écrivait dans une pièce pleine de livres et de photos. Ses doigts couraient sur les lettres. Un clavier, elle savait ce qu'était un clavier. Et les lettres, les mots, apparaissaient à l'écran comme par magye.

Elle y retournerait, décida-t-elle, peut-être au jour où elle les avait vus marcher dans un grand espace vert en riant, main dans la main.

Aujourd'hui, elle ne regarderait pas le présent, comme elle l'avait fait accompagnée par Mallick. Elle ne verrait pas à travers le cristal les immeubles calcinés, les décombres, la crasse et le sang. Aujourd'hui, elle n'aurait pas des hurlements plein la tête.

Elle laissa les plantes infuser pendant qu'elle ramassait les œufs et nourrissait les poules.

Mallick était dehors, derrière leur petit jardin.

Devant lui, à l'emplacement du vieil arbre, là où elle avait planté la minuscule pousse, un nouvel arbre se dressait.

Il avait atteint sa taille définitive et ses branches de belle envergure se recourbaient vers le ciel. Les feuilles en forme de cœur formaient une frondaison dense et épaisse. En se dirigeant vers lui, elle estima qu'il aurait fallu trois hommes se tenant les mains pour ceindre la circonférence de son énorme tronc luisant.

— Vous avez enchanté la pousse, dit-elle en souriant. Il est magnifique.

— Je n'ai rien fait.

— Alors comment… J'ai juste ensorcelé une brindille de l'autre arbre, en appelant les racines de mes larmes et de mon souffle, puis une averse pour faire sortir les premières feuilles. Je n'ai pas demandé qu'il grandisse. J'allais le nourrir et demander aux fées de s'en occuper une fois que je serais partie. Peut-être, justement…

— Non. Ceci provient de toi et c'est pour toi.

— Je vous jure que je n'ai pas…

Il lui prit le bras et tapota légèrement son bracelet.

— *Solas don Saol.* Ta vie a apporté la vie, et ceci est l'arbre de la vie.

— Un arbre de la vie. Je croyais qu'il n'en existait qu'un.

— Ils sont rares et spéciaux, mais il y en a plus d'un. Avec cela, tu as fait un cadeau et tu en as reçu un.

— Il portera des fruits pour nourrir, guérir et réconforter.

Mallick se tourna vers Fallon emportée par une vision et attendit.

— Ses racines embrassent la déesse de la terre. Ses branches s'élèvent vers le dieu du soleil. Ses feuilles apportent la vie dans l'air et recueillent la pluie. Il offrira un abri aux oiseaux, dont le chant adoucira cet endroit pour l'éternité. Il relie tout et tous, terre, air, feu, eau, magye. Ceux qui marchent, volent ou rampent s'y rejoignent, en direction de la lumière.

Elle se tourna vers son maître et lui prit les mains. Dans ses yeux, il discerna plus que des visions. Il vit la femme dans la jeune fille.

— Ce n'est pas pour moi, Mallick le mage, mais pour vous. Vous trouverez repos et réconfort ici, lorsque votre tâche sera achevée. C'est mon offrande, notre cadeau, pour votre loyauté, votre service et votre sacrifice. Et voici, ajouta-t-elle en levant la main.

Des fruits semblables à un grand arc-en-ciel, un étalage de joyaux, gonflaient sur les branches.

— Les fruits de la vie, comme ceux de votre dévouement, sont enfin arrivés à maturité.

Elle baissa la main et expira.

— Il est à vous. Il est pour vous. Je vois maintenant ce que j'ai demandé. Ce que j'ai pu demander grâce à vous.

Un instant, il ne put parler, et dut lutter pour retrouver sa voix et la raffermir.

— Je suis honoré. C'est un magnifique cadeau. Il bénit ce qui est devenu mon foyer.

— Vraiment ? C'est chez vous ?

— Je suis bien ici, pour vivre et travailler, quand on n'aura pas besoin de moi ailleurs.

Et il reposerait là, songea-t-il, dans la terre, sous cet arbre, lorsque son temps dans ce monde serait terminé.

— Maintenant, il y a des œufs à ramasser et une vache à traire. Lorsque nous aurons accompli ce qui doit être fait aujourd'hui, il te faudra commencer à prendre congé.

Elle s'étonna au point de sursauter.

— On s'en va ? Mais il me reste plus de trois semaines.

— Partir prendra du temps. Les amis que tu t'es faits ici voudront t'organiser une fête, t'offrir des souvenirs. Tu dois envisager de leur faire aussi des présents. Mais notre temps ici touche à sa fin. Cet arbre n'est pas seulement un somptueux cadeau, c'est aussi un signe. Tu es prête.

— Vous avez dit encore hier que mon exécution était négligente et mes défenses hasardeuses.

— C'était vrai. Et pourtant, tu es prête. Va chercher les œufs.

Il ramassa le seau qu'il avait mis de côté et alla traire la vache.

— Je rentre chez moi, souffla Fallon.

Puis, avec un rire, elle virevolta.

— Je rentre chez moi !

C'est avec Mick que ce fut le plus dur. Il bouda, trouva des prétextes de dispute, partit en colère.

— Sois patiente, conseilla Mallick à Fallon lorsqu'elle s'en plaignit. Il peut être difficile de partir. Il est également difficile d'être laissé derrière.

Elle ne voulait pas être patiente. Elle avait plutôt envie de lui envoyer un coup de poing en pleine face. Elle préféra donc l'ignorer, car Mallick avait raison, partir prenait du temps. Il y eut des fêtes, des festins et des cadeaux. Dernières baignades dans l'étang des fées, dernières courses avec les elfes. Et de nouvelles révélations.

— Si Mick continue de m'éviter, il ne va jamais me voir courir jusqu'en haut du tronc du plus grand arbre de la forêt. Et je n'aurai pas à le remercier de m'avoir enseigné l'escalade au départ.

— Tu le remercieras pour son aide et son amitié lorsque tu le reverras.

— Si je le revois. (Elle avait mal au cœur à l'idée que ça n'ait pas lieu.) Je le remercierai, OK. Je ne serais pas capable de grimper, sauter d'une branche à l'autre, faire des sauts périlleux, s'il ne m'avait pas montré comment m'y prendre.

Mallick soupira.

— Réfléchis, mon enfant.

— À quoi ?

— Penses-tu qu'une telle capacité peut être enseignée à une personne qui ne l'a pas déjà en elle ?

— Eh ben, il m'a fait la démonstration, et... je peux un peu activer la manœuvre en... Non, attendez. Vous êtes en train de dire que j'ai du sang elfe ? Ma mère n'en a pas, et elle n'a jamais dit que mon père en avait.

— Es-tu l'Élue seulement pour les sorciers ?

— Non, mais...

— Tu portes tout en toi, en ton sang et ton esprit, et ainsi tu détiens tout.

— Alors si je peux courir presque aussi vite que certains elfes, c'est parce que j'ai... Mais les fées ? Je n'ai pas d'ailes.

— Tu as trouvé leur clairière, tu t'es baignée dans leur étang. Elles viennent à toi. Tu entends la voix de toutes, y compris les plus petites.

— D'accord, mais... Je ne me métamorphose pas. Si ? Je pourrais ? Si je peux, pourquoi vous ne m'avez pas aidée, formée, à trouver mon esprit animal ?

— Réfléchis, dit-il en soupirant de nouveau. Tu les as trouvés.

— Les quêtes ? Je ne peux pas... (Elle s'interrompit en comprenant.) Je pourrai prendre ces formes, je le ferai au besoin. Vous m'avez préparée à tout ça. Je ne le savais pas, tout simplement. C'est pour cette raison qu'on est venus ici, pour que je vive près des autres, que je passe ce temps à apprendre leurs façons de faire, leurs peuples, leurs capacités. Du temps libre, j'appelais ça. (Elle leva les yeux au ciel.) J'étais encore en formation.

— Ce qui ne diminue en rien le plaisir que tu as pu prendre à ces échanges. Allez, va retrouver Mick. Tu sais parfaitement que tu peux le trouver. Fais-lui tes adieux. Nous partons demain.

— Demain ? Vous n'aviez pas dit…

— Je viens de le dire.

— Nous aurons presque une semaine d'avance. Ils ne m'attendront pas. Oh ! (Son visage s'éclaira.) C'est encore mieux. Je vais les surprendre. Merci !

Elle se jeta dans ses bras. Il s'autorisa à l'étreindre légèrement en pensant que oui, c'était dur d'être laissé derrière.

Elle ne partit pas en quête de Mick mais choisit de le faire venir à elle. Sur le dos de Laoch, Taibhse sur un bras et Faol Ban à côté, elle prit un chemin sinueux vers la clairière aux fées.

Là, connaissant ses faiblesses, elle installa un pique-nique de petits gâteaux, tartelettes aux fruits et de tisane au miel.

Avec le hibou sur une branche, l'alicorne tranquille, elle appuya la tête contre le loup couché derrière elle. Elle ouvrit un livre.

Cela ne prit pas longtemps.

En le sentant arriver, elle tourna une page et prit un gâteau à grignoter.

— Je pourrais partager, mais pas si tu es méchant.

— Je m'en fiche, de tes gâteaux. Je suis venu me baigner.

Il émergea des arbres et, dans la lumière verte, ôta ses bottes, sa chemise et plongea dans l'étang dans son vieux short usé et trop grand.

— Tu n'es pas propriétaire de cet endroit, tu sais. Je venais nager ici avant que tu arrives, et je viendrai après ton départ.

Elle tourna encore une page.

— Ça me manquera, de me baigner ici. Toi aussi, tu me manquerais presque, si t'étais pas aussi idiot.

— Rien ni personne ne va te manquer. C'est que des conneries.

Il plongea loin et quand il fut revenu à la surface, elle avait reposé son livre. Elle se redressa, les jambes croisées, et soutint son regard furieux.

— Tu sais que je te raconte pas n'importe quoi. Et tu sais aussi que je dois partir. C'était prévu depuis le début. Ma famille attend. Et le reste, tout le reste aussi, mais avant tout ma famille. Elle me manque horriblement, or c'était plus facile d'être loin d'elle parce que tu étais mon ami. Tu es encore mon ami, même si tu me dis des trucs méchants, des inventions. Même si tu es trop bête, et qu'on aurait pu avoir les deux dernières semaines pour chasser et nager et juste être entre copains. Maintenant, il est trop tard. Mallick dit qu'on part demain.

— Demain ! fit Mick en bondissant hors de l'étang. Pourquoi ?

— Il dit qu'il est temps, que je suis prête. Ne pars pas, s'écria-t-elle en le voyant prêt à fuir.

— Tu es prête. Tu te fiches de ce que ça me fait. De ce que je ressens pour toi.

— C'est un mensonge, et tu le sais. Je n'ai jamais eu un vrai ami avant toi. Mes frères, et certaines des filles des autres fermes, du village. Mais pas un vrai ami, alors je n'ai jamais eu à dire au revoir comme ça avant. Je veux rentrer chez moi, mais c'est dur de dire au revoir. C'est plus dur quand mon ami m'en veut alors que je ne fais que mon devoir.

— Juste parce que t'as une épée magyque, ou j'sais pas quoi… (Il s'arrêta, las et dégoûté de son propre venin.) Oh, et puis fait chier. (Après avoir marmonné sa nouvelle expression préférée, il vint s'asseoir à côté d'elle.) Je sais me battre. Je me battrai.

— Je sais.

— Mon père dit que ce n'est pas pour tout de suite. Je voulais partir avec toi et me battre, mais il m'a dit pas encore. Quand ?

— Je ne sais pas, mais je suis certaine que je te reverrai.

Il prit un gâteau et l'examina d'un œil torve avant de l'engloutir.

— Je n'ai jamais ressenti pour personne ce que j'éprouve pour toi.

— Tu es mon premier vrai ami, et tu es le premier garçon que j'aie embrassé.

— Mais tu ne veux pas le refaire.

Se fiant à son instinct, elle lui posa les mains sur les joues et effleura ses lèvres des siennes.

— Tu vas embrasser plein d'autres filles une fois que je serai partie.

— Sans doute.

Elle rit et lui chatouilla les côtes.

— Tu seras toujours mon ami.

Ils restèrent tranquilles quelques instants, épaule contre épaule, face à l'étang.

— Quand ce sera le moment de combattre, commença-t-il, quand je te reverrai, tu m'embrasseras ?

— Sans doute.

Ce fut à son tour de rire, et il lui donna un petit coup d'épaule.

— Je t'ai fait quelque chose, annonça-t-elle.

Elle sortit le cadeau de son sac. Elle avait tressé des bandes de cuir pour former un bracelet large où elle avait accroché des pierres protectrices.

— Il est très chouette.

— Tu vois, tu le mets autour du poignet, dit-elle en joignant le geste à la parole, et tu l'attaches en passant la boucle.

— Très chouette, répéta-t-il avant de souffler un coup et de prendre quelque chose dans sa poche. Moi, je t'ai fait ça.

Il avait sculpté le visage de Fallon dans la pierre qu'elle avait retirée du sabot de Laoch.

— J'ai demandé un peu d'aide à mon père, mais…

— C'est magnifique. Le matériau vient de Laoch, donc c'est encore plus merveilleux. Ça me ressemble vraiment. Merci. (Elle tourna la tête et lui sourit.) On est amis ?

Il haussa les épaules et prit une tartelette.

— Je suppose.

Fallon fit ses bagages. Elle repartait avec davantage qu'elle n'avait pris à l'aller, mais cette fois, elle avait deux chevaux pour l'aider au transport.

Dans moins de deux jours, elle serait chez elle, pensa-t-elle en emballant soigneusement sa boule de cristal. Elle glissa son bouclier dans l'étui de protection offert par les métamorphes, mais elle passa l'épée à sa ceinture.

Deux jours sur la route, cela pouvait impliquer des Pilleurs, des Guerriers de la Pureté ou simplement des agresseurs.

Elle siffla pour appeler Laoch, qui allait porter la plupart de ses affaires. Elle attacha la première charge sur son dos, puis alla chercher le reste. Au retour, elle trouva Mallick qui l'attendait, les rênes de Grace en main.

— J'ai mis plus longtemps, cette fois. Je m'en occupe, si vous voulez prendre vos affaires et amener Gwydion.

— Je n'en aurai pas besoin.

— Ce n'est que deux jours, mais… Quoi ? (Sous le choc, elle recula d'un bon pas.) Vous ne venez pas ?

— Je vais venir avec toi, bien sûr. Je t'ai emmenée de chez toi, je te raccompagnerai. Mais je n'aurai pas besoin de mon cheval ni d'un sac. Le voyage ne nous prendra pas deux jours.

Le cœur de Fallon bondit dans sa poitrine.

— Comme ça, tout de suite ? On va se téléporter ? Je n'ai jamais flashé aussi loin.

— Voilà pourquoi je viens, pour t'aider, une dernière fois.

Elle avait envie de protester. Elle commençait tout juste à savoir se déplacer d'un endroit à l'autre, depuis qu'elle était revenue du Puits de Lumière. Mais elle imagina se téléporter vers la ferme. Voir le visage de sa mère en quelques minutes plutôt que deux jours.

Cette idée la comblait de joie… et de stress.

— Tu as tout ? lui demanda Mallick.

— Oui, c'est bon. J'ai juste… Pfft… (Elle regarda autour d'elle. La clairière, les poules, le jardin, l'arbre, la chaumière, les bois.) Les elfes vous aideront à vous occuper du jardin. (Son estomac était toujours pris de soubresauts.) Et si vous avez besoin d'aide avec les abeilles, les fées…

— Tu me crois inapte ? Infirme ?

— Non, mais j'étais là pendant deux ans. Vous n'aurez plus votre esclave à domicile.

Elle monta sur le dos de Grace, leva le bras pour accueillir Taibhse, attendit que Faol Ban vienne se placer entre les deux chevaux.

— Vous êtes sûr, pour le flash ? s'enquit-elle. Ce n'est pas nous deux, comme on l'a fait avant.

Mallick prit la bride de Grace.

— Fais-le, jeune fille.

— D'accord, d'accord.

Elle se retira en elle-même, explora, sentit le pouvoir s'ébranler. Et un instant avant de le libérer, elle aperçut Mick à la lisière du bois.

Elle agita la main et il lui rendit son au revoir. Alors, elle les téléporta.

Sur la butte qui surplombait la ferme.

Elle s'imprégna de tout, l'air, la vue, les sons. Lorsqu'elle regarda Mallick, ses yeux luisaient de pouvoir et d'émotion.

— Je deviens plutôt douée.

— Tu as encore besoin de pratique, mais ce n'était pas mal.

— Mon père est déjà au champ avec les garçons. Ils font les foins. Ma mère doit être à la maison. Vous voulez monter Laoch pour descendre ?

— Je ne vais pas descendre. Va les voir.

— Vous ne venez pas ? Mais…

— Je t'ai raccompagnée chez toi, et maintenant, je rentre chez moi. Va rejoindre ta famille.

— Attendez, mais… Mallick ! s'écria-t-elle en lui attrapant la main avant qu'il ne puisse la quitter. Vous aussi, vous êtes ma famille. (Elle lui pressa fort la main avant de la lâcher.) Béni soyez-vous.

— Toi aussi, Fallon Swift.

Il lui toucha légèrement le genou, puis recula. Et disparut.

— On rentre à la maison, annonça Fallon à Grace en la guidant vers le chemin.

Dans le champ, Ethan fut le premier à la voir. Comme le petit garçon avait grandi ! Il cria quelque chose, agita les bras et se mit à courir. Tous l'imitèrent.

Dans la cuisine, Lana sentit quelque chose changer, s'éloigner, s'ouvrir. Et dans un petit sanglot, elle se rua au-dehors. Elle regarda sa fille, sa belle enfant, galoper pour descendre le chemin, un immense hibou blanc sur le bras, un loup blanc courant à son côté, et un gigantesque cheval de la même couleur suivant le rythme.

Lana se précipita, le cœur battant et gonflé d'amour, ses cheveux perdant leurs épingles. Lorsque Fallon bondit de cheval pour se jeter dans ses bras, le monde qui était resté flou pendant deux longues années redevint net.

— Oh, mon bébé, mon bébé !

Elle serra sa fille comme si celle-ci allait disparaître, chancela, pleura.

— Maman.

Fallon se blottit contre elle, enfouit le visage dans les cheveux de sa mère, et au bout d'un moment, Lana la fit reculer pour l'admirer.

— Oh, mais regarde-toi ! Tu es si grande, si belle ! Tu t'es coupé les cheveux. (Elle y passa les doigts, puis caressa le visage de Fallon.) J'adore. Je t'adore, comme tu m'as manqué… Tu m'as manqué tous les jours.

Et puis Simon arriva en courant, souleva Fallon de terre et la fit tourner sans fin dans les airs.

— La voilà. Ma fifille.

Elle rit et noua les bras autour de son cou.

— Papa.

Il sentait la ferme. Chez eux.

— Tu es superbe ! Qu'est-ce qui est arrivé à tes cheveux ? Tu m'as manqué, une horreur ! (Il prit Lana contre eux deux et les serra très fort.) Mes chéries. Mes belles chéries.

Avec de grands cris, les garçons débarquèrent. À regret, Simon lâcha Fallon pour que ses frères puissent l'entourer.

Débordant d'émotion à en avoir presque le vertige, Fallon essaya de tous les étreindre en même temps. Ils la bombardèrent de questions. Colin parlait d'une voix qu'elle reconnaissait à peine. Une voix d'homme.

Cela lui rappelait qu'ils n'étaient pas restés figés pendant son absence. Ils avaient grandi, Colin était devenu plus costaud et Travis tout dégingandé, Ethan n'avait plus ses allures de bébé.

Jen et Scout arrivèrent à la course, décrivirent des cercles autour d'eux, puis imposèrent leur museau au milieu des jambes.

— Toute la troupe est là, s'exclama Fallon en riant. Non, presque. Où sont Harper et Lee ?

Elle comprit en voyant Ethan baisser la tête avant que Lana ne réponde :

— Ils sont morts cet hiver. Je suis désolée, ma chérie. Ils sont partis ensemble, dans leur sommeil.

— Oh.

Elle était bouleversée de ne jamais pouvoir les revoir, de ne pas leur avoir dit adieu.

— On les a enterrés sous l'arbre, ajouta Travis. Avec grand-père et grand-mère. Tu peux leur rendre visite.

— Je le ferai. (Elle détailla autour d'elle les collines, les bois, le jardin, les abeilles, les champs.) Rien n'a changé. Je suis vraiment contente que rien n'ait changé.

— Toi, si.

Elle rendit à Colin son regard scrutateur.

— Toi aussi.

— Je déclare par la présente un jour férié pour la famille Swift, annonça Simon, acclamé par les garçons. Allez, on rentre les affaires de Fallon et on s'occupe des chevaux. Où as-tu trouvé ce magnifique étalon ? Sacré cheval.

— Ce n'est pas tout à fait un cheval, précisa Ethan en allant à la rencontre de Laoch. C'est plus que ça.

— C'est vrai, confirma Fallon. Vous voulez voir ?

Elle croisa le regard de Laoch, qui redressa la tête. Il révéla sa corne et déploya ses ailes.

— Oh, la vache, articula Simon avec peine, sourire aux lèvres, tandis que les garçons s'avançaient pour toucher.

Prenant la main de sa mère, Fallon la rassura d'avance :

— Il ne va pas leur faire de mal. Il ne ferait jamais de mal aux miens. Il s'appelle Laoch, informa-t-elle ses frères.

— Où tu l'as trouvé ? s'enquit Ethan en frottant la joue contre celle de l'alicorne.

— Toute une histoire.

— Qui raconte aussi comment tu es repartie avec ce loup et ce hibou blanc ? demanda Simon.

— Oui.

— Alors je veux l'entendre !

— Tu dois avoir faim. Tu pourras nous raconter tes aventures en mangeant. Je vais faire des pancakes.

Elle n'eut pas le cœur d'avouer qu'elle n'avait pas faim. De plus, les pancakes de sa mère pouvaient ouvrir l'appétit à n'importe qui.

— Les hommes vont s'occuper du reste, décréta Lana en enlaçant la taille de sa fille.

Pendant qu'elle entraînait Fallon vers la maison, Colin commença à protester, mais Simon le coupa dans son élan.

— Ta mère a besoin de passer un moment avec elle. Tu auras tout le temps de la voir. Et ce n'est pas tous les jours qu'on prend soin d'une licorne volante.

— Une alicorne, rectifia Ethan.

— Ah oui ? Eh bien, débarrassons l'alicorne de son barda et mettons-la dans l'enclos. Même si ce n'est pas une clôture qui va l'arrêter. Ensuite, on ira manger.

À l'intérieur, Fallon redécouvrait la cuisine. Elle huma le levain dans la pâte à pain qui gonflait déjà dans le grand saladier blanc de sa mère, et les herbes dans des pots sur le rebord de la fenêtre.

— Je me préparais à faire un festin pour ton retour, et on allait décorer… (La voix de Lana lui manqua.) Il a été gentil avec toi ? Mallick ?

— Oui. Strict, et il pouvait être sévère, mais il était gentil aussi. Il m'a appris tellement de choses. Il m'a permis de vous voir, une fois, dans le feu. Il n'était pas censé le faire, mais j'étais tellement triste.

— Je t'ai sentie, et ça m'a mise en joie. L'épée…

Fallon la toucha et acquiesça.

— Tu as ouvert le Livre des Sortilèges, tu es allée dans le Puits de Lumière. (Lana commença à rassembler les ingrédients des pancakes.) On en reparlera, de tout, mais je crois que pour l'heure, en mangeant des pancakes, on va parler d'autre chose. De ta triade blanche et…

Elle s'interrompit de nouveau quand Fallon vint la serrer dans ses bras.

— Ne t'en fais pas. Je suis rentrée.

Pour combien de temps ? s'interrogea Lana, qui n'en referma pas moins la main sur celle de sa fille.

— Oui, tu es rentrée.

19

En mangeant les pancakes, Fallon s'aperçut à quel point la cuisine de sa mère lui avait manqué. Elle divertit ses frères par des histoires de quêtes et de clairières aux fées. Elle leur parla de Mick et d'apprentissage pour grimper aux arbres comme un elfe.

Pour cette fois, pour cette réunion autour de la table de la cuisine, elle présenta deux années d'entraînement comme une aventure.

Sans arriver à berner personne.

Dans l'esprit de la fête, les corvées attendraient. Elle laissa ses frères se relayer pour caresser Faol Ban, qui supportait stoïquement le gang des garçons. Lorsqu'elle leva le bras, le hibou descendit de la branche du pommier pour venir à elle.

— Il s'appelle Taibhse.

— Pourquoi tu lui as donné un nom aussi bizarre ? Pourquoi tu leur as donné des noms étranges à tous ? lui demanda Colin.

— Ça signifie fantôme. Faol Ban veut dire loup blanc et Laoch, héros. C'est de l'irlandais, et ils sont venus à moi avec leurs noms.

— Pourquoi tu leur as pas donné d'autres noms en anglais ? insista Colin. La seule ici qui parle irlandais, c'est la vieille dame à la Ferme des Sœurs.

— Moi aussi, je le parle, répondit Fallon d'un ton détaché, ce qui ne fit pas réagir Colin.

La cuisine de sa mère lui avait manqué, or, si curieux que ce soit, l'expression de défi affichée sur le visage de Colin aussi.

Travis effleura la pointe de l'aile du hibou.

— Est-ce que… Tu veux bien me redire son nom ?

— Taibhse.

— Taibhse voudrait bien venir me voir ?

— Possible, mais il te faut un gant de fauconnier, avec ses serres.

— Fallon n'a pas besoin de gant parce que Taibhse est à elle, dit Ethan en regardant sa sœur avec admiration. On peut monter Laoch ?

— Tu veux voler ?

Lana, qui jusque-là profitait simplement de la vue de ses enfants, sursauta et s'interposa.

— Alors là, je ne crois pas, non.

— Je pourrais en prendre un seul à la fois, argumenta Fallon. Ils monteraient avec moi. Il n'y aura aucun risque, je te promets.

— Allez, chérie, dit Simon en faisant un clin d'œil à Lana. Moi aussi, je veux faire un tour. Je parie que ça ne te déplairait pas non plus.

— Moi d'abord ! Je suis le plus vieux ! s'imposa Colin.

— D'abord Ethan, le corrigea Fallon. C'est lui qui a demandé le premier.

Elle siffla. Laoch n'avait pas besoin d'ailes pour franchir la barrière de l'enclos. Il la passa en un grand bond maîtrisé.

Lana retint sa respiration en voyant sa fille s'élancer sur la selle d'or – et murmura une petite prière quand Simon aida Ethan à monter derrière elle –, mais elle se savait en infériorité numérique.

— Accroche-toi à moi, recommanda Fallon à Ethan.

Les ailes se déployèrent ; les antérieurs se détachèrent du sol. Et Lana regarda son aînée et son petit dernier s'envoler, au son du rire enthousiaste d'Ethan.

C'était splendide, pensa-t-elle. Envoûtant. Une sœur qui offrait à son frère le frisson de sa vie, certes, mais pas seulement. Une guerrière sur son destrier.

— Elle est pareille, et pas pareille, dit-elle à Simon.

— Elle est toujours notre fille. Ça ne changera jamais.

Ils consacrèrent cette journée à l'amusement, à l'amour. Acceptant les autres défis de Colin, Fallon escalada des arbres, sauta de branche en branche, exécuta des sauts périlleux.

Avec Travis, elle se rendit sur les tombes des chiens sous le pommier.

— C'est papa qui en a le plus souffert, lui raconta-t-il. C'étaient les chiens de sa mère. Ethan lui a dit qu'ils devaient partir, la nuit où ils sont morts. Tu sais comment il est avec les animaux.

— Oui.

— Papa est resté avec eux, même quand ils se sont endormis, et quand ils sont partis, tu vois. Il a dérouillé.

Elle prit son frère par les épaules.

— Ils étaient de la famille, et de sa famille avant tout.

— Il faut qu'ils sachent le reste. Tout ce que tu ne dis pas. Je ne sais pas tout ce qu'il y a. Je vois mieux qu'avant ton départ, mais tu caches mieux aussi.

— Et tu sais que c'est impoli d'essayer de lire dans les pensées.

Travis répondit par un haussement d'épaules.

— Des fois, il faut être impoli. Je sais qu'il y a une partie concernant l'épée. Je peux la voir ?

Elle la sortit de son fourreau, et après seulement une brève hésitation, elle le laissa la tenir.

— Qu'est-ce qu'il y a écrit dessus ? Le soleil ?

— Presque. La lumière. Elle s'appelle Lumière. Et quiconque cherchant à l'utiliser au profit des ténèbres ne pourra s'en saisir. Tout comme je l'ai prise dans le feu, je la lèverai durant les combats, et le sang qui la recouvrira sera celui de la bête et de tous ceux qui la suivent. Bien qu'elle donne la mort, sa lame brille, propre. « La lumière pour la vie. »

Travis lui rendit l'arme alors qu'elle reprenait son souffle.

— T'es un peu flippante, maintenant.

— Oui, je sais.

— Est-ce qu'on doit apprendre à manier l'épée ?

— Je vous montrerai.

— Cool.

Elle avait espéré repousser l'échéance au moins quelques jours. Mettre le plus dur de côté et se retrouver chez elle simplement. Mais Travis avait raison. Ses parents devaient savoir. Il ne lui restait qu'à trouver comment leur en parler.

Elle s'attarda à la cuisine avec Lana pendant que les garçons sortaient avec Simon nourrir les animaux. Et dans l'odeur du jambon qui cuisait – son plat préféré –, elle aida à préparer les pommes de terre à rôtir.

Malgré son retour surprise, Lana avait réussi à préparer un festin.

— C'était moi qui cuisinais la plupart du temps, à la chaumière. Mallick est vraiment nul dans ce domaine. Au bout de deux repas, j'avais déjà compris que tu m'avais rendu un fier service en m'apprenant à cuisiner. Je suis devenue pas mauvaise. Pas aussi douée que toi, mais je me débrouille.

— Tu t'es toujours bien débrouillée en cuisine.

— L'une des fées était pâtissière. Elle m'a montré comment faire ce qu'elle appelle un gâteau arc-en-ciel. C'est très bon.

— Tu m'apprendras la recette ?

— Il faut de la poudre de fées, des petites. C'est ce qui ajoute l'arc-en-ciel. J'ai rencontré Max Fallon.

— Je n'avais jamais pensé… Quoi ?

Lana s'arrêta de ciseler les fines herbes.

— Max ? Tu as eu une vision.

— Non, maman, je l'ai vraiment vu. Je lui ai parlé, comme je te parle maintenant.

— Fallon, il est mort.

— Je sais. C'était lors du premier Samhain là-bas. Pendant le rituel, c'est la première fois que le pouvoir, du vrai pouvoir, est venu à moi. Je l'ai appelé, j'imagine. Je n'en avais pas vraiment conscience. Et cette nuit-là, je suis sortie pour chercher le loup, et je l'ai rencontré. Mon père.

— Max… (Prudente, Lana reposa son couteau et alla s'asseoir.) À Samhain, quand le voile s'amincit.

Fallon n'avait aucune idée de ce que pouvait bien ressentir sa mère en cet instant. Mais il était essentiel qu'elle lui en parle.

— Il est venu me voir. Il t'aimait, maman, et il m'aimait aussi. Il est fier de nous deux. On a marché dans la forêt, et je l'ai amené à la clairière aux fées. On a eu toute la nuit pour parler, pour que je le connaisse vraiment.

Fallon alla devant Lana, s'agenouilla et lui prit les mains.

— Tu dois savoir ce qu'il m'a dit. Tu dois savoir qu'il est heureux et reconnaissant que tu aies trouvé Simon.

— Oh, ma chérie.

Les larmes tombèrent sur leurs mains jointes et Fallon les serra plus fort.

— Il est plein de gratitude que tu aies trouvé quelqu'un d'aussi bon, d'aussi fort, quelqu'un que tu aimes et qui t'aime, et qui m'aime aussi. Et heureux qu'on ait construit une vie et une famille.

— Tu as pu profiter de ce moment avec lui et… je ne peux même pas te dire ce que ça représente pour moi. Vous avez tous les deux récupéré quelque chose qui vous a été volé. Je l'aimais, Fallon. Je le vois quand je te regarde, et je l'aime. Mais…

Fallon sentit quelque chose se libérer en elle, parce qu'à présent elle savait. Elle savait ce qu'éprouvait sa mère.

— Tu l'aimais, et tu l'aimes toujours, mais Simon Swift est l'amour de ta vie. Pas seulement ton partenaire, ton mari, pas juste le père de tes enfants. L'amour de ta vie. Je le sais, je le sens. Et j'en suis contente. Tellement contente.

— Comme tu es adulte. J'ai manqué tellement de choses, de changements, de premières fois.

— J'ai embrassé un garçon.

— Ça alors. (Entre le rire et les larmes, Lana prit le visage de sa fille entre ses mains.) Mick, c'est ça ?

— Comment tu as su ?

— Je suis ta maman. C'était bien ?

— C'était… sympa. Il est chouette, quand il n'est pas pénible. Un peu comme Colin. Hum, je viens juste de m'en rendre compte. C'était sympa, répéta-t-elle, mais ce ne sera pas l'amour de ma vie. Je ne sais pas si je le rencontrerai un jour, de toute façon.

— Ne dis pas ça. N'érige jamais de barrière contre l'amour. Ce genre d'amour-là peut tout à fait attendre quelques années.

— Je croyais que j'étais très adulte ?

— Ne contredis pas ta mère quand elle se contredit !

Fallon posa la tête sur les genoux de Lana.

— J'ai encore des choses à vous raconter, à toi et papa. (Elle se releva.) Mais ils reviennent.

— Je ne les entends pas.

— C'est sûrement le sang d'elfe.

— Pardon ?

— Beaucoup de choses.

Personne, ni sorcier, ni fée, ni elfe, ne savait rôtir le jambon comme sa mère. Personne ne faisait un dîner de fête comparable. Ils mangèrent comme des rois, aux chandelles et à la lueur du feu qui crépitait.

Elle nota que la hiérarchie au sein du monde fraternel n'avait pas varié. Colin commandait toujours aux autres du fait de son statut d'aîné des garçons. Travis pouvait toujours, lorsqu'il le souhaitait, rivaliser avec lui par l'esprit et les mots. Ethan demeurait d'une nature gaie.

Quand elle se surprit à se demander comment elle pourrait les aider à affûter leurs forces individuelles, à dépasser leurs faiblesses en vue de ce qui était à venir, elle écarta cette pensée.

Non, pas tout de suite.

Elle attendit que le dîner soit terminé, avec les garçons qui râlaient de devoir faire la vaisselle et ranger la cuisine.

— Je vais voir les chevaux. Papa, tu viens avec moi ?

— Bien sûr. Comme ça, je pourrai regarder de plus près ton super étalon.

Il lui prit la main pendant qu'ils se dirigeaient vers l'écurie dans l'air de la nuit qui rafraîchissait.

— Qu'est-ce que tu veux me dire ?

— Je n'ai jamais pu te duper. J'ai beaucoup de choses à vous raconter, à toi et maman. Mais je dois te raconter ce que je lui ai déjà dit : j'ai rencontré Max Fallon.

— Et comment tu t'y es prise ?

La tranquillité de la question, sa simplicité, détendirent les muscles contractés de Fallon.

— Tu sais, par magye, avec Samhain, un rituel, tout ça.

— D'accord.

— On a eu une bonne partie de la nuit pour marcher et parler.

— Bien, dit Simon en ouvrant la porte de l'écurie. C'est bien.

— Tu ne vas pas me demander de quoi on a parlé et ce qu'il m'a dit ?

— Ma chérie, c'est ton père.

— Toi aussi.

— C'est vrai. (Il l'étreignit étroitement.) Tu en as deux pour le prix d'un.

C'était tout simple, pensa-t-elle. Avec lui, ce n'était pas plus compliqué. C'était une force. Elle comprit à ce moment que chaque homme qu'elle rencontrerait, avec qui elle envisagerait quelque chose, serait mesuré à l'aune de celui-ci.

Autant dire que cela plaçait la barre haut.

Elle entra dans la stalle pour voir Grace, la caressa, lui donna l'une des carottes emportées dans sa poche.

— Tu m'avais dit que Max Fallon était un héros.

— Il l'était.

— Il m'a dit la même chose de toi.

— Je suis un fermier.

Les larmes brillaient dans les yeux de Fallon, mais c'étaient des larmes saines. Des larmes d'amour.

— Tu es mon héros.

Il la serra contre lui.

— Il n'existe rien de plus beau pour un père que d'entendre sa fille lui dire ça. Il n'y a rien de mieux.

Ils passèrent à Laoch.

— Il doit mesurer deux mètres vingt. À l'époque, j'aurais sorti mon téléphone et j'aurais fait une vidéo de toi sur lui.

— Tu m'as appris à monter à cheval, à construire des objets en bois, à lancer un ballon, à parer un coup de poing, à aimer et respecter la terre, à être généreuse et à ne pas me laisser faire par des connards.

— Mais pas à jurer comme un charretier.

— Ah, si, carrément !

Il rit de bon cœur.

— Je plaide coupable.

Elle tendit la deuxième carotte à son père.

— Vas-y, donne-la-lui.

— Tiens, mon grand.

— Je connais Max Fallon, maintenant. Je l'aime, pas juste comme une photo dans un livre ou des mots sur les pages. Pas juste par ce qu'on m'en a raconté, mais parce que je l'ai vu. Je te connais. Je sais maintenant que tout ce que tu m'as appris avait son importance et m'a aidée à être celle que je suis. Je sais davantage de toi, par l'homme que tu es, en ayant été éloignée.

» Max Fallon est le père qui m'a engendrée. Toi, tu es papa, et je t'aime.

Il la tint fort contre lui.

— Tu as trouvé quelque chose d'encore plus beau à entendre.

Elle connaissait ses parents et leurs habitudes, et supposait qu'elles n'avaient pas changé. Elle attendit que ses frères soient endormis. Alors, elle descendit à la cuisine.

Ils étaient attablés à boire du vin et parler, comme elle s'y attendait après cette journée marquante.

— Tu n'arrives pas à dormir ? Tu dois être tellement fatiguée, dit Lana en se levant. Toute cette excitation après un long voyage. Presque deux jours de cheval jusqu'à la chaumière, tu disais. Je vais te donner quelque chose pour t'aider à te reposer.

— Je ne suis pas fatiguée. C'était à l'aller, mais au retour, on n'a pas pris le cheval.

— Tu as volé tout ce temps sur ton étalon ?

— Non, papa. Bon, autant commencer par là. Même si c'est la fin plutôt que le début. Tu as déjà flashé ? demanda-t-elle à sa mère.

— C'est-à-dire ?

— Ben…

Elle agita les mains, disparut et réapparut à l'autre bout de la pièce.

— Oh, mon Dieu, souffla Lana, tandis que Simon émettait un rire enthousiaste.

— Refais-le.

— Simon…

— Sérieusement, recommence.

Lana se frotta les yeux.

— Je vais reprendre un petit verre.

Pour leur faire plaisir à tous les deux, Fallon se téléporta dans le cellier et revint avec la bouteille.

— J'ai bu du vin.

— Ah bon ? fit Lana avec une extrême froideur.

— Très dilué, un peu comme un médicament. Bref, je pourrais t'apprendre à flasher.

— J'avais entendu dire que c'était possible, mais je n'avais jamais vu personne le faire, alors je croyais que c'était une légende.

— Non, et je peux te montrer. Tu as plus de pouvoir que tu n'en utilises, et depuis longtemps… Tu t'es contentée d'en faire un usage domestique, maraîcher, ou médicinal. Tu en as plus que Max n'en avait, parce que…

— Je t'ai portée.

— Oui. Donc je peux te l'apprendre, et te montrer d'autres choses. Pas tout, mais pas mal de choses.

— Tu as parlé de sang elfe, tout à l'heure. Que voulais-tu dire ?

— J'en ai un peu de tous. Mallick m'a dit que c'était en partie pour ça que j'étais prédestinée. Il y a tous les sangs en moi. L'Élue.

Simon se dit qu'un autre verre ne serait effectivement pas de refus et s'en versa un.

— Et maintenant, il va te pousser des ailes ?

— Je ne crois pas, mais… ce n'est pas impossible. Je pourrai me transformer quand ça me viendra.

— En quoi ?

— Un des trois animaux que j'ai ramenés. Je devrais revenir au début. À l'aller, on a été attaqués par des Pilleurs.

Elle leur raconta ces deux années du mieux qu'elle put. Le pire qu'elle avait laissé de côté. Elle regarda son père prendre la main de sa mère quand elle leur raconta la prison, ce qu'elle et Mallick y avaient trouvé, ce qui s'y était passé.

Comme les heures défilaient, Lana prépara une tisane.

— Papa m'a appris les bases du corps-à-corps. Tu en sais plus que tu ne nous en as appris. Tu ne l'as pas fait en te disant que nous étions trop jeunes. Je dois me maintenir à niveau. Je sais faire apparaître des fantômes, mais tu pourrais aider à entraîner les garçons. Et ils doivent savoir manier une épée.

— Pourquoi une épée ? demanda Simon.

— Il y a encore plein d'armes à feu, mais elles ne sont plus aussi faciles à trouver et c'est encore pire pour les munitions. On peut y arriver. Mais les lames, les flèches, les poings et les pieds, qui peuvent être tout aussi mortels, sont plus accessibles. Certains les utilisent déjà, et préfèrent même l'arc.

Elle leur raconta ce qu'elle avait vu en rêve. L'homme à l'épée qui lui parlait depuis l'extérieur du cercle de pierres, ce même endroit vu dans la boule de cristal.

— Je peux y aller, dans la boule, dans ce que j'y vois. Je suis ici et là-bas, les deux. C'est difficile à expliquer.

— Ce n'est pas de la projection astrale ?

— Non, c'est autre chose. Comme me partager, mais je suis dans les deux endroits. C'est comme ça que j'ai trouvé le groupe de sauvetage. Que j'ai rencontré les gens de New Hope.

— New Hope ?

— Eddie, Flynn et d'autres.

— Tu as rencontré Eddie ! s'exclama Lana, dont l'inquiétude se résorba momentanément. Il est vivant et en bonne santé ?

— Oui. Il m'a demandé de tes nouvelles. Je ne pouvais pas encore lui dire où tu étais, mais je pouvais le rassurer à ton sujet. J'ai rencontré Duncan et Tonia.

— Les jumeaux ! (Avec un rire joyeux, Lana porta la main à son cœur.) Les jumeaux de Katie ? Et Hannah, tu l'as vue ?

— Pas cette fois-ci.

— Oh ! là là, les bébés de Katie. Ils sont presque adultes, maintenant.

— Ce sont des guerriers. Peut-être pas Hannah. Duncan, lui, se déplace à moto et utilise une épée. Tonia est archère. Ils sont entraînés au maniement des autres armes, mais ce sont leurs préférences.

— Katie doit… Tu ne l'as pas rencontrée ?

— Elle n'était pas au sauvetage.

— Ni Arlys ou Fred, Rachel, Jonah ?

— Non. Will Anderson était là. C'est leur chef, maintenant.

— Will. D'accord, ça ne m'étonne pas.

— C'était un piège.

— Oh non, il y a eu des blessés ?

— J'avais vu par la boule de cristal ce que les Guerriers de la Pureté avaient fait, comment ils prévoyaient d'attirer le groupe pour lui tendre une embuscade. Je suis allée voir Mallick, qui m'a permis d'aller les avertir, et de leur dire comment renverser le piège qui leur était destiné.

— Tu as réussi à planifier ça ? intervint Simon.

— Je me suis formée, j'ai étudié, et j'avais l'avantage de voir où les ennemis avaient leurs lignes, leurs positions, alors j'ai pu dresser une carte et organiser la chose.

— Tu pourras me raconter en détail, une autre fois ?

— Bien sûr. Aucun de tes amis n'a été blessé, maman. Et ils ont sauvé des gens qui étaient torturés, tenus en esclavage, destinés à être exécutés…

— Tu ne nous dis pas tout, la gronda Lana. Tu t'es battue, avec eux. Fallon, je consacre effectivement mon pouvoir à des domaines plus tranquilles, et j'ai fait ce que je pouvais pour construire une vie où mes enfants seraient en sécurité, mais j'ai connu la guerre. J'ai vu la mort et je l'ai donnée. N'attends pas d'être en tête à tête avec ton père pour en parler.

Lana se tourna vers Simon.

— Elle va nous raconter en détail à tous les deux.

— Tu as raison, dit Simon en effleurant la main de Lana d'un baiser. Ta mère a raison. Dis-nous tout.

— D'accord. Ils avaient des camions-citernes…

Elle leur détailla l'épisode.

— Ils ont de bons soldats, les gens de New Hope. Ils te plairaient, papa.

— C'est ce que ta mère m'a toujours dit.

— Après la bataille, après encore de l'entraînement, j'ai vu le premier bouclier à travers le cristal, les ténèbres ont essayé de m'y attirer, et c'est là que le Livre des Sortilèges m'a appelée.

Le temps qu'elle leur narre l'essentiel de ces deux ans, la lune avait disparu.

— J'ai sans doute omis des détails, mais pas exprès. J'avais besoin que vous sachiez tout, parce que ce n'est pas normal que vous ne soyez pas au courant. Si je vous cachais des choses, vous pourriez vous imaginer que je vous crois faibles, et ce n'est pas le cas. Je veux du temps pour être à la maison, comme aujourd'hui. Juste ça. Aussi pour me former, vous aider à vous former. Et après… Je saurai quand je devrai partir. Je le saurai.

— Tu iras où ? demanda Lana en lui prenant la main.

— New Hope, répondirent Fallon et Simon en chœur.

Fallon sourit à son père.

— Oui, New Hope. Tant de choses ont commencé et se sont terminées là-bas. Tant de choses attendent là-bas. C'est à cet endroit que je devrai aller.

» New Hope, répéta-t-elle tandis que ses yeux s'obscurcissaient. Là où les ont amenés la lumière, les panneaux, là où le sang du père a taché le sol. Pour lever une armée, forger les armes afin de combattre les ténèbres. De là, les grandes villes, les décombres, de l'autre côté de la mer et sous la terre. La trahison, le sang et les mensonges donnent des fruits amers, et certains tomberont sur le trajet. Avec la montée de la magye, l'affrontement entre la lumière et les ténèbres, les mondes trembleront.

Lana se leva et attrapa une fiole dans un placard.

— Deux gouttes, lui dit-elle.

— Les visions ne me donnent plus mal au cœur.

— Peut-être, mais tu n'as pas pour habitude d'en avoir à l'issue d'une nuit blanche. Deux gouttes. Tire la langue.

Fallon obéit pour lui faire plaisir. Lana l'embrassa sur le sommet du crâne.

— Je connais les effets, quand ça vient vite et fort. C'est comme être remplie et vidée en même temps.

Avec un soupir, Fallon s'appuya contre sa mère, réconfortée que quelqu'un sache vraiment de quoi il s'agissait.

— Ce qui se joue en nous nous apporte tant, poursuivit Lana en lui caressant doucement les cheveux. Et exige tant de nous, aussi. Je n'ai pas oublié ce que c'est de sentir ce pouvoir monter en moi, ni de combattre. Comment utiliser tout ce dont je dispose, tout ce que je suis pour me battre. Maintenant, parce que j'ai reçu du temps et de l'amour, j'ai davantage de raisons de me battre.

— Je t'ai vue dans la boule de cristal. À New York, la vie que tu avais avant, que tu as été obligée de laisser. Et la force dont tu as fait preuve pour aller de l'avant, toujours de l'avant. Dans les montagnes, ce que tu as fait et affronté. Je t'ai regardée lutter pour toi et moi et les autres, jour après jour, mois après mois. J'ai vu le massacre de New Hope.

— J'aurais préféré t'épargner ça.

— Pourquoi ? s'insurgea Fallon. J'ai vu des gens qui avaient débuté quelque chose de bien, de lumineux et de vrai. Ils honoraient leurs morts, ils célébraient la vie. J'ai vu les visages de ceux qui sont venus pour me tuer. Je connais leurs têtes. J'ai vu mon père donner sa vie pour toi, pour moi, et je t'ai vue riposter.

— C'était le chagrin.

— C'était le pouvoir. Le nôtre à toutes les deux. Combien de vies as-tu sauvées ce jour-là ? Et combien encore en t'enfuyant, seule, moi dans ton ventre, couverte du sang de Max ? Tu as quitté encore un endroit que tu aimais, où tu t'étais établie, des amis qui étaient devenus ta famille. Tu as pris sa bague par amour et tu as pris son arme. Une femme pense aux symboles, mais une guerrière pense aux armes, maman, et même dans ton chagrin et en plein choc, tu étais une guerrière.

— J'avais un enfant à protéger.

— Et tu l'as fait. Seule, affamée, apeurée, tu as continué.

— J'ai failli renoncer. Tu es venue à moi.

— Tu n'aurais pas abandonné. Tu n'abandonnes jamais. Je t'ai juste encouragée au moment où tu en avais besoin. Je t'ai vue venir sur la butte au-dessus de la ferme et j'ai lu sur ton visage quelque chose qui n'y était pas depuis que tu avais pris la fuite. De l'espoir. Et…

Fallon prit la main de Simon.

— J'ai vu cet espoir se concrétiser par la gentillesse, le développement de la confiance et de l'amour. C'est une leçon : la confiance peut se construire entre inconnus, mais ils doivent d'abord faire le premier pas, et c'est de la foi.

— Quand es-tu devenue aussi intelligente ? plaisanta Simon.

Elle lui pressa la main et le regarda droit dans les yeux.

— Je t'ai vu tuer un homme qui ne te laissait pas le choix, alors que tu le lui avais donné. Ce n'était pas ton premier, ni ton dernier. Je suis issue de guerriers, ma mère et mon père. Du pouvoir et de la force. De la bonté. Quand j'ai peur de ne pas être assez douée, assez courageuse, assez intelligente, je pense à vous, à ce que vous m'avez appris, et à ce que j'ai vu dans la boule de cristal.

Elle se frotta les yeux et d'un coup, ressembla à une jeune adolescente restée éveillée bien trop tard.

— Je préférerais que rien de l'extérieur, de ce qui arrive, ne touche les garçons. Mais c'est impossible. Tu en sais davantage, le soldat que tu es en sait davantage que ce que tu nous as dit, que ce que tu as dit à maman. Ou que tu nous as appris. J'ai regardé le soldat aussi, dans le passé, grâce à la boule de cristal.

C'était déchirant pour lui de savoir que devant sa fille, il parlait de soldat à soldate.

— Tu vas t'accorder quelques jours, lui dit-il. Considère ça comme une permission. Ensuite, on commencera à les entraîner.

— Tu as eu une longue journée, l'appuya Lana. Tu devrais aller dormir, maintenant.

— Je suis très fatiguée.

— Oui, je vois. Va te coucher.

Elle acquiesça, déjà à moitié endormie, et embrassa Lana, puis Simon.

— Je suis trop contente d'être rentrée.

Lana la regarda s'éloigner, écouta ses pas dans l'escalier.

— Simon.

— On va parler. On va réfléchir, et on en discutera. Mais pour l'instant, tout le monde a besoin de dormir. Tu es épuisée, ma chérie, et je ne suis pas loin derrière.

— Je le savais. Depuis qu'elle a été en moi, je le savais, et je suis toujours dans le refus. Non, c'est mon bébé.

— Bienvenue au club.

Il se leva et lui prit la main.

— On va faire nos parents.

— C'est-à-dire ?

— Nous inquiéter comme des malades et tout faire pour l'aider, répondit-il pendant qu'ils commençaient à gravir les marches. Tu crois que tu pourrais apprendre ce coup du flash ? Parce que t'imagines, tu pourrais me rapporter une bière fraîche en un claquement de doigts.

Il la fit rire après une très longue journée.

20

Elle s'accorda une semaine, aida aux récoltes, apprit à sa mère à confectionner un gâteau arc-en-ciel. Elle alla pêcher avec ses frères et chasser avec Taibhse et Faol Ban.

La nuit, elle vola au-dessus des champs et des collines sur Laoch.

Et même si elle était heureuse de se retrouver chez elle, Mallick lui manquait, ainsi que la routine du travail, de l'entraînement, des enseignements pratiques et des études. Elle pensait à Mick et à tous les autres, aux heures tranquilles, seule dans la clairière aux fées.

Elle passa cependant son quinzième anniversaire à la maison, entourée de sa famille, et savoura chaque instant.

Lorsque la semaine se termina, ses frères abordèrent l'entraînement comme un jeu. Cette attitude agaçait Fallon au plus haut point, mais elle suivit son père. Après tout, se disait-elle, il avait déjà formé des soldats et élevé des enfants.

— Ça commence comme un jeu, se justifia-t-il. Ce sont des gamins.

— Colin a l'âge que j'avais quand je suis partie avec Mallick. Il ne m'a certainement pas laissée prendre les choses à la rigolade.

— Colin n'est pas toi. Ils apprendront, et mieux, ils voudront être les meilleurs. Alors, ils progresseront et ils prendront ça au sérieux.

Pendant l'automne et l'hiver, l'entraînement resta donc globalement un jeu. Dans l'immédiat, elle laissait la formation magyque de Travis et d'Ethan à sa mère, et supportait les plaintes et les simulations de petits maux quand elle se montrait exigeante.

Des lectures, des mathématiques, de la cartographie.

Ils aimaient imaginer des plans de bataille, domaine dans lequel Travis brillait particulièrement.

Lorsqu'il était question de katas, de gymnastique ou simplement d'endurance, Ethan surpassait ses grands frères, comme s'il était né en effectuant des sauts de mains.

Mais lorsqu'elle introduisit les épées durant les giboulées de mars, Colin se révéla volontaire, rapide et mortel.

Elle fut relativement irritée de le voir maîtriser en quelques jours des techniques qui lui avaient pris plusieurs semaines.

Elle se mit à travailler avec lui en duel, et même si elle le tuait quotidiennement, il lui rendait la tâche difficile.

Avec son père, c'était autre chose. Il voulait bien combattre avec elle, selon des règles strictes : on ne portait pas les coups. Fallon avait beau protester, il avait établi sa limite.

Il refusait de frapper ses enfants.

Elle trouva un compromis par un impact minime pour chaque coup. Même avec ces règles, elle ne parvenait pas à le battre sans user de sa magye, et elle en apprit tant et plus.

La première fois qu'ils utilisèrent des couteaux, au grand plaisir de ses frères, Simon fit comme chaque fois qu'une lame apparaissait.

Il la testa sur lui-même.

— Elles ne peuvent pas traverser le tissu, pénétrer la chair ni faire couler le sang, lui rappela-t-elle, comme avant chaque séance d'escrime.

— Mieux vaut prévenir que guérir des choses très graves, répondit-il en se passant les deux couteaux sur le bras. C'est bon.

Il lui tendit l'une des armes.

Pendant qu'ils se mesuraient, les garçons criaient des insultes ou des encouragements. Lana sortit de la maison. Comme toujours, elle fut saisie de voir son compagnon et son enfant face à face. Les yeux froids, le corps ramassé.

Son cœur resta en suspens dès le premier échange.

Simon se fendit, pivota pour éviter le coup de pied violent et le coup de couteau de Fallon.

Une terrible danse commença, qui sembla durer des heures.

Par un accord tacite, ils se redressèrent et reculèrent tous deux.

— Ex aequo, conclut Lana sous les huées des garçons déçus.

— T'es forte, dit Simon en essuyant la transpiration sur son visage.

— Toi aussi.

Cette fois, il sourit.

— Je ne donnais pas tout mon potentiel.

— Ah oui ? Moi non plus.

— OK, alors. (Il joua des épaules et reprit une posture de combat.) Ne retiens rien.

— Toi non plus.

Ils s'élancèrent l'un sur l'autre.

Horrible, c'était horrible, pensa Lana. Les coups de poing et de couteau, les trajectoires des lames. Les sursauts de leurs corps quand ils recevaient l'impact des coups et coupures imaginaires.

Et puis, à une vitesse qui fit hurler les garçons d'enthousiasme, Simon se détourna pour surprendre Fallon par-derrière et lui trancher la gorge.

— Plus que fort.

Hors d'haleine, Fallon se baissa pour poser les mains sur ses cuisses.

— Toi aussi.

— Montre-moi comment tu fais ça.

— Bien sûr, mais je te signale que si les lames coupaient vraiment, j'aurais sûrement été faible et dans les vapes à cause de la perte de sang. L'adrénaline aurait pu me faire tenir, or tu es passée très près de me couper des artères. C'est là-dessus que tu dois te concentrer, si tu peux. Vise les artères brachiales, fémorales, la jugulaire, et ça sera vite plié.

— Je sais, mais ma seule façon d'y arriver, ç'aurait été de…

Elle le repoussa par un impact de pouvoir, puis incisa son avant-bras sur une longue ligne.

— … de m'y prendre comme ça.

— Et pourquoi tu ne l'as pas fait ?

— Déjà, j'ai besoin de m'entraîner. Et en plus, je peux me retrouver face à un autre sorcier, ce qui m'obligerait à contrer son pouvoir tout en essayant de placer un coup affaiblissant ou mortel. Si l'adversaire n'a pas de pouvoir, la magye ne devrait être utilisée que pour sauver des vies. Si tu dois prendre une vie par la magye, tu ne peux pas le faire par commodité. Il faut juste… il faut juste savoir quand c'est le moment.

Il secoua la tête et la regarda dans les yeux, de guerrier à guerrière.

— Voici ce que moi, je sais : tu fais ce qu'il faut pour rester en vie. Si tu dois utiliser une arme, tu le fais. Parce que si tu meurs, le combat est terminé, et pas seulement pour toi.

Pour ceux qui sont sous tes ordres, ceux que tu ne pourras plus protéger. Il ne faut pas perdre des vies innocentes pour respecter les règles. À la guerre, il n'y a aucune règle.

Il rengaina son couteau, puis lui déposa un gros baiser sur la joue.

— Tu m'as épuisé, ma puce.

Lana se matérialisa à côté de lui avec une bière fraîche.

— Tiens, c'est gentil, merci !

— On a révisé. Je pense que c'est le moment de faire une pause. Fallon, j'aurais bien besoin de ton aide.

Lana entraîna leur fille vers la maison et referma la porte derrière eux.

— Ton père ne comprend pas, commença-t-elle. Il sait que c'est contre notre nature d'utiliser la magye pour faire mal, et pire, mais il sait aussi ce que c'est de lutter pour sa vie et celle des autres.

— Je vois bien. Vraiment.

— Ça a été très dur pour moi et Max d'utiliser nos dons pour faire mal. C'est bien que ce soit dur. Mais Fallon, ton père a raison. Vraiment. Si toi ou n'importe lequel d'entre nous a besoin d'utiliser son don comme une arme, il le fait. Pas à la légère, pas par commodité, comme tu le disais, mais nous l'utilisons. Que ce soit contre un autre sorcier ou non.

— Je l'ai déjà utilisé. Je ne sais pas combien de vies j'ai prises en faisant exploser ces citernes et j'ai usé de la magye pour le faire.

— Et combien en as-tu sauvé ? Celles de soldats bons et celles d'innocents ? Tu as fait ce que tu devais faire, et malheureusement, tu devras le refaire encore et encore.

— On peut basculer dans les ténèbres, dit doucement Fallon.

— Ça ne t'arrivera pas. Ton père ne l'a pas fait. Moi non plus. Ça ne t'arrivera pas.

Fallon tournait en rond.

— Je sais qu'il y a des gens qui luttent, qui meurent, qui souffrent. Et moi, je suis là, toujours là. Je croyais que je serais prête une fois que j'aurais l'épée et le bouclier. Mais ça remonte à des mois, et je n'ai pas bougé.

— Il n'est pas seulement question de combattre.

— Je sais, tout comme je sais que mon heure n'est pas encore venue.

Agitée, elle marcha d'une fenêtre à l'autre.

— Mais il y a des gens de mon âge, plus jeunes même, qui se battent déjà, et moi, j'attends… pour diriger, dit-elle en une prise de conscience. J'attends au lieu d'agir dans ce sens : diriger. Je ne mène pas dans les fermes et le village tout près. Je n'apprends pas qui ira au combat, qui a des compétences recherchées ou des connaissances qui peuvent se révéler utiles. On ne s'entraîne pas en dehors d'ici. Je suis trop bête.

— Tu vas me vexer. Je n'ai pas élevé d'enfants bêtes. Tu as droit à ton temps ici, et seulement ici, en famille. À t'entraîner, enseigner et pratiquer. Si c'est le moment pour toi d'en faire davantage, de commencer avec les voisins, c'est ce qu'on fera.

— Si papa m'accompagne. Lui, ils l'écouteront. Ils le connaissent mieux, et avec moi, ils ne verront qu'une ado.

Contente et fière, Lana approuva.

— Tu dois faire naître la confiance.

— Oui, et je vais y arriver. C'est pour ça que je suis là.

— Que tu es encore là, rectifia Lana. Tu as commencé ce que tu devais commencer, et maintenant, il est temps d'entamer autre chose. Mais tu *es* une ado, Fallon. Tu es impatiente. La confiance, les armées, les mouvements, tout prend du temps.

— Alors il vaut mieux que je m'y mette. Demain… Tu entends ?

— Quoi ?

— Des voix. Elles viennent de…

Fallon les suivit, et Lana lui emboîta le pas vers sa chambre. La boule de cristal.

— Tu les entends, là ?

— Un peu. Ce n'est pas clair.

— Tu vois ?

— C'est très flou.

— Donne-moi la main.

Le cristal s'éclaircit.

Des hommes, des femmes, dans des camions ou à cheval, et même dans des tanks. Lourdement armés, remarqua Lana, tous en vêtements noirs, les visages passés au charbon éclairés par la lune.

Un commando nocturne.

— Des Guerriers de la Pureté, dit Fallon. Et des Pilleurs. Ils sont sans doute là pour le butin autant que pour tuer. Ils sont peut-être payés par les Guerriers de la Pureté.

— Je connais cette route, dit Lana, la gorge serrée par la peur. Elle les amène tout droit à New Hope. Oh non, c'est l'un des Mercer dans le camion de tête. Il n'a pas bien vieilli, et il a des cicatrices affreuses au visage, mais je sais que c'est l'un d'eux.

— Lou Mercer. Don est déjà mort. Son visage est marqué depuis l'explosion des citernes. Il est très énervé. Je dois y aller.

Fallon reprit l'épée dont elle s'était délestée pour le corps-à-corps.

— Ce n'est pas encore passé, donc il reste du temps pour les avertir. Ils pourront se préparer.

— Je viens avec toi.

— J'ai besoin que tu sois ici. Je n'arrive toujours pas à y aller sans me séparer en deux. Il faut que tu surveilles la partie qui reste ici. Il faut que je voie Will. Will Anderson.

Elle passa la main sur le globe, invoqua son image dans sa tête. Et dans la boule.

— Oh, c'est pas vrai, Will ! s'exclama Lana en prenant le bras de Fallon et en regardant de plus près. Avec Katie ! C'est Katie. Ça alors…

Elle vit son amie aux cheveux noirs bouclés – et aux yeux clairs transmis à son fils – assise à une table avec Will.

— Où sont-ils ? s'informa Fallon.

— Je ne sais pas, je… Ah, la cuisine, dans la maison où vivent Katie et Rachel. Ou du moins celle où elles vivaient quand j'étais là-bas. Et Jonah. Il a emménagé avec Rachel. Ils ont repeint, mais c'est la cuisine. Je n'entends pas ce qu'ils racontent.

— Je dois y aller, dit Fallon en se tournant vers sa mère. Les avertir de ce qui arrive. C'est dans deux nuits. Je sais où est cette maison. Tu me l'as dit, et de toute façon, le cristal m'emmènerait. Mais il faut que tu restes là.

— Dis-leur… Dis-leur juste que je les ai vus.

— D'accord. Reste à me surveiller.

Une fois de plus, elle posa les mains sur le globe et cette fois, fit apparaître l'image de la maison et de la cuisine dans son esprit.

Et elle traversa le cristal.

Elle sentit l'odeur de brûlé avant même d'être arrivée… et leva son épée en même temps que Duncan.

Les lames se croisèrent.

— Excellent moyen de se faire éventrer, commenta-t-il en abaissant son arme, sans la rengainer.

— Tu ne prends pas la peine de regarder avant d'attaquer ?

— De me défendre, rectifia-t-il. C'est dans ma maison que tu viens d'entrer.

— Je cherche Will Anderson.

— Il n'habite pas ici.

— Je l'ai vu ici. Tu as quelque chose qui brûle.

— Merde.

Il attrapa sa poêle sur le feu et, se retrouvant les mains pleines, éteignit les flammes d'un signe de tête.

— Ne rejette pas la faute sur moi, dit-elle, car clairement, à voir ses yeux, il lui en voulait. Ça cramait déjà quand je suis arrivée.

— J'aime mon sandwich au fromage bien grillé.

Il le retourna sur une assiette, une face effectivement bien grillée, l'autre incontestablement noire.

— Dis-moi juste où trouver Will, pour… Il fait nuit.

— Oui, c'est ce qui vient après le jour, en général.

Lorsqu'elle lui agrippa le bras, l'urgence qu'elle ressentait se déversa en lui.

— Quelle est la date ?

— Le 29 mars. Ou plutôt le 30, puisque minuit vient de passer. Qu'est-ce que tu veux ?

— Will.

— Eh bien, tu m'as, moi. Crache le morceau.

Il examina l'épée de Fallon et ce fut son tour de lui prendre le bras pour le soulever.

— Lumière, lut-il d'après l'inscription.

— Comment tu sais ce que ça veut dire ?

— L'un de mes profs à l'académie était en visite dans sa famille à Boston quand la Calamité a frappé. Il s'est retrouvé ici. Il enseigne l'irlandais. (Il tourna les yeux, de ce vert si profond, vers son visage.) Alors l'Élue répond à l'appel, ouvre le Livre des Sortilèges et après avoir tout absorbé, descend dans le Puits de Lumière. Là, elle tire l'épée et le bouclier du feu éternel.

Il la relâcha avant de demander :

— J'ai bon ?

— Je n'ai pas le temps pour ça. Où habite Will ? Ici, avec ta mère ?

— Mais non, je te dis ! Tu parles, il est en couple depuis un million d'années.

— Avec qui ? (Fallon aurait pu s'arracher les cheveux. Ou ceux de Duncan.) Ma mère voudra savoir.

— Arlys.

— Elle sera contente, mais je ne peux pas me laisser distraire. Ils sont dans la maison où vivait Arlys ? Je vois où c'est.

— Non, et tu ne vas pas déranger Will au milieu de la nuit. Il est épuisé et à moitié malade.

— Il est malade ? Je peux l'aider.

— C'est juste la crève, et il a été soigné. Il a besoin de repos, ordre du guérisseur et du médecin, donc pas question de le réveiller.

Il posa lourdement son assiette sur la table et se servit un petit verre de lait.

— Tu en veux ?

— Non, je ne peux pas perdre de temps.

— Alors assieds-toi et décide-toi à me raconter ! Je transmettrai à Will demain matin.

Elle pouvait traverser de nouveau le cristal, invoquer encore l'image de Will et réessayer. Toutefois, cette solution paraissait peu pratique, et en outre, elle devait accepter qu'il pouvait exister une raison pour qu'elle ait manqué sa cible.

Elle finit donc par s'asseoir.

— Après-demain, dans la nuit, ils vont attaquer. Le groupe de l'embuscade de la dernière fois, ou une partie d'entre eux.

— Mercer ?

— Il est très, très en colère. Ce n'est pas une attaque approuvée.

— Il est devenu franc-tireur ?

— Il a été gravement brûlé la nuit de l'explosion. Depuis, il rumine. Il a été rétrogradé par Jeremiah White. Je n'arrive pas à tout percevoir, et j'ai compris ça uniquement parce qu'il nourrit une haine énorme. Je n'ai pas attendu pour essayer d'en savoir plus. Je suis juste sûre qu'il a plus de cent personnes avec lui, et deux escadrons de Pilleurs.

Duncan hocha la tête, calculant froidement.

— Ils se sont déjà alliés par le passé, oui. Ils laissent les Pilleurs embarquer quelques Insolites en guise de butin. Vivants ou morts.

— Ils ont raflé l'arsenal, ou ce qui en restait, en tuant certains des leurs pour y arriver. Et ils ont pillé d'autres camps. Ils ont un certain nombre d'armes militaires et deux tanks.

— Des tanks ? Ça pourrait nous servir. Deux secondes, je reviens.

Il se retourna en partant.

— Ne me pique pas mon sandwich.

— Il est cramé.

— Me le pique pas, répéta-t-il.

Elle se releva et fit les cent pas. Il était minuit, plusieurs heures après le moment qu'elle avait visé. Et elle se retrouvait coincée dans une cuisine qui sentait le pain brûlé plutôt que d'être en train de parler au chef.

Elle pourrait toujours raconter à sa mère qu'ils avaient du fromage à New Hope, et que la cuisine de Katie était de la même couleur que les jonquilles disposées dans une fine bouteille sur la table.

Et que le fils de Katie avait des réflexes très vifs, même s'il n'était pas fichu de se faire griller un sandwich.

Il revint, dans son jean noir usé aux genoux et son tee-shirt noir, les cheveux moins frisés que ceux de sa mère qui retombaient négligemment sur le col.

Il apportait un rouleau de papier, des crayons et deux cartes dessinées à la main.

Bien dessinées, nota-t-elle quand il les déplia sur la table. L'une de New Hope, une autre de la zone entourant la ville proprement dite.

Il s'assit, prit le sandwich d'une main et mordit dedans.

— OK, montre-moi. Ils seront sur quelle route ?

Elle prit l'un des crayons, puis s'arrêta dans son geste.

— Au fait, vous avez découvert qui avait dit au groupe de Mercer où vous seriez le jour où vous avez trouvé le blessé ?

— Non. On garde l'œil sur quelques personnes. Il y a une femme qui sort d'une secte. Des tarés. Elle est encore là, avec un bébé, mais elle reste à part. Elle refuse de porter des vêtements normaux. Elle pourrait être de mèche avec les Guerriers de la Pureté, même s'ils ont attaqué leur camp et qu'on lui a sauvé la peau, à elle et à plein d'autres. Des tarés, répéta-t-il.

» Il y en a quelques autres. Un mec qui a choisi une maison à plus d'un kilomètre du centre. Il ne se mêle pas du tout à nous. Il veut bien troquer, mais seulement avec des non-magyques. Et il y a Lenny la Folie. Lui, il n'est pas bien dans sa tête. Will a dû l'enfermer plusieurs fois depuis qu'il est arrivé tout seul, à pied. Il pète un câble, des fois. Sinon, il ne parle pas beaucoup et il fait un peu peur. Bref, on est dessus. Si on a quelqu'un d'ici qui roule pour les Guerriers de la Pureté, on finira par le trouver. Ou alors, il est déjà parti, c'est ce que beaucoup pensent. Il y a des gens qui repartent d'ici.

— Je veux que tu n'en parles qu'à des gens en qui tu as entièrement confiance. Qui sont au commandement. Personne d'autre, pas les potes ou une fille que tu veux impressionner.

— T'es pas facile, toi, dit-il en reprenant un bout de sandwich. J'ai bien compris qu'un jour ou l'autre t'allais mener les forces de la lumière contre celles des ténèbres et compagnie.

Je serai avec toi, pas de problème. Pour l'instant, écoute. On surveille plutôt bien ce qui se passe avec Chuck et Arlys au comité des communications. On n'a pas du tout entendu parler de cette fameuse attaque prévue. Mais j'imagine que tu n'es pas ici pour raconter des conneries. Et comme on n'a pas eu d'échos d'une ado guerrière qui faisait des siennes, je mets ma main à couper et même la tienne que j'ai largement plus d'expérience que toi sur le champ de bataille.

» Et pour terminer : j'ai pas besoin de me la péter et de raconter des secrets pour impressionner les filles. Alors montre-moi où tu as vu les attaquants sur la carte et dis-moi ce que tu sais. Tu peux même ajouter ce que tu penses.

Elle entendait bien la logique froide dans sa voix. Pourtant, elle hésita encore.

— Il y a quelque chose ou quelqu'un qui espionne dans cette ville. Tu ne le sens pas ?

Il se renfrogna et prit son verre de lait.

— Si, je le sens. Et oui, ça me tue de ne pas savoir qui. J'ai essayé, je trouve pas. Donc tu n'as pas à t'inquiéter, j'en parlerai qu'à des gens que je connais sous toutes les coutures.

Fallon fit un croquis rapide sur le rouleau de papier pour coordonner avec les cartes existantes.

— Sur cette route.

— Pour déboucher dans la rue principale ? C'est osé.

— Mercer est énervé, et pas très intelligent. Il en veut aux Insolites pour tout ce qui n'est pas comme il le voudrait. Ce n'est pas un intégriste comme celui qui s'est sacrifié. C'est un esprit étroit, qui est monté en grade seulement par ses relations et grâce à sa cruauté. Il aime nous voir souffrir. Il aime voir souffrir toute personne qui aide un magyque ou devient amie avec. New Hope, c'est… tu vois ce que c'est, le Graal ?

— Ouais, ouais. Je lis, je suis allé à l'école. J'ai regardé les Monty Python.

— Pardon ?

— Dommage pour toi que tu ne connaisses pas. Comment tu en sais autant sur Mercer ?

— Je l'ai vu en lui. Il n'a pas de filtre, comme on dit. Pas le moindre. Il pense ça de tout son cœur, il le ressent, c'est sa vérité. On a tué son frère et des années plus tard, on l'a humilié et défiguré.

Elle s'étonna devant ce que Duncan esquissait dans un coin du papier.

— Comment tu sais à quoi il ressemble ?

Duncan fronça les sourcils autant qu'elle. Le visage étroit, la barbe de quelques jours, les cicatrices à vif qui gondolaient le côté gauche de son œil et de sa bouche.

— Je ne sais pas. C'est de toi que je le capte. Je sais pas comment. C'est ressemblant ?

— Oui. Tu dessines super bien.

— Ça occupe.

— Et lire les gens, ça t'occupe aussi ?

— En général, pas de cette manière. (Il releva les yeux vers elle.) Les ondes, tu vois ce que c'est ?

— L'un de mes frères lit dans les pensées, mais il comprend et respecte l'intimité.

— Qu'est-ce que tu veux que je te dise ? Ça irradiait de toi pendant que tu parlais de lui. Et j'ai vu son visage. Ils sont combien ?

— Une bonne centaine. Ils auront les tanks, une vingtaine de camions. Certains sont les camions militaires qu'ils utilisent parfois pour le transport de prisonniers. Dix à cheval, armés d'épées. Les Pilleurs à moto.

Duncan prenait des notes à mesure.

— Les chevaux et les épées, c'est pour le nettoyage. D'abord, ils entreront avec les tanks. Après avoir envoyé une équipe pour éliminer les gardes. C'est ce que je ferais.

— Moi aussi, approuva-t-elle. Donc il vous faudrait votre ligne de défense ici, à un bon kilomètre de la ville.

— Un peu plus. On ne va pas les laisser entrer. D'abord, il faut s'occuper des tanks.

Ils restèrent penchés sur les papiers, les cartes, les croquis, pendant presque une heure. Fallon s'imagina que Will et les autres fignoleraient le plan, mais elle leur avait donné tout ce dont ils avaient besoin.

— Pas demain soir, l'après-demain. Je regarderai, lui dit-elle. Si vous avez besoin de moi, je viendrai, mais je ne pense pas. Les Pilleurs n'ont aucune loyauté envers les Guerriers de la Pureté, et quant aux Guerriers de la Pureté… Ceux de Mercer n'ont de loyauté envers personne. Ils veulent juste du sang et une revanche.

— Oui, on va gérer. Merci pour le tuyau. Encore une fois.

— Tu diras à Will et à Katie que ma mère les a vus. Elle veut qu'ils le sachent.

— Elle les voit comment ? Comment tu regardes ?

Elle esquissa un sourire qui remua quelque chose chez Duncan. Alors, le sourire de Fallon s'effaça et ses yeux s'obscurcirent.

— Ne fais pas confiance aux fruits et aux fleurs. Le fruit est noir à l'intérieur. Les fleurs cachent la morsure du serpent.

— Quels fruits, quelles fleurs ?

— Je ne sais pas. Désolée. (Elle se passa la main dans les cheveux, car la vision, si brève et emplie de ténèbres, lui donnait la migraine.) Je dois y aller. Je reviendrai si tu as besoin de moi.

— T'es toute pâle. Tu veux…

Elle disparut.

— Laisse tomber, alors. À un de ces quatre !

Fallon revint par le cristal, de nouveau entière, et s'évanouit.

Elle se réveilla sur son lit, avec sa mère qui lui tenait la main.

— Je vais bien. Juste un petit vertige.

— Je vais te chercher de l'eau et un remontant.

— Ne t'en va pas. Une minute. Je suis restée partie combien de temps ?

— Presque deux heures. Dieux du ciel, Fallon, presque deux heures, et tu ne t'étais pas séparée. Tu y étais entière. Je ne voyais que de petites bribes de temps en temps dans la boule. Je ne te voyais pas.

— J'y ai passé trop de temps, c'est une partie de l'explication. Je n'étais jamais restée plus d'une heure et j'ai exagéré, alors que je savais qu'il ne fallait pas. Il faut que ce soit progressif. Je suis désolée, tu as dû te ronger les sangs.

Elle porta la main de sa mère à sa joue et se calma.

— Juste avant de revenir, j'ai eu une vision très rapide et vraiment intense. Elle m'a donné un horrible mal de tête.

— Des nausées ?

— Non, mais un petit vertige.

— Laisse-moi voir. (Avec douceur, Lana passa les mains sur le visage de Fallon, sa tête, et lui massa les tempes.) Ça va mieux ?

— Un peu. C'est tellement enfoui.

— Je vais te chercher ce qu'il faut. N'essaie pas de te lever.

Lana se téléporta. L'entraînement avec Fallon avait payé. Cette fois-ci, une inquiétude fébrile augmentait son pouvoir et sa vitesse. Elle revint avec un verre, de l'eau, un flacon et un linge blanc.

— Tu vas boire ceci. (Elle fit tomber trois gouttes bleu pâle dans l'eau.) Trois gorgées, une pause, trois gorgées, encore une pause, puis une troisième fois, ordonna-t-elle en soutenant la tête de sa fille.

Fallon obéit et dès la deuxième dose sentit la douleur la plus enracinée refluer.

— Je me sens mieux.

— Encore une fois. Trois par trois. Où sens-tu la douleur ?

— Ici, répondit Fallon en indiquant son front. Mais ce n'est plus méchant.

— Rallonge-toi et ferme les yeux. (Katie posa le linge plié en trois sur le front de sa fille.) Qu'y avait-il dans cette vision ?

— Des fruits empoisonnés, des fleurs qui n'étaient pas des fleurs, mais un serpent. Je ne sais pas si c'était destiné à moi ou à Duncan. C'est Duncan que j'ai vu et pas Will.

— Je l'ai vu, quand je réussissais à avoir un aperçu. Je m'étais dit que ça devait être lui, il a les yeux de Katie. C'est un très beau garçon.

— Il est très malin. Il fait le malin aussi, d'ailleurs.

Fallon ouvrit les yeux et se fit réprimander par sa mère.

— Il est intelligent, reprit-elle. On a échafaudé un plan. Il ira exposer à Will ce que je lui ai dit et ce qu'on a mis au point au matin. Will a un mauvais rhume et on lui a prescrit du repos, parait-il. Je regarderai au cas où, mais j'ai l'impression qu'ils n'auront pas besoin de mon aide, cette fois-ci. Ils sont préparés. Je lui ai fait passer ton message pour Will et Katie.

Ses mots devenaient moins articulés à mesure que Lana glissait les doigts sur le linge.

— Les murs de la cuisine chez Katie sont couleur jonquille. Et elle a un bouquet de jonquilles sur la table. C'est joli. Duncan a brûlé son sandwich, mais il l'a mangé quand même.

— C'est bien, très bien. Dors maintenant, mon bébé. Dors.

Lana resta pour s'assurer que le sommeil tenait, puis sortit pour ranger la fiole et le tissu. Et elle fit la seule chose qu'il lui restait à faire.

Elle commença à préparer le repas pour sa famille.

VOYAGES

L'espoir est comme le soleil qui,
alors que nous voyageons vers lui,
projette l'ombre de notre fardeau derrière nous.

Samuel SMILES

21

Fallon pensait connaître son père sous toutes les coutures, aussi bien ses qualités que ses défauts. Mais dans les semaines qui suivirent, elle découvrit des facettes de lui dont elle ignorait tout.

Elle savait, bien entendu, que les gens du village, les voisins d'autres fermes, les meuniers, les tisserands, les musiciens ou les forgerons l'aimaient et le respectaient.

Le village avait sa structure et ses systèmes. Sa situation dans les montagnes, à une bonne distance des grandes villes et agglomérations d'autrefois, le rendait peu intéressant pour les Pilleurs, mercenaires, Guerriers de la Pureté, ou même le reste de gouvernement émietté. Toutefois, il y avait eu des incidents avec les années.

Elle savait également que son père avait contribué à repousser ceux qui avaient cherché à voler ou à conquérir, et ceux qui voulaient juste détruire par amour des incendies et du sang. Mais dans l'ensemble, ils n'étaient pas dérangés par les intrus.

Les gens que Fallon avait pu côtoyer avec le troc, l'école, ou l'aide aux blessés étaient occupés toute la journée. Il fallait mettre de la nourriture sur la table, des vêtements sur les dos, des chaussures aux pieds. Les bébés devaient naître et les morts devaient être enterrés.

Elle savait que, pour la plupart d'entre eux, elle était simplement la fille de Simon et Lana. Une enfant. Pour commencer à lever une armée à sa porte, elle avait besoin que son père prépare le terrain.

Il débuta par les fermes, dans les champs, ou les mains dans le cambouis pour aider à réparer des engins.

Les gens l'écoutaient. Elle put le constater par elle-même quand il organisa la première réunion, avec une douzaine de voisins, chez eux.

— J'ai grandi ici. Maintenant, j'élève mes enfants ici. Mais le monde où j'ai grandi a disparu. Et le seul que mes enfants et les vôtres aient jamais connu ne ressemble en rien au nôtre. Tous parmi nous ont perdu quelqu'un à cause de la Calamité, à cause des violences qui l'ont accompagnée, ou de celles qui sont venues après. Certains d'entre vous sont arrivés dans cet endroit pour y échapper, pour se bâtir une vie dans le monde qu'il nous reste.

» Nous avons eu de la chance, poursuivit-il. Nous n'avons pas beaucoup de problèmes. C'est surtout grâce à la situation géographique. On sait par ce qu'on entend à la radio, par les gens de passage ou ceux qui s'établissent ici, qu'il y a d'autres endroits où les gens essaient de construire une vie. Certains y parviennent, d'autres non.

Il y eut quelques murmures d'approbation, or dans l'ensemble, les gens gardèrent le silence pour écouter ce que Simon Swift avait à dire.

— Nous pouvons continuer comme ça, à espérer que la malchance ne nous tombera pas dessus. Mais on sait bien que ce n'est pas éternel. Nous avons perdu des proches quand cette malchance s'est abattue sur nous.

Darlie Wertz, une femme décharnée accompagnée de deux adolescents, intervint :

— Maintenant, on est mieux préparés, objecta-t-elle en joignant les mains à s'en faire blanchir les articulations. On ne veut pas de problèmes. Pourquoi aller en chercher ?

Fallon savait que Darlie avait perdu toute sa famille dans la Calamité, et qu'elle avait recueilli les garçons qui étaient devenus ses fils. L'un, Charlie, avait le front marqué au fer rouge d'un pentagramme.

— Darlie, il y a quatre mois à peine, trois personnes sont passées, l'une d'elles à moitié morte. Elles ont subi une attaque à même pas cent kilomètres.

— Cent kilomètres, c'est loin. Ce n'est plus comme avant.

— Non, c'est sûr. Je pense que rien ne sera plus jamais comme avant.

Toi, si. Fallon entendait presque les pensées de son père, et la compassion qui y résidait.

— Il y a quelques années, je suis sorti sur le seuil de ma maison et j'ai tué un homme. (Il garda une voix ferme pour couvrir les commentaires.) Il ne m'avait pas trop laissé le choix, puisque lui et son compagnon voulaient s'en prendre aux miens et probablement me tuer pour le plaisir. Mais ces Guerriers de la Pureté sont venus ici pour traquer Lana. Ils étaient à la recherche du bébé qu'elle portait.

Encore des réactions gênées.

— Elle avait dû quitter un endroit où des gens bien essayaient de construire une communauté.

Simon regarda Lana et lui fit signe.

— On se croyait préparés, enchaîna-t-elle. Nous ne l'étions pas. Pas assez pour empêcher nos assaillants de tuer autant d'entre nous. Je suis venue ici, comme beaucoup d'autres, depuis ailleurs, mais je suis maintenant chez moi. Et je souhaite plus que tout que mes enfants soient heureux et en sécurité, je souhaite passer ma vie ici avec Simon. Mais ils ne nous laisseront jamais tranquilles.

— Tu n'en sais rien, protesta Darlie.

— Dis ça à Macon Addams, qu'on a enterré après l'attaque des Pilleurs, l'interrompit Simon.

— Il y a plus de trois ans.

— Les Pilleurs, reprit Simon. Les Guerriers de la Pureté, les mercenaires, les francs-tireurs, les militaires qui suivent ce qui passe pour des ordres du gouvernement, et retiennent des gens dans des camps et des laboratoires.

— Ce ne sont que des rumeurs.

— Tu sais bien que non. On a tous entendu ce que nous racontaient les gens de passage. Certains de nous ont connu des expériences similaires.

— J'ai vu l'origine de ces rumeurs, dit Maddie Bates de la Ferme des Sœurs, sans lâcher son tricot. Les soldats, dont certains qui avaient aussi peur de moi que moi d'eux. Et pour certains, la peur les poussait à la haine. Moi, j'ai passé six mois sous terre à être testée. Si on essayait de résister, ils nous neutralisaient à coups de Taser, ou pire. Je ne savais pas ce que j'avais en moi, à l'époque, pas tout. Mais je l'ai découvert et je me suis échappée. Jamais plus ils ne me mettront sous terre, ou dans un de leurs labos.

Elle regarda Darlie.

— Tu adores tes garçons, je le sais. Tu prétends que tu ne te battrais pas de tout ton cœur si tu devais revoir ceux qui ont marqué ton Charlie comme ça ?

— Ils ne reviendront pas.

— Maman…, dit Charlie en posant la main sur son bras. Elle a peur, c'est tout. J'avais neuf ans quand les Guerriers de la Pureté m'ont fait subir ça, et huit ans quand des soldats – américains, je précise – sont venus embarquer ma mère.

Elle m'avait obligé à me cacher, donc ils ne m'ont pas trouvé quand ils l'ont emmenée de force.

Il garda cette main réconfortante sur le bras de Darlie.

— On se croyait à l'abri aussi. On ne souffrait plus, on avait reconstruit un chez-nous, une petite communauté de gens qui ne faisaient de mal à personne. Mais ils sont venus.

— C'était avant, Charlie, s'entêta Darlie. C'était avant.

— C'était trois ans après la Calamité, et ils sont venus nous chercher. Mon père était un marine qui est mort dans la Calamité. Il était fier de servir, mais ce sont des soldats qui m'ont pris ma mère, trois ans après la mort de mon père. Je ne l'ai jamais revue. J'ai échappé aux militaires, mais des Guerriers de la Pureté m'ont attrapé, battu, marqué. Et ils m'auraient pendu comme d'autres prisonniers si des gens détenus avec moi n'avaient pas résisté. Certains d'eux sont morts en se battant pour qu'on puisse se libérer.

» Mon père était un marine, reprit-il, et je sais que vous étiez dans l'armée, monsieur Swift. Je sais que si mon père était là, il dirait comme vous. On doit apprendre à se battre et constituer une armée. Maman, fit-il quand elle eut un petit sanglot. Tu dois comprendre, ma mère est probablement morte en essayant de me protéger, et j'ai vu d'autres personnes mourir pour me sauver. Et tu m'as protégé pendant dix ans. Paul, pendant huit ans.

Il regarda le jeune homme qui était devenu son frère et reçut un signe de tête en retour.

— Il est temps qu'on se protège nous-mêmes, qu'on te protège et qu'on rende les coups, conclut Charlie.

C'était un elfe blond comme les blés, qui portait sous l'œil gauche la cicatrice d'une bague qui lui avait déchiré la peau lors d'un coup. Il se tourna vers Fallon.

— Tu as l'épée et le bouclier.

Fallon acquiesça, mais Darlie s'obstina d'une voix éraillée :

— N'importe quoi. Je vous ai dit et répété…

— Non, dit Paul, garçon calme et sérieux de dix-sept ans qui pesait toujours ses mots. Charlie et moi, on t'aime beaucoup, mais il est temps que tu acceptes ce qui est, plutôt que de rêver ce que tu voudrais.

— C'est juste une fille.

— C'est ma fille, dit Simon, gardant les yeux sur ceux de Darlie, car les autres étaient déjà ralliés à sa cause. Et je peux souhaiter autant que je veux qu'elle ne soit qu'une fille ordinaire, et que tes garçons ne soient que des garçons sans histoire. Ce n'est pas vrai, et ça ne le sera jamais. On peut laisser tout ça de côté pour le moment. C'est beaucoup à avaler. Mais ce qu'on ne peut pas mettre de côté, c'est que nous avons besoin d'être prêts et aptes à nous battre pour nos familles, nos voisins, notre terre et le monde que nous allons bâtir à partir de ce que nous avons.

— Avant, on appelait ça un camp d'entraînement, dit Maddie tout en tricotant. M'est avis que tu ferais un bon sergent instructeur, Simon. Mes sœurs et moi, et Lana, je suis sûre, nous serons ravies de nous occuper de la formation en magye. Si tu nous disais comment tu veux organiser les choses, Simon ?

Il avait un plan. Fallon comprit qu'il avait un plan depuis le début.

Il échangea avec les plus anciens du village, autrefois militaires, autour d'une bière ou d'une part de tarte.

Il ne s'étendait pas sur le rôle de Fallon auprès de la plupart des gens sans magye. Ils devaient d'abord bien s'engager dans le projet, expliquait-il. Une étape à la fois.

Avec des formateurs triés sur le volet, il démarra ce qu'il considérait comme l'entraînement élémentaire. À partir de seize ans, toujours sur la base du volontariat. Pour les plus jeunes, il débuta comme il avait commencé avec les siens. Gymnastique, sport, autodéfense de base.

Il impliqua Fallon : l'idéal serait qu'elle intervienne dans les deux formations. Qu'elle travaille avec lui et avec sa mère.

Elle fut consternée d'apprendre combien de jeunes Insolites n'avaient aucune formation en magye, et combien des plus âgés n'avaient jamais exploré leurs dons ou les avaient laissés rouiller.

Car ils voulaient croire la même chose que Darlie. Qu'ils étaient et resteraient en sécurité, que leur monde était une espèce de bulle qui ne serait jamais pénétrée par l'extérieur.

Elle s'aperçut aussi que ses deux ans avec Mallick lui avaient été profitables. Elle savait comment former les autres, savait distinguer les prétextes foireux des authentiques soucis.

Pendant tout le printemps, l'enclume du forgeron résonna. Ce n'étaient pas des outils qu'on fondait en épées – car on avait besoin des outils – mais on ne manquait pas de chutes de métal, aussi un mage et une alchimiste s'alliaient-ils dans la chaleur suffocante de la forge pour renforcer les lames.

D'autres faisaient fondre le métal pour fabriquer des balles et apprenaient aux autres comment s'y prendre.

Durant l'été et l'automne, jusqu'à la première gelée, après son seizième anniversaire, Fallon enseigna et forma, ensorcela des lames et prépara des potions.

Le soldat chez son père la regarda se façonner, comme le forgeron travaillait l'acier pour en faire une arme.

Parfois avec son père, parfois avec sa mère, qui ne consentaient ni l'un ni l'autre à la laisser y aller seule, elle s'envolait sur Laoch pour aller à la recherche de fournitures magyques et militaires.

Mais comme ce qu'ils ne savaient pas ne pourrait pas les inquiéter, elle partait seule en traversant le cristal, au cœur de la nuit, pour étudier des terres inconnues, parcourir des endroits de ses cartes qu'elle estimait stratégiques.

Une fois, elle s'était glissée auprès des décombres du mémorial destiné à un président autrefois grand. Dans l'obscurité, elle avait entendu les coups de feu, les explosions, et vu un trio de petites tornades virevolter au-dessus de la ville en crachant des éclairs noirs.

Et les Insolites noirs qui voletaient comme des chauves-souris.

Pourquoi, se demanda-t-elle, ceux qui souhaitaient gouverner, et très probablement reconstruire la ville qui accueillait autrefois toutes ces traditions et ces instances de pouvoir, frappaient-ils et craignaient-ils la magye qui pouvait les aider ? C'était complètement illogique, à l'encontre de toute stratégie.

Combien comme elle avaient-ils enfermés, « testés », torturés ? Et tués. Parce qu'ils étaient différents.

En quoi cela justifiait-il de traquer des êtres humains ? Des enfants ?

Et ce faisant, ils menaient deux guerres. Contre les ténèbres et contre la lumière. Leur ville, leur capitale, demeurait donc un champ de bataille.

Pendant que des maraudeurs circulaient librement, que des membres de sectes torturaient et tuaient des innocents.

— Cette ville est morte, dit-elle à voix haute. (Elle le sentait dans le goût de la fumée.) Elle ne sera plus jamais ce qu'elle était, ce qu'elle aurait pu être. Et quelle quantité de sang coulera à cause de gens comme vous, de gens guidés par la peur et la haine, quand nous nous élèverons et résisterons ?

» Et nous le ferons, dit-elle, la main sur la garde de son épée. Nous le ferons.

Elle pensa à sa famille, à ses voisins, au sacrifice à venir. À New Hope, à ce que le courage et le rassemblement pouvaient construire… et perdre.

— Nous le ferons, répéta-t-elle.

C'est sans doute parce qu'elle avait l'image de New Hope en tête qu'elle se rendit là-bas à travers le cristal, plutôt que de retourner chez elle.

Pour la deuxième fois, elle et Duncan dégainèrent leurs épées. Pour la deuxième fois, comme les ténèbres les convoitaient tous deux, leurs lames s'entrechoquèrent.

Au fracas de l'acier, la lumière éclata et les inonda, le temps de deux battements de cœur.

Duncan marmonna un juron et recula.

— Ça va devenir une habitude.

Désorientée, en proie à un léger vertige, Fallon eut du mal à conserver sa dignité.

— T'es toujours dans le passage, tu veux dire. Qu'est-ce que tu fais là ?

— Je suis de garde. Et toi ?

N'étant pas trop sûre d'où elle avait atterri, elle resta évasive :

— Je vérifie un truc.

Elle sentait l'odeur des bois, et sa vision s'étant ajustée après l'éclat de lumière, elle les apercevait derrière la neige qui tombait à petits flocons.

L'ombre d'un bâtiment, d'autres structures : des serres. Et un jardin où poussaient des choux et des kales, qu'elle identifia à l'odeur.

Plus loin, un champ desséché balayé par les premiers vents de l'hiver.

Le jardin communautaire, comprit-elle. Le champ de maïs où son père avait trouvé la mort. Assassiné.

Elle esquissa un pas dans cette direction.

— Attends, dit Duncan en lui prenant le bras.

Ce fut une véritable explosion, un déversement de lumière. Elle repoussa sa main.

— Je veux voir.

Elle se dirigea vers un tapis de neige.

Elle voyait, elle sentait. L'été, le soleil radieux, la musique, les couleurs, les grillades, le jardin qui prospérait.

Des coups de feu, des hurlements.

— Quelqu'un est mort juste ici, dit-elle en regardant par terre. Une femme, sorcière, qui protégeait un enfant.

— Douze personnes sont mortes, répondit Duncan. Douze des nôtres, en quelques minutes seulement. Vingt-quatre blessés, dont certains étaient des enfants.

Elle continua vers le champ de maïs.

— Mon père est mort ici. (Elle s'accroupit et posa la main sur le sol.) Tué par son frère et sa harpie. Ils sont apparus là-bas. Les pointes des ailes brûlées, mais tranchantes comme des lames. Un cadeau des ténèbres.

— Ils avaient fait des sacrifices de sang dans les montagnes de Pennsylvanie. Des horreurs. Eddie, Poe et Kim étaient là-bas avec tes parents, et ils nous ont raconté ce qui s'était passé. Mon père est mort dans la Calamité. Ma mère a mis son nom sur un arbre-souvenir, dit Duncan en le désignant. Ton père y est aussi.

Les étoiles sur l'arbre scintillaient doucement dans la petite neige.

— Tu me montres ?

Il l'accompagna et lui montra l'étoile indiquant MAX FALLON.

— Je ne sais pas qui l'a mise. Je n'ai jamais pensé à demander.

— Peu importe qui. Ce qui est important, c'est que vous rendez hommage à vos morts.

— C'est pour ça que tu es venue ? Pour voir l'arbre ?

— Non. (Du bout des doigts, elle caressa l'étoile portant le nom de son père.) Je n'avais pas l'intention de venir.

— Tu t'es emmêlé les pinceaux ?

Elle le regarda sous le miroitement des étoiles. Il avait grandi depuis la dernière fois qu'elle l'avait vu et ses joues étaient ombrées d'une barbe de trois jours. Il n'avait pas pris la peine de mettre un bonnet, la neige tombait sur ses cheveux, aussi en désordre qu'avant.

Il ne se montrait pas désagréable, alors elle ne le serait pas non plus.

— J'imagine. Je suis allée à Washington.

— Ah bon ? Quand ça ? Qu'est-ce qui se passe ?

— À l'instant. De là, je voulais rentrer chez moi, mais je venais de penser à New Hope, et… je me demandais pourquoi. Pourquoi, pourquoi, pourquoi ? (Elle s'éloigna en faisant les cent pas.) Pourquoi essaient-ils de nous tuer, de nous enfermer ? Les Guerriers de la Pureté sont des extrémistes religieux, et méchants. Ou en tout cas, ils se cachent derrière leur version de Dieu.

— La version de White.

— Et la leur, sinon, ils ne le suivraient pas. Les Pilleurs, ils sont ce qu'ils sont. Ce qu'ils étaient probablement avant même la Calamité, ou avaient envie d'être. Les mercenaires, ils veulent juste la récompense, ou ils aiment la chasse. Mais les autres… Pourquoi ? La majorité de la population est morte dans des conditions atroces, et ils perdent leur temps et leurs vies à nous traquer.

— Ils pensent que c'est notre faute.

— Ils sont aveugles et bêtes.

— Je n'ai pas dit le contraire. Qu'est-ce que tu as vu, à Washington ? demanda Duncan.

— La mort. De la mort qui demande plus de morts. Il n'y a plus de cœur qui bat là-bas. Tu vois ce que je veux dire ?

— Oui.

— Au bout du compte, il faudra qu'on la reprenne, mais son symbolisme est terminé. (Elle se retourna vers lui.) Chez moi, on mobilise du monde. On entraîne.

— Ben, il serait temps.

— Il y a d'autres endroits pas si différents d'ici ou de chez moi. On aura besoin de ces gens-là. Vous avez retrouvé le traître ?

— Non. On n'a pas eu d'autres problèmes. Faut croire qu'il est reparti. Mais on surveille. Ils ont attaqué, les Guerriers de la Pureté, comme tu avais dit la nuit où tu es venue dans la cuisine.

— Je sais. J'ai regardé.

— T'étais là ?

— Non. Vous n'aviez pas besoin de moi.

— Comment tu es allée à Washington, puis ici ? Tu t'es zappée ?

— Pardon ? fit-elle, interloquée.

— Oui, tu vois...

Cette fois-ci, il lui prit la main. Elle se sentit transportée, puis ils se retrouvèrent devant les jardins.

Dans la main de Duncan, la sienne picotait.

— Nous, on parle de flash.

— Se zapper, flasher, pareil. (Technique qu'il avait mis des semaines d'entraînement acharné à apprendre, et encore des semaines à perfectionner.) C'est comme ça que tu es venue ?

— Non, c'est autre chose, dit-elle en le regardant dans les yeux. Je t'ai vu à la lueur de la lune, marcher au milieu des arbres dans la brume, en direction d'un cercle de pierres. Du premier bouclier. Tu me disais que je devais choisir. Tu me regardais droit dans les yeux au milieu du rêve et tu me disais que je devais choisir. J'ai choisi.

— Je t'ai vue sous la lune, dans le brouillard, à côté du cercle de pierres. Tu portais ton épée. Celle-ci, Solas. Et quand tu la soulevais, le ciel était déchiré par un éclair.

— Et après ?

— Je ne vois jamais la suite. Je me réveille ou je sors de la vision. Je ne vois jamais plus loin. Je t'ai vue sur le champ de bataille, j'ai combattu avec toi. Et… d'autres trucs.

— Mais encore ?

— Comment te dire…

Il tira fort sur sa main, et quand le corps de Fallon heurta le sien, il lui agrippa les cheveux de sa main libre et écrasa sa bouche.

Rien de comparable avec Mick, rien de doux ni de gentil.

Ce qui leur arrivait était dur, brûlant, et la faisait frémir de l'intérieur.

Elle aurait pu le repousser d'un coup. Si elle y avait pensé, elle l'aurait même fait. Or tout tournait, tremblait, chavirait.

Elle contracta les doigts une fois sur l'épaule de Duncan, pendant que ce lien, ce conflit, ce chaos – qui n'avait rien, mais alors rien à voir avec la douceur du mot embrasser – l'emportaient dans une tempête.

Et puis il la fit reculer, aussi brutalement qu'il l'avait attirée à lui. Il la fixait avec des yeux ardents, sans avoir l'air particulièrement ravi.

— C'était juste dans ma tête. Ça m'énerve un peu.

— Lâche-moi, ou je vais t'y obliger.

— On pourrait voir qui gagne entre nous, mais… (Il rouvrit les mains et recula d'un pas.) Tu n'as pas encore dû avoir ce rêve.

— Je ne rêve pas de toi.

Mensonge éhonté.

— Tu viens de dire le contraire.

— C'est pas la même chose. (Tout semblait différent, et de son côté, cela l'énervait plus qu'un peu.) Tu n'as aucun droit de m'empoigner comme ça.

— Tu n'as pas dit non. Et tu n'as pas pensé non. Une fille qui dit ou pense non, c'est non. (Il posa la main sur la main droite de Fallon. Celle qui maniait l'épée, juste au cas où. Il lui sourit.) Dis non.

Au lieu de quoi elle le repoussa, un peu plus durement que prévu, et repartit via le cristal.

— Elle n'a pas dit non cette fois non plus, marmonna-t-il. Ni pensé non.

Il releva les yeux, dans la neige légère qui se transformait en fine pluie.

— Ce n'est pas mon genre de fille ! informa-t-il les cieux. Alors foutez-moi la paix.

Il entendit un lointain grondement de tonnerre dont le son s'apparentait beaucoup trop à un rire.

Fallon n'avait pas le temps de penser aux garçons ni aux baisers. Quelque part, elle sentait bien que Duncan embrassait davantage comme un homme que comme un garçon. Ou du moins comme quelqu'un qui avait une belle expérience en la matière.

Peu importait. Elle avait du travail, un travail important. Non seulement former une armée, pierre par pierre, mais calculer exactement quoi faire une fois qu'elle en aurait une.

Elle pensait souvent à Washington, chassait le sujet de son esprit, puis y revenait. Une ville morte, où des gens vivaient dans ses cendres, et certains enfermés.

Des prisonniers, des expérimentations, des armes.

Depuis la Calamité, ceux qui s'accrochaient désespérément au pouvoir, ou ceux qui en rêvaient, s'étaient acharnés. Par les éclairs meurtriers et les vents brûlants pour les Insolites, et par les bombes qui transformaient les villes en décombres pour les humains ordinaires.

Le problème avec les bombes, c'est qu'elles pouvaient être retournées contre ceux qui les lançaient. Dans ses voyages nocturnes, Fallon visita les cratères et les ruines au Texas, en Californie, en Floride, dans le Nevada.

Elle se sentait l'âme accablée par ce pouvoir de destruction, mais bien plus encore en découvrant que les humains n'hésitaient pas à recourir à un tel mal pour anéantir leur prochain.

Combien encore attendaient d'être éveillés pour s'élever et retomber ?

Éradiquer ce pouvoir, ce mal, devait représenter la priorité.

Au cours de l'une de leurs séances de stratégie qui se prolongeaient tard dans la soirée, Simon lui dit :

— Même si tu trouvais comment désamorcer ou détruire chaque bombe, chaque drone, ou que tu les rendais incapables de les utiliser à l'échelle mondiale, ils en fabriqueraient d'autres.

— Alors, on les élimine. C'est trop facile de tuer quand on ne regarde pas l'ennemi dans les yeux. On ne voit pas l'enfant qui se cache sous son lit au moment où il est emporté par les flammes. Quand les mages noirs volent, ils cherchent à détruire. Aucune différence ici. Nous demandons aux gens de se battre avec des épées, des armes modestes, leurs poings et leurs pouvoirs, alors que l'ennemi a la possibilité de les réduire en poussière grâce à la technologie. Il nous faut trouver un moyen de détruire cette technologie. Papa, comment pourra-t-on redresser la barre après les batailles, après le sang, les sacrifices et les risques, si quelque part, quelqu'un peut tuer des milliers de personnes avec une machine et un code ?

Fallon se leva de table et marcha nerveusement dans la cuisine, leur lieu de rendez-vous habituel, avant de reprendre :

— C'est la magye humaine. La bombe atomique, le nucléaire, la tuerie à distance. Et c'est aussi sombre qu'une attaque d'éclairs noirs ou des têtes tranchées par des ailes, des pendaisons d'enfants.

— D'un point de vue logistique et réaliste, ce dont tu parles pourrait bien être impossible.

— Croyait-on, d'un point de vue logistique et réaliste, qu'il était possible que des milliards de personnes meurent en quelques semaines sur toute la planète ? Qu'un bouclier brisé au milieu d'un cercle de pierres dans un champ écossais tuerait autant de monde, et à cause de ces morts, changerait tout ?

— Non. Nous n'étions pas préparés à ça.

Maintenant, il nous faut l'être, se dit Fallon. *Nous devons être prêts.*

— Toi et maman, vous avez insisté pour qu'on étudie l'histoire, ce qu'on a fait. Des guerres, bien souvent inutiles, menées par appât du gain ou au nom d'une foi dévoyée, et des reconstructions à partir des ruines, pour repartir en guerre ensuite. Mais ça a évolué, papa, des épées et des lances et des flèches aux armes à feu, explosifs et bombes. Aux armes susceptibles de tout éradiquer. Oppenheimer avait raison : « Je suis devenu la mort, le destructeur des mondes. » Nous n'avons pas survécu à la Calamité pour laisser tomber ce qui a survécu. Il est plus facile de détruire que de construire. Nous trouverons un moyen de rendre les choses plus difficiles, de contrecarrer cette capacité à tuer en masse.

— Et admettons, je ne sais pas, qu'on transforme les bombes en fleurs, on sauvera le monde avec des lances, des flèches et des épées ?

— Et de la tactique, du courage et de la lumière. (D'un geste négligent, Fallon frotta le bracelet qu'elle avait fabriqué à partir de l'arbre.) Là, tu penses que si on arrive à ça, ils construiront de nouveau des bombes. Ils rebâtiront les villes, planteront des cultures, établiront des communautés. Et certains fabriqueront des bombes et des armes pour détruire encore les masses, et parmi eux, il y en a qui le feront en croyant que c'est pour se défendre, se protéger, pour la dissuasion.

— Voilà. Malgré tout, ça prendra un moment.

Fallon y réfléchit longuement, étudia et envisagea des méthodes de tous les angles qu'elle pouvait imaginer. Toutes les nuits, elle passait à travers le cristal. Elle se rendit sur le tarmac de ce qui avait été l'aéroport O'Hare de Chicago. La tour de contrôle avait disparu. Dans les hangars, aux portes d'embarquement, sur les pistes, les avions calcinés n'étaient plus que des coquilles. Et à l'intérieur de ces coquilles, dans les terminaux, les hangars, les bureaux, des restes de corps. Personne ne les avait retirés pour les enterrer ou les brûler.

Elle parcourut les couloirs d'un petit hôpital rural du Kansas, d'une école vide en Louisiane. Elle regarda les mustangs, les élans, les bisons et les cerfs à queue rouge courir dans les plaines du Montana.

Elle vit également des villages, des fermes, nota que la plupart des gens s'étaient regroupés et avaient reconstruit dans des endroits isolés.

Une fois, elle se tint dans un bunker logé à l'intérieur d'une montagne. Tous les ordinateurs, les moniteurs, les panneaux de contrôle étaient éteints et silencieux. Son instinct premier la poussait à faire en sorte qu'ils restent dans cet état, parce qu'elle voyait cet endroit non seulement comme un poste défensif, mais également comme un affût.

Or elle avait appris, grâce à ses parents, à Mallick, à ce qui vivait en elle, à mettre l'instinct en balance avec le sang-froid. Elle n'en savait pas assez, jugea-t-elle en se baladant entre les comptoirs, les boutons, les manettes et les claviers. Et si en essayant d'éliminer, elle éveillait au contraire ?

Elle préféra donc fouiller, impressionnée que des hommes aient pu construire quelque chose de si vaste dans un endroit si enfoui.

Et comme elle l'avait fait partout ailleurs, elle marqua ce lieu sur une carte.

Cette nuit-là, elle rêva.

Elle se trouvait sous la lune et dans la brume, au cercle de pierres. Elle examinait le sol brûlé et craquelé à l'intérieur. Sur elle, en elle, un poids pesait comme du plomb.

— Tant de gens perdus, tant de morts. (Sa voix se propagea dans les champs vides avant d'être emportée par le vent.) Était-ce un sacrifice pour que je puisse être ? C'est mon sang qui a ouvert la porte à la lumière et aux ténèbres.

— Notre sang.

Duncan apparut derrière elle. Plus âgé, comme dans ce rêve qu'elle avait fait bien plus tôt.

— Après tout, en remontant les siècles, nous sommes cousins. Vas-tu rester là et faire des reproches à un jeune garçon, ou au vieil homme qu'il est devenu ?

— Ton grand-père n'est pas à blâmer. C'est ce qui l'a utilisé qui est responsable. Comment on a pu laisser faire ça ? Pourquoi ça n'a pas été arrêté ?

— Pourquoi tu penses que les questions ont toujours des réponses ?

— Parce qu'elles en ont.

— Réponds à celle-ci : est-ce qu'on est vraiment là maintenant, ou est-ce encore un rêve ?

— Les deux.

Il lui sourit franchement et lui prit la main. Elle fut libérée d'un poids énorme, si énorme.

— Je préférerais être au lit avec toi, plutôt que d'être dans ce foutu champ à philosopher sur le pourquoi du comment.

— Tu m'as embrassée, sous la neige.

— Tu n'as pas dit non.

Il l'embrassa alors, sous la lune, aussi volontaire et brutal que dans les légers flocons.

Blanc, pensa-t-elle en se pressant contre lui. Neige blanche, lune blanche.

Alors les corbeaux crièrent et formèrent un cercle noir au-dessus d'eux. Et dans les arbres, dans la brume qui se levait, une chose aussi sombre que la mort remua.

— C'est le moment, lui dit Duncan.

Elle acquiesça, leva son épée et réduisit les corbeaux en cendres. Avec lui, elle se tourna vers les arbres et ce qui attendait.

— C'est le moment, approuva-t-elle avant de foncer avec lui.

Elle se réveilla, la bougie qu'elle avait allumée dans son sommeil brûlait, la boule de cristal miroitait, transparente. Elle ramassa l'ourse en peluche fidèlement gardée par Ethan pendant deux ans et la caressa.

— C'est le moment, chuchota-t-elle avant de se lever pour aller en avertir sa famille.

22

Fallon attendit. Il y avait des animaux à nourrir, des œufs à ramasser, des vaches à traire, des stalles à nettoyer et renflouer en litière.

Elle aida au petit déjeuner et ne dit rien, prenant conscience qu'elle devait d'abord parler à ses parents seuls.

Connaissant Travis, elle garda son esprit et ses sentiments fermés en prenant le temps d'observer chacun de ses frères.

Colin, grand et coriace, enfournait de grandes bouchées tout en évoquant la séance d'escrime à venir. Peu de temps auparavant – hier, presque –, il aurait parlé d'aller pêcher ou de jouer au basket après avoir terminé ses cours et ses corvées.

Travis, rusé et sec, prenait son temps pour manger. Il ne planifiait pas une farce comme il avait pu le faire, mais pensait sûrement à tirer à l'arc ou à apprendre un nouveau sortilège.

Ethan, gentil et posé, glissait discrètement du bacon dans sa poche pour le répartir entre les deux chiens tout en harcelant son père pour pouvoir monter un cheval plus imposant et plus rapide.

Ils n'étaient plus des enfants, pensa Fallon. Des soldats potentiels, des guerriers en herbe. Une herbe qu'elle avait semée.

Mais toujours des frères qui protesteraient, l'interrompraient et montreraient leur souffrance quand elle leur dirait qu'elle devait partir.

Elle échangea un regard avec sa mère, puis avec son père. Regard qu'elle avait perfectionné pour leur dire qu'elle devait leur parler hors de la présence de ses petits frères.

Elle attendit. Il fallait débarrasser la table et faire la vaisselle. Elle aurait attiré l'attention en échappant aux corvées, donc la routine devait s'enchaîner comme d'habitude. Cette normalité lui apportait autant de douleur que de réconfort.

— J'ai des choses à faire ici avant d'aller au village, annonça Simon. Partez devant, les garçons. Sellez vos chevaux et allez-y directement. Pas de détours ni de fantaisies, précisa-t-il avec un regard entendu à Colin. Je déposerai Fallon et maman aux Sœurs et je vous rejoindrai.

— Je peux prendre Tonnerre ?

— Non, répondit-il à Ethan fermement. Tu seras sur Pixie.

— Oh, mais Tonnerre a envie que je le monte.

— Alors il sera déçu aussi. Tu ne chevauches pas un étalon pour l'instant. Proteste et je te trouverai des corvées pour rester ici, pas de problème.

— Oh, c'est bon.

Comme ses deux frères étaient déjà partis en courant, il renonça et les suivit.

— On peut s'asseoir ?

Lana revint vers la table. Lorsque Simon se plaça à côté d'elle, ils se prirent la main en cachette.

— Je dois partir.

Fallon prononça ces mots à toute vitesse, dans l'espoir qu'ils en seraient moins douloureux.

— Tu es sûre ? demanda Lana.

— Oui, certaine. Je suis désolée.

— Quand ? s'enquit Simon.

— J'ai des choses à rassembler et à faire avant de vous quitter.

— Une semaine ? Tu peux attendre une semaine, deux maximum ?

— Je… D'accord. (Elle s'était attendue à plus de désarroi et à des négociations pour repousser l'échéance se comptant en mois et non en jours.) Je dois prendre des provisions et je veux planifier mon itinéraire. Je me disais que vous pourriez m'aider. Sur ma route, je devrai recruter plus de monde et lancer davantage de camps d'entraînement. Je connais le chemin que j'ai emprunté avec Mallick, et je commencerai par là. Mais ensuite, je bifurquerai pour me rendre à New Hope. Et je veux passer par autant d'habitats que possible entre-temps, là où je trouverai des volontaires pour se battre.

— Tu n'iras pas directement à New Hope ?

— Non, maman. Une fois là-bas, je veux pouvoir leur dire que j'ai mille soldats, dotés de magye ou non.

— C'est beaucoup, ma chérie, commenta Simon.

— Ici, nous en avons cent soixante-huit. Une centaine de plus dans les bois près de la chaumière de Mallick. Je vais en rassembler davantage, ce qui prendra peut-être quelques mois, mais le temps est au beau. Je veux mille personnes parce que c'est un gros chiffre, et moins ne ferait pas le même effet. Une fois que je les aurai, je serai à New Hope avant la fin août.

— Et là…, commença Lana avant de s'interrompre. Je me projette trop loin. Une semaine.

Elle regarda Simon, qui approuva d'un signe de tête avant d'affirmer :

— Nous serons prêts.

— Je vous ferai passer le message, poursuivit Fallon. Je viendrai en flashant ou j'utiliserai ma boule de cristal. Ou par le feu.

— Je crois que tu n'as pas compris.

Lana, une main encore dans celle de Simon, prit celle de Fallon, les joignant tous les trois.

— On vient avec toi.

— Avec moi ? fit Fallon, abasourdie. Mais vous ne pouvez pas.

— J'ai fait le trajet de New Hope à ici avec toi, lui rappela Lana. Je ferai le trajet retour. On le fera tous.

— Non, attendez. Il se peut que je passe des mois sur la route.

— À lever une armée, compléta Simon. Tu peux avoir besoin d'aide dans ce domaine. Il se trouve que nous avons une certaine expérience.

— Les garçons sont trop jeunes.

— Ethan n'a qu'un an de moins que toi quand tu es partie pour deux ans, lui rappela Lana.

— Ils s'entraînent, et dur. Si je ne les pensais pas capables d'encaisser, on ne partirait pas, ajouta Simon.

— Ils considéreront ça comme une aventure, ajouta Lana. Tous les trois.

— Mais ça ne sera pas ça. Il y a des Pilleurs sur les routes. Des Guerriers de la Pureté traquent des Insolites pour se faire des esclaves. En dehors de… cette bulle, on trouve des mercenaires et des soldats, des gens tout simplement fous prêts à te planter juste pour prendre ton sac. Ce n'est pas une aventure.

Les yeux lançant des éclairs, Lana se pencha vers elle.

— J'étais enceinte de six mois, seule, la plupart du temps à pied, très souvent affamée, et chassée en dehors de cette bulle, comme tu dis.

— Oui, mais…

— Tu n'es pas la seule à avoir du pouvoir et du cran, Fallon. Tu vois, cet homme, dit-elle d'une voix aussi déterminée que ses yeux. Il a combattu dans des guerres avant ta naissance. Il nous a protégés, a protégé nos voisins depuis que l'ancien monde a pris fin et que celui-ci a commencé.

— Je ne voulais pas dire…

Dévisagée par une mère assez farouche pour mener elle-même une armée, Fallon ne savait plus ce qu'elle voulait dire.

— Quoi ? Sincèrement ? demanda Lana. Qu'on est trop faibles, trop fragiles, trop naïfs pour affronter la réalité de ce qui vient ? Non. Nous estimons nos fils prêts. Nous décidons que notre fille n'ira pas seule cette fois-ci. Pas seule. Point barre.

— Mais… La ferme.

— La ferme ne bougera pas, répondit Simon d'un ton plus tranquille, laissant l'échauffement à sa femme. On a tout prévu. Les Sœurs, Jack Clanson et sa famille s'occuperont d'ici. On emmènera les chevaux parce qu'on en aura besoin, et les chiens parce que sinon, Ethan aurait le cœur brisé. On emportera ce que nos montures peuvent transporter, et on sera prêts en une semaine. Quand ta mère dit point barre, ma fille, c'est point barre.

Pourquoi n'avait-elle rien vu venir ? Dans leurs yeux, par la boule de cristal ? Elle pouvait simplement partir, le temps d'un flash. Mais ils la suivraient, et elle les aurait peinés.

— Je ne m'attendais pas du tout…

— Tu vas t'y faire, suggéra Lana.

— Il faut encore entraîner du monde ici.

— Et il y a des formateurs pour s'en occuper, dit Simon, qui se leva et l'embrassa avec force. Je vais au village, prévenir les gens qu'on s'en va dans une semaine. J'imagine que toi et ta mère avez des choses à faire ici. Lana, si tu veux la camionnette pour aller à la ferme des Sœurs, je peux te la laisser.

— On sera bien à cheval. Et on l'annoncera aux garçons ce soir.

— C'est l'idée.

Il embrassa sa femme, puis laissa Lana et Fallon.

— Je ne vous considère pas comme faibles ni fragiles.

— Juste naïfs, donc, conclut Lana avec froideur.

— Non, pas exactement. Mais aucun de vous ne s'est éloigné de la ferme depuis très longtemps. Par bien des aspects, c'est pire que quand tu as voyagé de New Hope à ici.

— Plus on est nombreux, plus on est forts et moins il y a de danger. Six ensemble plutôt qu'une toute seule. Nous sommes une famille, nous partons en famille.

— S'il arrivait quoi que ce soit à l'un d'entre vous, je ne le supporterais pas, avoua Fallon. Ça me fait peur.

— Je vois mes fils se transformer en hommes depuis bien, bien plus longtemps que je ne le voudrais. J'ai su avant ta naissance ce que tu serais, et pourtant, ça reste difficile de te le permettre.

Elle posa sa main sur celle de Fallon.

— Mais je l'ai accepté, parce que je ne peux pas faire autrement. Et c'est ton tour, ma précieuse fille, de nous laisser être ce que nous sommes. Avant la fin, tu repartiras sans nous, je le sais. Avant la fin, je regarderai mes fils y aller sans moi. Or pas cette fois-ci, Fallon. Nous irons ensemble.

Lana se leva.

— Nous allons faire un inventaire et dresser une liste des priorités de choses à emporter. On va commencer là-dessus avant d'aller à la Ferme des Sœurs.

Avec un hochement de tête, Fallon l'imita, parce qu'elle était peut-être la Sauveuse, mais son père avait raison : quand sa mère disait point barre, il n'y avait pas à discuter.

La semaine de préparatifs se transforma en deux, avec le défi de partir à toute une famille à cheval, pour un voyage long et sans doute périlleux. Sans moyen de savoir si aucun d'entre eux en réchapperait.

Ils envisagèrent de prendre la camionnette avec un fourgon à cheval, ou même une carriole, mais finirent par laisser tomber l'idée. Ils devraient très probablement cheminer en dehors des routes autant que dessus. De plus, la logistique et le temps consacrés à trouver du carburant compliquaient trop l'usage de la camionnette.

Les chevaux pouvaient être plus lents, Fallon n'était pas pressée. Elle espérait toujours atteindre New Hope avant la fin août, et mettre quelques semaines de plus importait peu.

C'étaient les effectifs qu'elle embarquait avec elle qui importaient.

Lana tenait à ce que chaque recoin de la maison soit récuré. Fallon y voyait non seulement de la fierté, mais aussi un besoin de rappeler à la maison, à ses esprits et ses souvenirs, qu'elle était aimée.

Simon sillonna les champs, passa en revue le matériel, distribua des emplois du temps, répartit la grange, les silos, chaque dépendance, à ceux qui s'occuperaient de la ferme. C'était sa façon à lui de faire le ménage, pensa Fallon.

Même si elle avait très envie de partir, si ses rêves la poussaient à commencer, elle profita des occupations de ses parents pour prendre à part chacun de ses frères et les cadrer.

Avec Colin, elle joua sur sa fierté d'être l'aîné des garçons et sur son instinct protecteur. Elle et ses parents se fiaient à lui pour faire attention à ses petits frères, être un modèle de prudence et d'obéissance.

Elle fit appel à l'intelligence de Travis, à sa ruse et à son don. Elle savait qu'il se montrerait futé, elle y comptait bien, même, et il pouvait se douter que ses frères étaient susceptibles d'entreprendre quelque chose de bête. S'il pensait que c'était le cas, elle comptait sur lui pour les distraire.

Quant à Ethan, se référer à son bon cœur suffisait. Leurs parents se feraient du souci, donc elle savait qu'elle pouvait lui faire confiance pour qu'il écoute bien et les aide à ne pas trop s'inquiéter. Il serait également leur premier éclaireur, car les animaux sentaient le danger avant les humains, et personne ne les connaissait mieux que lui.

Elle espérait pouvoir les garder tranquilles ainsi au moins pour les premiers kilomètres, mais il lui faudrait sûrement refaire régulièrement ses petits discours en trouvant de nouveaux angles d'attaque, jusqu'à New Hope.

Avec le passage des jours, elle donna raison à ses parents. Mieux, elle considéra cet épisode comme un nouveau choix, et partir en famille était le bon.

Et par une douce matinée de mai, avec les feuilles qui dardaient leurs pousses vertes sous un soleil répandant enfin sa lumière dorée sur les collines, ils se dirigèrent ensemble vers le sud.

Ses frères bavardaient comme des pies, et les chiens, presque aussi jeunes qu'eux et tout aussi excités, faisaient les fous. Mais Fallon ne manqua pas les larmes dans les yeux de sa mère, qui regardait en arrière une dernière fois.

— Notre maison restera comme on l'a laissée, ma chérie.

Lana sourit à Simon et se tourna résolument vers l'avant.

Ils chevauchèrent toute la première journée, avec Taibhse planant au-dessus d'eux. Les garçons ne fatiguèrent pas, et Faol Ban non plus. Lorsque les chiens se montrèrent las, Ethan prit Scout sur son cheval et Simon porta Jem.

Ils couvrirent ces premiers kilomètres sans incident, et Fallon se détendit presque assez pour apprécier l'émerveillement de ses frères.

Ils n'avaient jamais vu des routes aussi larges, autant de maisons regroupées sur ce qu'ils considéraient comme un arpent de terre.

Ils n'avaient jamais entendu le vent siffler par les fenêtres des voitures abandonnées, ni lu de panneaux promettant nourriture et logis quelques pas plus loin. Malgré les vitres cassées et les graffitis des Pilleurs sur un vieux dépanneur – encore une découverte pour ses frères –, Travis commença à inventer une histoire de batailles héroïques.

Et puis ils aperçurent les restes humains, réduits à des os par le temps et les vautours, qui pendaient à un mât prévu pour un drapeau.

Elle n'objecta pas quand son père se dirigea vers le squelette et mit pied à terre. La manivelle couina quand il fit descendre la corde.

— Ethan, retiens les chiens. Colin, apporte-moi la pelle.

Aurait-elle poursuivi sa chevauchée ? se demanda Fallon. Aurait-elle regardé avec compassion, mais sans s'arrêter plutôt que de faire ce qui était humain ?

C'était là encore une leçon à apprendre, lui aurait dit Mallick.

Elle descendit de selle et entreprit de chercher la deuxième pelle, or Colin l'avait déjà fait. Avec son père et son frère, elle creusa donc une tombe pour un inconnu mort, dans une bande d'herbes folles flanquant un parking en contrebas.

Le vent faisait claquer les lambeaux de drapeau sur le mât et provoquait des crissements de l'auvent cassé sur la porte du dépanneur.

— Il avait essayé de s'enfuir.

Elle se tourna brusquement vers Travis ; cette fois, ce n'était pas une invention, mais une vision.

— Tu n'es pas obligé de regarder…

Il lui renvoya un regard noir brillant de larmes.

— Il faut. Quelqu'un doit savoir. Il avait essayé de s'enfuir, mais il n'a pas été assez rapide. Ils lui ont pris ses bottes et son sac, et ensuite ils l'ont pendu, parce qu'il était trop vieux pour servir à quelque chose.

Fallon posa la main sur le bras de son frère. Il tremblait, non de peur, mais de rage.

— On va les arrêter, affirma-t-il en la regardant encore un moment. On va les arrêter.

Il se tourna alors vers sa mère, pour enfouir le visage au creux de son épaule.

Ensuite, il se redressa et vint aider à l'enterrement.

Elle regarda Ethan choisir les graminées à poser sur la tombe. Ce que disait le père, la main sur la tête du plus jeune, provoqua des hochements de tête approbateurs de sa part.

— J'avais tort, dit Fallon à sa mère. Je les pensais trop jeunes pour le voyage. Je leur demande de s'entraîner au combat, mais je n'étais pas prête à ce qu'ils voient pour quelle raison lutter. J'avais tort.

Pour marquer ce tournant sur son chemin, elle s'orienta vers le bâtiment, ouvrit les mains, laissa le pouvoir se répandre.

Les têtes de mort et les drapeaux pirates, les insultes laides s'effacèrent. À leur place, elle érigea le quintuple symbole, ainsi que les mots qu'elle avait gravés sur son bracelet. Son rappel.

Solas don Saol.

En fin d'après-midi, elle les éloigna de la route, au milieu des arbres, là où la carte lui avait indiqué un cours d'eau. Pendant qu'ils se reposaient et faisaient boire les chevaux, elle alla voir son père.

— Il y a un camp à environ cinq kilomètres direction sud-ouest. Je veux voir ce qu'il donne, attendez-moi ici.

— Nous avons dit ensemble, Fallon.

— C'est simplement par précaution. Je sais que ce ne sont pas des Guerriers de la Pureté, mais sont-ils pour autant dans de bonnes dispositions ?

— Tu n'as pas vérifié pendant l'une de tes pérégrinations de minuit ?

Elle ne répondit rien, alors il lui tapota le menton.

— Nous savons toujours où sont nos enfants. À peu près.

Ils s'y rendirent tous ensemble.

Le camp avait autrefois été un village-rue de montagne s'étendant sur une pente raide d'à peine deux kilomètres. Avant la Calamité, les maisons, les deux églises, l'unique bar et le minuscule magasin accueillaient moins de deux cents âmes.

À présent, quatre-vingts personnes s'efforçaient de tirer le meilleur parti possible de leur situation. Des jardins et des serres, individuels et non communautaires. Pas de sécurité non plus, car elle n'aperçut pas de gardes en poste. Quelques personnes sortirent simplement de leur maison ou traversèrent leur pelouse escarpée avec un fusil.

Elle entendit un bébé pleurer, une vache pousser un meuglement lugubre et regarda un jeune garçon poursuivre une poule qui battait désespérément des ailes sur la route.

À une certaine distance, elle entendit charger une cartouche.

Elle se tourna vers son père, consciente que des inconnus attendraient de l'homme qu'il parle le premier.

— Nous venons en paix, commença Simon.

Un homme s'avança, un peu crasseux, malgré ses joues rasées et ses cheveux coupés très court.

— Qu'est-ce que vous voulez ?

— Peut-être l'occasion d'étendre nos jambes un peu. Je m'appelle Simon Swift.

Simon présenta tout le monde, ce que Fallon estima être une bonne idée : les noms les désignaient comme des personnes, une famille.

— On n'a pas de provisions à partager.

— Nous n'en recherchons pas. Vous êtes le responsable ?

— Pas besoin de responsable ici.

— Tim, sois pas chiant comme ça.

Une femme s'avança. Dotée de larges hanches, elle avait le visage émacié entouré d'une masse de cheveux grisonnants. Elle portait un jean constitué d'autant de pièces que de tissu d'origine.

— Mae Pickett, annonça-t-elle en posant son fusil sur son épaule pour tendre la main à Simon. Et lui, c'est Tim Shelby. Vous arrivez d'où ?

— Juste au sud de Cumberland.

— Ah ouais ? J'avais un cousin qui habitait là-bas. Bobby Morrison.

— Désolé, je ne pense pas le connaître.

— Bah, il est sûrement mort à l'heure qu'il est, et il était con de toute façon. Ils sont beaux, vos chevaux. On ne vole pas les inconnus, hein, assura-t-elle. On n'a pas grand-chose non plus à voler.

— Alors on est sur la même longueur d'onde, conclut Simon, s'attirant un rire.

— Vous vous êtes piquée à du sumac vénéneux, remarqua Lana.

Mae se gratta la plaque rouge irritée qui allait du poignet au coude sur les deux bras.

— Oui, ça me rend dingue. J'ai pas regardé avant de tendre les bras.

— J'ai quelque chose qui vous soulagera.

Mais quand Lana voulut mettre pied à terre, Fallon lui fit signe de s'abstenir. Elle descendit du dos de Laoch, se dirigea vers l'un des chevaux de trait et sortit le baume.

Elle vit les yeux de Mae se river à l'épée, puis se relever quand elle s'approcha d'elle avec le petit pot.

— Voilà qui va apaiser les démangeaisons, annonça-t-elle en l'ouvrant. Ça va vous soulager et entamer la guérison.

Elle en enduisit un bras de la femme.

— Doux Jésus, ça marche à une vitesse ! Je me grattais en continu depuis une semaine. (Mae changea son fusil de position pour tendre l'autre bras.) Merci.

Fallon lui tendit le pot.

— Mettez une deuxième couche ce soir. Ça devrait suffire.

— Je vous remercie bien. Qu'est-ce que je vous dois ?

— Je veux bien une conversation avec vous.

— C'est pas cher, fit Mae, surprise. T'es médecin, ma jolie ? (Elle incurva la lèvre en posant la question, puis reprit une expression neutre pour s'adresser à Lana.) Vous êtes docteur ?

— Guérisseuse.

— Y a un p'tit gars, dans la maison d'en face. Il doit avoir l'âge de votre troisième. Il se sent pas bien depuis un moment. Vous pourriez peut-être le regarder, si jamais vous pouvez l'aider.

— Ce serait avec plaisir.

— Tim, emmène Mme Lana chez Sarah, pour qu'elle examine Pete. File, sinon, je vois si elle peut guérir ton sale caractère. Monsieur Swift, vous pouvez emmener vos chevaux et vos garçons par là, à l'ombre. On a réactivé le vieux puits il y a quelques années. L'eau est propre et fraîche. Personne ne va embêter vos dames, je vous promets.

Elle se retourna vers Fallon.

— Je te dois une conversation. Là, c'est ma terrasse. On peut s'asseoir cinq minutes.

— J'imagine que M. Shelby n'est pas au courant que c'est vous, la responsable.

Mae s'esclaffa bruyamment en escortant Fallon vers les deux fauteuils à bascule étroits de sa terrasse.

— Il n'a pas entièrement tort. En gros, c'est surtout chacun pour sa gueule.

— À plusieurs, on abat plus de travail.

— Je vais pas te donner tort non plus. Tim et moi, on vivait ici, on est allés en classe ensemble. On est les seuls à pas être tombés malades quand le virus a frappé. Si vite qu'on savait pas qu'on était mourant avant d'être déjà mort. J'ai perdu mon mari, mes parents, aussi. J'avais pas d'enfants, et maintenant, je considère ça comme une chance, alors que ça m'a causé bien du chagrin plus jeune. Je sais pas si j'aurais pu survivre après avoir enterré mon enfant. Enfin, c'est le passé. Tu veux parler de quoi ?

— Vous n'avez pas d'Insolites dans votre communauté ?

— Communauté, c'est beaucoup dire. On a des gens qui passent, qui restent un temps. On n'y voit pas d'inconvénient. Il y a un camp à peut-être huit kilomètres en suivant la route.

— Je sais. C'est là qu'on va ensuite.

— On s'occupe de nos affaires et eux des leurs, dit Mae en haussant ses larges épaules. On troque avec eux et je peux te dire, je pensais aller les voir pour Pete. Il a de la fièvre et il est complètement à plat depuis deux jours. T'es l'une d'eux ?

— Oui.

— Et ta famille ?

— Ma mère et deux de mes frères.

— Alors je suis contente que Pete soit entre de bonnes mains. C'est un gentil garçon. Il aime aider. Bon, vous ne cherchez pas à manger et il y a des tas d'endroits où étendre les jambes sans se faire menacer par un fusil. Qu'est-ce que vous venez faire dans le coin ?

Cette femme avait le sens de l'observation, songea Fallon, et à la façon dont Tim l'écoutait, à voir que les gens armés avaient disparu, il était clair qu'elle était respectée, quoique pas responsable officielle.

— Madame Pickett…

— Mae.

— Mae, la Calamité est terminée, mais ce n'est pas le cas des problèmes.

— On n'en a pas trop ici. Y a rien qui vaut le coup d'être volé, on est trop loin de la route pour que les Pilleurs s'embêtent. Au gouvernement, ils savent pas qu'on est là, ou ils s'en fichent.

— Ça ne va pas durer. Vous avez de quoi communiquer ?

Comme si c'était simplement un après-midi de printemps consacré à paresser, Mae se mit à se balancer sur son fauteuil à bascule.

— Non, sauf si tu comptes des gens qui passent avec des choses à raconter, mais ça n'arrive pas souvent. Comme je disais, on est hors des sentiers battus, et ça nous va. Pas de communications, pas d'électricité, pas d'eau courante. On se débrouille. Ceux qui restent, ben souvent, ils ont quelqu'un dont ils s'occupent. Tôt ou tard, il ne restera plus que les fantômes.

— Pas obligé. Vous êtes bien situés. (C'était stratégique. Un bon endroit pour cantonner des soldats.) Il y a un champ là-bas qui se perd et qui pourrait donner. Vous avez des maisons qui ont besoin de réparations. Des lignes électriques qui attendent le courant.

— Et comment on ferait, ma jolie ? On n'a pas de charrue ni de tracteur, on n'a pas de bois de construction ni de compagnie d'électricité pour faire fonctionner tout ça.

— Là, je peux aider.

— Alors là, t'es vachement pratique. (Ses yeux acérés détaillant le visage de Fallon, Mae pianotait sur son accoudoir.) Et pour quel prix ?

— Un échange. L'usage de plusieurs maisons, d'une des églises, ou des deux, si aucune ne sert. Une partie de la terre. Comme base.

— Une base de quoi ?

— Pour des soldats. Les entraîner, les loger, les déployer.

— C'est l'armée de qui ?

— La mienne.

Mae fit grincer le fauteuil en se recalant contre le dossier.

— T'as des soldats ?

— Un certain nombre, et j'en aurai davantage, parce que les ennuis ne sont pas terminés. Au contraire, ils ne font que commencer. La phase suivante engloutira des enfants comme Pete, ou le petit garçon que j'ai vu courir après une poule. Qui devrait être dans un poulailler, pour vous éviter de chercher les œufs ou de sacrifier la volaille aux renards. Vous avez vu des éclairs noirs ?

— Au loin.

— Des corbeaux qui tournoyaient, de la fumée ?

— Au loin.

— Ils s'approcheront.

— Eh ben, si tu veux me donner des cauchemars…

Mae se leva sans terminer sa phrase et traversa la terrasse.

Le hibou était descendu se poser sur une branche surplombant les hommes de la famille Swift. Le loup vint rejoindre les chiens avec de petits coups amicaux, et boire dans la gamelle laissée par Ethan.

— T'as vu un peu ce grand hibou blanc ?

— Il est à moi. Il s'appelle Taibhse, et le loup Faol Ban.

— Il a des ailes, ton cheval, jeune fille ? Le grand blanc que tu montes ?

— Quand il en a envie.

Lentement, Mae revint s'asseoir.

— J'aime bien les conversations, dit-elle d'une voix pourtant éraillée, avant de se racler la gorge. J'en ai eu plus d'une avec des gens qui vivent un peu plus bas. Sacrée épée que tu as là. Grande, pour une jeune fille. Tu l'as eue comment ?

Sans hésitation, Fallon répondit :

— Dans le Puits de Lumière, je l'ai retirée du feu éternel avec le bouclier.

Mae s'appuya sur les yeux.

— Alors là, je suis soufflée. J'en ai vu, des choses, pendant la Calamité, et après, au point que mon cerveau me répétait que mes yeux les inventaient. Mais je les ai vues, et je sais que le monde entier s'est renversé, comme une table au pied cassé. Ça ne reviendra jamais comme avant.

— Non, pas comme avant, mais le monde peut avancer, et il avancera. C'est plus difficile et plus lent d'avancer si personne n'est responsable, et si les gens ne s'occupent que d'eux-mêmes.

— Certains sont bien contents de juste faire leurs petites affaires.

— Nous avons enterré un homme en venant ici, qu'on a trouvé accroché à un mât. Il aurait sûrement voulu faire ses petites affaires.

Mae poussa un soupir.

— À votre prochaine destination, il y a une femme qui s'appelle Troy. Je ne sais pas si c'est son prénom ou son nom de famille. Bref, elle m'a prévenue que tu arrivais. Elle m'avait parlé de toi avant, en disant que tu étais l'Élue, et je n'ai pas fait très attention. Je respecte les croyances des autres. Mais elle a prédit que tu aurais une épée, que tu te déplacerais sur un grand cheval ailé, que tu aurais un hibou et un loup blancs. Elle m'a même annoncé que tu me donnerais quelque chose dont j'aurais besoin.

Mae baissa les yeux sur ses bras et eut un petit rire.

— Les démangeaisons sont déjà en train de se calmer. Elle m'a dit que tu me demanderais quelque chose.

— C'est ce que je fais. Si vous acceptez…

— Et si je refuse ?

— On part plus loin.

— Rien de plus ?

Fallon la regarda dans les yeux.

— Si nous sommes nés pour être libres, si nous y croyons de toutes nos forces, pourquoi réunirais-je par la contrainte une armée supposée combattre pour la liberté ?

— Tu ne serais pas la première.

— Justement, poursuivit Fallon. C'est vous qui choisirez. Si vous acceptez, dans les six prochains mois, je vous enverrai des soldats. Pour protéger votre communauté, aider à entraîner ceux qui veulent se battre ou contribuer. Je pourrai parler à vos voisins.

— Je leur en toucherai un mot. Pour certains, ce sera pas simple, c'est sûr. Pour d'autres, ils seront vite convaincus. Je dois y réfléchir, et peut-être retourner voir Troy.

— Vous lui faites confiance.

— Pas entièrement, comme avec tout le monde, mais plus qu'à beaucoup. Je vais y réfléchir et je te donne une réponse.

— Très bien, dit Fallon en se levant. Nous passerons la nuit chez les Insolites, s'ils veulent bien de nous.

— Sûrement.

— Si vous n'avez pas abouti à une décision d'ici notre départ demain matin, je reviendrai vous voir quand vous l'aurez prise, quelle qu'elle soit.

— Comment tu le sauras ?

Fallon se contenta de sourire. Mae secoua la tête, toujours incrédule.

Le petit Pete souffrait d'une gastro-entérite virale, et il se remettait bien quand Fallon et sa famille repartirent dans les bois denses, vers une volée de chalets où les attendait Troy.

Sa crinière bouclée de cheveux noirs striés de blanc lui tombait sur les épaules, encadrant un visage de la couleur des grains de café. Elle avait de la terre du jardin sur les genoux de son fin pantalon en coton et une petite pelle à la main.

Ses yeux, noirs comme l'ébène, luisirent quand ils tombèrent sur le visage de Fallon.

— Bienvenue. Enfin te voilà.

Comme Mallick l'avait fait quand Fallon était revenue du Puits de Lumière, Troy mit un genou en terre.

— Non, s'il vous plaît.

— Permets-moi. Nous avons attendu si longtemps. Bienvenue à la mère, au père et aux frères. (Elle se leva, s'avança vers elle et posa la main sur la tête de Laoch.) Bienvenue, bénis soyez-vous tous.

D'autres sortirent, hommes, femmes et enfants, et comme Troy, plièrent le genou.

— Ils la prennent pour une reine ? chuchota Ethan à sa mère.

— Pas une reine, répondit Troy en souriant. Une sorcière et une guerrière, ainsi qu'une promesse. Venez, je vous en prie, vous restaurer et boire du vin. Nous nous occuperons de vos bêtes.

Lorsque Fallon descendit de selle, Troy l'étreignit.

— Nous sommes ton armée, et nous t'aiderons à l'agrandir.

La suite ne fut pas toujours aussi simple et accueillante que ce jour-là. Certains ne se laissaient pas convaincre, d'autres proféraient des menaces.

Certains éclatèrent de rire comme le grand chef baraqué d'une bande de deux cents personnes rencontrées par une suffocante journée de juin.

— On est bien, ici. Si y a des connards qui débarquent en cherchant les emmerdes, ils les trouvent, et ils reviennent pas.

— Pourtant, ils reviendront, et plus nombreux.

— Laisse tomber, cocotte. On sait se débrouiller, et personne ici ne va se ranger derrière une espèce d'ado sorcière. Mais vous allez payer l'amende pour être venus sur nos terres. L'un des chevaux, avec ce qu'il a sur le dos.

Plusieurs dizaines d'armes se levèrent, visant sa famille.

— Cela ferait de vous des brigands, dit froidement Fallon. Je ne veux pas de brigands dans mon armée.

— Je vois pas d'armée.

— Alors voyez ça.

Elle esquissa un geste de la main. Les pistolets, les couteaux, les bâtons virèrent au rouge, brûlant les mains de leurs détenteurs. Dans les cris et les bruits d'armes qui tombaient à terre, elle garda les yeux sur le grand costaud.

— Personne ne menace ma famille, conclut-elle.

Elle n'avait pas besoin de se retourner pour savoir que ses parents et ses frères brandissaient désormais chacun une arme. Elle leva la main.

— Attendez, leur dit-elle. Je vais passer un marché avec… Vous ne vous êtes pas présenté ?

— Ton marché, tu peux te le foutre là où je pense, petite conne.

— Pas si petite. Pas aussi costaud que vous, pas si petite. Voilà ce que je vous propose. Un combat. Entre vous et moi. Si je perds, vous avez le cheval et ce qu'il transporte. Si vous perdez, vous et les autres, vous vous entraînez quand je le dis et vous vous battez quand je le dis.

Elle regarda autour d'elle.

— Parmi vous, il y en a qui savent qui je suis, ce que je suis. Vous avez assez attendu. Mais je vais faire mes preuves.

— Je me bats pas contre les petites filles. Je me bats pas contre les sorcières qui sortent des tours de magye de nulle part. Et encore moins quand le papa de la petite fille pointe un flingue sur ma tête.

— À la loyale. Pas de magye, vous avez ma parole, et si je ne la tiens pas, je serai déshonorée devant vos gens. Et certains d'entre eux sont aussi sorciers. Mon père ne tirera pas, personne de ma famille n'utilisera d'arme à moins que l'un des vôtres tire le premier.

En parlant, elle retira son épée, puis son poignard et les passa à son père.

— Fallon…

— Fais-moi confiance, sinon ils n'auront pas confiance en moi. (Elle se retourna vers le meneur et esquissa une moue pour le provoquer.) Êtes-vous d'accord avec mes termes ?

— J'aime pas combattre les filles.

— Quand ce qui arrive déferlera sur vous tous, peu importera sa forme. Et vous étiez prêt à voler une fille, à menacer une fille de vos armes.

Elle changea la moue arrogante en expression railleuse.

— Soyez un homme et battez-vous contre quelqu'un qui est prêt à vous prendre au combat.

— Tu l'auras voulu.

Le visage déjà rouge sous l'insulte, il grimaça d'une façon qui le faisait ressembler à un taureau furieux. Or la fureur était facilement contrée par la tactique froide.

Il chargea, dans le but de la faire tomber. Il ne cherchait honnêtement pas à la frapper. L'avantage de Fallon était qu'elle n'avait pas cette réserve par rapport à lui.

Elle esquiva d'un saut de côté et, emporté par son élan, l'homme trébucha.

Plusieurs de sa bande rirent.

Il vira au cramoisi. Il fonça encore une fois et Fallon se détourna. Cette fois-ci, il glissa et tomba face contre terre.

— Pas de magye !

— Ce n'est pas de la magye, c'est de l'entraînement. Je pourrais vous entraîner, même s'il y a plus de masse que de muscle chez vous.

Quand il revint sur elle, elle savait qu'il s'attendait qu'elle tourne sur elle-même ou esquive. Elle ne fit aucun des deux, mais lui assena un bon coup de botte entre les jambes. Le visage de son adversaire se vida de toutes les couleurs qui y étaient apparues. Bien qu'elle n'aimât pas frapper un homme vaincu, la preuve à apporter était plus importante, alors elle le terrassa d'un uppercut qui lui donna des élancements dans le poing et tout le bras.

— Vous êtes à terre, dit-elle en s'avançant vers lui qui peinait à reprendre son souffle. Restez-y. Je suis meilleure que vous, mais vous pourriez progresser. Vous le ferez.

— Tu m'as foutu un coup de pied aux couilles !

— L'ennemi les aurait coupées. Je ne suis pas l'ennemi.

Elle alla reprendre son épée à son père et la tira au clair en faisant réfléchir le soleil dessus comme des flammes.

— Je suis l'Élue, choisie pour repousser les ténèbres. Et je le ferai. Si vous avez peur de vous battre, fuyez et cachez-vous. Mais elles vous retrouveront et vous feront sortir de votre trou. Rejoignez-moi. Affrontez-les, luttez contre elles, et une fois que la lumière les aura réduites en cendres, vous serez libres.

Elle abaissa sa lame, regarda le costaud qui était maintenant assis par terre à se frotter la mâchoire.

— Je ne vous contraindrai pas à respecter notre marché. On ne gagne pas des guerriers par un marché.

Il leva les yeux vers elle.

— Tu m'as mis un coup de pied dans les burnes. Et t'as failli me démonter la mâchoire.

— Et j'ai failli me démonter le poing au passage.

Elle lui tendit l'autre main.

— Fallon Swift.

Il se releva avec une grimace de douleur.

— Jean Petit.

— Sérieux ? Comme dans *Robin des bois* ?

— Oui, soupira-t-il. Putain de merde. Pourquoi tu nous transformes pas tous en zombies pour qu'on se batte pour toi ?

— Mon sortilège zombie ne prend pas toujours.

Il grimaça un semblant de sourire.

— T'en as pas, c'est ça ?

— Pour tout dire, j'ai quelque chose d'approchant, mais je ne veux pas forcer les gens à se battre avec moi. *Avec* moi, monsieur Petit. Pas *pour* moi.

— Elle me donne du monsieur après m'avoir défoncé les burnes et la mâchoire. Bon, on va parler de tout ça devant une bière.

— Je n'ai pas encore le droit d'en boire.

Il la dévisagea.

— Tu rigoles ? s'écria-t-il avant de se tourner vers ses parents. Vous déconnez, là ? Elle peut mettre à terre un mec qui fait deux fois… non, merde, trois fois son gabarit, le défoncer, et elle peut pas boire une pauvre bière ?

— Elle n'a pas l'âge, commença Lana, mais Simon leva son veto.

— Une moitié. Elle l'a fait voir double, Lana. Une demi-bière.

Lana regarda Simon et Fallon se sourire, ressentit une grosse bouffée d'amour.

— Une moitié.

Tandis qu'août devenait septembre sans baisse de chaleur, Arlys Reid sortit du sous-sol où elle avait ce qu'elle appelait son studio dans la cave de Chuck. Il y vivait – fidèle habitant des sous-sols – avec le matériel qu'il avait rapporté d'Hoboken ainsi que ce qu'il avait déniché et fabriqué avec les années.

Ensemble, avec quelques hackers et autres férus de technologie qu'il avait rassemblés, ils régissaient leur système de communication depuis en bas. New Hope News, abrégée en NHN, avait évolué depuis les feuilles tapées sur une vieille machine à écrire par Arlys vers un système de diffusion radio et télévisée et transmission Internet clandestines.

C'était très éloigné de son poste de présentatrice principale à New York, dont elle avait hérité grâce à la Calamité, mais à ses yeux, c'était bien plus essentiel.

Elle dénichait les nouvelles qui pouvaient l'être et continuait à faire ce qu'elle avait fait lors de cette dernière journée fatidique à la chaîne télé new-yorkaise.

Elle disait la vérité.

Elle traversa la maison où Jonah et Rachel élevaient leurs enfants pour déboucher dans la fournaise estivale. Elle pouvait rêver de climatisation, or la maire et le conseil municipal avaient estimé que cette dépense d'énergie relevait trop du gaspillage hormis pour la clinique. Elle reconnaissait que c'était vrai.

Elle allait donc retourner dans sa maison s'apparentant à un four, allumer son minable ventilateur et terminer les dernières corrections sur le *Bulletin de New Hope*.

Peut-être d'abord se rendre à la clinique. En prétextant la recherche d'actualités, elle pourrait passer quelques minutes au frais.

Sur le trottoir, des ados couraient, poursuivis par des enfants : Gabriel, le fils de Rachel, et Angel, la fille de Fred. Tous les deux étaient collés ensemble comme par de la glu.

Non loin derrière, Petra surveillait Dillon, le bambin de Fred, tout en promenant en poussette le dernier ajout à la couvée de Fred et d'Eddie.

Elle s'était révélée être une nounou compétente et volontaire.

En short et débardeur, ses cheveux blonds en queue-de-cheval rebondissante, elle riait de voir Dillon danser sur ses petites jambes à côté d'elle.

Cette scène aurait pu être celle de n'importe quelle petite ville. La baby-sitter, les enfants et les ados qui couraient. Tous probablement à destination du parc et des jardins pour l'un des stages d'été destinés à la jeunesse. Les gens s'affairaient dans leur propre jardin, prenant soin des belles couleurs et des bonnes odeurs de l'été. D'autres paressaient sur leur perron avec des verres de tisane glacée ou de limonade.

C'était l'impression que cela pouvait donner, si on ne pensait pas aux sentinelles en poste, au groupe en sortie pour une nouvelle mission de reconnaissance, à l'arsenal contenant tant d'armes.

Ou au fait que la plupart des ados de l'âge de Petra passaient deux heures par jour à s'entraîner au combat.

Mais c'était le monde où elle vivait, pensa Arlys. Et elle avait de bonnes raisons de savoir qu'il aurait pu être bien pire.

Elle se fit plaisir et traversa la rue pour intercepter Petra. Elle avait envie de voir le bébé.

Dillon courut vers elle, tendit ses bras potelés et lui envoya un sourire éclatant.

— Porte-moi ! Arli !

— Je pense bien, oui !

Elle souleva le bambin et le prit contre elle pour humer son odeur. Qui aurait pensé que l'ambitieuse journaliste se découvrirait un tel faible pour les bébés ?

— Et regarde ta petite sœur, un peu !

— Willow, elle fait caca dans sa culotte et elle pleure. Moi, ze fais pas ça.

Elle avait matière à penser que les deux lui arrivaient encore, mais elle préféra hocher la tête avec conviction.

— Parce que tu es un grand garçon. Ça va bien, Petra ?

— Oui, merci. On allait au parc. On y a déjà fait un tour tout à l'heure, mais Dillon voulait voir M. Anderson, alors on s'est promenés.

— Il fait un peu chaud, pour ça.

— Ça ne nous dérange pas.

— On a manzé des gassalos !

— Des glaces à l'eau, le corrigea Petra. Et ça devait être un secret.

— Des glaces à l'eau secrètes…

Voilà qui expliquait la langue rouge vif de Dillon.

— Je n'en avais jamais mangé avant, dit Petra. C'est très bon. M. Anderson les congèle dans de petits moules et on les lèche sur des bâtonnets.

Une première glace à l'eau à environ seize ans. C'était aussi représentatif du monde où ils vivaient.

— Je pourrais peut-être aller voir Bill, moi aussi. Mina n'a pas voulu te laisser emmener Elijah au parc, j'imagine ?

— Non, elle ne veut pas y aller, et elle est très nerveuse à l'idée qu'il soit sans elle. C'est une très bonne maman, cela dit.

— Hmm-hmm.

Arlys n'était pas du même avis concernant un enfant de trois ans qui n'était pas autorisé à aller jouer avec d'autres ou se décoller d'un mètre de sa mère.

Or Mina, qui n'avait que quelques années de plus que Petra, avait été bien endoctrinée par la secte.

— Elle ne crie jamais. Elle a juste encore… peur. Elle aura toujours peur, j'imagine. Et elle…

Petra se tut et serra les lèvres.

— Continue.

— Elle pense toujours que le maître – c'est comme ça qu'elle appelle Javier – va venir la chercher avec Elijah. Elle est effrayée à l'idée de partir d'ici, mais c'est à cause d'Elijah. Elle sait qu'ici il est en sécurité. Et elle l'aime vraiment.

— Ça te convient toujours de vivre avec elle ?

— Bien sûr. Je sais que je ne suis pas obligée, mais elle est gentille et j'aime beaucoup être avec Elijah. Et puis, elle a besoin de moi et…

— C'est agréable de se sentir utile.

— Oui. Je ne suis pas autorisée à utiliser la magye tant que je vis avec elle, mais de toute façon, je n'en ai pas envie. Ça me rend nerveuse, alors tout va pour le mieux.

— Tant que tu te sens bien là-bas. Je voudrais quand même qu'elle sorte plus de l'appartement, qu'elle laisse Elijah courir dans le village.

— Elle se promène la nuit. (Petra rougit et s'arrêta.) Oh, j'ai l'impression de raconter des secrets.

— Il n'y a rien de mal à se promener. Seulement la nuit ?

— Quand Elijah dort et qu'elle pense que moi aussi. Parfois, elle l'emmène, mais en général, elle sort seule. Pas longtemps, une heure ou même moins.

Dillon se mit à s'agiter, aussi Arlys le reposa-t-elle à terre.

— Ze veux aller au parc. Voir maman.

— Bien, nous allons y aller. Il faut que je le ramène. C'était un plaisir de vous voir.

Arlys les salua d'un geste, se retourna et examina le bâtiment où Petra vivait avec Mina et Elijah, dans l'appartement au-dessus des Oubliés de Bill Anderson.

Que faisait une jeune femme encore endoctrinée par une secte quand elle sortait seule la nuit ?

Il était temps de l'apprendre.

Arlys alla jusqu'aux Oubliés.

L'ancien magasin contenant des pseudo-antiquités et objets de rebut était devenu, grâce à Bill, une boutique bien organisée (même s'il n'y avait aucun échange d'argent) où breloques utiles et d'agrément se côtoyaient.

Un rayon était consacré aux ustensiles de cuisine, des jouets bien nettoyés et réparés étaient rassemblés dans un autre. Des outils, des lampes, des meubles et même des œuvres d'art faites à New Hope, des bougies, des lampes à huile, des accessoires de ménage et d'autres assortiments garnissaient les étagères et les vieilles vitrines.

La plupart des objets rapportés des missions d'approvisionnement passaient dans les mains de Bill pour être nettoyés, réparés et inventoriés.

Un volontaire ou deux, des enfants généralement, venaient souvent le seconder. Arlys trouva Bill, des lunettes glissant sur son nez, en train de raccorder les fils d'une lampe incroyablement hideuse. Elle s'approcha pour la voir de plus près.

— Pourquoi s'embêter ?

— Ce que certains trouvent affreux peut être adoré par d'autres. (Il releva ses lunettes et sourit à sa belle-fille.) Comme tu es jolie, aujourd'hui.

— Je suis surtout en sueur, puisque j'ai passé dix minutes dehors, dans la fournaise. Je suis sûre que ça me rafraîchirait de manger une gassalo.

Il rit, faisant plisser tout son visage marqué par ses presque quatre-vingts ans.

— Le secret est éventé.

— Comment vous avez réussi à faire des glaces à l'eau ?

— J'ai des moules qui me sont arrivés. C'est à notre Cybil que revient tout le mérite, en réalité.

— Ah, tiens ?

— Elle m'a demandé à quoi ils servaient, et une fois que je lui ai expliqué, elle n'a eu de cesse qu'on en fabrique. On a testé les premiers hier à nous deux.

— Et elle n'en a pas dit un mot à sa mère en sueur.

— Ma petite-fille sait garder un secret. On allait en fabriquer d'autres, puis les apporter aux enfants du stage d'été. J'en ai une autre série en train de congeler, mais il y en a de prêts. Cerise, raisin ou citron ?

Arlys se revit soudain en train de manger une glace à l'italienne au citron dans une foire à New York.

— Vous en avez au citron ?

Il lui fit un clin d'œil et partit dans l'arrière-boutique. Il ne se déplaçait plus aussi vite qu'avant, et il avait sûrement des douleurs, mais on ne l'entendait jamais se plaindre.

Il lui rapporta une petite barre glacée plantée d'un bâtonnet. Une branchette dont l'écorce avait été retirée, remarqua Arlys.

— Le bâtonnet s'appelle reviens. On a passé beaucoup de temps à les fabriquer.

— Ingénieux. Et délicieux, ajouta-t-elle après avoir goûté.

— Du jus de citron, un peu de miel et de l'eau.

— Ce sont les petites choses…

— Tes yeux me disent que tu n'es pas entrée juste pour me voir ou me piquer une glace.

— Comme d'habitude, c'est vrai. J'ai vu Petra et les deux plus petits de Fred à l'instant. Qu'il est mignon, ce bébé, avec ses cheveux roux tout bouclés ! Bref, j'ai un peu incité Petra à parler de Mina.

— Tu es douée pour inciter à parler.

— Je suis une pro.

— C'est sûr. Mon fils s'est trouvé une femme intelligente. (Il lui tapota le bras avant de se rasseoir.) Elle accepte de me parler un petit peu, Mina. De temps en temps, je monte lui apporter un jouet qu'on vient d'avoir. Elle en veut bien pour son fils, elle me remercie, mais elle n'est pas du genre à inviter à entrer. En tout cas, c'est très propre, chez elle, ajouta-t-il en s'escrimant sur la lampe. Le petit aussi. Qu'en dit Petra ?

— Entre autres, j'ai appris que Mina sort pendant la nuit. Vous êtes au courant ?

— J'ai entendu quelqu'un sortir par-derrière, oui. Je pensais que c'était Petra. C'est une ado, elle pourrait aller retrouver un garçon, ou d'autres filles, ou juste se promener.

Il reposa ses outils.

— L'appartement est propre, un peu spartiate toutefois. Il n'y a pas grand-chose dedans, et elle refuse tout ce qui est décoration, tapis, ce genre de choses.

— C'est la mentalité de secte, ça.

— C'est sûr. Donc je croyais que Petra s'éclipsait pour s'amuser un peu. Et Denzel lui fait les yeux doux.

— Mais pourquoi je n'étais pas au courant ?

— Tu n'es pas la seule à être une pro pour fouiner. C'est donc Mina qui sort la nuit, ça ne m'était jamais venu à l'idée.

— Petra dit qu'elle emmène parfois Elijah, mais pas souvent. Elle reste toujours à part, Bill. Elle n'est pas venue pour la commémoration du 4 Juillet, ni à la fête de Noël. Elle laisse Rachel examiner le bébé, mais ce n'est jamais à son initiative. Elle refuse d'aller à la clinique, à la cuisine communautaire, elle ne veut pas travailler aux jardins. C'est Petra qui les approvisionne et troque. Je ne sais pas comment elle s'en tirerait sans Petra pour faire les courses et l'aider à s'occuper du petit.

— Elle n'est pas tout à fait bien dans sa tête, répondit simplement Bill. C'était peut-être déjà le cas avant qu'elle se fasse embarquer par la secte. Et vu comme c'est parti, elle ne sera sans doute jamais bien.

— C'est exactement ce que je pense aussi.

— Ce n'est pas la seule. Un jour, Lenny danse tout nu dans la rue, et le lendemain, Fran Whiker creuse dans son jardin à la recherche d'un trésor enfoui.

— Pas faux.

— Qu'a dit Rachel du petit ?

— Il est en bonne santé, propre et heureux. C'est la vie qu'il connaît.

Les petits garçons grandissaient, comme son Theo, devenu un expert au tir à l'arc.

Ou Denzel, qui faisait les yeux doux à Petra.

— Elle n'enfreint aucune loi, dit Arlys, et elle fait de la couture pour que Petra troque…

— Mais tu ne lui fais pas confiance.

— Non, et je sais que Will non plus. On n'a pas eu de fuites d'informations depuis l'embuscade avortée, et il y a des chances que l'infiltré soit parti depuis longtemps.

— Mais…

— Mais voilà. Lenny et Fran ont des problèmes, mais ils font partie de la communauté. Ce n'est pas le cas de Mina, qui refuse.

— Je pourrais sortir la nuit pour la suivre, voir ce qu'elle fait.

— Je vais d'abord en parler à Will. Je lui raconterai ce que m'a dit Petra et on verra ce qu'il en pense. (Arlys rendit le bâtonnet à son beau-père et lui donna un baiser sur la joue.) Tu viens manger, ce soir ?

— D'accord.

L'émetteur-récepteur qu'il gardait allumé se mit à couiner.

— Un groupe arrive, poste 1, annonça une sentinelle.

— Hum. Il y avait un moment qu'on n'avait pas eu de visiteurs.

Il prit la radio et avec Arlys, sortit sur le trottoir.

En se tournant en direction du poste 1, Arlys mit les mains en visière pour se protéger de l'éclat du soleil.

Elle entendit les chevaux avant de les voir.

— Pas de moteurs. Ils sont à cheval.

Et puis elle vit la jeune fille à la coupe courte sous une vieille casquette, sur sa monture blanche. Un homme hâlé et mince sur un bai. Un trio de garçons. Deux chiens et… Elle savait reconnaître un loup, mais n'en avait jamais vu d'aussi blanc que le cheval. Elle fut distraite et finit par voir la femme.

Un amas de cheveux blonds émergeant d'un chapeau à large bord.

Il lui suffit d'un instant, seulement d'un instant, pour avoir le souffle coupé, puis expirer en tremblant.

— Oh, mon Dieu. Mon Dieu, c'est Lana !

La vision brouillée par les larmes, elle se mit à courir.

Lana bondit de selle, larmoyante elle aussi, et vint à sa rencontre. Avec un rire entrecoupé de sanglots, elles s'embrassèrent avec force.

— Arlys !

— C'est toi, dit Arlys, qui recula, rit, puis reprit son amie dans ses bras. C'est vraiment toi.

— Je suis tellement contente de te voir. D'être ici. Tu m'as manqué. Tout le monde m'a tant manqué.

— Tu as l'air en pleine forme. Resplendissante ! Je devrais être jalouse.

— Je vois Bill. C'est Bill !

Lana lui tendit la main alors qu'il s'approchait en hâte.

— Quelle belle journée, lui dit-il. J'ai envoyé un message radio pour prévenir. Vous allez avoir une sacrée fête de retour.

— Ce sont tes enfants ? demanda Arlys en essuyant ses larmes.

— Mes garçons, Colin, Travis et Ethan. Mon mari, Simon. Simon Swift.

— Arlys Reid, dit-il après être descendu de selle. Je connais votre voix. C'est un plaisir de vous rencontrer.

— Et je suis plus qu'enchantée de mon côté. (Elle lui tendit la main, rit et décréta qu'il était inutile d'être aussi cérémonieux, avant de l'étreindre aussi.) Tu l'as ramenée !

— Je ne sais pas si je peux être tenu pour responsable, rectifia-t-il en coulant un regard vers l'autre cavalière.

— Ma fille, annonça Lana. Fallon Swift.

— Fallon.

Ne parvenant plus à parler, Arlys pressa la main de Lana.

— Vous êtes bien, ici, dit la jeune fille en scrutant la rue et les maisons, toujours montée sur Laoch. La sécurité est bonne. Les sentinelles m'ont reconnue, et l'une d'elles connaissait ma mère.

— Fallon, dis bonjour !

Au soupir de sa mère, Fallon mit pied à terre.

— Excusez-moi. Bonjour. Je connais votre voix aussi. Vous vous démenez pour aider.

— On fait ce qu'on peut.

— Et nous allons tous en faire plus.

Simon prit sa fille par les épaules.

— Pas immédiatement. Il y aurait un endroit où on pourrait se reposer et faire boire l…

Il s'interrompit, parce que tout le monde arrivait.

À vélo, dans des camionnettes, à cheval, à pied, à tire-d'aile.

C'était une procession, pensa-t-il, et cela faisait bien longtemps qu'il n'en avait pas vu.

L'une des personnes ailées, tignasse rousse bouclée et bébé dans les bras, se posa devant Lana.

— Tit'Fred !

Avec un rire, la rousse cala son bébé, à la tignasse tout aussi rousse, sur un seul bras pour étreindre Lana de l'autre.

— Tu as un bébé !

— J'en ai cinq. Voici Willow, la plus jeune. On en a cinq, Eddie et moi. L'aîné s'appelle Max.

— Oh, ça alors, dit Lana en posant son front contre celui de Fred. Toi et Eddie. Toi et Eddie.

— Il a vraiment pris son temps, mais j'ai attendu. Et je t'ai attendue. Et toi aussi, dit-elle à Fallon en esquissant une révérence.

Des freins crissèrent et un homme tout en jambes aux cheveux blond foncé bondit d'un véhicule. Il courait tellement vite que sa casquette s'envola.

Il souleva Lana, la fit tourner en l'air et l'embrassa sans retenue avant de la faire tournoyer de nouveau.

— Eddie. Eddie et Fred. Oh, Joe est là !

Le vieux chien sauta de l'arrière de la camionnette et vint quémander des caresses.

— On t'a cherchée, Lana, on… Starr nous a expliqué, mais… on t'a cherchée.

— Il fallait que je parte, dit Lana en essuyant la joue humide d'Eddie. Et je suis arrivée là où je devais être. Eddie, je te présente Simon. Mon mari.

Elle n'avait pas besoin de s'inquiéter, car son ami tendit la main et serra longuement et chaleureusement celle de Simon.

— Je suis vraiment content de te rencontrer. Et de te revoir, Fallon. Ah, et vous avez trois p'tits gars en plus. Et… Merde, quelqu'un d'autre s'est dégoté un loup.

— Tu partages ? demanda Will en s'avançant pour prendre Lana dans ses bras. Bon retour parmi nous.

Il se présenta à Simon, à qui il serra la main.

— Votre fille nous a sauvé la peau, pas une mais deux fois. Allez, on va évacuer tout ce monde de sous le soleil et vous aurez tout un tas de volontaires pour accueillir vos chevaux, si vous voulez bien.

Mais Lana se frayait un chemin dans la foule. Elle avait aperçu Rachel et Jonah. Ainsi que Katie.

— Dites, les garçons, vous avez faim ? lança Eddie, s'attirant un grand « oui ». Si je les emmenais à la cuisine communautaire, qu'ils mangent un peu ? On peut mettre les chevaux dans l'enclos du bout de la ville, si ça vous va.

— Parfait, dit Simon en retenant Fallon. Accorde un peu de temps à ta mère.

Simon avait raison, comprit Fallon. Sa mère avait besoin de passer du temps avec les gens qui avaient été, et demeuraient, si importants dans sa vie.

Et il fallait laisser les choses venir un peu.

Elle aida Simon, ainsi que le garçon nommé d'après son père de naissance, s'occuper des chevaux. Le garçon les mena à la cuisine communautaire, où ses frères, qui avaient déjà dévoré des hamburgers au gibier et des frites de patate douce, ingurgitaient à présent d'énormes parts de tourte aux cerises.

Eddie, en face d'eux, souriait, tout simplement.

— Ils ont de l'appétit. Eh, premier p'tit fiston, tu vas là-bas dire à Sal de nous apporter de quoi nourrir deux personnes de plus, et tu t'en prends pour toi.

— Direct, dit Max en tapant dans la main de son père avant de partir d'un pas sautillant.

— Je parlais à Will, tout à l'heure, dit Eddie en leur servant de la tisane glacée. Le truc, c'est que la maison où Lana vivait, ben maintenant, c'est Will et Arlys qui y habitent. Et elle serait trop petite pour vous tous, de toute façon, pas assez confortable, surtout avec les chiens et les chevaux. Mais près de chez Fred et moi, y a une baraque, juste un peu excentrée. Nous, on cultive. J'aurais jamais pensé devenir fermier, mais voilà.

— Moi aussi, je suis devenu fermier, lui dit Simon.

— Vous pouvez cultiver là si vous voulez. Il y a du terrain et je n'utilise même pas tout le nôtre, pour l'instant en tout cas. Mais la maison est de bonne taille. On peut la nettoyer, y mettre tout le nécessaire, et tout. Si ça vous va.

— Nous en serions très reconnaissants.

— Bah, pas de reconnaissance ! Lana, c'est la famille, et vous tous aussi. Et puis Will ne ment pas, sur le coup de nous avoir sauvé la peau. Le père de Fallon, je dis ça sans te manquer de respect, Max, il comptait beaucoup pour moi.

— Il compte beaucoup pour nous tous, répondit Simon. Sans lui, elle ne serait pas là.

— Ça, c'est bien vrai, s'attendrit Eddie.

Il dut essuyer ses yeux qui n'arrêtaient pas de s'embuer, tout comme son sourire n'arrêtait pas de vouloir lui couper le visage en deux.

— On peut y aller à cheval tout à l'heure, quand vous aurez mangé un bout, et voir si ça vous convient. Katie doit déjà avoir envoyé un comité pour enlever la poussière et tout. Katie, elle est réactive à mort.

— Les elfes aussi, ça va très vite, dit Ethan en avalant tout rond sa dernière bouchée. Je parie que c'est pas une elfe.

— Non, mais on en a plein.

— Ta femme, c'est une fée. Elle a les cheveux roux et des jolies ailes. Toi, t'es quoi ?

— Juste un mec normal.

Même si elle se souciait peu de la maison elle-même, Fallon voulait évaluer le terrain et la situation. La demeure se révéla aussi vaste que décrite par Eddie et, comme le disait son père, étendue. Elle écouta les deux hommes s'interroger sur cette grande construction en brique brune, dotée de terrasses et plus vitrée qu'elle ne l'aurait souhaité : sûrement bâtie peu avant la Calamité, et par quelqu'un de riche ayant le désir de profiter de la campagne.

Les garçons, pressés de choisir leur chambre, foncèrent à l'intérieur et Lana, qui pensait probablement à la cuisine et aux espaces pratiques, les suivit.

Fallon fit le tour. Une pente douce s'élevait vers des collines et des montagnes obscurcies par la distance. Un ruisseau serpentait au milieu, établissant une frontière naturelle entre le terrain et la ferme d'Eddie et Fred, avec sa structure blanche et sa pierre grise.

Elle et sa mère pouvaient ajouter des sorts de protection et d'avertissement. Mais elle vit un avantage majeur à l'étendue d'herbe et au petit bosquet. Ils pourraient installer un camp d'entraînement sur les lieux. Elle poursuivit son tour pendant que les hommes parlaient de transformer des hangars luxueux en écuries.

À l'arrière, elle s'étonna de la cuisine sur pierres plates surmontées de lattes où couraient des plantes grimpantes échevelées. Pourquoi construire une aussi grande maison pour mettre une cuisine dehors ?

Elle savait que le grand trou dans la terre avait été une piscine, où se trouvait un fond d'eau de pluie. Plus loin, quelqu'un avait entretenu les jardins. Sans doute Fred et des amies fées.

— Oh, c'est pas vrai, une cuisine d'été ! Comme si celle de l'intérieur n'était pas assez géniale.

— Pourquoi ils en voulaient deux ?

— Pour recevoir, expliqua Lana, radieuse, en sortant par la porte en verre. Ils devaient avoir du monde, ou simplement prendre leurs repas en famille ici pendant la belle saison. Il y a sept chambres, y compris une deuxième suite parentale au rez-de-chaussée, avec sa propre entrée latérale. Tu devrais la prendre, ma puce. J'ai déjà prévenu Colin qu'elle était réservée à l'aînée. Cinq salles d'eau, une cuisine qui me met les larmes aux yeux. Une arrière-cuisine, une véranda. Ah, et regarde un peu le joli kiosque. Il faudra qu'on s'occupe de cette piscine, et je planterai des herbes aromatiques et médicinales. Il ne reste pas grand-chose comme meubles, mais on en trouvera d'autres. Je vais aider l'équipe de ménage, qui a déjà commencé.

— Tu adores.

— Je suis heureuse d'être ici, de voir des gens tellement importants pour moi. Et d'avoir de l'espace pour le temps où on restera ici. Et je ne vais pas te mentir, la cuisine me met en joie !

Elle vint enlacer la taille de sa fille.

— Je n'ai pas oublié la raison de notre venue.

— Je dois vraiment y retourner et parler à Will.

— Je sais. Katie m'a dit de venir chez elle à 19 heures. Ça nous donne le temps de nous organiser ici, de laver. La maison, plus nous.

— D'accord. C'est bien, ce soir, ça suffira.

— C'est un endroit bien, Fallon, tu le sens ? Pas seulement New Hope, mais ici ?

Elle ne s'était pas autorisée à sentir pour l'instant, or elle acquiesça.

— Ce sera bien pour ton père et les garçons, quand tu ne seras pas là. Si on vivait dans le centre, pour le temps qu'on va rester là, ils se sentiraient enfermés. Toi aussi, je crois.

— Encore une maison vide, dit Fallon en désignant, après la pelouse et le bosquet, une bâtisse à un étage au bardage en cèdre qui avait grisé tristement avec le temps. Ça pourrait faire un baraquement.

Lana aurait pu soupirer, mais elle se contenta d'approuver.

— Tu veux avoir des soldats tout près. J'imagine qu'il y a aussi d'autres maisons par ici.

— Elles nous seront utiles. Et le terrain entre cette maison-ci et là-bas. Je sais que toi et papa, vous devez voir les cultures que ça pourrait donner, mais on a besoin de camps d'entraînement. Il nous faut de l'espace pour les manœuvres, pour des parcours du combattant, pour le tir à l'arc.

Ensemble, elles virent un troupeau de dix cerfs s'aventurer hors du bois pour brouter la pelouse.

— Je peux faire un potager. Eddie et Fred ont leur ferme, il y a les jardins communautaires. On a les chevaux, poursuivait Lana. On peut troquer pour avoir des poules. Ça suffira au bonheur de ton père. Dans tous les cas, je crois qu'il sera plus souvent avec toi qu'à travailler la terre pour quelque temps.

— Je suis désolée, dit Fallon, peinée.

— Non, ne t'excuse pas.

— C'est bien, ici, redit Fallon. Mais on est en dehors du périmètre de sécurité de New Hope. Il faut qu'on en ajoute.

— On va le faire. Pour l'instant, on va rentrer nos affaires et il faut que tu voies ta chambre. Tu auras ta salle de bains et ton salon !

— Je dois aller quelque part. Dans la boule de cristal. Ça ne me prendra pas longtemps.

En effet, elle apprécia sa chambre, sa taille et son accès par l'extérieur. Le grand lit massif était doté de bois épais qui se rejoignaient en s'incurvant. C'était ce que sa mère appelait un lit bateau. Il n'y avait pas de matelas ni de literie, mais elle avait un tapis de sol en attendant. Cela plut à Fallon de disposer de sa propre salle de bains, avec baignoire et douche aux parois en verre, de cinq fois la taille de celle qu'elle avait aidé à construire dans la chaumière de Mallick.

Il lui faudrait un bureau ou un plan de travail, pour étaler ses cartes, plans et rapports.

Le salon était pourvu de grandes portes en verre – ces gens n'avaient donc aucun souci de la sécurité ? – qui menaient à une autre cour dallée.

Le reste du rez-de-chaussée comprenait un grand salon, avec cinéma maison – terme utilisé par sa mère qui rappelait à Fallon combien leurs mondes étaient différents – et bar.

Dès qu'elle put s'éclipser, elle se réfugia dans la nouvelle pièce, qui sentait encore le renfermé, malgré les fenêtres ouvertes laissant entrer la brise, et elle sortit le globe.

Elle y pénétra, sentit la verdure, la terre et le jardin luxuriant.

Mallick portait son grand chapeau à filet pour jouer les apiculteurs.

Elle avait quitté sa chaumière depuis presque aussi longtemps qu'elle était restée là-bas. Mais elle reconnaissait la musique du ruisseau, les ombres de l'après-midi, la senteur du romarin qui s'épanouissait dans une parcelle lumineuse.

Il se retourna, seau de miel à la main.

— Béni soyez-vous, Mallick le mage.

— Bénie sois-tu, Fallon Swift. (En se dirigeant vers elle, il releva le filet.) Tu as grandi.

— Oui, un peu, enfin je crois que j'ai fini.

— J'ai une infusion déjà en cours. Je prendrais bien une tasse glacée lorsque j'en aurai terminé avec ceci.

Fallon entra et, sachant que Mallick mettrait plus longtemps qu'elle, monta dans l'atelier. Les odeurs de plantes séchées, de pierres en poudre, d'huiles, et la touche magyque sur le tout étaient familières.

Elle se demanda tout de même ce qu'il comptait faire des délicates ailes de chauve-souris épinglées à une planche.

Elle redescendit et trouva du fromage, du pain, des fruits des bois.

Quand il arriva, elle lui avait préparé sa tisane et une assiette.

— Tu ne veux pas de pain et de fromage ?

— J'ai déjà mangé. À New Hope.

Il acquiesça en prenant place.

— J'ai vu une étoile filante la nuit dernière, et la pluie de lumière qui en a résulté. J'aurais dû me douter que tu viendrais.

— Et je devrais vous demander comment vous allez, comment vont nos voisins.

— Bien. Tous. Et ta famille ?

— Même chose.

— Nous ne sommes pas du genre à bavarder sans but, donc si tout le monde va bien, raconte-moi pourquoi tu es venue.

— J'ai besoin de vous, Mallick. De vous, de Thomas et des siens, des fées et des métamorphes, des pixies et des nymphes, de tous. Le temps d'attente est terminé. Celui de la préparation a déjà commencé. J'ai besoin de votre aide.

Il mangea en silence un instant. Pensait-il à sa vie tranquille ? Avec les abeilles, son jardin, les ailes de chauve-souris épinglées ?

— J'ai été, je suis et je serai toujours à ton service. Que veux-tu de moi ?

— Vos compétences, vos qualités de meneur, vos dons. (Elle sortit une carte qu'elle déplia.) Je voudrais que vous vous rendiez là.

— Et qu'y trouverai-je ?

— Des recrues. Très brutes de décoffrage, mais volontaires. Vous aurez d'abord affaire à un homme qui s'appelle Jean Petit.

23

La soirée présentée comme une réunion par Lana avait plutôt des allures de fête aux yeux de Fallon. Les gens s'entassaient dans la maison, remplissaient l'air de voix et de rires. On versait du vin dans les verres et on servait de quoi picorer dans des assiettes.

L'impatience fourmillait dans son dos comme une araignée.

Mais c'était le cœur de l'action, se chapitra-t-elle. La base de la structure municipale. Les conseils, les lois, les règlements et les communications. Elle avait besoin de tout, et tous.

Rachel et Jonah, du milieu médical, et leur fils aîné, qui avait hérité des yeux de sa mère et de la carrure de son père, lui paraissaient parfaits pour l'entraînement.

Poe et Kim, qui glanaient et reconnaissaient le terrain, ainsi que leur grande fille, semblaient raisonnables et fiables.

Bien entendu, Eddie et Fred et une partie de leur couvée apportaient de la magye.

Flynn, elfe sans partenaire ni enfants, pour l'instant en tout cas, avait les mêmes missions que Poe et Kim, avec la sécurité en prime.

Avec Bill Anderson, on pouvait compter sur des vivres et de la sagesse.

Arlys et Will avaient fait leurs preuves en matière de communications et de sécurité. Ils avaient un fils et une fille, mais Fallon ne les avait pas vus et ne connaissait pas leur potentiel.

Chuck, sans enfants ni partenaire, se distinguait dans le domaine des communications et de la technologie.

Katie était organisatrice et maire de la ville. Sa fille Hannah, autre membre du corps médical, dégageait un calme et une bonté qui lui rappelaient Ethan.

Antonia, sorcière, archère et soldate, était déjà instructrice, ce qui serait utile.

Et puis il y avait Duncan. Fallon avait envisagé de l'ignorer, car il la rendait nerveuse, mais elle ne devait pas accorder trop d'importance à sa réaction en sa présence. Elle lui adressa donc un vague signe de tête et un non moins vague haussement d'épaules, avant de se tourner vers sa sœur.

— Tu es Hannah, la guérisseuse.

— J'essaie. Je suis apprentie de Rachel à la clinique.

— Le bâtiment d'en face. Il faudra que je le voie.

— Quand tu voudras, je pourrai te le faire visiter. C'est un plaisir de te rencontrer. Ma mère est trop heureuse que la tienne soit là. On l'est tous. Tu aimes la maison ? Elle est très chouette et avec Fred, Eddie et les enfants, vous avez de super voisins.

— La situation est bonne et le terrain sera utile.

— Il y a un cinéma maison, non ? fit Duncan, une bière à la main. Et aussi un système d'alarme. Dommage que Chuck ait embarqué le plus intéressant.

— Il en aura l'usage. Et ma mère et moi avons déjà ajouté des protections. Vous êtes combien de guérisseurs, Hannah ?

— Rachel en a accrédité vingt-trois, en comprenant la clinique et les gens sur le terrain.

— C'est un bon nombre. (Pour l'instant.) Tonia, tu en entraînes combien au tir à l'arc ?

— C'est variable. Il y a des leçons et des séances de pratique. Adultes et enfants, c'est-à-dire en dessous de seize ans. (La jeune fille mordit dans une petite tranche de baguette surmontée d'un mince lambeau de viande et gesticula avec en parlant.) Pour les leçons, on a en général des enfants, sauf nouveaux venus, et ils sont limités à des groupes de douze. Pendant l'année scolaire, je donne deux cours trois fois par semaine. L'été, il y en a moins, mais on a des stages.

— Pourquoi moins en été ?

— Il y a deux mois sans école, lui expliqua Duncan. Déjà, il fait trop chaud dans l'académie ou l'école civile pour avoir cours.

— Vous pourriez rafraîchir l'air.

Il haussa les épaules.

— Les enfants ont besoin de faire une pause.

— Mais deux mois sans entraînement ni encadrement…

— C'est comme ça qu'on fonctionne.

Eh bien, ils devraient fonctionner autrement.

— On va te faire visiter, suggéra Tonia. La ville, l'académie, l'arsenal, la clinique.

— Oui, j'aimerais bien voir comment tout est organisé. Et je dois parler à Will.

— De quoi ? s'enquit Duncan.

— De ce qui arrive.

— Tu t'imagines qu'on n'est pas au courant ?

Il savait, elle le voyait sur son visage et en lui, mais elle évita de sonder son esprit. S'éloigna de lui.

— Je ne sais pas ce que vous savez. Je suis seulement sûre de ce que je fais.

Elle se détourna pour aller trouver Will.

— Elle est…, commença Hannah. Comment on dit ? Redoutable.

— Elle a intérêt, marmonna Duncan.

— Elle est obligée de l'être, rectifia Tonia.

Will la vit arriver devant lui, et quelque chose dans les yeux de Fallon l'incita à se lever.

— Je suis désolée, je sais que c'est un genre de fête, mais il y a des choses à raconter et des plans à échafauder.

— Très bien. Qu'en dis-tu, madame la maire ?

— Qu'on va lancer l'ordre du jour et que Fallon a la parole.

La jeune fille s'était attendue à parler à Will, pas à s'adresser à tout le groupe en même temps, mais elle se lança :

— Je sais… que c'est grâce à vous que New Hope existe, que la ville a grossi et qu'elle s'est structurée. Je sais que c'est grâce à vous que tant de prisonniers et de condamnés à mort ont été sauvés. D'après ce que m'a dit ma mère, d'après ce que j'ai vu ici, je sais que vous n'avez pas seulement lutté pour survivre, mais aussi pour construire un endroit fort et sûr, où les gens dotés de magye ou non vivent et travaillent ensemble. C'est pourquoi je pense que c'est ici le centre.

» Il existe d'autres endroits comme celui-ci, mais beaucoup manquent de dirigeants et de structure. De vision, aussi. Parce que nombre de gens ont peur de regarder et de voir. Il y a une raison si vous êtes tous venus ici, si ma mère et mon père de naissance se sont établis ici, si Max est mort ici. J'étais certaine que le moment venu, je viendrais ici, avec tous ceux qui me sont chers.

— Le centre de quoi ? demanda Jonah.

— De la guerre et de la paix, de la lumière et des ténèbres. Chaque choix que tu as fait t'a amené ici. Si tu avais pris ton pistolet plutôt que de trouver la force et le courage d'aider la femme qui avait besoin de toi, tu ne serais pas là. Et la femme que tu aimes, vos enfants, Katie et ses enfants, non plus. Ce choix, donc, la lumière plutôt que les ténèbres, se retrouve chez chacun d'entre vous. Ce lieu est le centre, et un autre bouclier.

Ces visages, pensa-t-elle, ces gens, son père les avait un jour regardés, leur avait fait confiance.

— Vous êtes forts, tous autant que vous êtes. Vous devrez l'être. Vos enfants devront l'être aussi.

— Je ne vais pas contester que tu as quelque chose… d'extraordinaire, commença Will. Ce don extraordinaire a sauvé des vies parmi nous, deux fois. J'étais avec ta mère une fois quand elle a eu une vision, et ça m'a marqué, donc je ne conteste pas que tu voies des choses inconnues de nous. Nous avons travaillé dur pour rendre New Hope sûr. Nous sommes prêts à risquer nos vies pour sauver d'autres personnes, et lutter contre ceux qui, allez comprendre pourquoi, veulent nous voir sous terre, en prison ou esclaves. Mais le fait est qu'on n'est qu'un nombre limité, avec des ressources limitées. On ne peut pas affronter toutes les ténèbres existantes dans ce qui reste du monde.

— Et il y en a beaucoup, intervint Chuck en tirant sur sa petite barbiche. Je tombe tout le temps sur de nouveaux. J'ai trouvé certains des endroits dont tu parlais. Des gens essaient de se démener. Mais il y en a à des centaines ou des milliers de kilomètres. On n'a aucun moyen de les aider ou de se battre.

— Alors vos gens magyques n'ont pas cherché assez loin, et vos techniciens non plus. Vos chefs n'ont pas pleinement envisagé que New Hope pouvait encore être englouti par les ténèbres.

— Tu viens d'arriver, protesta Duncan en s'avançant. Tu sais pas ce qu'on a cherché ou pas.

— Tu as appris à flasher, répliqua-t-elle. Est-ce que tu as appris à emmener quelqu'un ? À te téléporter avec ta moto ou un cheval ? À emmener une armée ? (Elle se tourna vers sa mère.) Tu as dû abandonner tes amis, ta sécurité, parce que tu savais que ceux qui avaient tué ici reviendraient. Pour t'avoir, pour m'avoir. Tu n'as pas envisagé qu'ils reviendraient de toute façon. Et ils le feront.

— Eric et Allegra ?

— Eux ou d'autres dans leur genre. Ils attendent. Notre venue ici fait repartir l'horloge. Mais… Depuis l'intérieur comme l'extérieur, l'attaque aura lieu, enchaîna-t-elle, en proie à une vision. De ceux qui ont attendu dans l'ombre, elle frappera. Les fruits et les fleurs, dit-elle à Duncan. Le poison et le serpent. Tu es comme moi, les ténèbres veulent notre sang, mon sang, celui de ta sœur. Elles ne l'auront pas ! Je ne suis pas venue pour voir le sang de la Tuatha de Danann versé et un autre bouclier brisé.

» Je suis une armée. (Elle surprit Duncan en lui agrippant la main, et il fut parcouru par l'onde de choc.) Tu es une épée qui brille. (Elle prit celle de Tonia.) Tu es une flèche en plein vol. Nous sommes le sang et les os. Nous sommes unis face à tout ce qui est venu avant et qui viendra après. Choisis, m'as-tu dit, Duncan du clan MacLeod, et je l'ai fait. Et maintenant, à mon tour de te dire : "Choisis."

Elle les lâcha et recula d'un pas, même si ses yeux étaient encore emplis d'images.

— Nous nous élevons et tombons selon ton choix.

— Quel choix ? demanda Duncan d'un ton pressant.

— Tu le sauras quand tu le sauras.

Elle massa sa tempe douloureuse, mais quand Lana voulut se lever, elle secoua la tête.

— Non, c'est bon. L'idée, c'est qu'on n'est en sécurité nulle part. Vous le savez déjà. Ce qui a été construit peut être détruit. Vous avez dit que nous n'étions pas assez, et vous avez raison. Il nous faut davantage de guerriers, de meneurs, de guérisseurs et de techniciens. J'ai commencé dans ce domaine. J'ai mille six cent quarante-trois recrues.

— Pardon ? fit Will en levant la main, encore un peu sonné.

— Elle les a enrôlés sur la route, expliqua Simon. Village par village.

— Mille six cents..., murmura Will.

— Quarante-trois, compléta Fallon. J'ai dressé une liste qui répertorie les Insolites avec leurs capacités et les non-magyques avec leurs compétences. J'ai des cartes. Je peux vous montrer où certains s'entraîneront, mais j'aurais besoin de matériel.

— Et qui les entraîne ? lui demanda Duncan.

— Mallick, qui m'a formée, Thomas, un elfe chef d'un groupe où j'ai reçu la formation de Mallick, Troy, une sorcière à la tête d'un groupe d'Insolites. Un homme appelé Boris, qui a été soldat comme mon père. Les autres arriveront quand je les enverrai chercher. Nous pourrons les entraîner dans les champs à côté de la maison où nous vivons pour l'heure.

— Combien vont venir ? s'informa Katie.

— Pour l'instant, huit cent vingt.

— Huit... Mais nous n'avons pas de quoi les accueillir, ça représente le double de la population qu'on nourrit, qu'on habille, qu'on loge et qu'on éduque.

— Et plus de mains pour planter et chasser, fit observer Fallon. Pour construire.

— On peut s'agrandir à la ferme, proposa Eddie, approuvé par Fred.

— Avec un peu d'aide, on pourrait ajouter une serre, doubler la production. Lana m'a dit aujourd'hui qu'elle sait créer les climats dont on rêve depuis des années. Ce qui nous fera du sucre, du café, des fèves de cacao, des olives. Simon avait fabriqué un pressoir à olives. De l'huile d'olive !

— Poe et moi, nous sommes allés à plus de trois cents kilomètres.

— Trois cent sept, précisa Poe en tapotant le genou de Kim.

— Le plus gros problème, c'est le carburant, enchaîna-t-elle. Mais il y a encore des endroits où il n'a pas été pris. En décimant la population mondiale, ça prend très longtemps aux quelques survivants de venir à bout des ressources. La difficulté, c'est d'y accéder.

Flynn, qui jusque-là n'avait rien dit et tout assimilé, s'exprima enfin :

— Pas forcément. Si « flasher », c'est bien ce que je pense.

— Se téléporter d'un endroit à l'autre, ben, le temps d'un flash, répondit Fallon.

— Et tu peux emmener quelqu'un, voire plus d'une personne ?

— En théorie.

Flynn se leva et lui tendit la main.

— Montre-leur.

— Pour l'instant, je n'ai pas…

— Montre-leur, répéta-t-il en lui prenant la main.

Elle sentit de sa part une foi absolue. Une foi qu'elle n'avait reçue que de quelques personnes : sa famille, Mallick, Thomas…

Forte de cette confiance, elle l'emmena à un endroit qu'elle connaissait, les jardins.

— Tu n'as pas la nausée ?

— Pas du tout. Les elfes sont habitués à se déplacer vite. Pas si vite, mais vite. Une seconde, avant de repartir. Ils vont avoir besoin d'en discuter.

— D'accord, mais…

— Ils en ont besoin, répéta Flynn. C'est le poids de la responsabilité, et les gens non magyques vont mettre un peu plus de temps à l'accepter, pour certains. Je suis avec toi, je l'étais avant ta naissance. Ils le seront bientôt.

— Mon père m'a parlé de la première fois qu'il t'a rencontré, au dépanneur.

— Max ? Mais…

— Je l'ai vu, lors d'un Samhain.

Flynn sourit aussitôt.

— Ah ! Je suis content pour vous deux. Allez, il vaut mieux qu'on y retourne. Ou ils vont avoir peur.

Lorsqu'elle les téléporta, Lupa se dressa sur ses pattes, puis se calma quand Flynn lui posa la main sur la tête.

— Sympa, le voyage, dit-il simplement.

— Tu peux en emmener combien, comme ça, et à quelle distance ? demanda Will.

— Je ne sais pas. Il faut de la pratique. Ma mère a le truc et Duncan aussi.

Tonia leva la main.

— Je sais aussi. Je n'ai jamais essayé avec un passager. Tu as raison, pourquoi je n'ai pas essayé ? Pourquoi personne n'a tenté ?

— On ne sait pas comment un non-magyque supporterait le trajet, rappela Duncan.

— Si vous avez besoin d'un cobaye…, proposa Poe.

— Je préférerais essayer d'abord avec un animal, rebondit aussitôt Fallon. Un chevreuil. Mais l'idée, c'est qu'on devrait pouvoir voyager plus loin et plus vite, trouver des vivres et encore d'autres recrues. Il nous en faut plus, bien plus, et entièrement formées et armées avant de pouvoir reprendre Washington.

— Washington ? s'étrangla Arlys en abandonnant ses notes. Tu veux mener le combat à Washington ?

— Le moment venu. Mais j'en ai le besoin, pas l'envie.

— Attends, l'interrompit Duncan. Tu as dit que c'était une ville morte.

— C'est le cas. (Prenant sur elle-même pour ne pas se braquer à cette nouvelle interruption, Fallon se tourna vers lui.) Mais ils s'y accrochent, le gouvernement, les Insolites noirs. Pour le symbole, l'histoire, le pouvoir tombé. Ils se battent les uns contre les autres, mais tous nous veulent morts ou capturés. Ils veulent régner sur ce qu'il reste. C'est l'un des centres, et on doit le leur prendre et le purifier. New York en est un autre, et nous ne sommes pas prêts.

Elle leva les mains en se tournant vers le gros du groupe.

— Nous ne sommes pas prêts. Je ne sais pas quand nous le serons. Et il y en a d'autres, des endroits plus reculés. Sous terre, dans des endroits vides, d'autres où on détient des Insolites. Certains où des bombes attendent d'être activées.

— Ça, nous en avons parlé un nombre incalculable de fois, dit Katie, qui, angoissée par le sujet, reprit du vin des fées. Ils ont envoyé une bombe sur Chicago il y a trois ans et sur Dallas il y a deux ans. Un désastre, chaque fois. Mais ça n'empêchera pas un fou dangereux de le refaire. Ou de se lâcher sur le nucléaire.

— Nous allons les éliminer. C'est une priorité. Cela prendra du temps, et même avec de l'entraînement, ce sera risqué. Mais il faut le faire avant de marcher sur Washington.

— Comment élimine-t-on des bombes ? l'interrogea Katie. Comment tu les trouves, pour commencer, pas seulement ici, partout dans le monde ?

Duncan vint s'asseoir sur l'accoudoir du fauteuil de sa mère et lui posa une main apaisante sur le bras.

— Par la magye. Des sorts de localisation. On envoie une équipe sur place par téléportation et on désactive.

— Non, s'opposa Fallon. Ce qui est désactivé peut éventuellement être réactivé. On élimine. J'ai réfléchi à seulement les transformer, mais même un sortilège puissant est susceptible d'être brisé.

— Oui, tu as raison. Les fracasser ? Pas facile.

— J'y réfléchis.

— T'auras besoin d'un coup de main, fit remarquer Tonia. Duncan et moi, on se penchera sur la question avec toi.

— Excusez-moi, dit Katie, j'essaie de ne pas faire d'attaque à l'idée que des ados réfléchissent à « fracasser » des armes nucléaires.

Tonia vint s'installer sur l'autre accoudoir et Hannah se posta derrière.

— Bon, en premier, lieu, il faut trouver des provisions, des logements et tout ce qu'il faut pour huit cents personnes, rappela Hannah en posant la main sur l'épaule de sa mère. On peut commencer par là.

Fallon trouva que la réunion-fête-débat s'était déroulée aussi bien que possible. Elle commençait à avoir de l'expérience. Cela faisait presque quatre mois qu'elle essayait de convaincre les gens de faire ce dont elle avait besoin. Cela n'exigeait pas seulement du temps, pensa-t-elle, mais de la confiance et une volonté de faire des compromis sur de petits détails.

Elle découvrit qu'on lui avait apporté un matelas, des draps, un oreiller et une couverture. Il faudrait qu'elle trouve qui remercier.

Ne disposant pas encore de bureau ou de table, elle s'apprêtait à s'asseoir par terre pour y déplier ses cartes quand elle entendit bouger dans le grand salon.

Elle vit Colin en train de fureter dans tous les coins.

— Qu'est-ce que tu fais ?

— Je regarde. Plutôt cool, comme maison. Tu pourrais arriver à faire fonctionner le cinéma maison ?

— Il manque de quoi le faire marcher.

— Il y a toi et maman.

— Peut-être…, fit-elle en calculant. Je pourrais bidouiller quelque chose. Mais c'est donnant-donnant.

— Qu'est-ce que tu veux ?

Depuis sa dernière poussée de croissance, il avait atteint la taille de Fallon. Elle se rendit compte, avec un léger agacement, qu'il serait plus grand qu'elle sous peu.

— Je voudrais que tu aides à entraîner les non-magyques, les moins de seize ans.

— Des petits ? fit-il avec mépris du haut de ses seize ans.

— Ils t'admireront et voudront t'impressionner. Tu es bon à l'épée et aux poings. Tu es expert pour harceler et enjôler des petits frères.

— Je veux me battre, pas faire baby-sitter.

— Ce n'est pas du baby-sitting. Si un garçon ou une fille de douze ans n'est pas formé, qu'on ne lui apprend pas à se défendre, se battre, quand fuir, quand frapper, il mourra dans ce qui va arriver. Certains mourront de toute manière. Aide-moi pour qu'il y en ait le moins possible.

— Bon, bon.

— Tu serais responsable, ajouta-t-elle, le connaissant, avant de sourire. Tu serais le président.

Il eut un rire sarcastique.

— Pourquoi pas. OK. Mais alors, le cinéma maison ?

— Je vais regarder.

— Ça marche. Je vais me trouver un truc à manger. Maman est toute folle avec la cuisine. Quand on retournera à la ferme, je parie qu'elle convaincra papa de changer la nôtre.

Fallon retourna dans sa chambre et ferma la porte. Assise par terre, elle examina ses cartes et se mit à prévoir les meilleurs itinéraires au départ de New Hope.

Elle sentit l'air ondoyer et se redressa d'un bond. Son épée étant à l'autre bout de la pièce, elle leva les poings… et Duncan se matérialisa devant elle.

— T'as pas le droit d'entrer dans ma chambre sans y être invité.

— Je ne savais pas que c'était ta chambre, dit-il en regardant alentour. Beaucoup d'espace, un lit imposant, pas grand-chose d'autre. Bref.

— Je suis occupée. Dégage.

— Faut qu'on parle. Avec Tonia aussi, mais on va commencer par toi et moi. La vision que tu avais eue l'autre jour. Encore les fruits et les fleurs.

Comme cette vision l'inquiétait, elle se mit d'autant plus en colère.

— Je sais pas ce que ça veut dire ! Si je le savais, je te dirais, parce que c'est important.

— Je sais bien. (Les mains dans les poches, il se promena dans son espace, dans le L formé par le côté salon, puis revint sur ses pas.) J'ai choisi, non ? J'ai choisi de me battre. Qu'est-ce qu'il y a d'autre ?

— Je ne sais pas non plus.

— Les visions, c'est trop chiant. La moitié du temps, elles te disent qu'une partie du truc, ce qui donne qu'un quart de l'histoire, merde. La tienne t'a donné la migraine.

— Ça m'arrive, quand elles sont très fortes. Mais ça ne dure pas longtemps.

— Avant, les visions me filaient des vertiges. J'en ai eu de toi.

Il lui jeta encore un coup d'œil, s'arrêta de marcher et se tourna, laissant les cartes entre eux.

— Je ne rêvais pas. D'après ma mère, quand j'étais bébé – et Tonia aussi le faisait des fois –, j'étais tout excité quand Lana venait. Parce que tu étais là aussi, forcément. Avant que tu naisses, je te reconnaissais. Le pire, c'est que je m'en souviens un peu, pas seulement parce qu'elle me l'a dit.

» Et donc, tu as parlé de nous trois. Tonia, moi, le sang MacLeod.

Elle n'avait plus à contenir sa colère à présent. Celle-ci avait disparu.

— Ce n'était pas la faute de ton grand-père.

— Je sais. Le sang MacLeod, qui remonte à la Tuatha de Danann. J'accepte, OK ? Je combattrai à tes côtés. On trouvera comment dénicher les bombes atomiques, les trucs qui font boum, et les anéantir. On se débrouillera pour prendre Washington. J'aiderai à recruter, à former. J'aiderai à reconnaître le terrain, nous approvisionner, planifier, tout le toutim.

— Mais… ?

— Mais il faut qu'on mette le paquet sur les missions de sauvetage. Si les gens sont sous terre, en cage, dans des labos, on doit les libérer. Tu n'en as pas parlé.

— Je croyais que c'était évident. Les opérations de sauvetage nécessitent un entraînement spécifique. J'ai des notes à ce sujet.

Elle fourragea dans ses cheveux et regarda autour d'elle en s'efforçant de se souvenir où elle les avait posées.

— Laisse tomber tes notes, elles peuvent attendre. Je voulais juste m'assurer qu'on était sur la même longueur d'onde.

— Si on ne se bat pas pour les gens, pour quoi on se bat ?

— Il y en a qui se battent pour le pouvoir.

— Ce n'est pas ma raison de faire tout ça.

— De toute façon, t'as déjà plus de pouvoir que la plupart des gens. C'est bon, je te taquine, dit-il en discernant la flamme qui s'allumait dans ses yeux. J'ai pas dit que je te connaissais ?

— Alors, tu devrais savoir que je n'aime pas qu'on me taquine.

— Qui te dit que je le savais pas ? (Il étudia les cartes.) Tu bosses sur quoi ?

— Je voulais définir des itinéraires, pour des provisions et pour les recrues. J'ai repéré des endroits habités. J'ai une boule de cristal.

Il jeta un œil sur la petite table où il l'avait déjà vue.

— Pratique.

— Et aussi des sauvetages, ajouta Fallon. Je connais des endroits où on retient du monde. Certains doivent attendre qu'on ait davantage de soldats et d'armes, mais il y en a qu'on peut gérer.

— Je vais t'aider, décréta-t-il en s'asseyant par terre.

Au bout d'un moment, elle vint prendre place à côté de lui.

— Tu pourrais me montrer où les gens de New Hope sont déjà allés, où on peut éliminer. Je m'intéresse particulièrement au sud et à l'ouest. On arrive du nord. Ici, dit-elle en touchant la carte, où elle avait marqué l'emplacement de la ferme. On est passés par là, on a fait une boucle par là, et ensuite, ici. Mais je ne suis jamais allée plus au sud ou plus à l'ouest. Sauf ici.

Elle tapota le cap Hatteras sur le papier.

— Qu'est-ce qu'il y a, là-bas ?

— Une prison, pour les gens comme nous. Vide, maintenant. Quand on en aura besoin, on l'utilisera. Mais pour l'instant, je dois en apprendre sur les endroits que tu connais et moi pas.

— Oui, je peux te montrer. En vrai, je savais que c'était ta chambre.

Elle releva les yeux, pour trouver ceux de Duncan sur elle.

— Avant de te voir ici, je le savais. Je te sentais. C'est comme un coup de sang. Comment t'expliques ça ?

— Par nos ancêtres en commun.

— J'en partage bien plus avec ma mère, et je ne sais pas toujours quand elle est là. Même avec Tonia, ce n'est pas tout le temps, et on a pourtant été sacrément proches pendant neuf mois. Mais avec toi… il y a ce coup de sang.

Il avait les yeux d'un vert sombre, sombre comme les ombres au pays des fées.

Elle aurait voulu s'en détacher, or ne souhaitait pas montrer de faiblesse.

— Je ne vois pas ce que tu ressens ni pourquoi.

— Alors, comment suis-je au courant que tu adores le gâteau arc-en-ciel, alors que je sais même pas ce que c'est ? Ou que tu aimes lire, au coin du feu ou sous un arbre ? Que ça te plaît de construire des trucs avec tes mains ? Comment je le sais ?

Elle savait qu'il aimait écouter de la musique. Il avait un ami métamorphe nommé Denzel, qu'il considérait comme un frère. Elle savait que son cadeau préféré était une boîte de crayons de couleur et de peintures donnée par un homme appelé Austin.

Austin, qui n'était pas son père, mais avait tenu ce rôle un bref moment.

Elle ne voulait pas connaître ces petits détails intimes sur lui. Ni qu'il sache ce genre de choses sur elle.

— Ce ne sont pas des détails importants.

— Je trouve que si. Je pense qu'il y a une raison pour que je les sache. Je ne sais pas si la raison va me plaire, ni à toi non plus.

Juste quand le cœur de Fallon se mettait à tambouriner, il se concentra de nouveau sur la carte.

— OK, donc ici, c'est ratissé.

Au cours des jours qui suivirent, elle construisit de ses mains. Avec des fournitures trouvées çà et là, elle et son père travaillèrent avec plusieurs équipes pour réparer et agrandir les deux maisons en bois qui leur serviraient de baraquements. D'autres équipes s'affairaient pour préparer d'autres logements pour des familles et des enfants. Certains soldats camperaient, donc les tentes, caravanes et camping-cars formaient des groupes autour de ce qui deviendrait l'aire d'entraînement.

Avec Simon, elle coupa et souda du fer pour former des cadres pour panneaux solaires. Ils avaient fait la même chose des années auparavant pour la ferme, ainsi que plusieurs voisins, mais New Hope venait de tomber sur une précieuse source de cellules photovoltaïques, les avait extraites et stockées.

Elle avait appris que New Hope avait des volontaires pour tout, ce qu'ils avaient mis en place depuis le début. Des équipes qui tournaient exploraient les maisons les plus éloignées, et celles qui étaient abandonnées et endommagées au-delà de réparations faisables étaient vidées de tout ce qui pouvait servir.

Bois, clous, tuyaux, charnières, carreaux, tuiles, fenêtres, vitres, portes, câbles. Un autre groupe triait, inventoriait et stockait tout dans une grange près de ceux qui s'occupaient de la nourriture pour animaux.

Elle vérifia le calfatage sur l'autre cadre à panneaux solaires et regarda le fourmillement d'activité autour d'elle. Des gens accrochaient des cordes, apportaient de vieux pneus pour un parcours d'obstacles, érigeaient un mur d'escalade, pendant que d'autres bâtissaient ce qui serait l'agrandissement de la cuisine et le mess.

Une armée avait besoin de manger.

Elle savait sa mère avec Fred et d'autres, en train d'établir les premières étapes du sortilège complexe qui créerait une zone tropicale. Ses frères restaient en ville au stage d'été avec Colin qui, même s'il faisait mine d'en plaisanter, adorait son rôle d'enseignant.

Entendant des rires par-dessus les bruits de marteau et de scie, elle regarda, étonnée, Duncan effectuer un saut périlleux depuis le toit, puis flotter dans les airs avec une pile de panneaux terminés.

Simon soupira intérieurement. Il savait quand un garçon essayait d'impressionner une fille, et avait pu discerner avec une quasi-certitude un intérêt derrière l'expression renfrognée de Fallon.

Comme s'il ne suffisait pas de s'inquiéter de la guerre et de la survie, il devait désormais se soucier d'un garçon qui tournait autour de son bébé.

Ils terminèrent la série suivante de panneaux, et pour ne pas être en reste, Fallon les amena en flottant à Duncan et son équipe. Simon ôta sa casquette, essuya la transpiration sur son visage et désigna d'un coup de menton le fourgon qui arrivait.

Bill Anderson sortit côté conducteur, et une jolie fille aux cheveux dorés de l'autre.

— Il fait chaud pour travailler au soleil, lança le vieil homme en évaluant les progrès du chantier. Vous avancez bien ! On a apporté du sanglier grillé, de la salade de chou et d'autres choses à manger. Plus de la tisane froide et encore de l'eau.

— T'es un chef, lui dit Simon.

— On peut installer tout ça quelque part ?

— On va trouver.

Des portes de récupération sur des tréteaux servirent de tables, et les ouvriers s'amassèrent autour.

Fallon alla se débarbouiller au ruisseau et faillit se heurter à la blonde qui apportait une boîte de petits pains, probablement frais du matin.

— Pardon… euh, je ne connais pas ton nom.

— On n'a pas été présentées. Je suis Petra.

— Fallon.

— Je sais. Tout le monde… sait.

— Je vais prendre ça, dit Bill en attrapant les pains.

— Tu fais tout ça pour les soldats, dit Petra en rougissant. Tu vas les mener.

— Ça te pose un problème ?

— Non, mais… Je ne veux pas me battre, dit-elle très vite en se tordant les mains. Je ne veux pas être soldate. Je m'occupe des enfants. Je peux aider à faire à manger. Mais je ne veux pas me battre.

Lâche.

Fallon entendit cette pensée dans sa tête et se retourna vers une femme aux courts cheveux châtains. Starr, une elfe qui parlait très peu, se souvint-elle.

Celle-ci haussa les épaules, envoya à Petra un regard méprisant, puis s'éloigna avec une assiette remplie vers une place à l'écart des autres.

— Je ne vais forcer personne à se battre.

— Je croyais juste… Je ne savais pas trop.

— Si l'un des enfants que tu gardes était attaqué, qu'est-ce que tu ferais ?

— Je… j'essaierais de le protéger, de l'emmener loin. Ce ne sont que des enfants.

— Salut, Petra.

Aussitôt Petra se détendit et sourit.

— Tonia ! Je ne savais pas que tu étais là.

— J'aide à construire une course d'obstacles. Je suis trop impatiente de l'essayer. Tu sais, Fallon, j'ai des idées pour un autre parcours destiné aux gens magyques. Les Chutes Insolites, dit-elle en riant. Avec ajout de pièges et devinettes magyques.

— Chouette idée.

— Vous prenez ça comme un jeu, dit doucement Petra, avant de rougir encore plus. Je suis désolée. Pardon. Je dois…

Elle s'éloigna d'un pas pressé.

— Je veux me laver avant de manger, dit Fallon en envoyant à Tonia un long regard insistant.

Elles marchèrent ensemble vers le petit ruisseau tranquille.

— Qu'est-ce qu'il y a ? s'informa Tonia.

— Je ne connais pas Petra, je ne sais pas pourquoi Starr ne l'aime pas. C'est utile de savoir.

— Je pense que Starr n'aime personne. Non, c'est injuste, elle n'est pas sociable, voilà tout. Elle se bat, elle travaille aussi dur que les autres. Elle reste surtout avec Flynn. Pas d'étincelles entre eux.

— D'étincelles ?

— Pas de sentiments amoureux ni d'attirance sexuelle, quoi. Ils sont plutôt comme frère et sœur. En tout cas, ce que je sais de Starr vient d'infos de deuxième ou troisième main. Elle avait peut-être douze ans quand des Guerriers de la Pureté l'ont coincée avec sa mère. Ils les ont violées et torturées toutes les deux. La mère a vu une chance pour que Starr s'échappe, lui a parlé comme le peuvent les elfes, par télépathie. Elle lui a fait promettre de fuir et se cacher, a fait diversion. Ils ont pendu sa mère et elle n'a rien pu faire. Alors elle se bat, elle travaille, mais elle n'a jamais vraiment participé à la vie communautaire. Elle reste à part.

— Et Petra ?

— Sauvée il y a quelques années. Elle et son père étaient dans une secte, un truc hyper malsain, anti-magye et Insolites, présidée par un gros taré. Les femmes devaient toutes se soumettre, tu vois, et se faire engrosser.

— On les forçait ?

— On leur lavait le cerveau, ce qui revient au même. Certaines étaient juste des gamines, comme Petra.

— Elle a été violée ?

— Oui. Elle s'en sort plutôt bien, sachant ce qu'elle a vécu. Elle vit avec une autre femme de la secte et son enfant. C'était pas beau, le sauvetage. Les Guerriers de la Pureté ont attaqué, on a fondu sur eux. Beaucoup de gens sont morts. Son père était l'un d'eux. Ils l'ont brûlé sous ses yeux.

— Elle devrait avoir envie de se battre.

— Eh bien, on peut dire que Petra et Starr n'ont pas gardé les mêmes cicatrices d'une expérience comparable.

— Qu'est-ce qu'elle est ? Je n'ai pas réussi à le sentir.

— Elle le bloque. C'est une sorcière. Elle refuse d'utiliser la magye, on lui a inculqué d'en avoir peur. Je pense qu'au fond elle sait que c'est faux, mais ils lui ont mis dans la tête que c'était mal, pour qu'elle ait peur de son propre don.

Fallon fit un signe de tête.

— Elle n'est pas la seule dans ce cas.

— Avec Duncan, on avait un peu progressé avec elle, mais comme ça la faisait grave flipper d'explorer ses pouvoirs, on n'a pas insisté. Et puis elle a commencé à s'intéresser à Duncan, et il s'est beaucoup éloigné. Elle est trop jeune, tu vois ? Pas en nombre d'années, dans sa mentalité. Ça le branche pas.

Fallon regarda en arrière.

— Est-ce qu'elle est encore… ?

— Je ne sais pas, peut-être un peu, mais ces derniers temps, il y a un truc entre elle et Denzel. Tu l'as rencontré ?

— Le copain de Duncan qui est métamorphe. Il aide à fabriquer les panneaux solaires.

— Amis depuis bébés, ajouta Tonia. Je suis à peu près certaine que c'est Duncan qui a orienté Denzel vers Petra.

— Par la magye ? l'interrogea Fallon, prête à condamner ce type d'interférences.

— Mais non, bien sûr. C'est impensable. Il a juste persuadé Denzel de se lancer, ce qu'il avait envie de faire de toute façon. Ça a marché. Donc tout ça pour dire que Starr n'aime pas beaucoup Petra. Elle ne la respecte pas à cause de son refus de s'entraîner, même en autodéfense de base, de sortir glaner ou explorer. Tu ne la verras jamais s'éloigner davantage du centre-ville, et encore, si elle vient jusqu'ici, c'est parce que Fred, Eddie et leurs enfants sont là. Elle est folle de leurs enfants. Des enfants en général.

Maintenant, elle connaissait leurs histoires et les domaines dans lesquels Petra, qui refusait de combattre, pouvait être utile.

— Les plus jeunes ont besoin de monde pour s'occuper d'eux, pour les garder en sécurité pendant que le reste des gens lutteront.

— Elle s'en occupe bien, elle est patiente et responsable sans être trop sévère. Je suis étonnée qu'elle n'ait pas un petit accroché à elle aujourd'hui, enfin je parie qu'elle voulait voir à quoi tu ressemblais.

— Et c'est fait. Merci, Tonia. C'est utile de savoir.

C'était toujours précieux d'être au courant, pensa-t-elle en se rafraîchissant le visage à l'eau du ruisseau.

Elle aurait pu trouver que les problèmes de sexe, d'amour et de personnalité l'embrouillaient pour ce qu'elle cherchait à faire, mais les connaître l'aiderait à être chef.

24

En deux semaines, des équipes qui tournaient avaient achevé les travaux sur la base et le baraquement, et Fallon convoqua une nouvelle réunion. Cette fois, elle demanda que tous les dirigeants de New Hope viennent à la maison dont sa mère avait déjà fait un foyer, avec le potager, ses pots d'herbes aromatiques, ses bouquets, la senteur du pain frais et des pains d'épices.

Fallon requit spécialement la présence de Duncan, Tonia, Starr et, même si elle savait que ça peinait sa mère, de Colin.

Dans la grande salle, comme l'appelait Lana, on avait disposé de la nourriture et des boissons sur le large comptoir et sur les meubles que des volontaires avaient rapportés.

— Tout d'abord, je tiens à remercier tout le monde de tout ce que vous avez fait pour terminer aussi vite les travaux. La plupart de ceux qui ont participé ne me connaissent pas, mais ils ont donné leur temps, des fournitures, parce que les gens présents dans cette pièce le leur ont demandé. Maintenant, je vais vous prier tous de ne pas ébruiter ce dont nous allons parler ce soir. Euh…

Arlys, occupée à prendre des notes, releva la tête sous son regard.

— Je ne diffuse pas ces informations ?

— Oui, au moins tant que ce n'est pas lancé.

— Tant que quoi n'est pas lancé ?

Il fallait tenter, se dit Fallon. Sa mère avait une confiance absolue en Arlys.

— Je vais envoyer chercher des recrues. Plus il y en a qui savent qu'elles viennent et d'où elles viennent, moins elles seront en sécurité.

— Les équipes de reconnaissance et d'approvisionnement vont les repérer, fit remarquer Jonah.

— Pas avant qu'elles ne soient proches. Quand nous en serons là, nous pourrons envoyer du monde à leur rencontre pour s'assurer qu'elles arrivent à bon port. J'ai des noms en tête pour ce détachement : Poe et Kim, Flynn, Starr… et Maggie Rydell. Si vous avez d'autres suggestions, je suis preneuse. Certaines des recrues sont très peu formées. Il y en a qui arrivent en famille, avec de jeunes enfants.

— OK. Je ne diffuse pas pour l'instant, accepta Arlys.

— Bien. Je demande que Colin poursuive le travail avec les plus jeunes, mais il en aura trop à gérer avec les nouveaux venus, donc j'aimerais des idées de personnes pour l'aider.

— Denzel, proposa aussitôt Duncan. Il est bien avec les enfants, et meilleur en théorie que pour l'exécution.

— Je suis d'accord, intervint Will. Bryar et Aaron ont une bonne expérience de la formation aussi. Et pour les autres bases ?

— J'attends de savoir si Mallick, Thomas, Troy et Boris ont besoin d'autres instructeurs. Si c'est le cas, y aurait-il des gens qualifiés de New Hope qui seraient prêts à voyager, à passer des mois loin d'ici ? Peut-être plus ?

— Je peux te donner une liste de noms, dit Katie, qui regarda Arlys et reçut un signe de tête pour l'encourager. Ceux qui n'ont pas de famille, ou qui seraient d'accord pour s'établir ailleurs. Je vais être honnête, Fallon. Il y a des inquiétudes dans New Hope. Les gens ont peur que tu ordonnes à n'importe qui de se battre ou de partir ailleurs.

Elle avait vu les grimaces, entendu des rumeurs. Elle avait senti des craintes.

— Hannah ne se bat pas, dit-elle.

— Je suis les leçons de combat, dit l'intéressée.

— Tu es guérisseuse, pas soldate. Tu as des compétences, une vocation. Pourquoi te mettrais-je une épée dans les mains ?

— Elle se débrouille avec un arc, intervint Tonia. Bon, elle est encore meilleure pour faire un tourniquet.

— Et d'autres sont plus doués pour faire à manger, construire, s'occuper des enfants, fabriquer des armes plutôt que de les utiliser. Ou pour les technologies, ajouta Fallon en désignant Chuck.

Celui-ci se montra à son tour.

— C'est moi !

— Pourquoi exigerais-je de quelqu'un qu'il se batte ? Ça n'accomplit rien, si ce n'est des rancœurs. Pourquoi exigerais-je de quelqu'un qu'il se déracine ou déracine sa famille ? (Frustrée, elle s'interrompit et regarda à l'intérieur d'elle.) Je n'ai pas encore fait mes preuves.

— C'est difficile de changer les habitudes, lui rappela Arlys. On a vu ça quand on a commencé à introduire des lois et formé le conseil municipal. On est plus nombreux maintenant, donc tu rencontreras forcément des résistances, que tu aies fait tes preuves ou non. Tu es très jeune, ajouta-t-elle. C'est déjà un problème pour certains. Les Insolites sont plus soudés, mais pas entièrement non plus.

— Les gens sont contents de leur sort désormais, dit Bill en se tapotant les genoux. On a une routine ici, et si quelque chose change, ça en titille certains. Tu aurais dû voir quand on a voté le recyclage et le compostage obligatoires. On aurait cru qu'on venait d'institutionnaliser le servage. Mais on s'en est sortis, et maintenant, ça fonctionne de cette façon. Tout le monde n'est pas content que tu ramènes autant de nouveaux arrivants.

— On reçoit beaucoup de plaintes, confirma Katie. Des tas de rumeurs circulent. Pour l'instant, tu peux me laisser m'en charger, avec le conseil municipal.

— Si nous avons plus de soldats, Hannah pourra se concentrer sur les malades, quelqu'un comme Petra sur les enfants. Une cuisinière comme…

— Sal, lui indiqua Eddie.

— Oui, voilà. Elle pourra cuisiner, et ainsi de suite. Mais en plus, ceux qui grognent et résistent aux changements ignorent délibérément ce qui est arrivé au monde précédent, ils n'en tirent aucune conséquence. Ils oublient, par choix, ce qui s'est passé ici le 4 juillet, et ceux qui sont morts ce jour-là, ils trouvent banal que d'autres risquent leur vie dans des sauvetages, dans des combats pour repousser ceux qui voudraient détruire tout ce que vous avez bâti.

Katie approuva de la tête.

— Tu n'as pas tort, mais il ne faudra pas le présenter aussi brutalement. Et c'est difficile, Fallon, c'est violent pour des parents d'accepter que leur enfant, issu d'eux ou adopté, s'entraîne à faire la guerre. Difficile pour certains d'accepter que c'est une enfant qui va prendre la tête. Et ne dis pas que tu n'es pas une enfant, la prévint-elle. J'en suis consciente, ainsi que tout le monde dans cette pièce. Mais tu es jeune, et tu trouveras des gens qui te considèrent comme telle.

— Ce ne sera plus le cas une fois que j'aurai fait mes preuves.

— Tu as déjà dit ça tout à l'heure, s'interrogea sa mère. Qu'est-ce que tu entends par là ?

— Ça commence ce soir. Je suis désolée. Vraiment. Je suis votre enfant, et je suis consciente des sacrifices que vous avez déjà consentis pour moi.

Simon entrelaça ses doigts à ceux de Lana.

— Qu'est-ce que tu vas faire, ce soir ?

— Je vais éliminer des armes nucléaires.

— Oh, mon Dieu, Fallon.

— Je sais où et comment faire. Maman, j'ai le Livre des Sortilèges en moi. Je sais comment m'y prendre. C'est nécessaire et c'est une démonstration de pouvoir, de force, d'engagement envers la lumière. On va débuter par cinq endroits ce soir.

— On ?

Elle jeta un regard vers Duncan et Tonia, puis vers Katie.

— Je suis désolée. J'ai besoin d'eux.

— Quels que soient vos pouvoirs, vous êtes trois ados, vous n'allez pas vous mesurer à des bombes atomiques. Nous devons trouver un expert dans ce domaine, qui sache comment désactiver…

— Je l'ai déjà dit, on ne va pas désactiver, mais éliminer. Elles n'existeront plus.

— L'irradiation…

— Maman, la coupa gentiment Duncan, avant de s'adresser à Fallon. La magye reste une science. Tu ne peux pas éliminer de la matière sans la remplacer, c'est la leçon n° 1.

— Mais on peut l'altérer.

— Un sort d'alchimie ? (Intrigué, Duncan réfléchit.) Là, pour le coup, c'est niveau doctorat.

— Elles cesseront d'être et deviendront autre chose, quelque chose d'inoffensif. Et nous détruirons la chose inoffensive. Nous éliminerons également les moyens de les lancer.

— Attends, attends, fit Chuck. Ce sont des ordinateurs, des composants électroniques. Et imaginez un peu les données qu'il y a là-dedans ! Ça peut être utile. On ne peut pas juste les changer en pâquerettes ou en petits chiens ! Emmenez-moi, je peux tout neutraliser, mais faut qu'on les remporte ! Putain, tout ce que je pourrais… Mes excuses, mesdames, je m'emballe un peu.

— Si tu nous dis ce qui est le plus utile, on pourrait le rapporter. Et en transporter dans d'autres bases. Tu voudrais bien aider à développer les centres de communication en dehors de New Hope ?

— Je suis ton homme. Il y a deux personnes que je voudrais avoir avec moi une fois qu'on aura le matériel. En fait, vous gagneriez du temps à nous répartir. Ils ne sont pas aussi bons que moi, mais sérieusement, qui l'est ?

— Je t'embarque, conclut Fallon. Maman, il lui faudra un remontant. Poe a découvert avec moi…

— Ah, tu l'as dit, confirma Poe.

— Que flasher épuise et désoriente un être non magyque, termina Fallon.

— On va… Putain ! s'exclama Chuck, enthousiaste, en esquissant une petite danse sur sa chaise. C'est trop génial !

— Prépare-toi à avoir la tête qui tourne, l'avertit Poe.

Au plus grand étonnement de Will, Arlys dit :

— Vous avez aussi besoin de moi. Pour un reportage sur place, de mes yeux. Les gens se fient à moi, Will, pour dire la vérité. Ici et partout où on pourra diffuser. Fallon a raison, c'est une démonstration de pouvoir et une profession de foi. C'est mon métier, tout comme toi, tu affrontes des

Pilleurs, ou des Guerriers de la Pureté, Will. Tu dois le faire, Fallon, or tu as besoin que les gens le sachent et y croient.

— C'est vrai. Mais une partie de ce qu'on fera devra être laissée de côté. Les détails du sortilège, par exemple.

— Bien sûr. Allez, Lana, prévois un double remontant. Chuck et moi, on décolle.

— « *On the road again* », chantonna-t-il en lui envoyant un clin d'œil.

— Je vous prépare ça, répondit Lana en se levant, toute pâle. Tu as bien calculé les risques ?

— Je te promets.

— Tu as calculé les risques en tenant compte du fait que sans toi, ce sont les ténèbres qui gagnent ?

— Promis, maman.

— Je dois passer à mon bureau prendre quelques affaires. Une caméra, qui restera éteinte, assura Arlys, pendant le sortilège, et à tous les moments où tu me le demanderas.

— Moi aussi, il me faut quelques trucs. Tu m'emmènes ? demanda Chuck.

— Je vous raccompagne, décréta Will, qui avait quelques mots à échanger avec sa femme.

— Je dois parler un peu à Duncan et Tonia, annonça Fallon à son tour.

Elle montra l'arrière de la maison et ils se dirigèrent vers le patio.

— Tu aurais pu nous signaler qu'on partait en mission ce soir, se plaignit Duncan.

— Je voulais que ça reste top secret.

— Tu crois qu'on irait raconter un truc comme ça ? s'écria Tonia avec colère.

— Non, mais plus vite on peut agir après avoir parlé, avec le moins de monde possible qui est au courant, mieux c'est. J'ai tout le nécessaire dans mon sac, mais je ne m'attendais pas à emmener deux civils, ni à remporter autre chose que des fournitures ou des armes. L'équipement informatique, je comprends que ça soit précieux, mais c'est un défi qui va nous demander plus de temps, plus de pouvoir.

— On y va avec un ou deux autres sorciers ? Ta mère ?

— Non, dit Fallon, catégorique. Il faut que l'opération soit menée par nous trois, j'en suis certaine. La logistique se complique, mais reste faisable. Quant au sortilège lui-même, je dois le faire passer de moi à vous pour qu'il fonctionne. On doit tous les trois le connaître, et cette connaissance sera en vous pas seulement ce soir, pour toujours.

— Comment ça marche ? l'interrogea Duncan. « De toi à nous », ça n'a pas l'air d'être juste nous l'expliquer.

— Par le sang. Ici et maintenant. (Fallon sortit son poignard.) De sang à sang, de pouvoir à pouvoir, de lumière à lumière. Vous devez être sûrs, parce que…

— Bla-bla-bla, c'est la magye du sang, c'est grave sérieux, etc. Allez, on se lance, dit Duncan en tendant la main. Et que la fête commence.

Tonia l'imita.

— Comme il a dit.

— C'est effectivement grave sérieux, confirma Fallon. Les deux mains, pour chacun. (Elle entailla d'abord ses paumes, puis celles de Duncan, enfin celles de Tonia.) On se tient les mains.

Elle inspira.

— Un cercle à trois, un cercle de confiance, fais passer la connaissance issue de moi pour agir comme nous le devons. Nous sommes tes enfants, énonça-t-elle pendant que leur sang se mélangeait, se réchauffait et rougeoyait. Nous sommes ce qui est écrit. Une, deux, trois, trois, deux, un, avec la connaissance partagée, les ténèbres sont vaincues. Par le sang, ce don de moi, tel est mon vouloir, qu'il en soit ainsi.

Cela vint avec un sursaut, par les entrailles, le cœur, l'esprit. Un instant, Duncan crut vraiment que son sang était brûlant de lumière. Et puis tout se calma, et il sut.

— C'est trop simple. Une fois que tu sais, c'est hyper simple.

— Logique, approuva Tonia. D'un autre côté, j'ai l'impression que je viens de mettre le doigt dans une prise. Mes cheveux se la jouent Einstein, non ?

— Bah, c'est déjà comme ça la moitié du temps, lui dit Duncan.

— Ils sont très bien, commenta brièvement Fallon. On retourne là-bas. Plus vite on s'y met, mieux c'est.

— Attends. (Duncan avait toujours la main de Fallon dans la sienne, et oui, elle picotait. Tout son corps picotait.) Tu vas nous dire où on va ? Et leur dire à eux ?

— Seulement le premier endroit. C'est trop loin pour avoir de l'importance. Le Nevada.

La suite prit du temps. Fallon dut montrer à Will précisément où se situait sa cible sur la carte, déterminer comment ils transporteraient le matériel informatique, les armes et les autres fournitures.

Et elle n'avait plus qu'à espérer que le remontant de sa mère empêche des réactions trop extrêmes chez Arlys et Chuck.

— Tu es sûr que c'est vide ? la pressa Simon. Pas de rescapés à l'intérieur ? De militaires ? Pas de piège ?

— J'y suis allée, en passant par le cristal et autrement. C'est vide depuis des années. Quelques ossements, ajouta-t-elle avec un regard pour les deux accompagnateurs. J'aurais dû vous prévenir.

— Nous avons vu des ossements avant, ne t'en fais pas, lui assura Arlys avant d'embrasser Will, brièvement, avec force. Je reviens avec le scoop du millénaire.

— Donnez-vous les mains, ordonna Fallon. Respirez bien. Ça va être rapide.

En regardant Duncan et Tonia, elle se téléporta.

— Tout va bien se passer pour eux, dit Hannah en enlaçant l'épaule de sa mère, puis celle de Lana. Très bien.

— Et paf ! Téléportation, Scotty[1] ! (Légèrement titubant, Chuck essayait de reprendre son souffle. Il aurait pu jurer que ses yeux tressautaient dans leurs orbites.) Ça va, poulette ?

— Je suis entièrement là ? réagit Arlys en sentant le sol bouger sous ses pieds comme un bateau en haute mer. Je me sens entièrement là.

— En chair et en os. Sacré voyage, les enfants. Sacré voyage. Ooooh, viens donc voir papa !

Chuck se précipita sur l'informatique.

— J'ai fait exprès de nous amener d'abord ici, dit Fallon. Il pourra nous dire ce qu'il veut emporter.

— Je peux tout avoir ? Allez, allez, dites oui !

— Seulement les pièces essentielles.

— Il faut que je garde trace de ça, dit Arlys en allumant sa caméra. Qu'y a-t-il d'autre ici ?

— C'est une espèce de fabrique, expliqua Fallon. Qui sert à stocker, tester, entretenir des armes. Il y a des fournitures, rations de combat, uniformes, médicaments, même si la plupart sont sûrement périmés. Mais il y a du matériel médical qu'ils seront sûrement contents d'avoir à la clinique. Les têtes nucléaires d'abord. Chuck, tu peux travailler là ?

— Je m'en occupe.

— Les têtes nucléaires sont à plusieurs étages en dessous. Il y a un ascenseur. Arlys ne pourra pas encaisser une autre téléportation à si peu d'intervalle.

1. Référence à l'univers de *Star Trek.* (*N.d.T.*)

— Il y a du courant ? C'est vous qui éclairez, je reconnais la lumière magyque.

— Non, plus d'électricité depuis longtemps. Mais je peux faire fonctionner l'ascenseur.

Ils descendirent de quelques niveaux, dans ce qu'Arlys essayait de ne pas considérer comme une grande boîte en acier marchant à la sorcellerie.

Elle suivit Fallon qui, apparemment, savait exactement où elle allait dans ce labyrinthe. Arlys continuait de faire tourner la caméra et de commenter. Or elle s'arrêta en apercevant, à travers l'épaisseur du verre, les têtes nucléaires.

— Oh, mon Dieu.

— Tu peux les filmer, mais il faut que tu restes là. Et quand on entrera, tu arrêteras la caméra.

— D'accord.

— Je te dirai quand tu pourras la remettre en route.

— Bien.

— Il faut que tu coupes.

Avec Duncan et Tonia, Fallon se téléporta. Et le cœur au bord des lèvres, Arlys regarda les trois adolescents affronter la destruction.

Elle n'enregistra rien sur caméra. Elle enregistra dans sa tête.

Elle avait assisté à des cercles magyques auparavant, avait vu et senti le pouvoir qui pouvait s'en élever, à l'intérieur et autour. Mais celui-ci était plus puissant : même à travers la vitre épaisse, elle sentait les palpitations qui en émanaient, voyait l'air frémir. Les bougies s'allumèrent et il s'éleva des paroles qu'elle ne pouvait entendre.

Les trois adolescents lévitèrent comme une seule entité. Aux yeux d'Arlys, une beauté saisissante se dégageait de ce spectacle.

Un bleu très pâle, liquide, se déversa d'une tasse qui, on ne savait comment, était apparue dans l'air avant de s'évanouir. Une terre aussi légère que du sable tropical s'éparpilla, lancé par une main, puis disparut. Du vent tournoya, les trois personnes qui le levaient montaient sans fin. De la lumière brillait, de plus en plus éblouissante.

Quelque chose éclata, blanc et lumineux, frappa les yeux d'Arlys comme un laser, et elle attendit l'anéantissement.

Mais la couleur revint à un bleu très pâle.

Elle retint son souffle quand chaque sorcier sortit un poignard, s'entailla la main et laissa le sang couler. En se tenant les mains, ils redescendirent et levèrent haut leurs mains jointes…

Les têtes nucléaires miroitèrent, luisirent, se transformèrent en un verre transparent. À l'intérieur, elle vit que ce qui était dedans, la mort qu'elles portaient, était à présent morte elle-même.

Elle se rappela la citation d'Oppenheimer, qu'elle renversa.

Je suis devenue la mort de la mort, la sauveuse des mondes.

Les trois sorciers abaissèrent leurs mains avec un pouvoir qui ébranla le sol sous les pieds d'Arlys.

Le verre se brisa en des milliers d'éclats inoffensifs.

Fallon, les joues rosies par le pouvoir, les yeux brillants, fit un signe de tête à Arlys.

Les mains légèrement tremblantes, celle-ci remit la caméra en route.

Le lendemain, après une longue nuit, Arlys était avec Lana sur la terrasse d'une maison que Lana avait partagée avec Max, des années auparavant.

— Ça fait bien longtemps qu'on n'avait pas fait ça. (Alors que la longue journée suivant la longue nuit se dirigeait vers le soir, elle but sa première gorgée de vin.) Je sais, ça doit te paraître bizarre.

— Non, vraiment. J'espérais depuis le début que Will et toi, vous vous mettriez ensemble. Et voilà que vous élevez des enfants ensemble. Tant de choses ont changé, et tant sont restées les mêmes. Quelque chose qui n'a pas changé, ce sont tes instincts de journaliste. Difficile pour toi de ne pas publier cette histoire.

— *Une triade d'ados fait la nique au nucléaire.* Tout ce que j'ai vu, Lana, tout depuis ces premiers jours à New York ? Je n'ai rien vu de comparable. Et faire de la rétention d'information, oui, ça pique. Mais je comprends qu'il faille faire passer le bien de tous avant le droit de savoir du public. Fallon veut que les recrues arrivent ici, que les autres arrivent bien aux autres bases, avant que je ne raconte. Ça peut attendre quelques jours.

Elle but encore une gorgée de vin.

— Et même si ça m'a chiffonnée qu'ils nous aient jetés après leur premier coup, je comprends. Chuck et moi, on était un poids supplémentaire – sans parler de tout le matériel qu'ils ont rapporté.

— Ils ont refusé de me laisser y aller, les aider. Même après t'avoir ramenée. Même s'ils comprenaient que je me sentais complètement impuissante. Fallon insistait pour que ce soit seulement eux trois.

— Tu as dit qu'ils n'étaient pas revenus avant les premières lueurs de l'aube. Quelle nuit horrible pour toi et Katie…

— Simon et moi, on a fait semblant de ne pas s'inquiéter, et puis on a laissé tomber. On a fait les cent pas, on a prié. Et je dois dire qu'Hannah est un roc.

— Oui, elle l'a toujours été.

— J'imagine me reposer sur ce roc, et je suppose que Simon et moi, on va devoir s'habituer à faire les cent pas et prier.

— Voilà un changement. Nous sommes mères maintenant, nous devons supporter d'envoyer nos enfants à la guerre. Will et moi, on avait envisagé sérieusement de ne pas avoir d'enfants. Nous sommes réalistes. New Hope est une belle communauté, mais ce n'est pas représentatif du monde, et il était évident que nous devrions lutter pour préserver cette communauté, et finalement le monde. Est-ce qu'on voulait amener des enfants là-dedans ? Mais après… Si on ne peut pas avoir d'espoir dans une ville qui en porte le nom, où pourrait-on ?

— Tu as de très beaux enfants.

— C'est vrai. Toi aussi, répondit Arlys en prenant la main de Lana. Simon est absolument génial. Je voulais dire ça ici, sur la terrasse qui était celle où tu vivais avec Max. Je vois tout l'amour que tu as pour lui, mais surtout combien il t'aime, il aime les garçons et Fallon.

— Il est venu avec moi tôt ce matin voir l'arbre-souvenir, l'étoile de Max. C'est un homme tellement bien, Arlys.

— Je sais. Donc j'espère que j'agis bien. (Arlys attrapa une clé USB dans sa poche.) Ces dernières semaines, j'ai beaucoup hésité à te la donner. C'est celle de Max.

— Le livre sur lequel il travaillait.

— Oui, plus une espèce de journal, avec des pensées en vrac et des notes. On a espéré te retrouver, et puis quand ça ne s'est pas fait, on a espéré que tu reviendrais ici, même si Starr nous avait transmis ton message par Flynn. Will et moi avons décidé de prendre cette maison, et j'ai trouvé ça. Je l'ai mise de côté, au cas où j'aurais un jour l'occasion de te la donner.

— Merci, ça représente tellement pour moi, dit Lana en refermant la main sur la clé. Tellement, Arlys. Je vais la donner à Fallon. Ça lui revient.

— J'avais peur que ça te rende triste.

— Non. Ça me rappelle que Max avait de l'espoir, lui aussi. Il s'était remis à écrire. Ça me rappelle ce qu'il a fait, ce que j'ai fait, pour protéger l'enfant que nous avions conçue. Et ce que Simon a fait pour la protéger, depuis le début. Ça me rappelle que renoncer n'est jamais envisageable.

Toutes les nuits, Fallon se téléporta avec Duncan et Antonia pour renouveler le sortilège ailleurs. La troisième nuit, ils voyagèrent dans toute la Russie, et la cinquième, en Asie.

Ils n'en parlèrent à personne.

Fallon mettait à jour les cartes et marquait les emplacements. Elle pensait qu'une fois éliminées les pires destructions imaginées par l'homme, ils pourraient passer à autre chose.

En journée, elle s'occupait d'organiser et de loger les recrues qui arrivaient. Elle découvrit que Katie était inestimable par sa capacité à créer des listes, des tableaux, à organiser des données, et par sa chaleur innée pour accueillir des inconnus.

— Ils doivent commencer l'entraînement.

Assise à une table de pique-nique devant les baraquements, Katie travaillait sur un ordinateur portable. Autour, beaucoup de monde passait, des enfants jouaient avec des chiens, dont Jem et Scout.

— Ils doivent commencer, insista Fallon. Il leur faut un cadre, de la discipline.

— Oui, je sais, répondit Katie en continuant de travailler sans détacher les yeux de l'écran. Mais pour l'instant, ce ne sont pas des soldats, pour la plupart en tout cas. Ils s'habituent à un nouvel endroit. Et on essaie de leur fournir des logements corrects, des provisions. Rachel et son équipe n'ont pas terminé les bilans médicaux. Nous avons plus de quatre cents personnes sur les huit cents et quelques que tu attends.

— Je sais ce que vous avez tous fait et ce que vous faites.

Mais la tempête arrive, pensa Fallon. Un gros grain noir, bientôt. Pourtant, le cristal ne s'éclaircissait pas, refusait de lui montrer.

Elle s'assit et attendit que Katie la regarde.

— Avec les données que tu as rassemblées, je sais combien nous avons de personnes formées à soigner, combien sont dotées de compétences spécifiques, combien ont de l'expérience du combat, combien ont une famille.

Katie s'arrêta de taper pour montrer qu'elle écoutait.

— Tu disposais déjà de la plupart de ces renseignements.

— Mais pas de tous, et pas aussi détaillés. Les gens te parlent. Ils ne te disent pas juste qu'ils ont été internes en chirurgie, ils te racontent aussi qu'ils aimaient jardiner ou peindre, que leur enfant montre des aptitudes pour le bâtiment. Ils te détaillent leurs espoirs et leurs peurs. Grâce à toi, j'apprends à voir le tableau dans son intégralité, et pas seulement les morceaux dont j'ai besoin pour compléter le tout.

— Ils ont besoin de s'entraîner.

— Il faut commencer. J'ai demandé à mon père de s'occuper de cette base. Il a l'expérience. Il aura besoin d'aide, d'autres formateurs, décideurs, meneurs.

— Poe, suggéra aussitôt Katie.

Fallon sourit.

— Je suis d'accord.

— Je sais que tu avais mentionné Maggie, et c'est un bon choix. Il y a Deborah Harniss. Elle était JAG, juge-avocate générale dans les marines. Elle est métamorphe et je crois qu'elle accepterait de travailler à l'une des autres bases.

— Je ne la connais pas, mais si c'est toi qui la recommandes, je voudrais lui proposer.

— Je lui dirai de venir te voir.

— Il nous faut deux cuisiniers, un intendant, un responsable des communications. D'après ta liste et la mienne, nous en aurions parmi les recrues.

— Et avoir des gens de l'intérieur et de l'extérieur aide à se mélanger, à s'investir.

Décidément, c'était utile de collaborer avec quelqu'un qui s'y connaissait en relations humaines, songea Fallon.

— À propos de s'intégrer, j'aimerais que certaines recrues, déjà un peu expérimentées, se joignent aux missions approvisionnement et reconnaissance. Et à la chasse.

— Donne-moi des noms pour chaque catégorie et on les intégrera à la rotation. (Katie secoua la tête.) Je voudrais que rien de tout ça ne soit nécessaire, parce que je me souviens d'un temps où ça ne l'était pas. Toi, tu ne peux pas et mes enfants non plus. Alors je vais faire tout ce qui est en mon pouvoir pour que nous allions vers un temps où ça ne sera plus nécessaire. Ce n'est pas ce que vous faites toutes les nuits, avec Duncan et Tonia ? Non, ils ne m'en ont pas parlé, précisa-t-elle en voyant le visage de Fallon se fermer. Je sais qu'ils partent, je sais qu'ils sont épuisés et affamés tous les matins. Et tes parents sont au courant aussi. Ils se sentent sûrement comme moi, frustrés qu'aucun de vous ne nous fasse assez confiance pour nous en parler.

— Ce n'est pas ça. Oh, je suis vraiment nulle là-dessus. Ce n'est pas une question de confiance. On sait que vous vous inquiéteriez.

— Et vous vous imaginez qu'en restant dans le noir on ne se fait pas de souci ?

— Je suis vraiment nulle pour ça, répéta Fallon. Je suis désolée. Oui, on a poursuivi ce qu'on avait commencé la nuit où on a emmené Arlys et Chuck. On a amassé du matériel. On devrait avoir fini d'ici une semaine, dix jours. Pour éliminer les ICBM, il n'y a pas besoin d'autant de pouvoir, mais…

— ICBM…, soupira Katie.

— Missiles balistiques intercontinentaux.

— Tu sais, je crois que je n'ai jamais su ce que voulait dire le sigle. Je vais faire comme font les mamans, et te donner un conseil très direct : parles-en à tes parents.

— D'accord. Je suis désolée.

— J'accepte tes excuses à une condition : reposez-vous cette nuit. Vous avez besoin de recharger les batteries, tous les trois. Je connais mes enfants, et je le vois chez toi aussi. Vous tournez quasiment à vide. Il faut que vous fassiez une pause.

Fallon aurait voulu avancer, avancer jusqu'à ce que ce soit fini. Tout lui semblait si urgent. Mais elle voyait la logique.

— On va laisser tomber cette nuit.

— Bien. Alors tu es pardonnée.

Avec Simon et Lana, ce ne fut pas aussi rapide ni aussi facile. Fallon voulait leur parler à tous les deux en même temps, mais sans les garçons. Cela dit, maintenant qu'elle y réfléchissait, Travis avait dû sentir ce qu'ils faisaient.

Elle dut attendre après le dîner, après les corvées, après qu'Ethan, tout content, fut parti dormir chez son nouveau meilleur copain Max.

Elle y alla lentement, discutant d'abord des personnes choisies pour travailler avec Simon, des suggestions pour les autres bases, du fait que sa mère pourrait superviser les cuisiniers et les repas aux baraquements pour le début.

Elle repoussait l'échéance, honteuse de ne pas avoir voulu voir l'inquiétude dans les yeux de ses parents.

— Je voudrais commencer en vous présentant mes excuses. Je suis désolée de ne pas vous avoir dit ce que je faisais avec Duncan et Tonia. C'est ma faute, entièrement, parce que j'ai décidé qu'on devait garder cette mission secrète.

— Tu mets beaucoup d'angoisse sur les épaules de ta mère, Fallon.

— Je sais. Et j'en ai ajouté en me persuadant que je faisais l'inverse. Mais…

— Ne te justifie pas, l'interrompit Lana. Tu aggraves ton cas. Je sais ce que tu représentes pour le monde, et une partie de ce que tu affronteras, depuis avant ta naissance. Ton père aussi. Nous t'avons élevée, malgré toutes les difficultés, pour que tu sois forte, capable de prendre la fameuse épée. Nous tromper, nous cacher ce que tu fais, c'est nous rabaisser. Nous rabaisser.

Aïe, elle était vraiment nulle. Elle allait s'améliorer.

— Maman, il n'y a personne au monde dont j'aie besoin plus que de vous deux, personne à qui je fasse plus confiance, personne que j'aime plus. Je vais faire des erreurs, et je sais que quand j'en commettrai, elles pourront avoir des conséquences désastreuses. Ça me terrifie plus que tout. J'aurais dû vous en parler, c'est une question de respect. Je ne referai pas cette erreur-là.

Elle ressentit un frisson glacé lui parcourir l'échine et s'étonna.

— Qu'est-ce qu'il y a ? demanda Lana.

— Je ne sais pas. Sans doute la culpabilité, mais…

Elle leva les yeux, ne vit rien d'autre que les étoiles et la lune.

— Tu es peut-être un peu à bout, suggéra Simon. Garder ce secret, te balader dans tout le pays pour changer des bombes en verre pilé… Quoi, où est-ce que je me plante ?

— En fait, on a alterné entre des sites aux États-Unis et en Russie, en Asie, en Europe…

— Vous êtes allés en Russie ?

Simon ne put s'empêcher de sourire. La réaction de Lana ne fut pas la même.

— Vous avez flashé en Russie ? Mais, Fallon, c'est pas possible. Et si vous aviez perdu le lien dans le trajet, que vous étiez tombés en pleine mer ? Et si… Et voilà pourquoi tu ne nous as rien dit. C'est exactement pour cette raison.

Elle ferma les yeux et inspira longuement.

— C'était une erreur, et j'essaierai de ne pas la refaire.

Mais elle sentit ce frisson une deuxième fois, et quelque chose qui poussait pour entrer, pour ouvrir, qui lui comprimait le cœur, lui tordait le ventre.

— Tu sens ça ?

— De quoi tu parles ?

Lana tendit la main vers elle, or elle bondit de son fauteuil sur la terrasse.

— Il y a quelque chose qui arrive.

Fallon entendit un bruit de moteur et vit des phares. Elle posa la main sur la garde de son épée, puis se détendit de nouveau.

— La moto de Duncan. C'est Tonia qui est dessus.

Elle attendit.

Il s'était passé quelque chose. Il se passait quelque chose. Quelque chose arrivait, était là.

Tonia coupa le moteur.

— Bonjour. Euh…

Elle descendit de la moto et vint au bas de la terrasse.

— Bon, Duncan vous a déjà parlé.

— Duncan ? répéta Fallon.

— Oui, je l'ai vu aux baraquements, dit Simon.

— Et il est passé me voir à la cuisine communautaire, ajouta Lana. J'ai eu droit à des fleurs. Assieds-toi, Antonia.

— Quel fayot, alors, fit Tonia avec un faible sourire. Je n'ai pas de fleurs, mais je suis tout aussi désolée que lui. Toutes mes excuses, sincèrement.

— C'est ma faute, dit aussitôt Fallon. Je vous ai imposé le secret.

— Imposé, tu parles, fit Tonia en montant les marches du perron. On était d'accord avec toi, et tu le sais. On est tous en tort. N'essaie pas de minimiser mes excuses.

— On repart à zéro, conclut Simon, dont le sourire sympathique s'effaça quand il vit l'expression de Fallon. Ça va, ma puce ?

— Vous sentez ? Vous entendez ? Des corbeaux, des ailes qui tranchent. Les fruits et les fleurs. Les ténèbres sous le masque de l'innocence. Le sang du sang, les os des os. Vous le sentez ?

— Ah, ça y est, dit Tonia, la main sur le bras de Fallon, en pâlissant comme la lune. Je sens, maintenant. Oh, non, Duncan !

Elles se téléportèrent ensemble.

— C'est quoi, ce bordel ? s'exclama Simon.

— Quelque chose approche.

Il prit la main de Lana.

— Ne t'imagine même pas partir sans moi. J'attrape juste des armes.

— Dépêche.

Elle courut à l'intérieur et cria pour avertir Colin. Elle monta l'escalier pour récupérer le poignard qu'elle avait emporté de New Hope.

Colin sortit de sa chambre, l'épée à la main.

— Va chercher Travis.

— Je suis là, qu'est-ce qu'il y a ?

— Je ne sais pas. Allez voir Fred, prévenez-la que quelque chose arrive sur nous. Sur New Hope. Dites à Eddie de venir, de rameuter tout le monde qu'il peut. (Lana se retourna vers Colin et le prit par les épaules.) Reste avec les enfants.

— Maman…

— Reste avec eux, obéis-moi. Écoute. Si ça nous frappe… Protège les enfants, Colin.

— Je les protégerai. (Il regarda Travis.) On les protégera.

— Je vous aime. (Elle fila en bas et prit Simon par la main.) Je vous aime, répéta-t-elle avant de disparaître.

25

Comme c'était nuit de relâche avant de s'attaquer aux points suivants sur la liste de Fallon, Duncan se promenait dans le parc. Certains de ses amis avaient parlé de traîner ensemble, d'écouter de la musique.

Il n'avait pas eu beaucoup d'occasions de s'adonner à l'une ou l'autre de ces activités, ni même de penser à voir sa copine du moment, Carlee Jentz. Le problème, il le reconnaissait, c'est qu'elle ne lui manquait pas spécialement. Ils étaient restés ensemble en août, en septembre, mais maintenant qu'octobre arrivait…

Il l'aimait bien. Vraiment bien. C'était exactement le genre de fille avec qui il aimait fricoter.

Jolies courbes, cool, pas compliquée.

Il avait besoin de se détendre. Auprès de Fallon, il était trop à cran, à tout point de vue.

Il l'aimait bien aussi, et ils faisaient du sacrément bon boulot ensemble. Il respectait sa façon d'aborder le travail. Éliminer les bombes, construire une armée. Il admirait son maniement de l'épée. Il l'avait observée une nuit, avant qu'ils se retrouvent pour la mission. Assis sur le toit du baraquement pour prendre le frais, il l'avait vue arriver, épée à la main.

Elle avait fait apparaître trois adversaires, qu'elle avait affrontés en même temps. Et vaincus.

Il était impatient de se mesurer à elle un de ces jours.

Mais il fallait l'admettre : elle n'avait pas de courbes, n'était pas particulièrement cool, et se révélait très compliquée.

Il ne voyait pas pourquoi il voulait la toucher, bien plus que Carlee ou que toute autre fille.

C'était peut-être un lien dû au pouvoir, ou au sang. Ou c'était parce qu'elle ne ressemblait à personne d'autre. Quelle qu'en soit la raison, penser à Fallon, et penser à elle de cette façon, l'agaçait prodigieusement.

Il allait donc cesser de penser à elle de cette façon, et pour la soirée, arrêter de penser à elle tout court. Il allait traîner au parc, écouter de la musique et regarder Denzel assurer à la guitare.

Denzel maniait la guitare – ou le banjo, ou même le violon – comme s'il était né avec un instrument entre les mains, de la même façon qu'il était doué avec un ballon, n'importe quel type de ballon. Il se débrouillait bien mieux dans tous ces domaines qu'avec une arme.

Duncan décida de passer plus de temps avec lui pour qu'il améliore sa technique à l'épée, qui laissait largement à désirer, et aussi le convaincre de consacrer ses talents à autre chose. Il ne serait jamais un guerrier.

Il pourrait peut-être mettre Petra sur le coup, puisque Denzel était complètement fou d'elle et qu'elle semblait bien accrochée à lui.

Comme s'il l'avait fait apparaître par la pensée, Petra l'appela. Souriante, elle venait à sa rencontre, une boîte à la main.

— Tu vas au parc ? demanda-t-il.

— Oui, je retrouve Denzel. Tonia va venir ?

— Elle arrive. Elle avait un truc à faire avant.

— Je ne l'ai presque pas vue, ces derniers temps.

— Il se passe beaucoup de trucs en ce moment.

— Je sais bien. Avec tous les gens qui arrivent… En tout cas, j'espère qu'Hannah sera là aussi.

Elle avait accroché avec ses sœurs dès le début.

— Elle est déjà là, je crois. Stalwick apporte son clavier, et ils sont pas mal ensemble, dernièrement.

— Ah, il est très doué ! J'aime beaucoup la musique. Et la nuit est belle, non ? Fraîche mais pas froide, toutes ces étoiles, la lune. C'est parfait.

— Ouais. (Pourtant, il sentait quelque chose, un frisson, un piège. Relevant les yeux, il s'attendait presque à voir des nuages cacher les astres.) Il n'y a rien comme la musique en extérieur, et ça ne va plus durer longtemps.

— Je les entends. Ils ont commencé. J'ai une tête normale ? (Elle s'arrêta pour se recoiffer, comme le faisaient les filles.) Mina est contre les miroirs à l'appartement, donc j'en ai seulement un petit dans ma chambre.

— Oui, tu es bien.

Rayonnante, elle faillit renverser la boîte.

— Qu'est-ce que tu as là ? Ça sent bon.

— Normal. Ce sont des cupcakes. J'ai travaillé à la cuisine communautaire aujourd'hui et j'ai reçu la permission d'en préparer pour nous ce soir.

— J'y suis allé dans la journée. Tu n'étais pas là.

— Tu as dû passer pendant une de mes pauses. Tiens, goûtes-en un. J'espère que je les ai réussis.

— Ils ont l'air réussis. (Il regarda les spirales ascendantes de glaçage blanc, parsemées de couleurs.) Très classe. Ils sont à quoi ?

— Je crois que ça vient d'une recette de Mme Swift. De la génoise avec un fourrage framboise et une crème fouettée par-dessus avec des violettes sauvages pour décorer.

Duncan releva les yeux vers ceux de Petra. Grands, innocents, bleus. Son sourire timide et plein d'espoir.

— Des fruits et des fleurs, dit-il.

— Voilà. J'espère qu'ils ont aussi bon goût qu'ils en ont l'air.

Elle lui tendit la boîte, souriante, avec les lumières des fées du parc et des jardins qui scintillaient derrière elle, la musique qui emplissait l'air. Avec la lune, blanche et pleine, qui donnait sur elle.

Duncan prit la boîte et, une fraction de seconde, entrevit la lueur ténébreuse dans son regard.

Gardant les yeux sur Petra, Duncan retourna la boîte. Les jolis cupcakes tombèrent au sol, laissant échapper une substance noirâtre huileuse, et les pétales de violettes se transformèrent en minuscules serpents menaçants.

Petra rit.

— Oh, regarde un peu ce que tu as fait !

— Hé, Dunc ! T'essaies de t'approprier ma copine ?

Au son de la voix de Denzel, son sang ne fit qu'un tour.

— Ne t'approche pas ! Fais partir tout le monde !

— Qu'est-ce que tu racontes, mec ?

Au deuxième rire de Petra, Duncan frappa.

Elle réagit vite, plus vite qu'il ne s'y était préparé. En une seconde, elle avait Denzel en bouclier devant elle et pressait une fine lame noire sur son cœur.

— Je peux pas bouger, articula Denzel avec peine. Dunc, peux pas bouger. Petra ?

— Lâche-le. Il ne t'intéresse pas.

— Mais toi, si, et ça me suffit. Évidemment, si tu avais craqué sur moi, comme prévu, je n'aurais pas eu à le supporter. Je n'étais pas assez jolie pour toi, *Dunc* ? Pas assez mignonne ? Pas assez vulnérable ?

— C'est parce que je ne me suis pas intéressé à toi ?

— Oh, arrête. Tu n'es qu'un moyen pour parvenir à une fin. Toi et tes cruches de sœurs.

La musique résonnait toujours, les jeunes chantaient. Avait-elle dressé une espèce de barrière, ou était-il simplement trop loin ?

Comment pouvait-il utiliser cela à son avantage ?

— Alors tu manigances ça depuis le début. Mais pas à cause de la secte. Tu fais de la magye noire. Ça empeste. (Espérant la garder focalisée sur lui, Duncan agita les doigts, envoya de la lumière pour réduire en cendres les serpents qui rampaient et le poison qui suintait.) Ouais, c'est bien l'odeur. Donc ce n'est pas la secte.

— Un autre moyen pour une fin. J'ai passé presque deux semaines dans cette porcherie.

— Deux semaines ?

— Ton pouvoir est si pâlot et faiblard que tu ne sais pas créer une illusion de l'esprit ? Tous ceux de la secte ayant survécu à l'attaque jureraient que j'étais avec eux depuis presque deux ans. Même deux semaines, c'était répugnant. Bien sûr, je m'octroyais de petites récréations, je m'amusais un peu. L'homme que tu as vu brûler – joli feu de joie, d'ailleurs ! – pensait qu'il était mon père parce que je le lui avais fait croire. Et je me suis débrouillée pour que votre lamentable groupe de sauvetage attaque en même temps que les Guerriers de la Pureté, cette nuit-là.

— On a trop bu, fit Denzel, dont la tête dodelinait. On s'est envoyé combien de bières, mec ?

Dans le parc, quelqu'un cria, un autre hurla. La musique s'arrêta. D'un geste de la main, Petra renvoya les gens en arrière dans un grand souffle de vent.

— Duncan, balbutia Denzel, les yeux dans le vague. Trop de bière. Faut rentrer, mec.

— Je déteste qu'on m'interrompe ! (D'une pichenette, Petra souda les lèvres de Denzel l'une à l'autre.) Pas toi ? Et je garde tout ça en moi depuis si longtemps.

Il pourrait arranger ça, guérir Denzel une fois qu'il l'aurait sauvé de ses griffes. Mais aucune de ses tentatives n'atteignait cette fine lame noire.

— Le sauvetage, c'était un piège pour t'introduire dans New Hope. Et tu as organisé l'embuscade aussi.

— Tu n'es pas complètement idiot.

— Ça n'a pas marché.

— Ah bon ? fit-elle en accentuant son sourire.

Mais si, comprit-il. Bien sûr que ça avait fonctionné.

— Fallon. Tu voulais attirer l'Élue.

— Pas complètement idiot, donc. Et ça lui a pris du temps, d'arriver. J'ai dû vivre avec cette conne de grenouille de bénitier tout ce temps, courir après une bande de chiards. C'est terminé, et la conne aussi. Je n'ai pas eu le temps d'achever le gamin. J'avais des cupcakes à livrer. Oh, et j'ai juste fait un petit détour. Carlee ne viendra pas s'amuser ce soir. Ni jamais.

Il reçut cette information comme un coup de poing dans le ventre.

— Pourquoi ?

— Tu la préférais à moi.

Elle leva la main. Les nuages que Duncan avait imaginés quelques minutes plus tôt s'amassèrent devant les étoiles, masquèrent la lune.

Des corbeaux arrivèrent en hurlant.

Denzel gémit.

— Oh, qu'il me lasse, celui-là !

D'un petit geste de la main, Petra lui rompit le cou et Denzel s'affaissa à terre, inerte.

Avec un cri de rage et de chagrin, Duncan s'élança en avant, l'épée en main.

Petra leva les bras et monta haut, portée par des ailes. L'une noire, l'autre blanche, comme ses cheveux, noirs comme la nuit d'un côté, blancs comme la lune de l'autre.

— Tu l'as sentie arriver ? cria-t-elle en lançant du feu et du pouvoir sur Duncan. Tu as senti la tempête arriver ?

Il détourna ses armes et son pouvoir grâce à son épée. Fallon et Tonia apparurent à côté de lui.

— C'est moi, la tempête ! cria Fallon en lançant ses propres flammes.

Petra rentra ses ailes, plongea dessous, puis remonta.

— Enfin ! Bonsoir, cousine.

Des éclairs noirs déchirèrent le ciel et frappèrent le sol. L'herbe verte d'été s'embrasa et le tourbillon de vent envoya le feu vers l'aire de jeux, les jardins, l'arbre du souvenir.

Au moment où le kiosque explosa en flammes gigantesques, projetant des éclats de bois en tous sens, Fallon fit tomber la pluie. La fumée s'éleva en volutes du brasier et embruma l'air.

— Vous me gâchez mon plaisir ! s'exclama Petra en détournant un trio de flèches envoyées par Tonia. Maman ! Ils font rien que m'embêter !

Soudain, Allegra apparut, ses cheveux clairs flottant derrière elle, ses ailes blanches déployées.

— Voilà, voilà, ma belle.

Avec un rire, elle caressa la joue de sa fille.

— On peut les tuer, maintenant ? On peut ?

— Bien sûr, trésor. Mais d'abord, nous voulons qu'ils souffrent, pas vrai ? De leur souffrance, de leurs cris, nous nous nourrissons.

Allegra intercepta la flèche visant son cœur et la lança vers l'envoyeuse. Tonia esquiva le projectile, or la force du pouvoir la renversa.

Avec un rire ravi, Petra expédia des boules de feu sur Tonia, à terre et sonnée. Duncan bondit pour protéger sa sœur, renvoyant les boules de son épée, sans tenir compte de la brûlure atroce quand l'une lui effleura le flanc.

— Je vais bien, souffla Tonia en se relevant avec un geste pour essuyer le sang sur sa bouche et son nez. Ça m'a juste réveillée. Je ne suis qu'une distraction. Fallon.

L'Élue était maintenant seule, le visage levé, l'épée dans son fourreau.

— Tu sens leur douleur, la morveuse ?

— Oui. Et je vois sous ton masque. Ta beauté est factice.

Elle plongea dans les yeux d'Allegra, imprégna son regard de pouvoir.

Et vit la belle crinière flottante se transformer en cheveux épars qui montraient la cicatrice sur son crâne, les yeux d'un bleu cristallin devenir tombants, les joues s'affaisser. Les ailes d'un blanc pur noircirent.

Folle de rage, Allegra envoya sans retenue des éclairs, des flammes et du vent. Fallon voyait les larmes d'humiliation couler de ses yeux ravagés.

— C'est mon père qui t'a fait ça ! cria-t-elle. Et ma mère. Ainsi, ton visage révèle maintenant ton cœur, laid et tordu. Mais je t'anéantirai !

— Derrière toi ! lui cria Duncan, qui enflamma son épée et détourna l'attaque.

— Je sais, murmura Fallon, qui se retourna pour faire face à Eric.

Elle l'attendait. Avant même son premier souffle, elle l'attendait déjà.

Elle tira son épée et frappa, trancha les bords de son aile gauche. Le choc fit retomber Eric au sol, avec une force comparable au tonnerre qui retentissait au-dessus d'eux.

— Retenez les deux autres, demanda Fallon à ses alliés.

Elle voulait voir le vrai visage de l'assassin. La soif de vengeance, irrépressible, l'animait.

— Tu as pris sa vie, la vie de ton frère, pour le pouvoir et l'avidité. Je vais prendre la tienne !

Eric s'échappa avant qu'elle ne frappe, s'éleva dans les airs pour aller retrouver Allegra, qui le couvrit d'une aile.

Fallon découvrit le vrai visage de son oncle. Comme de la viande crue, un œil en moins, les lèvres écorchées et déformées par les cicatrices.

Elle entendit d'autres personnes arriver en courant. Des cris s'élevèrent quand Petra, sifflant comme un serpent, envoya des flammes et des flèches noires acérées.

Lorsque Lana et Simon apparurent à quelques pas, Fallon sentit son cœur s'emballer.

— Partez ! Éloignez-vous de tout ça !

Dans le chaos de fumée et de flammes, de magyes qui se heurtaient, de coups de feu et d'appels à l'aide, elle pivota devant ses parents.

— C'est toi qui m'as fait ça ! cria Allegra à Lana depuis les airs.

— Oui, et je peux le refaire.

— Pas encore, pas encore. (Fallon voyait la brume rouge de pouvoir effréné, voyait les cheveux de sa mère flotter dans sa propre tempête.) Attends. Taibhse ! *Ionsaí !*

Le hibou surgit du ciel, strie blanche traversant le noir. De ses serres et de son bec, il s'attaqua au vol de corbeaux, envoyant des corps déchiquetés au sol.

— Faol Ban ! *Garda !*

Le loup fendit la fumée, les crocs étincelants, pour se poster devant Lana et Simon.

— Laoch ! *Eitilt !*

Dans la brume, il galopa vers elle et elle lança son épée vers le ciel en ébullition avant de bondir sur l'alicorne qui s'envolait.

— Pas seule. (Lana dirigea sa fureur à peine contenue vers Allegra.) Duncan, va avec elle. Je peux aider depuis en bas. S'il te plaît.

— Tonia, c'est bon ?

— Oui, dit-elle en levant son arc. Ça va aller. Des flèches ! cria-t-elle. Il me faut plus de flèches !

Faisant confiance à sa jumelle, espérant vraiment qu'il pouvait atteindre une cible mouvante, Duncan se téléporta. Il alla presque trop loin, au moment où Fallon dirigeait le cheval sur la gauche, et il la heurta dans le dos.

— Bordel de merde ! cria-elle.

— Désolé. C'est la faute de ta mère. Tu verras ça plus tard avec elle. Tu veux la peau de ton oncle, on va le choper. Mais Petra, elle est pour moi, tu entends ? Pour moi.

Le désir de vengeance. Elle le sentit couver en lui comme en elle. Était-ce quelque chose qui fortifiait ou affaiblissait ?

Sur le dos de Laoch, ils traversèrent une pluie de feu, des lances tranchantes de pouvoir, une chaleur qui rendait l'air suffocant. Fallon para des attaques avec son bouclier, les dévia avec son épée. Et aurait été gravement touchée si Duncan n'avait pas fait valser un carreau d'arbalète.

Ils arrivèrent au bord de la fureur de Lana, et Duncan souffla devant le pan de ciel envahi d'un voile rouge aux contours dentelés.

— Merde. File, file !

Or la fureur se déplaça.

— C'est le pouvoir de ma mère.

— Et ça fait mal quand même ! Rapproche-toi.

— Je sais ce que je fais.

Ils tournaient autour des trois sorciers, fracassant leurs pouvoirs contre les leurs. Les tourbillons volaient, ainsi que des flammes tournoyantes auxquelles Fallon opposait des blocs de glace et des averses.

Et Fallon sentit son esprit se dégager de sa propre fureur, juste assez pour voir.

Les deux parents entouraient Petra. La protégeaient. Prenaient des coups pour elle.

Ils l'aimaient.

— Tu peux parler à Tonia, par télépathie ?

— Un petit peu, des fois. Pas comme les elfes. Faut qu'on les éloigne du parc, de la ville.

— Non. Appelle Tonia, maintenant. Avec moi, j'ai du sang elfe. Dis-lui de tout concentrer sur Petra. Tout ce qu'elle peut. Sur Petra.

Duncan peina à s'ouvrir, sentit un éclair noir éclater à quelques centimètres de son visage. La sueur lui dégoulinait entre les yeux, il avait le flanc qui palpitait de douleur, mais il sentit le lien.

Il vit Tonia regarder en l'air tout en encochant une autre flèche. Et, horreur, Hannah, sur l'herbe qui brûlait encore un peu, protéger l'un des blessés de son corps.

— Sur Petra, lui répéta Fallon. Tout le monde ! Tout !

Le déluge fut violent. Des flèches rougeoyantes, des flammes issues de coups d'épée, des balles. Et les poussées de la lumière contre les ténèbres, qui agitaient le ciel et la terre.

Ils la protégèrent de ce déchaînement, perdant la force de l'attaque au profit de la défense. Bloquant projectiles et attaques magyques, paniqués, pendant que Petra, elle, riait aux éclats.

Elle n'avait pas seulement le cœur abîmé, songea Fallon avec sang-froid, mais l'esprit aussi.

— Hé, cousine ! lança Fallon d'une voix provocatrice. Tu ne veux pas jouer, je vois que tu te caches derrière papa-maman !

Allegra envoya un carreau qui se planta dans le bouclier de Fallon avec assez de force pour que le choc vibre jusqu'à son épaule.

— T'es juste timide, peut-être ? cria Fallon en cognant sur son bouclier pour renvoyer le carreau.

Comprenant son manège, Duncan s'exclama sur un ton méprisant :

— Elle vaut pas le coup. C'est une petite trouillarde. Elle a une tête bizarre, en plus. Allez, on termine et on va se prendre une bière.

— Je vais vous tuer tous les deux !

Le visage déformé par la colère, Petra quitta les ailes de sa mère. Elle envoya flammes, éclairs, pouvoir déchaîné par ses yeux – l'un bleu, l'autre noir – ivres de fureur.

Fallon para sans relâche.

— Attends encore, ordonna-t-elle à Duncan.

Et quand elle leva son épée et envoya de la lumière aussi brillante que l'alicorne qui chargeait, Eric hurla.

Il s'élança dans une bourrasque, écarta sa fille et reçut la lame de lumière.

Le coup porté par Fallon lui coupa l'aile et lui calcina le torse jusqu'au ventre.

Il tomba, et dans le cri d'Allegra qui déchirait l'air, elle fit plonger Laoch.

— Maintenant, maman !

Elle vit le pouvoir sans retenue de sa mère, le vieux chagrin mêlé au récent, l'amour lié irrémédiablement à l'amour. La brume rouge tournoya. Allegra referma ses bras autour de Petra et s'envola haut dans les airs tandis que le pouvoir mortel fondait sur elle et la griffait.

Mère des Ténèbres, pensa Fallon, et mère de Lumière.

— Arrête, maman, arrête ; aide-moi à éclaircir l'air. Duncan ! Je dois voir !

— Elles sont parties.

Malgré tout, elle poussa Laoch à remonter pour chercher.

— Tu es blessé ? demanda-t-elle à Duncan tout en scrutant le ciel, où on distinguait les premières étoiles à travers la brume qui se dissipait.

— Pas trop. Pas autant qu'eux. Faut qu'on descende.

Quand Eric était tombé au bout du champ de maïs, Simon avait laissé Lana. Il connaissait les bruits d'un champ de bataille, les cris des blessés, les appels à un médecin. Il en connaissait la puanteur, la fumée, le sang et la mort.

Tout comme il reconnaissait la mort quand il la voyait dans les yeux.

Eric, ou ce qu'il en restait, respirait toujours, mais son souffle était court et liquide. Aucun médecin, aucune magye ne le sauverait.

— T'es fini. Tu vivras peut-être assez longtemps pour que mes femmes, mes incroyables femmes, te disent ce qu'elles ont à te dire.

— Qui… (Eric siffla et cracha du sang.) Qui es-tu ?

— Je suis celui qui a amené l'Élue dans ce monde. Elle est venue dans mes mains.

L'arme pointée fermement sur lui, Simon lança un rapide coup d'œil à Fallon qui ramenait le cheval à terre, bondissait et courait vers eux.

Et puis il vit la sueur se mêler au sang sur le visage d'Eric, vit la main tremblante former une dague noire. Alors qu'Eric la soulevait pour la jeter sur Fallon, Simon lui tira une balle dans la tête.

— C'est pour Max Fallon, espèce de connard.

Essoufflée, Fallon baissa les yeux, vit la dague se dissoudre en une cendre boueuse, l'œil unique vitreux la fixer.

— Je voulais que ce soit moi qui le tue.

— Tu l'as fait.

Fallon secoua la tête, rengaina son épée et prit les mains de Simon.

— Non, c'est toi. (Elle prit aussi les mains de sa mère quand celle-ci arriva en courant.) C'est toi, ça devait être toi depuis le début. Tu n'as pas vengé mon père, parce que tu es mon père. Tu as vengé l'homme qu'Eric a trahi, le frère qu'il a tué.

— Tu es blessée.

Fallon se regarda. Des coupures, des brûlures.

— Pas vraiment, mais d'autres le sont. (Elle se tourna vers sa mère.) Je t'ai sous-estimée.

— Tu n'es pas la seule, l'appuya Simon.

— Je ne le ferai plus.

— Pareil.

— Tu vas aider les blessés, maman ?

— Oui, mais toi d'abord. Je suis ta mère, assena Lana quand Fallon fit mine de protester. Toi d'abord.

Pendant que sa mère la soignait, elle examina Eric et constata que la rage qui l'avait animée refluait, comme les brûlures sous les mains de sa mère.

— Il sera incinéré par des feux créés par sortilèges, et les cendres salées, puis emportées dans une terre stérile, pour être enterrées avec la tête d'un serpent, les griffes d'un chacal et une tête de corbeau.

Elle regarda Lana.

— Tu as encore atteint Allegra.

— Pas assez. Elles reviendront.

— Oui, mais cette fois-ci, on ne s'enfuit pas.

— Non, c'est fini. Allez, dit Lana en caressant la joue de Fallon. Il faut que les gens te voient. Je vais aider les soignants et ton père va s'occuper de ça.

Elle regarda le corps d'Eric.

— Oui, je vais le faire.

Quand Fallon s'éloigna, Lana vint contre Simon.

— Max est mort ici, juste là où est tombé Eric. L'épée de Fallon l'a envoyé ici, et tu l'as achevé. Juste là où Max avait essayé de l'arrêter. C'est important, je pense, que ç'ait été toi et Fallon.

— C'est fini, dit-il avec un baiser. Va aider à remettre les gens sur pied. Je vais chercher un ou deux gars pour m'aider à le déplacer un peu moins à couvert, et on le surveillera avant qu'on puisse faire ce que Fallon a prévu.

Fallon fut soulagée de voir des visages familiers en traversant ce qui s'était transformé, pour la deuxième fois, en champ de bataille. Elle discerna la sagesse chez Fred et d'autres fées qui remblayaient la terre là où elle était brûlée ou creusée, et chez des gens qui évacuaient les restes inutilisables du kiosque.

Certains pleuraient, et les larmes étaient toujours nécessaires après le sang, mais la plupart d'entre eux faisaient le nécessaire avec une détermination sombre.

Fallon arrêta Hannah.

— Tu peux me dire si c'est grave ? Des morts, des blessés ?

— Beaucoup de plaies et de brûlures, des gens choqués. Quelques blessures profondes. (Elle appuya les doigts sur ses yeux.) Starr en fait partie. Elle a pris un sale coup, mais elle refuse le traitement. Si on la touche, elle panique. Flynn essaie de la raisonner, mais il est blessé aussi. Et puis… Tonia.

Fallon agrippa la main d'Hannah.

— Grave ?

— Des brûlures au second et troisième degré, probablement une commotion cérébrale, traumatisme cervical. Je ne suis pas sûre. Maman l'a envoyée à la clinique. Elle n'a pas réussi à obliger Duncan, mais il est blessé aussi.

Fallon le chercha du regard. Il réconfortait une femme qui tenait son ami mort entre ses bras. Qui se balançait et chantait une mélopée funèbre. Hannah expliqua :

— Denzel… son fils. Je l'aimais. On l'aimait tous. Et Duncan a dit à Will d'aller voir Carlee et Mina et son petit garçon. Cette Petra… Elle a dit avoir tué Carlee et Mina. Je dois y aller, ils ont besoin de moi.

— Je vais venir à la clinique. Je peux aider. J'arrive.

Elle alla d'abord voir Duncan. Il ne la regarda pas, resta juste à consoler la mère en deuil, gardant les yeux sur le visage de son ami. Quand Fallon posa la main sur la blessure à son flanc, il se dégagea violemment.

— Laisse !

— Tu aideras mieux sans être blessé.

Sans l'écouter, elle posa de nouveau la main sur lui et fit glisser son pouvoir en lui. La blessure était vilaine, et plus profonde qu'elle ne l'avait cru. Elle dut serrer les dents en éprouvant le choc de la brûlure, les garda ainsi jusqu'au moment où la douleur s'atténua et où elle put de nouveau respirer librement.

— Rachel voudra t'examiner, suggéra-t-elle avant de se relever et de se rendre à la clinique.

Il y avait de très nombreux blessés, constata-t-elle en entrant. Certains étaient tassés sur des chaises, d'autres sur des brancards. Pleurs, gémissements, ou yeux dans le vague, chacun réagissait à sa manière.

Lana, les cheveux attachés, s'affairait avec d'autres soignants. Elle s'arrêta à côté d'une amie de Tonia. April, une fée, se souvint Fallon, qui tremblait sous une couverture, choquée.

— Ce n'est pas grave. Ils ont dit que je n'avais rien de grave. Tu sais où est Barkly ? J'étais avec lui.

— Je vais me renseigner, répondit Fallon. April, regarde-moi.

— C'est pas grave.

— Tu vas aller mieux.

Des coupures, des brûlures, le choc psychologique et physique dû à la foudre s'étant abattue à quelques pas seulement.

Fallon referma les petites plaies, apaisa le choc et guérit les brûlures.

— Ma mère doit me chercher et s'inquiéter. Et Barkly.

— Ta mère va te trouver. Dors, maintenant.

Fallon la plongea dans un sommeil léger et réparateur, puis partit plus loin.

Elle trouva Flynn dans une salle d'examen, Lupa à ses pieds. Il avait du sang sur le visage et le tee-shirt, des brûlures à vif aux deux mains, mais il continuait d'argumenter auprès de Starr.

— Tu dois les laisser t'aider. S'ils ne te touchent pas, ils ne peuvent pas t'aider. Tu les connais, Starr.

— Je connaissais Petra.

Il y avait en elle une violence due à la douleur, et un léger délire. Son corps tremblait à cause des brûlures qui lui couvraient les membres et suintaient ; Fallon le sentit, une infection s'installait déjà.

Sur son visage, du sang coulait d'une coupure.

Fallon ferma la porte derrière elle et s'approcha du brancard.

— Tu me connais. Je suis venue te demander pardon. J'ai envisagé que tu puisses être celle qui nous trahissait.

— Je sais. Me touche pas.

— Je me trompais. Je t'ai fait venir à la réunion pour savoir si certaines informations seraient transmises. Je t'ai tendu un piège et j'ai eu tort.

— Jamais je ne te trahirais.

— Je sais. Pardonne-moi. Montre-moi que tu me pardonnes en m'autorisant à t'aider. J'ai grand besoin de gens courageux et fidèles. Tu es les deux. Sans aide, tu mourras, et je perdrai une guerrière et une lumière. Flynn perdra une amie et une sœur. Regarde-moi, Starr.

— Si tu cherches à la mettre en transe, elle va résister, la prévint Flynn.

— Elle ne va pas me repousser, moi. Tu me vois, Starr ? Je te vois. Tu vois la lumière en moi, je vois la lumière en toi. Fie-toi à ce pour quoi tu t'es battue. Fais-moi confiance comme je te fais confiance.

Elle alla plus profondément.

— Flynn, va chercher un guérisseur puissant et dis-lui que les brûlures sont infectées. Il saura quoi rapporter. Où est Rachel ?

— En chirurgie.

— Ramène ma mère si tu peux, et trouve quelqu'un pour s'occuper de toi.

— Après Starr. Je vais chercher Lana.

Fallon se mit à l'ouvrage, et la douleur lui fit flageoler les jambes. Elle dut s'interrompre, puis recommencer à plusieurs reprises. Elle avait le pouvoir, mais son expérience demeurait limitée.

Pâle, transpirante, elle regarda sa mère entrer avec un plateau de fournitures magyques.

— C'est trop ! s'écria Lana sèchement. Moins fort, tout de suite.

— Je crois qu'elle est en train de mourir.

— Et ça ne t'aidera pas de mourir avec elle. Lentement, Fallon. Couche par couche.

Lana posa le plateau, fit passer des mains légères comme un nuage sur Starr.

— Il faut retirer le poison. L'athamé, la tasse et la poudre de guérison. Regarde comment faire.

Elle prit le couteau tendu par Fallon, incisa une brûlure suppurante et récupéra le liquide drainé dans la tasse. Elle continua avec d'autres.

— Tu sales, tu jettes, tu laves et tu purifies la tasse. Ensuite, on va soigner doucement, couche par couche, mettre de la poudre de guérison, et on recommence toutes les étapes jusqu'à ce qu'elle soit débarrassée de l'infection.

Elles travaillèrent pendant plus de deux heures, le plus souvent sous l'œil attentif de Flynn.

Enfin, Lana posa la main sur le front de Starr après lui avoir épongé le visage.

— Elle n'a plus de fièvre.

— Elle ne va pas mourir ?

Lana se tourna vers Flynn.

— Elle aurait dû mourir. N'importe qui d'autre ne disposant pas de sa volonté de fer serait mort. Elle aura des cicatrices, à l'intérieur et à l'extérieur. On ne peut pas guérir à cent pour cent. Mais elle va vivre, et il lui faut quelqu'un en qui elle a confiance pour passer du baume sur les brûlures qu'on n'a pas pu soigner entièrement. Je te donne le pot. Tu pourras lui en mettre deux fois par jour ?

— Oui, elle voudra bien. Elle acceptera peut-être aussi que Fred le fasse. Et Fallon maintenant. Elle a foncé en plein dans une boule de feu qui aurait tué au moins six personnes.

— Tu sais combien il y a de morts, de blessés ? l'interrogea Fallon.

— Neuf morts sur le champ de bataille, deux personnes entre la vie et la mort. Des blessés… cinquante, soixante ? Ce serait pire si vous n'aviez pas été là, toi, Duncan, Tonia. Lana et Simon. Ç'aurait été pire si les recrues que vous avez amenées n'étaient pas venues en masse pour se battre.

Flynn regarda Lana et sourit légèrement.

— C'est ton fils qui les a rassemblés. Colin. C'est ce qui se dit. Je reste avec elle jusqu'à son réveil.

— Elle n'émergera pas avant demain matin, le prévint Lana.

— Je n'ai rien d'autre à faire, répondit-il avec un haussement d'épaules.

Fallon quitta la clinique et retourna au champ. Les fées avaient terminé leur travail, fait reverdir l'herbe et soigné les arbres. Les non-magyques s'occuperaient sûrement de reconstruire le kiosque et l'aire de jeux.

C'étaient des symboles, se dit-elle. Ils ne renonceraient pas à construire, se relever, se battre et vivre.

Elle se dirigea vers le corps d'Eric et ses deux gardes.

— Je vais m'en occuper maintenant.

— Ton père et Will ont dit qu'on devrait t'aider.

— Je dois le faire seule.

Elle attendit qu'ils se soient éloignés.

— Ce sont les choix que tu as faits qui t'ont amené ici. Je jure sur ma vie et sur ta mort que ta femme et ce que vous avez fait à vous deux finiront comme toi. Pas pour me venger. Pour que justice soit faite.

Depuis sa retraite dans l'ombre, tout à son chagrin, Duncan la regarda invoquer le feu et le répandre sur le corps à ses pieds. Il entendit qu'elle parlait irlandais, mais ne comprit que quelques mots.

Feu de lumière. Corps et âme.

Elle préleva des poignées de sel dans une besace et les dispersa sur les cendres, répandit dessus un liquide qui grésilla, puis s'immobilisa. Les doigts se recourbant dans l'air, elle amena ce qui restait d'Eric Fallon dans une boîte, qu'elle scella d'un doigt avec une ligne de lumière.

Elle glissa la boîte dans la besace, appela son cheval, son loup et son hibou. Puis, levant son épée vers la lune, elle disparut.

Il sembla à Duncan voir de la lumière zébrer le ciel et envoyer une pluie d'étoiles.

L'Élue voyage pour faire honneur à son sang et protéger la lumière, pensa-t-il en se relevant.

Et lui aussi agirait ainsi, jusqu'à la fin.

Épilogue

Épuisée par la bataille, la guérison, le voyage et le rituel, Fallon s'occupa de son alicorne et libéra le hibou et le loup pour qu'ils puissent chasser.

Elle voulait se coucher et rien d'autre. Pas de questions, pas de réconfort. Pas de rêves.

Demain, elle parlerait à Colin, lui dirait combien elle était fière qu'il ait réfléchi vite, qu'il ait bien voulu rester derrière avec Travis et Ethan pour protéger les enfants.

Demain, elle s'adresserait aux nouveaux soldats, rendrait visite aux blessés, irait parler aux proches des morts.

Demain, elle planifierait, mais ce soir, elle voulait seulement dormir.

Elle passa par l'entrée latérale, trouva la force d'aller sous la douche pour laver le sang, la crasse, la puanteur de la bataille et la fumée des sortilèges.

Elle sortit de la salle de bains avec l'intention de s'écrouler sur le lit. Duncan était étalé sur le seul fauteuil qu'elle avait dans la partie salon. C'était suffisant pour la surprendre, mais le deuxième choc survint quand elle se rappela qu'elle ne portait rien.

Elle lui envoya une insulte bien sentie et ne fit que s'humilier encore plus par le geste instinctif de se couvrir de ses mains.

— Dégage.

— Je ne suis pas venu pour te surprendre toute nue. C'est un bonus sympa, mais je ne suis pas responsable si tu n'as rien sur toi. J'ai besoin de te parler.

— Et moi, je ne veux parler à personne ce soir. Je suis crevée, je suis à poil. Va-t'en. Si mon père te voit ici, il te fait ta fête.

— Je vais prendre le risque. (D'un geste du doigt, Duncan ouvrit les tiroirs de la commode.) Si ça te dérange tant que ça, mets un truc. J'ai déjà vu des filles nues. On peut tout juste dire que t'en es une.

La douleur se lut sur le visage de Fallon et il ferma les yeux.

— Pardon. C'était déplacé. Habille-toi, d'accord ? Je t'attends dehors.

Il sortit et se promena. Il se demanda s'ils avaient rempli la piscine. Il se demanda pourquoi des gens voulaient une cuisine extérieure. Il se demanda pourquoi il n'avait pas pu rester loin d'elle alors qu'il n'avait pas encore pleinement repris le contrôle de lui-même.

Quand elle sortit, il garda les yeux au ciel.

— J'étais encore dans le parc quand tu t'es chargée du corps de ton oncle.

— Ne l'appelle pas comme ça.

— Tu as raison. Où as-tu emporté les cendres ?

— Loin d'ici. Là où ses deux harpies ne les trouveront pas, n'auront pas ce réconfort pour faire leur deuil.

— OK. (En se tournant vers elle, il vit qu'elle avait enfilé un tee-shirt et un pantalon en coton, mais qu'elle était restée pieds nus.) C'est moi qui ai amené Petra ici. Elle nous a piégés, pour que Tonia et moi, on soit ceux qui l'introduiraient dans New Hope. Elle s'en est vantée, après avoir… Elle avait des cupcakes.

— Des cupcakes ?

— À la framboise et aux violettes. Les fruits et les fleurs. Elle m'en a offert un et là, j'ai compris. Tout le temps qu'elle était ici, je n'ai pas perçu la noirceur en elle.

— Tu l'as cherchée ?

— Pas spécialement, non. J'ai tout gobé. J'avais aidé à sauver une jeune fille traumatisée. J'étais un héros.

— Moi, j'ai regardé. Chez elle et chez Starr.

— Starr ? s'étonna Duncan.

— Je n'ai presque rien vu chez aucune des deux. Elles masquent ce qu'elles ressentent. Ce soir, j'ai pu voir en Starr, elle cache de la rage, du chagrin et de la peur. Je n'ai pas vu en Petra avant ce soir.

— Tu n'as eu que quelques jours. Moi, des années.

— Seulement toi ? fit Fallon en levant les sourcils. Parce que tu es un héros ?

— Lèche-bottes. Si tu ne m'avais pas prévenu pour ces foutus gâteaux, les fruits et les fleurs, j'en aurais pris un. Du poison et des serpents noirs. Je serais mort parce qu'une jolie fille m'aurait donné un cupcake.

Il paraissait plus âgé, se dit Fallon. Plus proche de l'homme dans le cercle de pierres que de l'ado à moto.

— Je ne crois pas. Je pense que tu aurais vu avant de le manger.

— On ne saura jamais, maintenant, hein ? Je ne l'ai pas éliminée sur le moment. Elle était plus forte que je ne m'y attendais, et c'était trop con. Trop con.

— Peut-être, mais elle était préparée, contrairement à toi. C'était quelqu'un que tu aidais, quelqu'un que tu pensais en détresse.

— Je n'ai pas réagi assez vite, assez fort, et du coup, elle a attrapé Denzel. Et là, je ne pouvais plus penser qu'à le lui faire lâcher et à lui régler son compte moi-même. Elle lui a rompu le cou pendant que je restais planté là. Comme on brise un gressin en deux.

Ses paroles étaient imprégnées de chagrin.

— Il ne cherchait aucun mal. Il était inoffensif.

— Elle l'a tué pour t'atteindre.

La fureur revint le gifler.

— Tu crois que je le sais pas ?

Fallon fut accablée par sa souffrance, qui ouvrit quelque chose en elle. Elle le serra dans ses bras.

— Je suis navrée. Je suis navrée pour ton copain.

Duncan se raidit d'abord, puis accepta le réconfort.

— Il n'avait jamais fait de mal à une mouche. Il avait une grande gueule et se prenait pour un guerrier, mais il n'avait jamais fait de mal à personne. C'était pas son truc. Et elle l'a tué comme s'il n'était rien. Elle a assassiné Carlee aussi. Son père l'a trouvée dans sa chambre, la gorge tranchée. Elle a tué Carlee parce que… merde.

— Tu l'aimais. Je suis désolée.

— Non, non, pas… On sortait juste un peu ensemble. Elle était aussi inoffensive que Denzel. Elle ne représentait aucune menace. Petra a tué Mina, et elle aurait tué Bill Anderson, mais il était chez son fils. Il n'était pas là quand elle est venue bousiller sa boutique. Pourquoi elle a fait tout ça ? Ils n'avaient pas d'importance. Contrairement à moi, à toi, à Tonia.

Fallon commença à reculer, or Duncan s'accrocha, donc elle lui accorda une minute supplémentaire.

— Tu n'as pas regardé entièrement en elle.

Il recula.

— Comment ça ?

— Tu as vu le mal. Tu as vu les ténèbres et la méchanceté. Tu n'as pas vu le produit des deux êtres qui l'ont conçue.

— Une aile noire, une aile blanche, les cheveux et les yeux bizarres. J'ai saisi.

— Tu ne les as pas vus comme des symboles. Tu n'as pas vu que les ténèbres en elle, fusionnées à partir d'eux, sont défectueuses. Elles sont… dégénérées.

— Tu es en train de dire qu'elle est folle.

— Je dis qu'elle est folle.

Duncan s'éloigna.

— Eh bien… c'est tout à fait logique.

— Avec ça, elle est rusée, comme un renard qui a la rage. Et ils sont patients, Duncan, très patients. Toutes ces années, ils ont attendu, à comploter et planifier. Ils ont envoyé leur enfant pour s'infiltrer.

— Elle aurait pu causer bien plus de dégâts, une fois sur place. Elle aurait pu faire plus que planifier une embuscade.

— Elle l'a sans doute fait. De petites choses. Une maladie, un accident. Quand on cherchera, on trouvera l'endroit où elle tenait ses rituels et on le purifiera. Nous les avons blessées, comme mon père l'avait fait dans la montagne, comme ma mère l'a fait sur ce même champ. Elles vont encore prendre leur temps. Et nous aussi. Le père de Petra est mort pour elle. Elle ne l'oubliera pas, je le sais. Elles l'aimaient.

— C'est pas de l'amour.

— Si, aussi véritable qu'un autre. Entre parents et enfants, entre compagnon et compagne. Elles l'aimaient. Maintenant, elles sont en deuil et elles souffrent.

— Nous aussi. (Duncan fourra les mains dans ses poches et contempla les étoiles.) Elle aimait tuer. Je l'ai vu quand elle a tué Denzel.

— Ça lui procure de la joie, de causer la mort et la douleur. Je… Je comprends mieux, maintenant. Pendant un instant, j'ai ressenti de la joie en transperçant Eric de mon épée. Je ne veux plus jamais éprouver ça.

— Je comprends, murmura-t-il. Je comprends bien.

— On voulait notre revanche, tous les deux, alors ç'a été le chaos. Les gens se battaient, mais c'était désorganisé. La prochaine fois, non. On aura plus de soldats, on va en former plus, et ce sera la discipline plutôt que le chaos.

Elle laissa échapper un profond soupir.

— Je me suis plantée.

— N'importe quoi.

— J'ai échoué, parce que j'ai agi à l'instinct, poussée par la colère. (À ce souvenir, elle se frotta le poignet droit, celui qui tenait l'épée.) Je voulais le sang d'Eric sur mes mains, et je l'ai eu, mais j'ai oublié la stratégie, la tactique.

— Pas complètement.

— Presque, à ce moment-là. Tu as assuré mes arrières. Merci.

— On est quittes, je pense.

— Comment va ta blessure ? (Il répondit par un haussement d'épaules, et elle eut un geste impatient.) Soulève ton tee-shirt.

— Ça va mieux, mais t'as peut-être juste envie de voir un peu de peau, vu que j'en ai vu beaucoup de la tienne.

— Sois pas con. (Elle posa la main sur son flanc, paume contre peau.) Il y a encore de la chaleur.

Elle la rafraîchit, se souvenant des conseils de sa mère. Lentement. Couche par couche.

— Voilà. Est-ce que…

Soudain, il l'attrapa comme l'autre fois, l'attira à lui.

— J'ai besoin de ça, dit-il avant de s'emparer de sa bouche.

Elle reconnut son désir, ce qui la perturba. Elle en avait envie et pas envie à la fois. Son sang battait si fort, si vite, qu'elle l'entendait dans sa tête comme des percussions tribales.

Son esprit lui ordonna de se détacher de lui, mais elle agrippa ses cheveux, émit un gémissement de plaisir interloqué tandis que Duncan jouait de sa langue chaude sur la sienne.

Il eut des visions d'une falaise balayée par les vents, surplombant une mer tumultueuse. Et de Fallon. D'une forêt si verte que l'air en avait le goût. Et de Fallon, toujours Fallon. D'un cercle de pierres sous un ciel rouge sang, et de Fallon qui invoquait l'orage.

D'un lit au clair de lune, et de Fallon sous lui, qui se mouvait, se mouvait sans cesse, les yeux comme des nuages d'orage.

Les visions tourbillonnèrent en lui au point de lui donner le vertige et finalement, il s'écarta.

— Tu as vu ? Tu as senti ?

— Je ne sais pas. Je ne sais pas. Je dois réfléchir. Je ne peux pas faire ça. (Des yeux comme des nuages d'orage rencontrèrent les siens.) Je ne sais pas comment faire ça.

— Je pourrais te montrer les étapes, mais… (Duncan se détourna, s'éloigna, se dit que le meilleur endroit où mettre ses mains serait dans ses poches.) Je crois que j'ai besoin de m'éloigner. Il me faut du temps, de l'espace. Prendre mes distances par rapport à toi. Et je pense que c'est réciproque ?

— Je ne peux pas être distraite par…

— Tais-toi. (Il fondit de nouveau sur elle et l'air sembla trembler autour de lui.) Ça ne me plaît vraiment pas de me faire traiter de distraction, alors tais-toi deux secondes. Laquelle des bases pourrait me prendre comme instructeur ? Je suis doué. Ça sera dur pour maman, mais elle tiendra le coup. Je peux aider à recruter depuis là-bas. Je pourrai explorer, faire des rapports et aider à entraîner les soldats.

— Et prendre tes distances.

Elle était abasourdie et inquiète de l'envie énorme qu'elle avait de décréter qu'on avait besoin de lui ici. De l'envie énorme de ne pas le laisser partir.

— Ce serait avec Mallick que tu serais le plus utile. Les recrues ont une grosse marge de progression, là-bas.

Et ainsi, il pourrait former et être formé.

— D'accord, je vais là-bas. D'ici un ou deux jours. Tu penses qu'il y a combien de temps, à ce stade, avant qu'on tente de prendre Washington ?

— Deux ans minimum. Il faudra…

— Deux ans, la coupa-t-il. Je peux faire ça. C'était ta sentence, non ? Deux ans loin de ta famille. Mais moi, je pourrai flasher ici, faire mes rapports. Ce sera plus facile pour que ma mère s'habitue.

Il était à quelques pas d'elle sous la lune.

— Je reviendrai, et je reviendrai pour toi. Tu as deux ans pour y réfléchir.

— Nous avons une guerre à livrer et à remporter, Duncan. Tout, tout en dépend.

— Mais on ne doit pas s'arrêter de vivre pour autant, sinon, quel intérêt ? Je t'aiderai à monter et à former ton armée, Fallon. Je me battrai avec toi et pour toi. Et je viendrai pour toi.

Il sourit.

— Tu n'as toujours pas dit non.

Et il disparut.

Seule, Fallon resta où elle était. Deux ans. Tant de choses pouvaient se produire. Des vies perdues, des vies sauvées. Quand elle pensait à ces deux ans, elle se devait de réfléchir d'un point de vue stratégique et non émotionnel.

Duncan remuait trop d'émotions.

De la distance, voilà qui serait mieux pour tout le monde.

Elle avait une armée à mener, des batailles à planifier, de la magye à produire.

Deux ans, un battement de cils, une éternité ? Dans tous les cas, cela commençait au matin.

Elle entra dans la chambre, s'allongea sur le lit sans prendre la peine de se dévêtir. Pour le bien de tous, elle envoyait Duncan au loin. Seraient-ils les mêmes, l'un et l'autre, quand il reviendrait ?

À moitié endormie, elle leva la main pour allumer sa bougie.

Et en rêve, elle vit la flamme guider le chemin de Duncan et le sien, séparément.

Était-ce de l'amour ? Du désir ? Le devoir ?

Les trois pouvaient-ils trouver une manière de ne faire qu'un ?

Au-dehors, la lune flottait dans le ciel empli d'étoiles. L'orage était passé. Le suivant avait déjà commencé à se préparer.

Ce que la presse a dit de la série *Abîmes et ténèbres*

Tome 1
L'éclipse

« Magnifique [...]. Un scénario digne des grands classiques de fin du monde comme *Le fléau* de Stephen King. » *New York Times Book Review*

« On attendait depuis longtemps cette incursion de Nora Roberts dans une vraie série de science-fiction moderne. Les personnages fascinants et la dystopie bien construite se combinent à une intrigue captivante qui séduira un nouveau lectorat. » *Library Journal*

« Le virage pris par Nora Roberts est électrisant et sans précédent. » *Kirkus Review*

« Ce que Nora Roberts accomplit avec ce renouveau radical, c'est de s'assurer de rejoindre de nouveaux fans, parmi les amateurs de science-fiction apocalyptique et de romans d'anticipation. » *Booklist*

« Nora Roberts sait exactement comment envoûter un public. » *The Washington Post*

« Vous serez happés. » *People Magazine*

Recommandé comme l'un des quatre titres à lire durant la relâche par le journal étudiant *The Carolinian* et comme l'un des meilleurs livres de l'hiver par l'Association des retraités américains.

Tome 2
La prophétie

« Nora Roberts poursuit sa série apocalyptique avec une suite bluffante, à la fois audacieuse et stupéfiante. [...] Découvrir la nouvelle génération et voir l'héroïne grandir, autant à travers ses dons que son leadership, est une expérience captivante. » *Kirkus Review*

« [Ce deuxième tome] peut être lu pour lui-même. [*La prophétie*] séduira les fans de dystopie avec un récit haletant et une héroïne marquante. » *Publishers Weekly*

À suivre dans…

L'Élue

Abîmes et ténèbres – 3

Fallon, Duncan, Tonia et leurs amis ont grandi dans un monde qu'on peine à imaginer. Ils n'ont pas vingt ans et portent tous les espoirs des survivants sur leurs épaules. Ce sont des leaders, des guerriers, des magiciens et, surtout, des cœurs assoiffés de justice et d'amour.